D0433215

Rick

DE MINIATUURSCHILDER

Gemeentelijke Bibliotheek
Beveren
Uitleenpost
Kieldrecht

Brenda Rickman Vantrease

De miniatuurschilder

Van Holkema & Warendorf
Unieboek BV, Houten/Antwerpen

Oorspronkelijke titel: *The Illuminator*
Oorspronkelijke uitgave: St. Martin's Press, LLC
Copyright © 2005 by Brenda Rickman Vantrease

Copyright © 2005 Nederlandstalige uitgave:
Uitgeverij Unieboek BV,
Postbus 97, 3990 DB Houten

www.unieboek.nl

Vertaling: Jan Smit
Omslagontwerp: Henry Sene Yee Design
Omslagbewerking: Wil Immink
Opmaak: ZetSpiegel, Best

ISBN 90 269 8383 2 / NUR 342

Alle rechten voorbehouden. Niets uit deze uitgave mag worden verveelvoudigd, opgeslagen in een geautomatiseerd gegevensbestand, of openbaar gemaakt, in enige vorm of op enige wijze, hetzij elektronisch, mechanisch, door fotokopieën, opnamen, of op enig andere manier, zonder voorafgaande schriftelijke toestemming van de uitgever.

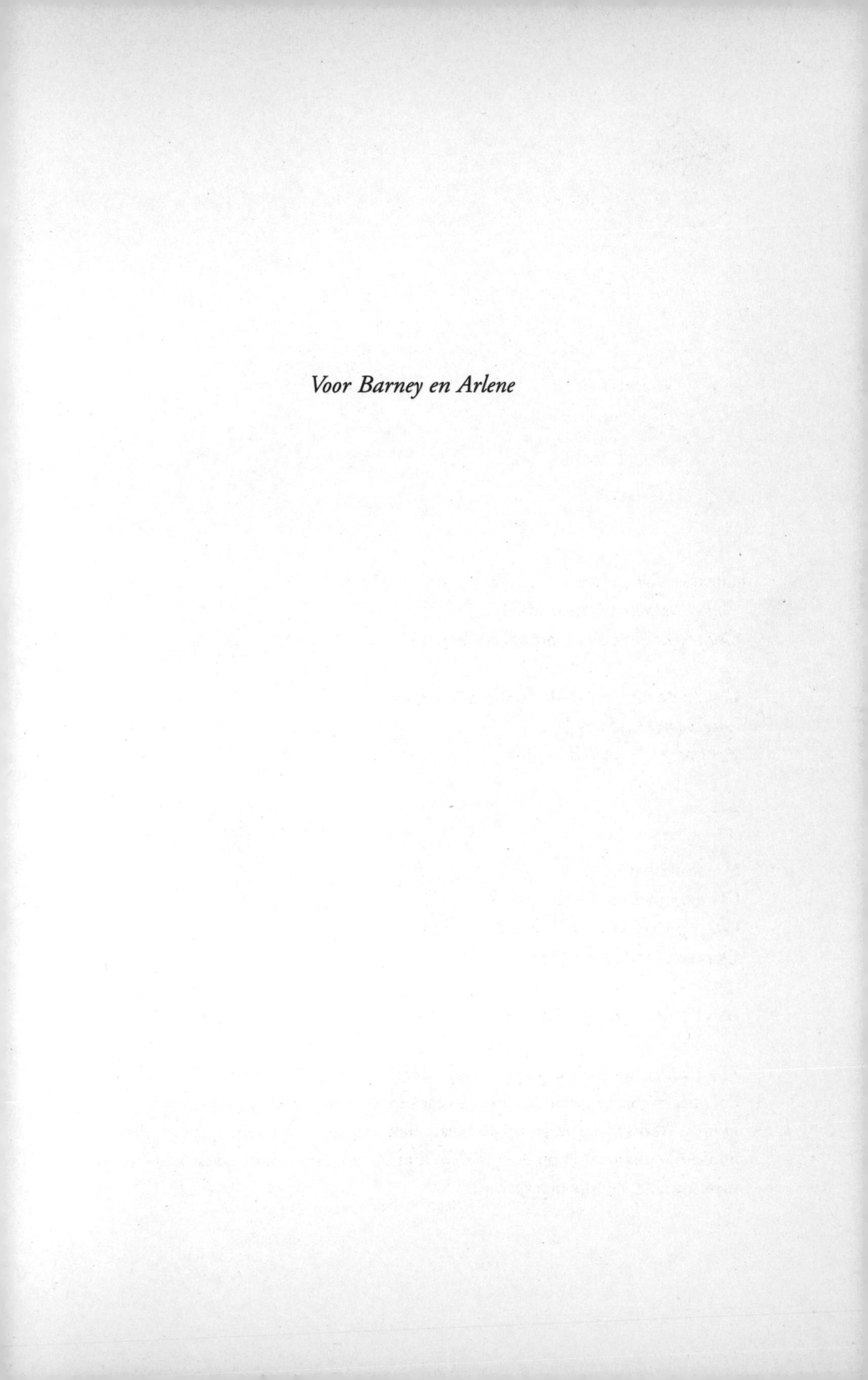

Voor Barney en Arlene

Proloog

Oxford, Engeland

1379

John Wycliffe wreef in zijn vermoeide ogen. De kaars begon zwakker te branden en walmde wat. Over een paar minuten zou hij doven, en het was zijn laatste. De maand was pas twee weken oud, en nu al was Wycliffe door zijn toelage heen. Als rector van Balliol College, aan de universiteit van Oxford, kreeg hij materiaal dat voor de meeste geestelijken wel voldoende was – zolang ze maar overdag werkten en 's nachts sliepen. Maar Wycliffe sliep zelden in de nachtelijke uren. Zijn gedrevenheid dwong hem al vroeg uit bed en hield hem wakker tot heel laat in de avond.

De oranje gloed van de houtskoolbrander was niet voldoende om de duisternis te verdrijven die steeds dieper werd in de hoeken van zijn sobere vertrek. De kaars sputterde en doofde. Het meisje zou zo wel komen. Hij kon haar naar de kaarsenmaker sturen en een kaars uit eigen zak betalen. Hij wilde niet extra aandacht op zijn werk vestigen door een grotere toelage aan de quaestor te vragen of bij collega's geld te lenen.

Het kamermeisje was laat, maar dat gaf hem gelukkig wat respijt. Wycliffe had kramp in de hand waarin hij zijn pen vasthield, en hoofdpijn door het turen in het schemerlicht. Hij voelde zich stram en stijf na al die uren waarin hij over zijn bureau gebogen had gezeten. Maar ook geestelijk was hij uitgeput. Zoals altijd als hij moe was, begon hij weer te twijfelen aan zijn missie. Was het misschien trots, intellectuele hoogmoed, en niet God, die hem tot zo'n gigantische taak had geroepen? Of was hij gewoon in deze verraderlijke richting gedwongen door de machinaties van de hertog van Lancaster, John of Gaunt? De hertog was op weg een koninkrijk te winnen en wilde de rijkdommen daarvan niet delen met een hebzuchtige Kerk. Maar het was geen zonde, redeneerde Wycliffe, om het beschermheerschap van zo'n man te accepteren, zeker niet als ze samen de tirannie van priesters, bisschoppen en aartsbisschoppen konden doorbreken. John of Gaunt, de hertog van Lancaster, handelde misschien uit eigenbelang. Maar John Wycliffe wilde de ziel van Engeland redden.

De dood van koning Edward was een zegen geweest, ondanks de politieke strijd die nu was ontbrand tussen de ooms van de jonge koning. Edward was omgeven geweest door een sfeer van verloedering. Zijn hof had een uitstraling gehad van zonde en corruptie. Hij had openlijk samengeleefd met zijn maîtresse. Alice Perrers moest volgens de geruchten een grote schoonheid zijn, maar Wycliffe zag haar als een instrument van de duivel. Wat voor zwarte kunsten had die louche intrigante toegepast om de ziel van een koning voor zich te winnen? Na Edwards dood was Alice Perrers in elk geval verdwenen uit de beerput van dat hof. John of Gaunt was nu regent. En John of Gaunt stond aan zijn kant.

Voorlopig.

Wycliffe schoof zijn stoel naar achteren en staarde uit het raam dat uitzicht had op Oxford. Beneden op straat hoorde hij het gelal van feestvierders, studenten die al te veel bier in hun buik hadden maar er geen genoeg van konden krijgen. Hoewel het Wycliffe een raadsel was hoe ze aan het geld kwamen voor hun eindeloze slemppartijen. Waarschijnlijk dronken ze het goedkoopste bier, van de bodem van het vat, hoewel er heel wat meer drank nodig was dan wat zelfs een dikke bierbuik kon bevatten om zo'n staat van dronkenschap teweeg te brengen.

Eén moment was hij bijna afgunstig op hun onschuld, hun losbandige plezier, het gebrek aan richting in hun leven.

Het meisje kon elk moment hier zijn. Ze was al een uur te laat, zoals hij zag aan de paarsblauwe reflectie in het raam – een echt glazen venster, als symbool van zijn status. In die tijd had hij twee hele pagina's uit de Vulgaat kunnen vertalen, nog twee bladzijden als toevoeging aan de stapel die de volgende morgen naar East Anglia zou gaan. Hij was blij met het werk dat de miniatuurschilder voor hem had gedaan: niet te overladen, maar heel mooi, passend bij de tekst. Hij hield niet van die profane capriolen van beesten, vogels en narren die als amusement de marges sierden, met die schreeuwerige kleuren van het Parijse gilde. Bovendien werkte deze miniatuurschilder goedkoper dan de Parijse meesters. En de hertog zei dat hij discreet en betrouwbaar was.

Stemmen zweefden omhoog – gelach, flarden van een lied. Toen verdwenen ze weer. Veel langer kon het meisje toch niet wegblijven. Hij moest vannacht nog een langer stuk vertalen. Hij was nu halverwege het evangelie van Johannes. Schaduwen flakkerden door de kamer. Zijn oogleden werden zwaar.

Jezus had de priesters in de tempel getrotseerd. Wycliffe was wel opgewassen tegen een paus. Of twee.

Kooltjes verschoven in de brander en fluisterden hem toe: *Zielen gaan verloren terwijl jij treuzelt.*

Hij viel half in slaap bij de gloeiende as.

Joan wist dat ze te laat was toen ze haastig de trappen beklom naar de kamers van meester Wycliffe. Hopelijk was hij zo verdiept in zijn werk dat het hem niet zou opvallen, maar ze had geen kaars zien branden achter zijn raam. Soms merkte hij nauwelijks dat ze er was als ze zijn beddengoed kwam ophalen, de vloer aanveegde en zijn nachtspiegel leegde. Zou ze de pech hebben dat hij juist vanavond in een van die zeldzame stemmingen zou zijn waarin hij naar haar familie informeerde en vroeg hoe ze hun zondagen doorbrachten en of iemand van hen kon lezen?

Ze nam hem zijn nieuwsgierigheid niet kwalijk – ondanks zijn korzelige manier van doen had hij vriendelijke ogen, en als hij haar 'kind' noemde, deed hij haar aan haar vader denken, die vorig jaar was gestorven – maar vandaag had ze geen zin om met hem te praten. Dan zou ze zeker in tranen uitbarsten, en bovendien zou hij kritiek hebben, dacht ze, terwijl ze de relikwie betastte die met een koordje aan haar ceintuur hing, als een rozenkrans om haar middel gebonden.

Ze streek haar losse haar glad onder de armoedige linnen muts, haalde diep adem en klopte zachtjes op de eikenhouten deur. Toen er geen antwoord kwam, klopte ze opnieuw, wat luider nu, en schraapte haar keel. 'Meester Wycliffe, ik ben het. Joan. Ik kom uw kamer schoonmaken.'

Ze probeerde de deurkruk, die meegaf onder haar hand. Voorzichtig opende ze de deur op een kier.

'Meester Wycliffe?'

Een norse stem uit het donker: 'Kom binnen, kind. Je bent laat. Niet zo talmen.'

'Het spijt me heel erg, meester Wycliffe. Maar het is mijn moeder, ziet u? Ze is ernstig ziek. En ik ben de enige die voor de kleintjes kan zorgen.'

Haastig liep ze de kamer door om haar werk te doen, terwijl hij toekeek. Ze stak de bieskaarsen aan, die flakkerden toen ze het raam opende en de inhoud van de po naar buiten gooide. Ze pakte het vuile beddengoed in een bundel, zich bewust van zijn blikken. De papieren op zijn bureau liet ze ongemoeid – door ervaring wijs geworden.

'Zal ik de kaars vervangen, meester?'

'Hm. Ik heb geen andere meer. Ik wachtte op jou, zodat je er een paar voor me kon halen.'

'Het spijt me. Ik zal het meteen doen.'

Joan hoopte dat hij haar late komst niet zou verraden. Niemand wist wanneer haar moeder voldoende hersteld zou zijn om haar eigen werk als schoonmaakster weer op te vatten. Wycliffe draaide zijn stoel bij het raam vandaan. Hij maakte een handgebaar om haar tegen te houden, en keek haar vorsend aan. 'Je moeder is ziek, zeg je?'

'Ze heeft hoge koorts.' Joan knipperde haar tranen weg. 'Ik ben naar de heilige Anna geweest,' bekende ze, struikelend over haar woorden, 'om de priester te vragen voor haar te bidden.'

Hij kneep zijn lippen tot een strakke lijn boven de grijze haren van zijn baard. 'Dat geprevel van de priester is niet beter dan je eigen gebeden, kind. Misschien zelfs minder. Jouw woorden komen tenminste uit een zuiver hart.'

Hij stond op en torende boven haar uit – een strenge man in een eenvoudige mantel met een strakke wollen muts, die nauwelijks zijn grijze haar bedekte dat golvend over zijn schouders viel, tot aan zijn baard.

'Wat heb je daar aan je ceintuur hangen?' vroeg hij.

'Mijn ceintuur, meester?'

'Onder je arm. Iets dat je probeert te verbergen. Daarom valt het juist zo op.'

'Dit, meester?' Ze hield het bewuste voorwerp omhoog en voelde dat ze bloosde. Waarom deed zijn doordringende blik haar nu twijfelen aan wat een uur geleden nog zo verstandig had geleken?

'Een heilige relikwie,' zei ze, met gebogen hoofd. 'Het vingerkootje van de heilige Anna. Dat moet ik vasthouden als ik het onzevader bid. Ik heb het gekregen van de priester.'

'Juist. En wat heb je hem daarvoor betaald?'

'Zes penning, meester Wycliffe.'

'Zes penning,' zuchtte hij hoofdschuddend, en herhaalde het nog eens. 'Zes penning uit jouw loon.' Hij stak zijn hand uit. 'Mag ik die *heilige* relikwie eens zien?'

Ze prutste aan het koordje aan haar ceintuur en gaf het hem, met het botje. Wycliffe bekeek het en wreef het tussen duim en wijsvinger.

'Het is wel zacht voor een bot,' zei hij.

'Dat komt door het liefhebbende karakter van de heilige Anna, zei de priester.'

Wycliffe woog het op zijn hand. Het rode lintje leek als bloed tussen zijn vingers door te druppelen. 'Het is kraakbeen van een varken. Daar heeft je zieke moeder echt niets aan.'

'Kraakbeen?' Ze had moeite met dat onbekende woord.

'Het zachte bot uit het oor, de staart of de snuit van een varken.'

Kraakbeen? Had de priester haar een varkensoor gegeven om haar gebeden kracht bij te zetten? Hij had het haar goedkoop aangeboden, uit christelijke naastenliefde, had hij gezegd. Eigenlijk kostte het veel meer. Varkenskraakbeen voor haar moeder? Ze kon haar tranen niet meer bedwingen. De hele dag prikten ze al achter haar ogen. Wat moest ze nu?

Wycliffe gaf haar zijn schone, gestreken zakdoek, die ze herkende van het wasgoed van de vorige week. 'Luister, kind. Je hebt helemaal geen relikwie van een heilige nodig. Zelfs geen priester. Je kunt zélf voor je moeder bidden. Je kunt zélf je zonden rechtstreeks aan God biechten. Je kunt zélf hulp voor je moeder vragen in naam van onze Heer. Onze Vader in de hemel zal je horen, als je hart maar zuiver is. En dan, *nadat je hebt gebeden,* ga je naar een apotheker om een medicijn voor je moeder te kopen dat haar koorts kan verdrijven.'

'Ik heb geen geld voor een medicijn,' snikte ze.

'Ik zal je de relikwie terugbetalen.'

Terwijl ze haar ogen droogde met de zakdoek, die nu al vochtig was, liep hij naar de tafel om zijn beurs te pakken. Hij haalde er een shilling uit.

'Hier. Als je nog iets overhoudt na het kopen van het medicijn, haal daar dan wat kip voor, om soep te koken voor je moeder.'

'Meester Wycliffe, ik weet niet hoe ik u danken...'

'Je hoeft me niet te bedanken, kind. Je Kerk heeft toch minstens de plicht om je niet te bestelen. Ik heb je je eigen geld teruggegeven.' Hij haalde het botje van het koordje en gaf haar een klopje op haar hoofd. 'Ik zal die *relikwie* wel bewaren. Neem jij het koordje maar.' Hij glimlachte, en opeens leek zijn strenge gezicht veel milder. 'Het zal best mooi staan in je haar.'

In haar opluchting zou ze hem graag hebben omhelsd, maar zijn waardigheid weerhield haar. In plaats daarvan maakte ze een diepe reverence.

'Haast je nu maar, voordat de pillendraaier in King's Lane zijn deuren sluit voor de nacht. Kom, scheer je weg. Ik zal een gebed zeggen voor je moeder, en dat kost je niets.'

Pas toen het kamermeisje was verdwenen, dacht Wycliffe weer aan de kaarsen. Hij moest zelf maar gaan. Maar de avond was nog jong. Hij zou nog een paar pagina's kunnen doen voordat de vermoeidheid hem overviel en hij fouten ging maken. Het dutje had hem nieuwe energie gegeven en de situatie van zo-even had hem gesterkt in zijn beslissing. Zorgvuldig deed hij de deur achter zich op slot – wie weet wat voor nieuwsgierige ogen hem in de gaten hielden – en daalde haastig de smalle trappen af naar buiten, op zoek naar licht.

I

NORWICH, EAST ANGLIA

JUNI 1379

Eén, twee, drie? Hoeveel slagen? Half-Tom, de dwerg, liep hijgend naar de markt van Norwich, turend naar de zon boven zijn hoofd, terwijl hij de klokslagen telde. Twaalf slagen was sextentijd voor de monniken. In gedachten zag hij hen zwijgend in hun zwarte pijen voor het middaggebed vertrekken, twee aan twee, met hun handen kruislings in hun mouwen gestoken. In een lange rij bewogen ze zich geruisloos door de kloostergang, als palingen door het drabbige water van het moerasland waar hij woonde. Voor geen prijs zou Half-Tom zijn groene heiligdom van wilgen en riet willen ruilen voor hun wereld van kilte en prachtige steen.

De weg was stoffig en de zon scheen heet op zijn rug. Hij versnelde zijn pas. Als hij niet voortmaakte, zou de donderdagmarkt al afgelopen zijn voordat hij er was. Thorsdag, zo noemde Half-Tom het altijd. Hij hield van de oude namen die de hoofdrol speelden in de verhalen uit zijn jeugd, de tijd toen de vikingen nog strijd leverden met de goede koning Alfred om de heerschappij van East Anglia. Bloedige verhalen, soms, maar met de belevenissen van dappere kerels. Helden, allemaal, stoutmoedig en sterk.

En lang.

Half-Tom had nog nooit een echte held ontmoet. Volgens de monniken kwamen ze enkel nog voor in de oude liederen van de minstrelen. In elk geval zag je ze niet meer in het Engeland van Edward III. Was Edward nog koning? Dat moest hij eens op de markt vragen.

Nog meer klokken, met luide klepels. Roepend als kinderen, bedelend om aandacht, antwoordden ze de moederklokken van de kathedraal. Achter de stadsmuren waren er kerken overal, gebouwd door wolhandelaren met het geld dat ze in Vlaanderen hadden verdiend. Een poging om God om te kopen, of een monument van hun eigen trots? Als North Folk net zoveel vrome gelovigen telde als dat het kerken had, dacht Half-Tom wel eens, zou het toch meer een hemel moeten zijn en minder een hel. Eigenlijk kende hij maar één vrome ziel, eentje maar, en dat was geen held, maar een vrouw. Hij had haar vandaag nog een bezoek willen brengen, maar veel tijd was er niet meer.

Hij was al bij het eerste ochtendlicht uit de moerassen vertrokken, met zijn wilgenmanden op zijn rug. Op de harde, hobbelige weg van Saint Edmund naar Norwich had hij de gebruikelijke gevaren getrotseerd van pelgrims, dieven en bedelaars, terwijl zijn korte beentjes hun best deden om nog voor het middaguur bij de weekmarkt aan te komen. Zijn spieren protesteerden luid, zijn schouders deden pijn door het gewicht van zijn wiebelende bepakking en zijn stemming was tot het nulpunt gedaald door de voortdurende noodzaak om te antwoorden op de flauwe grappen van vrijbuiters en dagloners die hun saaie tocht probeerden te verlevendigen door een dwerg uit te schelden. Voor hen een spel, voor Half-Tom een gevaar. Hij had al twee palingen en een palingmand met een lange, afgesloten hals moeten afstaan aan struikrovers die hem als voetbal wilden gebruiken.

Het grote pak op zijn schouders sloeg hem bij elke stap tegen zijn rug en schaafde de huid onder zijn wambuis open. Zweet prikte in zijn ogen. De zeug met de drinkende big die hem de weg versperden, zag hij pas toen het beest dreigend begon te grommen. Haastig stapte hij opzij om dit laatste obstakel tussen hemzelf en de stadspoorten te ontwijken, waardoor zijn bepakking een vreemde zwaai maakte, een van de leren riemen knapte en het hele zaakje tegen de grond sloeg. De inhoud vloog alle kanten op in de modder.

'Die vervloekte bisschop met zijn zwijnen!' riep hij uit.

Het varken snoof, schudde haar snuit tegen hem en ontblootte haar hoektanden. Een brede frons spleet het ronde gezicht van de dwerg toen hij een nijdige schop gaf naar de flanken van de zeug, maar zonder het dier te raken.

Half-Tom was wel kwaad, maar niet dom.

Het varken kwam op hem af en vertrapte een grote ronde mand. De dwerg vloekte opnieuw toen hij de wilgentenen hoorde breken. Een hele week werk verpletterd onder de poten van een zeug! Een hele week was hij bezig geweest met het verzamelen en schillen van de wilgentenen, die hij met zijn grove handen licht en behendig tot sierlijke manden met lange halzen vlocht. Dat was zijn broodwinning. Die manden waren bedoeld om paling mee te vangen of op de markt te ruilen voor een zak meel of bloem, of – als de handel gunstig was – voor een pint bier aan het einde van de dag. Dat leek ijdele hoop, vandaag. Hij mocht van geluk spreken als hij nog genoeg van zijn handel zou kunnen redden om een halve portie bloem te kopen.

Woedend spuwde hij een fluim naar het lastige beest.

Vervloekte zeug. O ja, het was er een van de bisschop, dat zag hij aan de inkeping in het oor. En dat dier maakte zomaar een stinkend gat hier midden op de weg naar de op twee na grootste stad van Engeland. Zich wentelend in haar eigen vuil leefde ze van wat de adel haar toewierp – genoeg om het hongerige kroost van een eenvoudige poorter een maand mee te kunnen voeden. Ze leek hem te bespotten met haar flaporen, afgezet met een randje lichtgrijs haar, als een sjofele bisschopsmijter.

Half-Tom voelde zijn maag rammelen van frustratie. Het stuk brood met vet dat hij in alle vroegte had gegeten was lang niet genoeg geweest. Hij dacht aan het knipmes in zijn laars en wierp een verlangende blik op het drinkende biggetje. Wat kon het hem schelen of het eigendom was van de Kerk? Er waren al mensen die vonden dat de

Heilige Kerk toch al veel te rijk was, mensen die beweerden dat een mens ook wel zelf zijn gebeden kon zeggen, zonder tussenkomst van een priester. Ketterij, riepen anderen dan. Maar Half-Tom wist heel zeker dat hij net zo goed een gebed kon uitspreken boven een gebraden varkenslap als mensen die langer van stuk waren dan hij – benedictijnen of franciscanen.

En was de bisschop hem niet iets schuldig voor die vernielde manden?

Hij veegde het zweet van zijn voorhoofd met de rafelige mouw van zijn kiel en keek om zich heen. De weg was verlaten – zelfs de bedelaars waren nu naar de markt vertrokken – afgezien van een eenzame ruiter die naderde uit het zuiden. Een stipje nog slechts aan de horizon. Te ver weg om iets te kunnen zien, als Half-Tom snel te werk ging. Een paar struiken vormden een welkome beschutting tegen de blikken van iedereen die door de stadspoort kwam. Achter hem stond een boerenhut, waar niemand te zien was, behalve een kind – een peuter nog, te jong om te getuigen – dat met een kip speelde in de deuropening.

Maar toch, een varken van de bisschop stelen... Dat was net zoiets als een hert stropen op de landgoederen van de koning. In het gunstigste geval werd dat toch de schandpaal, een extra pijnlijke straf voor een dwerg, die meer dan het gebruikelijk aantal kwelgeesten aantrok. En als hij op heterdaad werd betrapt zou het zelfs de strop kunnen betekenen.

Hij trok aan zijn vlassige baardje. Het stipje aan de horizon nam de vorm aan van een ruiter te paard.

Luid vloekend schopte hij nog eens naar het varken, en deze keer raakte zijn houten klomp wel degelijk de flank van het beest, niet bepaald zachtzinnig maar ook niet hard genoeg om zijn woede te kunnen koelen. De zeug hees zich overeind. Half-Tom had zich alweer over de restanten van zijn handel gebogen en negeerde haar.

Hij lette ook niet op het kind dat op onzekere beentjes over de drempel van de hut waggelde en naar de rand van de weg toe kwam. Meestal had hij wel plezier in kinderen die zich tot hem aangetrokken voelden vanwege zijn geringe gestalte – niet de oudere, puistige jongens die hem treiterden, maar de kleuters. Hij had zelfs wel eens zijn magere beurs geplunderd voor een stuiver om een paar suikerbonen voor hen te kopen. Maar op dit moment werd hij zo opgeëist door zijn woede en de verleiding om de big te stelen dat hij geen aandacht had voor het blonde engeltje dat hem met grote, ronde ogen stond aan te staren.

De big – waarschijnlijk de laatste van de worp, want Half-Tom zag geen andere meer – kwam overeind, verontwaardigd krijsend over deze interruptie van het zogen, en volgde de zeug. Half-Tom keek op en zag nog net dat het kind een mollig handje uitstak naar de big. Ze deed een greep naar het krulstaartje, hield het in haar vuistje en gaf een ruk. Het gekrijs van de big sloeg om in gejammer. Het kind lachte en trok nog harder.

'Laat die staart los!' riep Half-Tom, terwijl hij zijn mand liet vallen. 'Niet...'

Maar de jankende big had al de aandacht van de zeug getrokken. Nijdig waggelde ze op het kind af, zo vastberaden als een moeder van duizend pond dat kon. Haar dreigende gegrom begeleidde nu het janken van de big. Nog altijd liet het kleine meisje niet los, maar toen ze het agressieve varken op zich af zag komen, veranderde haar vrolijke lach in een angstig gesnotter. Als verstijfd klemde ze zich koppig aan het staartje vast.

De zeug ging in de aanval.

Het kind jammerde luid toen het varken haar grommend tegen de grond werkte en haar begon toe te takelen. Nu het biggetje veilig was – of misschien vergeten, bij het vooruitzicht van zo'n onverwacht, mals feestmaal – zette de zeug snuivend en slobberend haar tanden in het beentje van het kind.

Half-Tom sprong op de rug van het zwijn, maar hij had net zo goed een vlieg kunnen zijn op de flank van een paard. Het kind jammerde nu in doodsnood, kermend van pijn. Ze had een diepe wond in haar been, die hevig bloedde. De lappen vlees hingen erbij.

Het mes van Half-Tom glinsterde in het zonlicht toen hij toestak.

Het warme bloed van de zeug spoot hem in het gezicht en verblindde hem. De weeë, zoete geur drong diep in zijn neusgaten. Maar hij veegde het bloed met een mouw van zijn gezicht en stak weer toe.

En nog eens.

En opnieuw.

Het bloed spoot nu niet meer, maar stroomde als donker bier uit een tapkraan, totdat het varken van de bisschop eindelijk stil lag. Er ging nog een stuiptrekking door het grote lijf en de met bloed bevlekte snuit verkrampte om het been van de kleuter. Tussen de ontblote hoektanden was nog een hap afgescheurd vlees te zien.

Het gejammer van het meisje verstomde abrupt. Half-Tom tilde haar in zijn korte armen. Ze bewoog en ademde niet meer. Bloed druppelde uit de grillige wond in haar been en haar voet hing er vreemd bij.

Hij was niet snel genoeg geweest.

En hij had een varken van de bisschop gedood. Voor niets.

Half-Tom keek over zijn schouder. De eenzame ruiter was dichterbij nu. Hij hoorde het hoefgetrappel al. Of was dat zijn eigen hartslag?

Het lichaam van het meisje verstijfde in zijn armen en er ging een schok door haar heen. Een doodskramp? Haar adem leek in haar keel vast te zitten, als een gevangen vlinder die probeerde te ontsnappen. Haar hals trilde heel even. Half-Tom voelde een steek in zijn maag. Hij wiegde haar in zijn armen. Haar borst rees en daalde oppervlakkig. Toen zuchtte ze en begon te huilen, een zwak geluidje, dat het bloed uit zijn eigen hart leek te wringen.

'Het komt wel goed, kleintje. Stil maar. Oude Half-Tom zal je beschermen. Stil nou maar,' fluisterde hij, terwijl hij haar heen en weer wiegde, heen en weer. 'Misschien zullen ze hem opknopen voor de moeite,' mompelde hij toen bij zichzelf, 'maar hij zal je beschermen.'

Het leken uren, maar het hele incident had nog geen minuut geduurd. Opeens besefte Half-Tom dat hij, het kind en de dode zeug aan zijn voeten niet alleen waren op de wereld. Een vrouw rende uit de deuropening van de hut naar hen toe, met haar armen uitgestoken en haar rokken wapperend achter haar aan, als de vleugels van een grote grijze vogel. Toen ze haar kind zag, begon ze te huilen en te jammeren – onverstaanbare kreten, die door de lucht kronkelden als de palingen die op de grond uit hun kapotte manden glibberden.

Blij met een hoofdweg na zijn tweedaagse rit vanuit Thetford door dichte bossen en brak moerasland, had Finn aanvankelijk niets in de gaten van de bloederige confrontatie tussen de dwerg, het varken en het kind. Van een afstand zag de ruiter de dwerg zelfs voor een kind met een driftbui aan. Groene velden, grazende schapen, de warme zon op zijn rug, de gedachte aan een vleespastei en een pul bier voordat hij begon aan de laatste twintig kilometer naar Bacton Wood en Broomholm Abbey, ten noorden van Norwich... dat alles had hem een vals gevoel van rust gegeven.

Toen zag hij de gillende vrouw uit de hut naar buiten stormen.

Finn drukte zijn hakken tegen de flanken van zijn geleende karrenpaard om het vermoeide dier tot een galop te bewegen. Bij de hut aangekomen hield hij lang genoeg de teugels in om een blik te werpen op het gewonde kind, de ontstelde moeder en het dode varken. Hij steeg niet af, maar riep iets tegen de moeder met het toegetakelde, stille meisje in haar armen: 'Ademt ze nog?'

De moeder stond als verstijfd en staarde met grote ogen naar haar baby.

'Ademt het kind nog?' riep de ruiter weer.

De vrouw gaf geen antwoord, maar hield het meisje voor hem omhoog als een offer aan een godheid. De kleine gestalte lag heel stil. Finn nam het kind van haar over en drukte het tegen zich aan, terwijl hij erop lette dat hij de voet voldoende steun gaf. De tanden van het varken hadden het bot gebroken, vlak boven de enkel. Het beentje was zwaar verminkt, maar het bloedde niet meer. Finn meende een vage hartslag te constateren.

De dwerg deed een stap naar voren. 'Het kind is nog te redden, heer. Ze is nog niet blauw. Maar u moet voortmaken. Ik weet een heilige vrouw die bij de Carrow Priory in de kerk van Saint Julian woont.

Ze kan het kind behandelen en bidden voor een wonder. De kluizenaarster van Saint Julian, iedereen kent haar. Vraag maar naar moeder Julian.'

'Het duurt te lang om de weg te vinden,' zei Finn.

En voordat de kleine man kon protesteren dat hij niet de stad in wilde – Finn begreep wel waarom, want hij had ook het merkteken in het oor van de dode zeug gezien en het varkensbloed op de dolk en de kleren van de dwerg – tilde hij Half-Tom op zijn paard en reed naar de stadspoort.

'We komen terug zodra het kind is geholpen,' riep Finn over zijn schouder naar de vrouw, die hen roerloos nastaarde, als versteend.

Ze galoppeerden de poort door en kwamen bij het eerste kruispunt bijna in botsing met een kar met varkenskoppen. De dwerg wees met zijn rechterhand. Finn volgde zijn aanwijzingen en gaf zijn paard de sporen. Hij kreeg kramp in de arm waarmee hij het meisje vasthield om haar te beschermen tegen de dreunende hoefslag van het paard. Heel even keek hij omlaag. Ze lag zo stil als een pop. Hij bad dat ze nog een sprankje leven in zich had.

'King's Street en Rouen Road,' riep de dwerg in zijn oor. Hij moest zich zelf ook stevig vastgrijpen, en Finns wapengordel sneed in zijn lendenen.

Finn hield de teugels in voor een kleine vuurstenen kerk. Hij steeg af en wilde al naar de zware houten deuren lopen toen de dwerg iets bromde en naar een kleine hut wees die tegen de zijmuur van de kerk was gebouwd, nauwelijks meer dan een schuurtje. Finn herkende onmiddellijk de kale cel van een kluizenaar, die wel bij de kerk hoorde maar er geen deel van uitmaakte. Met twee grote stappen stak hij het kruidentuintje over en liep naar de buitendeur, die openstond om de warmte van de middag binnen te laten.

Vanbinnen klonk een vrouwenstem, die iets riep op de zangerige toon van een dikwijls herhaalde instructie: 'Als u voor de kluizenaarster komt, neem dan het portaal aan de andere kant, en tik op haar raam. Als ze niet in gebed is, doet ze het gordijn wel open.'

Finn bukte en stapte naar binnen, nog steeds met het kind veilig in de holte van zijn arm, die nu bijna gevoelloos was. Hij kwam in een kleine, kale cel, waar een kleine vrouw met brede heupen over de haard in het midden van de vloer gebogen stond. Finn wilde al roepen dat hij geen tijd had voor vrome plichtplegingen toen de vrouw zich omdraaide. Ze had een frons op haar gezicht en er lag een verwijt op het puntje van haar tong. Toen zag ze het kind in zijn armen.

'Breng haar hier,' zei ze, wijzend naar een raam met een brede vensterbank, waarachter een andere kamer lag. Haastig schoof ze een melkkan en een gebruikte broodplank opzij. Finn begreep dat dit de keuken van de tweekamerwoning moest zijn en dat het grote raam een doorgeefluik was waar de meid het eten klaarzette voor de heilige vrouw. Tussen de twee kamers zat een zware houten deur, afgesloten aan de keukenkant.

'Moeder Julian, er is...'

Achter het raam verscheen het gezicht van een vrouw met een kapje en een muts. Zonder te wachten op een uitleg voor de verstoring van haar rust stak ze haar armen uit en pakte het kind aan.

'Alice, snel. Haal water en schone doeken. En stamp wat moorwortel fijn.'

Finn keek toe van achter het raam. De kluizenaarster legde het bleke, roerloze meisje op een bed, dat samen met een schuine schrijftafel en een kruk het enige meubilair vormde in de kamer. Moeder Julian, zoals de dwerg haar had genoemd, was een tengere vrouw van een jaar of dertig, hoewel dat moeilijk te zien was omdat ze van hoofd tot voeten in een pij van ongebleekt linnen was gehuld. Het kapje en de muts lieten slechts haar gezicht vrij. Ze had heldere, diepliggende ogen in een ingevallen gelaat, dat toch niet mager leek omdat het zo'n rust uitstraalde. Haar stem was zacht en melodieus, als de wind die door een rietkraag ruiste. Zachtjes zong ze een wiegenliedje en troostte het kind, dat zich zo nu en dan bewoog en geluidjes maakte, als in een droom.

Finn had geen tijd gehad om lang na te denken over de suggestie van de dwerg, hoewel hij weinig vertrouwen had in kluizenaars en hun gebeden, evenmin als in de heilige relikwieën van aflaatpredikers en priesters die probeerden de schatkist van de Kerk te spekken. Maar hij had nog minder fiducie in de aanmatigende chirurgijnen van de universiteit, van wie de meesten hun academische toga's niet zouden bezoedelen ter wille van een bloedend boerenkind. Maar hij was niet ontevreden over zijn beslissing toen hij zag hoe Julian met snelle, efficiënte vingers de wond betastte, voorzichtig schoonmaakte met wat vruchtensap en afdekte met een papje van het mengsel.

De dwerg, die niet over de vensterbank heen kon kijken, ijsbeerde zwijgend heen en weer op zijn korte beentjes en wierp nerveuze blikken op de buitendeur.

'Zal de baby het overleven, moeder Julian?' riep Half-Tom luid genoeg om in de andere kamer te worden gehoord.

Julian legde het slapende kind neer, kwam naar het raam en keek over de vensterbank. 'Ik weet het niet, Tom. Ze is in Gods hand. Alleen Hij weet wat het beste is voor dit kleintje. Het bot zal wel helen, maar als het dier dat haar heeft aangevallen ziek was... moeten we vertrouwen op Zijn wil. Zoals in alle dingen.'

Ze had een stralende glimlach, zag Finn – een brede lach die alles leek te omvatten, als de zon die door de wolken brak. 'Komen jullie allebei maar naar mijn kluizenaarsraam. Mijn meid laat jullie liever niet in de keuken toe, uit bezorgdheid om mijn goede naam. Daar mogen we praten, en bovendien kun je daar het kind ook beter zien, Tom.'

Finn stapte naar buiten en liep terug door het portaal. Aan de andere kant was een afdakje boven het kluizenaarsraam van moeder Julian, waar haar bezoekers tegen de elementen konden schuilen als ze met haar spraken. Het raam was smaller dan het venster in de keuken, maar breed genoeg voor een gesprek, hoewel er minder te zien was van moeder Julians cel. Het gordijn was open. Half-Tom ging op de bezoekerskruk zitten. Finn bleef naast hem staan en boog zich wat naar voren, zodat de kluizenaarster hen allebei kon zien terwijl ze het kind verzorgde.

'Het was een varken van de bisschop,' zei de dwerg.

'Een misdaad waarvoor het dier al heeft geboet dankzij het dappere ingrijpen van mijn kameraad hier,' zei Finn. 'Als het meisje het overleeft, is dat aan Half-Tom te danken. En aan u, zuster. Ik begrijp dat u elkaar al kent.'

Het kind bewoog zich. De kluizenaarster drukte een lichte kus op haar voorhoofd, streelde haar haar en begon weer zacht te zingen, half een wiegenliedje, half een gebed. 'Ik ben geen *zuster*, maar gewoon Julian, een eenvoudige heremiet die God wil zoeken. Half-Tom bezoekt me op marktdagen en brengt me dan een gift van het water. Daar hebben Alice en ik een smakelijke maaltijd van.'

De dwerg bloosde diep. 'Ik heb vandaag geen gift, moeder,' mompelde hij. 'Die vervloekte zeug van de bisschop...'

'Lieve vriend, je hebt me juist een prachtige gift gebracht: dit kind, om te verzorgen. Zo kan ik Zijn liefde met haar delen. Daar ben ik jullie dankbaar voor, allebei, heer...'

'Geen *heer*. Gewoon Finn.'

'Finn,' herhaalde ze. 'U hebt een vriendelijk hart, maar de houding van een soldaat. Hebt u in de Franse oorlogen gevochten?'

Hij werd even van zijn stuk gebracht door haar scherpe inzicht en haar openhartige vraag. 'Niet meer sinds 1360, het Verdrag van Bretigny. Al negentien jaar ben ik een man van de vrede.'

Sinds de geboorte van mijn dochter en de dood van haar moeder, dacht hij, maar dat zei hij niet hardop.

'U zult dus geen gehoor geven aan de oproep van de bisschop om de wapens op te nemen voor de Heilige Vader in Rome, tegen de bedrieger in Avignon?'

'Ik zal niet vechten voor de bisschop of wie van zijn twee pausen dan ook.'

'Zelfs niet voor een heilige zaak in een heilige oorlog?'

'Er bestaat niet zoiets als een heilige oorlog.'

Hij meende instemming te lezen in de heldere blik van haar ogen toen ze heel even haar wenkbrauwen optrok.

'Behalve in de gedachten van de mensen,' zei ze.

Toen legde ze een deken over het slapende kind en veegde de zalf die ze op de wond had gesmeerd van haar handen.

'Wilt u de moeder van dit kind halen, Finn? Niets is zo heilzaam als de liefhebbende streling van een moeder. Van alle aardse gevoelens benadert dat het meest de liefde die onze Heer voor ons koestert.'

'Natuurlijk. Ik had de moeder beloofd dat ik bij haar terug zou komen. Ik zal haar terstond gaan halen.'

'Tom blijft hier totdat Alice schone kleren voor hem heeft gevonden. We zullen bidden voor het kind en haar moeder. En voor u.'

'Dank u, moeder.' Half-Tom keek naar het geronnen bloed op zijn handen. 'En ik zal bidden dat de bisschop niet ontdekt wie zijn varken heeft gedood.'

Als hij niet de ernst van de situatie had beseft zou Finn hebben geglimlacht om de wrange toon van de dwerg. Half-Tom was volledig overgeleverd aan de genade van de bisschop, en Henry Despenser stond niet bekend als een barmhartig mens. Een dwerg uit de moeraslanden, die zich in leven hield met wat het water en de grond hem boden, was geen partij voor een van de machtigste mannen in Engeland. Despenser zou hem verpletteren als een vlieg, misschien zelfs zijn leven nemen als prijs voor de dode zeug.

De kluizenaarster keek door het raam omhoog. 'Wees maar niet bang, Tom. Onze Heer is een veel machtiger rechter dan de bisschop en Hij ziet in alle harten.'

'Ik hoop alleen maar dat Hij oplet, dat is alles,' mompelde Half-Tom.

Finn legde een hand op zijn schouder. 'Vriend, zou je beledigd zijn als ik een bezoek aan de bisschop bracht om zelf de eer op te eisen voor de redding van het kind? Ik heb wat contacten met de abt van Broomholm. Die zouden gewicht in de schaal leggen bij een redelijk verweer.'

Finn wist niet of hij protest of opluchting op het gezicht van de dwerg las. Een mengeling van beide, waarschijnlijk. Maar na een korte aarzeling won Half-Toms angst het toch van zijn trots.

'Dan zou ik bij u in het krijt staan,' zei de dwerg, maar hij keek niet erg blij. 'De rest van uw leven of het mijne, welke ook het langste duurt.'

De kluizenaarster wierp Finn een dankbare blik toe.

Met hulp van Alice trok Finn zijn bebloede kleren uit en waste de vlekken uit zijn hemd. Hij wilde de moeder niet van streek maken door de aanblik van al dat bloed.

Ze wachtte nog steeds aan de rand van de weg, alsof ze daar al die tijd onbeweeglijk had gestaan.

'Je kind maakt het goed. Ik zal je naar haar toe brengen.' Hij stak zijn hand uit.

Ze gaf geen antwoord, maar klom zwijgend en versuft op zijn paard, achter hem.

'Sla je armen om mijn middel,' zei Finn.

Onderweg rook hij haar lucht, scherp en doordringend, vermengd met de stank van ranzig vet en rook van het kookvuurtje in haar hut. Hij dacht aan wat de kluizenaarster had gezegd over de kracht van moederliefde. Zijn eigen dochter had die nooit gekend. Maar hij hield van haar. Had hij haar niet alles gegeven wat ze nodig had? Soms hadden ze een extra kar moeten huren om al haar satijn en kant te vervoeren. Maar de kluizenaarster liet doorschemeren dat de liefde van een moeder op een mysterieuze wijze toch sterker was dan die van een vader. In andere omstandigheden zou hij daarover een stevige discussie met haar zijn begonnen. Bij alles wat hij deed dacht hij in de eerste plaats aan Roses welzijn en veiligheid. Geen enkele vader zou beter voor zijn dochter kunnen zorgen. Het was een belofte die hij aan Rebekka had gedaan, op haar sterfbed. En daar hield hij zich aan.

Hij gaf zijn paard de sporen. De dag liep al ten einde, en hij had nog geen geschikt onderkomen gevonden voor de nacht. Rose, die hij bij de nonnen in Thetford had ondergebracht, was niet blij met de scheiding. Hij had beloofd om nog vandaag een plek voor hen te vinden, maar de tijd was nu te kort.

Was het een overhaaste beslissing geweest om de schuld op zich te nemen voor de dwerg? Hij had weliswaar goede connecties en zijn reputatie dwong respect af, maar hij had ook zijn eigen geheimen, die hem in bepaalde kringen niet geliefd zouden maken. En dan was er de zaak van de papieren. Die moest hij in elk geval bezorgen voordat hij een bezoek bracht aan Henry Despenser. Dus zou hij het gesprek met de abt van Broomholm moeten uitstellen en misschien nog een nacht in een herberg moeten doorbrengen. Maar er zat niets anders op. Als de geïllumineerde teksten in zijn bezit werden aangetroffen, zou de bisschop hem ernstige verwijten maken en zeker niet lichtvaardig oordelen over de slachting van een varken. Het zou Finn zelfs de bescherming van de abt kunnen kosten.

De heg langs het veld rechts van hem wierp een korte schaduw. Als hij de moeder naar haar kind had gebracht bleef er nog wel tijd over om een boodschapper te zoeken die de papieren naar Oxford kon brengen. In elk geval wilde hij zijn dochter pas laten komen als hij deze kwestie met de bisschop had geregeld. En dat zou niet eenvoudig zijn.

Achter zich op het paard meende hij de moeder te horen huilen.

II

Zou een man terugdeinzen voor losbandigheid of bedrog als hij meent dat hij kort daarna, door de fraters wat geld te betalen, vergiffenis kan kopen voor de zonde die hij heeft begaan?

JOHN WYCLIFFE, 1380

Lady Kathryn van Blackingham Manor drukte de muis van haar hand stevig tegen de brug van haar neus terwijl ze over de plavuizen van de grote zaal ijsbeerde. In gedachten vervloekte ze die neuzelende priester en de bisschop voor wie hij met zijn handeltje langs de deuren ging! Hoe durfde hij hier weer te komen, voor de vierde keer in evenzoveel maanden, om zijn aflaatbrieven te slijten?

De druk onder haar linkerjukbeen was ondraaglijk, maar het had geen zin om een dokter uit Norwich te laten komen. Geen enkele arts zou in deze hitte zijn geleerde botten vermoeien om de maandelijkse migraine te behandelen van een vrouw die niet langer in de bloei van haar jeugd verkeerde. Hij zou gewoon een chirurgijn sturen om haar te aderlaten. Aderlaten! Alsof ze nog niet genoeg bloed had verloren deze week. Er zaten al vlekken in haar groenzijden tuniek en twee van haar mooiste linnen jurken.

En nu dít weer.

De meidoorn pronkte nog nauwelijks met zijn eerste witte knoppen toen de afgezant van de bisschop al op de stoep stond om geld te eisen voor een mis voor de ziel van Sir Roderick, die 'zo moedig zijn leven had gegeven in dienst van de koning'. De weduwe wilde toch wel de zekerheid dat de ziel van haar echtgenoot zonder belemmering de hemelpoort zou binnengaan? De *weduwe* had hem drie gouden florijnen gegeven, niet omdat ze zo begaan was met Rodericks zielenheil – wat haar betrof mocht de duivel hem zachtjes roosteren – maar omdat ze zich aan de plichtplegingen hield. Ter wille van haar zoons.

Toen de priester, die zich voorstelde als pater Ignatius, hoorde dat haar eigen biechtvader met Kerstmis was overleden, had hij haar berispt dat ze haar ziel en de zielen van haar personeel op Blackingham al die tijd verwaarloosd had. Hij bood haar aan een vervanger te sturen. Kathryn bedankte hem voorzichtig. Ze vertrouwde hem niet erg, en omdat ze zich niet weer zo'n veelvraat van een priester kon veroorloven had ze hem afgescheept met een vage belofte dat de leemte spoedig zou worden opgevuld.

Een paar weken later, op de eerste mei, stond de gluiperige pater weer voor de deur. 'Om de feestelijkheden te zegenen,' verklaarde hij. Opnieuw informeerde hij naar de toestand in haar priesterloze huishouding en weer poeierde ze hem af, nu met de smoes dat ze goede connecties had met de abt van Broomholm.

'Het is maar een klein eindje rijden naar Broomholm, en de abt neemt mij graag de biecht af. En dan is er nog de nieuwe kerk van Saint Michael in Aylsham. Bovendien krijgen we regelmatig bezoek van fraters – in een zwarte, grijze of bruine pij – die zich voor een stuk vlees en een pul bier wel willen bekommeren om het zielenheil van de zwaarste zondaars onder mijn pachters en wevers.'

Als hij het sarcasme in haar toon herkende, ging hij daar niet op in. Hij fronste slechts zijn dikke wenkbrauwen tot één enkele zwarte streep en waarschuwde haar nog eens voor de gevaren van het verzaken van de biecht. Tot haar opluchting scheen hij het daar verder bij te laten. Maar op de dag van zijn vertrek, terwijl hij zich tegoed deed aan een stevig ontbijt op haar kosten, merkte de priester op dat hij tot zijn schrik had vernomen dat wijlen haar man voor zijn dood een verbond zou hebben gesloten met John of Gaunt, de beschermheer van die ketterse John Wycliffe. Waarschijnlijk was het een onschuldige zaak, maar wie kwaad wilde zou er heel wat van kunnen zeggen. Zou de weduwe niet liever nog wat gebeden kopen? Om ongewenste praatjes de kop in te drukken?

Lady Kathryn wist ook wel dat haar gouden florijnen – waarvoor de sluwe priester haar bedankte 'in naam van de Heilige Maagd' – in de schatkist verdwenen van de ambitieuze Henry Despenser, bisschop van Norwich, voor zijn campagne in dienst van de Italiaanse paus. Nou ja, het kon beter worden besteed aan soldaten voor Urbanus VI dan aan juwelen en vrouwen voor de Franse paus in Avignon. Bovendien had ze geen andere keus dan te betalen. Haar landgoed kon elk moment door de Kerk of de kroon worden kaalgeplukt bij de eerste suggestie van verraad of ketterij.

Niet dat ze haar overleden echtgenoot in staat achtte tot verraad. Daar had Roderick gewoon de moed niet toe gehad. Als hij inderdaad was gesneuveld in een schermutseling met de Fransen, zoals het verhaal ging, moest hij van achteren zijn aangevallen. Hij had een vosseninstinct voor zijn eigen belang en zelfbehoud. Maar hij had wel een neiging tot domme en kleinzielige intriges, die haar en haar twee zoons het landgoed zouden kunnen kosten, ondanks haar rechten als zijn vrouw. Door zich aan te sluiten bij een van de meer ambitieuze ooms van de jeugdige koning had Roderick een gevaarlijk spelletje gespeeld. John of Gaunt was nu regent, maar hoe lang nog? De hertog maakte vijanden binnen de Kerk, machtige vijanden, tegen wie een eenzame weduwe weinig kon uitrichten.

Lieve hemel, wat had ze een hoofdpijn! Haar linkerslaap bonsde en ze vreesde dat ze haar lunch van gebraden haan en gekookte rapen niet binnen zou kunnen houden. Ze tuurde tegen de middagzon in en dacht met verlangen aan haar koele, donkere slaapkamer. Maar nu nog niet. Eerst moest ze de rentmeester spreken over zijn driemaandelijkse overzicht van inkomsten uit wol en pacht. Hij was al twee weken te laat met het innen van de bedragen en Kathryn zou zich pas gerust voelen als ze het geld daadwerkelijk in handen had. Bij het eerste teken van vrouwelijke zwakheid of verminderde oplettendheid zou de man haar onmiddellijk een oor aannaaien, zoals ze heel goed wist.

Haar voorraadje gouden florijnen begon al ernstig te slinken en dus had ze de priester bij zijn derde poging tevreden moeten stellen met haar robijnen broche. Hij was weer opgedoken op de feestdag van Maria Magdalena, met de suggestie dat een bijdrage voor de gebeden voor de ziel van koning Edward haar de zekerheid zou bieden dat niemand – zelfs haar vijanden niet – de loyaliteit van haar huis in twijfel zou kunnen trekken.

En vandaag? Vandaag had de hebzuchtige geestelijke haar de parels van haar moeder afgetroggeld. Met een vettig lachje had pater Ignatius ze onder zijn soutane laten verdwijnen. Ach, het waren maar parels, hield ze zichzelf voor, om het verlies te kunnen verwerken. Een glanzend, crèmekleurig snoer, de halsketting die haar vader haar vlak voor zijn dood in haar handen had gedrukt in een zeldzaam gebaar van affectie. *'Ik heb ze op onze trouwdag aan je moeder gegeven. Draag ze altijd op je hart,'* had hij gezegd. En dat had ze gedaan. Elke ochtend had ze het snoer om haar hals gelegd als een amulet, een teken dat haar moeder als een engel over haar waakte. Het halssnoer was net zo'n deel van haarzelf geworden als de sleutels van de kasteelvrouwe die tussen de plooien van haar rok hingen. En toch... het waren maar parels, dacht ze. Geen baksteen en mortel. Geen landerijen. Geen akten. En zelf had ze geen dochter die ze de parels in handen kon drukken met de woorden: *'Draag ze op je hart. Ze zijn van je moeder en je grootmoeder geweest.'*

'Ik heb niets meer over voor gebeden, pater Ignatius,' had ze gezegd, een beetje hees, met tranen in haar stem. 'Ik vertrouw nu op goddelijke bescherming voor onze ziel en zaligheid. Voor ons hoeft u geen moeite meer te doen.'

Hij boog zwijgend zijn hoofd – instemmend, hoopte ze – maar toen ze hem naar de binnenplaats loodste waar hij op zijn paard klom, had hij het woord tot haar gericht op die zalvende toon waar ze zo'n hekel aan had.

'Lady Kathryn, in een huishouding als de uwe,' zei hij, terwijl hij op haar neerkeek vanaf zijn paard, 'zou u uw *aangeboren* vroomheid als een mantel moeten dragen, om elke suggestie van een maatschappelijk schandaal te vermijden. Een *inwonende* priester is een vereiste voor elk werkelijk gelovig huis. Ik weet zeker dat uw vriend, de abt van Broomholm...' – weer dat sluwe lachje en die verholen blik onder zijn gefronste zwarte wenkbrauwen – 'dat met me eens zou zijn. Nietwaar?'

Dus hij had haar list doorzien. Hij wist dat ze geen vrienden had op de abdij.

Dat was het moment waarop ze die bekende druk achter haar linkeroogbol voelde. Hij zou een spion hier achterlaten, om nog meer greep te krijgen op haar beurs of, erger nog, zich permanent een plek te veroveren op het landgoed.

Hij wachtte niet op haar antwoord, maar greep de teugels in zijn hand en zei over zijn schouder: 'Denk maar eens na over wat ik heb gezegd. Dan praten we erover als ik volgende maand terugkom.'

Volgende maand... Bij alle heiligen en bij de Moeder Gods!

Er moest toch een manier zijn om van die kerkelijke afperser af te komen?

Toen de rentmeester een uurtje later eindelijk zijn opwachting bij haar maakte in de grote zaal, voelde lady Kathryn haar linkerslaap weer bonzen. Ze had moeite zich te concentreren.

'Als mijn vrouwe zich niet wel voelt, zal ik de tas met pachtgelden hier achterlaten. Verdiept u zich maar niet in de bijzonderheden van de boekhouding. Als Sir Roderick het druk had, liet hij dat dikwijls...'

Ze pakte de tas en woog hem in haar hand.

'Sir Roderick was beter van vertrouwen dan ik, Simpson,' zei ze onbewogen. 'Onthoud dat goed.'

'Ik wilde u niet grieven, vrouwe. Mijn enige bedoeling is u goed te dienen.' De woorden klopten, maar niet de toon. De man had een brutale houding die haar onrustig maakte – de manier waarop hij zijn schouders hield en haar aankeek met die norse blik in zijn half geloken ogen.

'Laat de boeken hier en kom morgen om dezelfde tijd maar terug,' zei ze, terwijl ze onbewust haar slapen masseerde.

'Zoals u wenst.' Hij legde de samengebonden vellen op de kast en verliet de kamer.

Eindelijk. Nu kon ze de rust van haar slaapkamer opzoeken. Als ze daar wist te komen zonder te braken...

Het was al schemerig in haar kamer toen ze een paar uur later wakker werd van het geluid van een piepende deur met ijzeren scharnieren.

'Alfred?' vroeg ze, zo zacht mogelijk, om het slapende beest in haar hoofd niet wakker te maken. Het was al inspannend genoeg om dat ene woord te vormen.

'Nee, moeder, ik ben het. Colin. Ik kwam kijken of u nog iets nodig had. Wat eten, misschien? Ik heb u een kop soep gebracht.'

Hij hield de kom liefdevol bij haar lippen. De geur deed haar maag protesteren. Ze duwde de soep weg. 'Straks, wellicht. Laat me nog maar even liggen. Doe de lampen in de tuinkamer aan. Dan kom ik later wel beneden. Heb jij al gegeten? En is je broer al thuis?'

'Nee, moeder. Ik heb Alfred niet meer gezien sinds vanochtend. Houden we het avondgebed in de kapel? Moet ik hem gaan zoeken?'

'Pater Ignatius is vertrokken.' Ze had een bittere smaak in haar mond, maar misschien alleen omdat ze de naam van de priester had uitgesproken.

Haar oudste zoon – slechts twee uur ouder dan zijn broer – zat waarschijnlijk in de kroeg en zou dronken thuiskomen om zich wankelend op zijn bed te storten. Zijn vader had hem het verkeerde voorbeeld gegeven toen de jongens op een ontvankelijke leeftijd waren. Maar in elk geval, dacht Kathryn, was Alfred gehoorzaam van de drank afgebleven zolang de priester in huis was.

Haar jongste zoon richtte zich op en herinnerde haar aan zijn aanwezigheid.

Ze klopte hem op zijn hand. 'Nee, Colin. We zijn weer even verlost van de tirannie van die gebeden op elk uur van de dag.'

In het schemerlicht zag ze zijn knappe profiel. Zijn lichtblonde haar viel als een glinsterend gordijn over zijn oog.

'Het viel wel mee, moeder. Om de priester in huis te hebben, bedoel ik. Ik vind dat ritueel ook wel mooi. De woorden klinken bijna als muziek in je oren.'

Lady Kathryn zuchtte. Het slapende beest in haar hoofd bewoog zich en deed een vlammende pijn door haar slapen schieten. Colin was zo anders dan zijn tweelingbroer. Maar goed dat hij niet zou erven. Hij was gewoon niet hard genoeg. Niet voor het eerst vroeg ze zich af hoe Roderick zo'n teerhartige zoon had kunnen krijgen.

'Ik heb een nieuw lied geleerd. Zal ik het voor u zingen? Zou dat uw pijn wegnemen?'

'Nee.' Ze probeerde antwoord te geven zonder haar hoofd te bewegen. Het leek gevuld met natte wol. Haar linnen onderlaken was warm en vochtig. Ze zou een andere jurk uit de kast moeten halen, en nog wat linnen doeken als verband. 'Stuur Glynis naar me toe en doe de deur achter je dicht. Zachtjes,' fluisterde ze.

Ze hoorde hem niet weggaan.

Toen lady Kathryn twee uur later de tuinkamer binnenkwam, zat Colin te eten. En hij was niet alleen. Haar hart bonsde in haar keel toen ze de rug van een benedictijner pij zag.

'Moeder, gaat het weer beter? Ik vertelde broeder Joseph net over uw hoofdpijn.'

'Broeder Joseph?' vroeg ze met een opgeluchte zucht.

Colin stond op. 'Wilt u de rest van mijn eten? Daar zult u van opknappen.'

Hij schoof het halflege bord naar haar toe. Kathryn voelde zich weer misselijk worden en schudde haar hoofd. 'Ik zie dat je je avondmaal al met iemand hebt gedeeld.' Ze wees op de gebraden vogel, die keurig doormidden was gesneden en wierp toen een onderzoekende blik op de onverwachte bezoeker, die meteen was opgestaan toen ze de kamer binnenkwam. Ze stak haar hand uit. 'Ik ben lady Kathryn van Blackingham. Ik neem aan dat mijn zoon goed gezelschap is geweest?' Ze hoopte dat hij de opluchting in haar stem voor gastvrijheid hield. 'Als u op doorreis bent, zal het ons een genoegen zijn u onderdak te verschaffen voor de nacht. Hebt u een paard dat verzorging nodig heeft?'

'Daar heeft uw zoon al op toegezien. Het is laat, dus ik ben u dankbaar voor uw ontvangst. Maar nee, lady Kathryn, ik ben niet op doorreis. Ik kom met een missie. Ik heb een bericht voor u van vader abt van Broomholm Abbey. Hij heeft een verzoek aan u.'

'Een verzoek? Van de abt van Broomholm?'

Had de priester met al zijn vragen slapende honden wakker gemaakt? Blackingham kon onmogelijk voorzien in de hebzucht van een hele abdij vol monniken.

'Hoe kan een arme weduwe de abt van zo'n eerbiedwaardige benedictijner gemeenschap dienen?'

'Vrouwe, u ziet zo bleek. Ga toch zitten.'

Hij wees naar de bank waarop hij zelf gezeten had. Ze ging zitten en hij schoof bij haar aan.

'Wees niet ongerust, lady Kathryn. We hoorden van pater Ignatius dat u graag vriendschappelijke betrekkingen zou aanknopen met onze abdij. Het voorstel van vader abt en prior John zal u weinig kosten, maar u ook de kans geven onze abt op zinvolle wijze te dienen en uzelf en uw huis de vriendschap van onze broederschap garanderen.

De vriendschap van de broederschap? Nee, de kans was niet groot dat haar nu gratis in de schoot zou worden geworpen waar ze zich al valselijk op beroepen had.

'Vertel me, broeder, hoe mijn nederige huishouding de heer abt van dienst kan zijn.'

De benedictijner schraapte zijn keel. 'Het is een eenvoudige zaak, lady Kathryn. Blackingham Hall staat bekend om zijn gastvrijheid. Ook na de dood van Sir Roderick zal die traditie gehandhaafd blijven, daar ben ik van overtuigd. Daarom menen onze abt en onze prior dat hun verzoek geen al te grote last voor u zal betekenen.'

Hij haalde even adem.

'En wat houdt dat verzoek dan in?' vroeg ze ongeduldig. Ze had geen behoefte aan zijn ingestudeerde praatje. 'Ik hoop dat ik het niet zo traag zal inwilligen als u het onder woorden brengt.'

De monnik leek van zijn stuk gebracht. Maar hij schraapte zijn keel en ging stug door met zijn verhaal. 'Zoals u weet, vrouwe, zijn wij op Broomholm gezegend met vele heilige schatten, waaronder een relikwie van het ware kruis waaraan onze Heer zo heeft geleden. Helaas hebben we niet veel belangrijke boeken in ons bezit. Vader abt vindt dat zo'n vooraanstaande abdij minstens één handschrift zou moeten bezitten dat bij zijn reputatie past, vergelijkbaar met *The Book of Kells* of de *Lindisfarne Gospels*. We hebben een scriptorium en verscheidene monniken die dagelijks bezig zijn met het kopiëren van de Heilige Schrift.'

Kathryn knikte ongeduldig.

'Hoewel onze broeders een redelijk product leveren als kopieschrijvers, hebben we geen miniatuurschilder van enige faam om onze teksten te decoreren. Nu is ons onlangs ter ore gekomen dat een bijzonder begaafde kunstenaar bereid zou zijn als miniatuurschilder mee te werken aan het Evangelie van Johannes. Helaas wil hij niet zijn intrek nemen in onze abdij. Blijkbaar heeft hij een dochter op de huwbare leeftijd...' – hij lachte even, om zich te distantiëren van dat pijnlijke moment – 'en u begrijpt natuurlijk dat zij niet in een abdij met alleen maar monniken zou kunnen wonen.'

'Kan de dochter dan niet worden opgevangen door de nonnen van Norwich of de priorij van Saint Faith?'

De monnik schudde zijn hoofd. 'Ze is de oogappel van de kunstenaar en hij wil alleen maar voor ons werken als wij voor passend onderdak zorgen.'

'Juist. En uw prior en uw abt willen die jonge vrouw nu bij mij onderbrengen?'

Hij aarzelde even voordat hij antwoordde: 'Niet alleen de dochter, vrouwe, maar ook de vader zelf.'

'De vader? Maar...'

'Hij zou hier kunnen werken, met uw permissie, om dicht bij zijn dochter te zijn. Behalve eten, onderdak en het gebruik van een paard heeft hij slechts een kleine kamer nodig, met goed licht...' De monnik voorzag blijkbaar haar protest dat ze maar een arme weduwe was, want hij hief bezwerend een hand op. 'Vader abt zou u bijzonder dankbaar zijn en u de prijs voor kost en inwoning vergoeden. Hij wil een arme weduwe niet in moeilijkheden brengen.'

Had ze maar een helder hoofd, zodat ze erover na kon denken! Dit zou de manier kunnen zijn om van die lastige priester af te komen. Als ze de abdij een dienst bewees, kon ze zich met recht beroepen op haar vriendschap met de abt van Broomholm. Colin ondervroeg de monnik al gretig over de pensiongasten. Hij zou het leuk vinden om een kunstenaar in huis te hebben. En Alfred zou het meisje met open armen ontvangen, nam ze aan. Dat zou nog een probleem kunnen worden, vooral als het kind een knap smoeltje had. Maar de vriendschap van de abt én de extra inkomsten...

Ze dacht aan Rodericks kamer. Die was licht genoeg en lag ver genoeg bij haar eigen kamers vandaan om roddels onder de bedienden te voorkomen en haar privacy niet aan te tasten. Zij en Roderick hadden elkaar soms wekenlang ontlopen.

Haar zoon stoorde haar in haar overwegingen. Zijn blauwe ogen glinsterden geestdriftig. 'Moeder, wat denkt u ervan?'

Aan zijn opgewonden toon hoorde ze dat hij het een prachtig plan vond. Hij zou zich wel eenzaam voelen. Zelf had ze het altijd druk, en Colins band met zijn broer scheen te zijn doorgesneden vanaf het moment dat ze haar schoot hadden verlaten.

'Wat vind je zelf, Colin?'

'Het lijkt mij een mooi en nobel idee,' zei hij met een brede lach.

'Nou, dan moesten we het maar proberen.'

Zijn stralende gezicht was haar beloning. 'Broeder Joseph, zeg maar tegen uw prior John en uw vader abt dat mijn huis en ik graag willen helpen. Uw miniatuurschilder en zijn dochter zijn welkom hier.'

III

Christus en Zijn apostelen onderwezen de mensen in de taal
die ze het beste kenden...
Ook leken moeten het geloof kunnen begrijpen... gelovigen horen
de Schrift te ontvangen in een taal die ze volledig machtig zijn.
JOHN WYCLIFFE

In de twee dagen die volgden hield lady Kathryn toezicht op het schoonmaken van Rodericks kamers. Zijn beste kleren borg ze op totdat ze Alfred zouden passen. Colin was veel te fijngebouwd. Zijn tengere postuur zou verdrinken in het elegante brokaat en kostbare fluweel.

Het was zwaar werk in de hitte van de zomerdag, en niet van emoties gespeend, dus was ze blij dat ze op de grond zat toen ze onder in de kledingkist een opgevouwen vel perkament ontdekte, half verborgen onder een door de motten aangevreten tuniek, tussen de resten van geurige kruiden. Een liefdesbrief van een van Rodericks vele minnaressen? Die had hij niet hoeven te verstoppen. Het interesseerde Kathryn allang niet meer. Hoe meer maîtresses hij had, des te minder hij van haar eiste op het gebied van de huwelijkse plichten. Maar bij nadere beschouwing bleek het perkament geen billet-doux te zijn, maar een of andere religieuze verhandeling in een slordig handschrift: *Over het priesterambt.* Het was niet geïllumineerd, maar haastig overgeschreven en onderaan eenvoudig ondertekend met 'John Wycliffe, Oxford'. Ze herkende die naam. Dat was de man die door de afgezant van de bisschop een ketter werd genoemd.

Ze had het belastende document meteen kunnen verbranden, maar de manier waarop het was geschreven trok haar aandacht – niet het onderwerp of zelfs de stijl, maar de taal, als je het zo kon noemen. Het leek het Angelsaksische dialect dat door de boeren en lagere klassen werd gesproken, niet de taal die je van een geleerde zou verwachten. Het Normandische Frans, zoals haar vader het had gesproken, was de taal van boeken en juridische documenten. Religieuze teksten werden in het vulgate Latijn geschreven. Weinig mensen die dit dialect spraken, konden lezen of schrijven. En ze zouden zich nooit een boek kunnen veroorloven, zelfs geen haastig gekopieerd perkament als dit.

Uit nieuwsgierigheid begon ze de onbekende spelling te ontcijferen en ontdekte toen pas dat de inhoud nog veel schokkender was dan de taal. Geen wonder dat de priester Wycliffe van ketterij had beschuldigd. Het document beweerde dat de Kerk was doortrokken van goddeloosheid, tot in de hoogste kringen, en riep op deze immorele en nalatige geestelijkheid niet langer van fondsen te voorzien. Gevaarlijke taal, zelfs voor een geleerde uit Oxford met een beschermheer aan het hof.

Niet dat lady Kathryn de waarheid van zijn woorden betwistte – de bisschop van Norwich, Henry Despenser, bracht liever geld bijeen voor een leger tegen de Franse antipaus Clemens VII dan zich in te spannen voor het zielenheil van zijn congregatie. Het gerucht ging dat de bisschop zelfs had verboden de sacramenten toe te dienen aan mensen die nog geen bijdrage hadden geschonken aan zijn zaak. Bitter dacht ze aan haar robijnen broche en de parelketting van haar moeder. Maar waar of niet, dit was een gevaarlijk document om in huis te hebben. Het bewijs van ketterij. Het sluwe lachje van de priester kwam haar weer in gedachten.

Ze had al eerder verhalen gehoord. Ze wist dat Wycliffe niet alleen volgelingen had onder het gewone volk, maar ook onder de adel, zoals deze vondst tussen Rodericks bezittingen wel aantoonde. Maar de hoge heren hadden hun eigen redenen. Het was geen morele verontwaardiging die John of Gaunt, de hertog van Lancaster, en zijn sluwe hovelingen bewoog om Wycliffes oproep tot hervormingen te steunen. Als regent van de jonge koning Richard verzette de hertog zich tegen het gezag van de paus in burgerlijke kwesties. Dat gezag zou hij liever overhevelen naar de kroon. Macht en rijkdom, dat waren de twee lichtekooien die de Kerk omhelsde. Maar ook het vorstenhuis had een wellustig oog laten vallen op deze verleidelijke tweeling. John of Gaunt zag Wycliffe en zijn aanhang als een middel om de rijkgevulde schatkist van de Kerk te plunderen. Maar dat ging Kathryn verder niet aan. Haar zorgen waren persoonlijk van aard. De hertog van Lancaster had zich verbonden met Wycliffe en Roderick met de hertog, waardoor Kathryn en haar zoons nu ronddreven op een stuurloos schip in ondiep water, op weg naar een rotsachtige kust.

Ze hield een fakkel bij het perkament en zag hoe het omkrulde en zwart verkleurde in de koude haard. Roderick was een dwaas geweest om zich met die koninklijke intriges in te laten. Wie wist ooit welke kant de politieke wind op zou waaien? Kathryn hield haar mening in religieuze en politieke zaken – een tweekoppig beest – liever voor zich. Was haar man maar zo verstandig geweest om hetzelfde te doen.

Toen ze het deksel van de zware kledingkist had gesloten putte ze troost uit de gedachte aan de twee gouden soevereins die de abt haar had gegeven als vergoeding voor de ontvangst van haar nieuwe huisgast. Niet alleen de Heilige Schrift zou door de kunst van deze schilder worden verrijkt. Dit nieuwe contract zorgde voor broodnodige inkomsten en voor connecties met machtige vrienden.

Als ze die geldwolf van een priester maar buiten de deur kon houden.

Tegen het einde van de middag waren alle spullen van haar overleden man uit de kamer weggehaald. Kathryn overzag het resultaat met een kritische blik. Het grote bed met de fluwelen hemel was misschien wat overdreven voor een eenvoudige miniatuurschilder. Maar verder was de kamer heel geschikt voor zijn doel. Er was licht genoeg – dat unieke licht, geboren op de Noordzee, dat soms goud van kleur was, meegevoerd door de strijdwagen van de zon, en dan weer zilver, zodat alles in een schitterend, waterbleek schijnsel werd gezet. Het transparante licht drong zelfs door tot in de aangrenzende zitkamer, waar Kathryn een slaapbank voor de dochter had neergezet.

Ze sloot de kist af en keek op toen Glynis binnenkwam met haar plichtmatige revérence. 'Had u me geroepen, vrouwe?'

'Help me even de schrijftafel onder het raam te zetten. Daar heeft de schilder het meeste licht. En heb je de tijk van de matras verschoond?'

'Ja, vrouwe, zoals u had gezegd. Ik heb vers ganzendons in de matras van de heer gedaan en Agnes is bezig een nieuwe stromatras voor de slaapbank te stikken.'

'Goed.' Maar opeens twijfelde lady Kathryn over de slaapbank. Stel dat het meisje verwend was en zich heel wat verbeeldde? Ze boog haar lange gestalte over de rand van de grote schrijftafel en gaf Glynis met een korte hoofdknik bevel de andere kant te nemen.

Weer die halve revérence. 'Neem me niet kwalijk, vrouwe, maar kunnen we niet beter hulp vragen bij het tillen?' vroeg het meisje in haar zware noordelijke tongval. 'Ik haal jongeheer Alfred wel. Hij tilt het zo op. Hij is net zo sterk als zijn vader,' zei ze gretig.

Kathryn voelde weer een schaduw van de hoofdpijn van gisteren opkomen toen ze het meisje zag weghollen, een beetje té vrolijk, met duidelijk meer in gedachten dan de slechte rug van haar mevrouw. Glynis was een goede meid. Kathryn zou haar niet graag wegsturen omdat ze een dikke buik had. God wist dat ze al genoeg meiden was kwijtgeraakt door Rodericks lusten. Alfred was pas vijftien, maar ze had al geruchten gehoord over hem en de kroegmeid van de Black Swan. Hopelijk ging het bij hem nog niet verder dan het gehijg en gefoezel van een onervaren knaap, maar hij had al een vlassig snorretje, en als hij de bandeloosheid van zijn vader had geërfd zou ze daar weinig tegen kunnen doen, behalve hem leren om discreet te zijn. Een onschuldige flirt met kroegmeiden was één ding, maar ze zou niet accepteren dat hij hun nest bevuilde met zijn wellust.

Even later waren ze weer terug. Met een rode blos en een beetje giechelend kwam Glynis achter Alfred aan de kamer binnen.

'Glynis zei dat mijn lieve moeder een stoere vent nodig had met een sterke rug. Dus hier ben ik. De man in huis.' Een roestbruine krul ontsnapte aan zijn leren hoofdband en danste tegen zijn wang.

'Meer jongen dan man, dacht ik zo. Maar ik zal het ermee moeten doen, bij gebrek aan beter. Zet je sterke rug dan maar tegen die schrijftafel en schuif hem onder het raam.'

Als de jongen zich verbaasde over haar korzelige reactie, liet hij daar niets van merken. Opgewekt greep hij het bureau.

'Dat valt wel mee,' zei hij, alsof hij niet meer moeite had met de zware eiken tafel dan een volwassen vent. Kathryn vroeg zich af wat hij verder nog had gedaan om indruk te maken op het mollige kamermeisje.

Met een rood gezicht gaf hij het bureau nog een laatste zet, zodat het recht tegen het erkerraam stond, en vroeg: 'Waarom moet die tafel hier staan? En ik zie dat u vaders bezittingen hebt opgeruimd.' Hij blies de losse krul weg voor zijn blauwe ogen – het enige dat hij met zijn broer gemeen had.

'Ga nu maar, Glynis,' zei lady Kathryn. 'Ik zal het bed wel opmaken.' Ze wachtte tot de voetstappen van het meisje waren verdwenen.

'We krijgen een huisgast, Alfred.' Ze pakte het laken dat Glynis had gebracht, boog zich over het bed en zei over haar schouder tegen haar zoon: 'Ik had het je al eerder willen vertellen, maar je scheen de afgelopen twee avonden geen behoefte te hebben aan je moeders gezelschap.'

'Colin zei dat u hoofdpijn had, en ik wilde u niet storen.' Hij roffelde met zijn knokkels op de eikenhouten tafel.

Te veel rusteloze energie, dacht ze. Hij deed haar denken aan een pan op het vuur, die bijna kookte. Ze wapperde het laken door de lucht. Met een klap kwam het op het bed neer. 'Hoe dan ook, ik geloof niet dat je veel voor je moeder had kunnen doen in die toestand. Mijn hoofdpijn zou nog erger zijn geworden als ik mijn oudste zoon zo dronken had gezien dat hij nauwelijks nog op zijn benen kon staan.

En jochie van jouw leeftijd! Een melkmuil, die nog niet tegen bier kan.'

Mooi zo. In elk geval waren zijn toch al rode wangen opeens veel roder.

'O, Colin heeft me zeker verraden...'

'Jouw broer, jongeheer, heeft me niets verteld. Het was Agnes die me zei dat ze de kots uit je lakens moest wassen. Ik zal niet tolereren dat mijn zoon het mikpunt wordt van spot onder dienstmeiden en ander voetvolk. En nu we het er toch over hebben: je gedraagt je veel te vrij tegenover mijn kamermeid. Die smachtende blikken tussen jullie zijn me niet ontgaan.'

De jongen had gelukkig het fatsoen om beschaamd te kijken. Hij boog niet het hoofd, maar gaf haar ook geen grote mond, zoals een jonge Roderick zou hebben gedaan – hoewel ze niet wist of die terughoudendheid voortkwam uit liefde voor haar of uit berekening.

'Ik vrees dat ik je niet hard genoeg heb aangepakt. Van nu af aan ben je voor het avondgebed weer thuis.'

'Het avondgebed!' riep hij uit. Zijn ogen schoten nu vuur. Hij schudde zo driftig zijn hoofd dat er nog een weerbarstige krul losraakte. 'Ik haat die priester. Is hij...?'

'Nee, Alfred. Pater Ignatius trekt niet bij ons in. En als dat zo was, zou ik hem zeker niet je vaders kamer geven. Nee, we krijgen huisgasten.'

'Huisgasten! Allemachtig, moeder, we zijn toch niet zo arm dat we de kamers van mijn vader moeten verhuren aan...'

'Sla niet zo'n toon tegen me aan, Alfred. Je mag je wel misdragen en vloeken als een vagebond in het gezelschap van knechten en landlopers, maar niet waar je moeder bij is.'

Deze keer boog hij wel zijn hoofd. Uit schaamte of om zijn brutale gezicht te verbergen? Kathryn besloot een wat mildere toon aan te slaan. Een verstandige moeder dreef haar zoon niet te ver.

'Ik heb een plan bedacht om ons te verlossen van de priester die jou zo voor de voeten loopt,' zei ze. 'Hoewel dit huis wel wat extra gebeden kan gebruiken. Maar ik zie niet in waarom we daarvoor zouden moeten betalen. Ik kan me niet herinneren dat de Heer een tarief rekende voor Zijn diensten.'

'Wie is die huisgast dan, en hoe kan hij de priester hier vandaan houden?'

'*Zij,* niet *hij*. Ze komen met hun tweeën. Een man en zijn dochter. De abt van Broomholm heeft ons gevraagd hun onderdak te geven als gunst aan de abdij, en bovendien wil hij daarvoor betalen. Met de huidige afdracht aan de koning en de toenemende kosten van het gebed zal er van je erfenis weinig overblijven als we geen maatregelen nemen.'

'Maar ik begrijp het nog steeds niet. Hoe...'

'Denk dan na. Als wij de abt helpen, helpt hij ons. De huisgast is een vooraanstaande miniatuurschilder, die een bijbelboek voor de abdij zal illustreren. Hij kan niet op de abdij logeren vanwege zijn dochter.'

Alfred gezicht lichtte op als de zon die door de wolken brak. 'En hoe oud is die dochter?'

Het licht uit het noordelijke raam viel over de jongen toen hij op de rand van de tafel ging zitten en zijn benen liet bungelen. Nieuwsgierig keek hij haar aan. Blijkbaar was hij haar uitbrander alweer vergeten. Geen wonder dat de meisjes naar hem toe fladderden als vlinders naar een honingbloem. Ze kreeg zelf een warm gevoel in haar hart als ze zijn vrolijke ogen en zijn brede lach zag, maar ze liet het niet merken.

'Dat doet er niet toe, want jij hebt helemaal niets te maken met de dochter van de kunstenaar. Is dat goed begrepen, Alfred?'

Haar stem schoot uit en bezwerend hief hij zijn handen op. 'Ik was gewoon nieuwsgierig, dat is alles. Ze zal wel zo lelijk zijn als de nacht.' Lachend liet hij zich van het bureau glijden. Het zonlicht achter hem veranderde zijn koperkleurige haar in een vurige stralenkrans. Hij keek verongelijkt. 'Maar moeten we nu weer alle uren bidden, omdat we een spion van de abdij in huis hebben?'

'Dat denk ik niet.' Afwezig liet ze haar vingers over de zwarte kralen van de rozenkrans aan haar ceintuur glijden. 'Een kleine demonstratie van onze godvruchtigheid zal wel voldoende zijn. Eén dagelijks bezoekje aan de kapel kan ik toch wel van je vragen? Dat lijkt me genoeg. Per slot van rekening is de man kunstenaar, geen monnik.'

'En niemand op Blackingham heeft behoefte aan een monnik, nietwaar, moeder?'

Lady Kathryn negeerde zijn brutaliteit, draaide hem haar rug toe en liep de kamer uit.

~

De miniatuurschilder en zijn dochter kwamen op vrijdag. 's Middags, zoals op elke vrijdag, overlegde lady Kathryn met Simpson in de grote zaal over de zakelijke kanten van het landgoed. Ze verheugde zich niet op die ontmoetingen, en vandaag was geen uitzondering. Maar ze had twee belangrijke kwesties te bespreken met de rentmeester en wilde die graag afhandelen voordat haar gasten zouden arriveren.

Het eerste punt was een smeekbede van een horige. De vrouw, een van haar wevers, was huilend en van streek naar haar toe gekomen. Simpson had haar jongste dochter als dagmeid in dienst genomen. Als rentmeester mocht hij dat doen, omdat moeder en kind lijfeigenen waren. De moeder behoorde niet tot de vrije vrouwen die voor de huur en een schamel loon werkten, zodat ze zich alleen tot lady Kathryn kon wenden. En dat deed ze. Het optreden van de rentmeester was onaanvaardbaar. Niet alleen het welzijn van het kind stond op het spel, maar de moeder was een van de beste wevers van Blackingham en zou haar vakkennis op haar dochter hebben overgedragen. Als Kathryn het had geweten, zou ze zelf hebben ingegrepen, ook zonder de tranen van de moeder. Nu confronteerde ze Simpson al terwijl hij nog bezig was met zijn kruiperige begroeting.

'Een kind van zes is niet oud genoeg om als meid te kunnen werken. U stuurt haar naar haar moeder terug en zoekt maar iemand die meer geschikt is om uw nachtspiegel te legen en uw schoenen te poetsen.'

Simpson klemde zijn muts in zijn handen en kneedde de fluwelen band eromheen. Lady Kathryn had een hekel aan zijn overdreven kleding en zijn overweldigende parfum. Als hij zich zo uitdoste om indruk op haar te maken bij hun vrijdagse besprekingen – en dat zou de reden wel zijn – had dat precies het tegenovergestelde effect.

'Maar vrouwe, het meisje is groot voor haar leeftijd. En Sir Roderick vond altijd dat we de werkers niet in de watten moesten leggen. Daar worden ze lui van.'

'Ik dacht dat je inmiddels wel wist, Simpson, dat het mij een biet zal wezen wat Sir Roderick zou hebben gezegd, gevonden of gewild. Je maakt het er niet beter op door hem te citeren. Je hebt een vrije status en je verdient een goed loon, dus huur maar een bediende van je eigen geld. De lijfeigenen van Blackingham werken uitsluitend voor Blackingham Hall en de landerijen. Stuur het kind terug naar haar moeder. En waag het niet een ander meisje te nemen.'

Half voldaan, half ongerust zag ze dat de rentmeester grote moeite had zich te beheersen. Het ergerde haar dat ze deze akelige man nodig had, maar voorlopig kon ze geen vervanger vinden.

'Ik wil niet onredelijk zijn in deze zaak,' vervolgde ze. 'Als je een van de vrouwen van de pachters in dienst wilt nemen en zij zelf geen bezwaar heeft, zal ik haar een kleine vergoeding betalen als aanvulling op je loon. Meer kan ik niet doen. Ik verwacht dat het kind binnen een uur weer thuis is.' Ze keek hem strak aan, liet haar stem dalen en sprak langzaam en nadrukkelijk, zodat hij haar aanbod niet als zwakte zou kunnen uitleggen: 'In dezelfde toestand als waarin ze van huis is weggegaan.'

'Zoals u wilt, vrouwe.' Hij boog zijn hoofd diep genoeg om zijn ogen voor haar verborgen te houden, maakte een plichtmatige buiging en wilde vertrekken.

'We zijn nog niet klaar. Er is nog een andere kwestie. Afgelopen kwartaal zijn de opbrengsten van de wol sterk teruggelopen.'

Hij bleef stokstijf staan en keek haar aan. Lady Kathryn zag verbazing en woede op zijn gezicht. Heel even sloot hij zijn ogen, alsof hij zijn geheugen raadpleegde.

'Misschien bent u de kreupelrot vergeten die ons in het voorjaar heeft getroffen, vrouwe? Daardoor zijn we een aantal schapen kwijtgeraakt.'

'Kreupelrot?' Ze las het perkament met de cijfers van het vorige kwartaal nog eens door. 'Ik zie geen uitgaven voor teer.'

De rentmeester schuifelde met zijn voeten. 'De herder heeft het niet op tijd gemeld om nog teer te kunnen kopen voor de zieke dieren. Ik...'

'U bent de rentmeester. Het was uw verantwoordelijkheid, niet die van John. Bovendien zou u genoeg teer in voorraad moeten hebben om een kleine uitbraak te kunnen bestrijden. Hoeveel schapen hebben we precies verloren?'

Simpson stond wat te draaien met zijn logge lijf. Zijn linkerhand trilde nerveus. 'Acht... misschien tien.'

Kathryn rechtte haar rug. 'Wat is het nou, Simpson? Acht of tien?'

De rentmeester balde een paar keer zijn linkervuist en mompelde toen: 'Tien.'

Dat was tweehonderdvijftig pond wol! Tweehonderdvijftig pond waar ze op gerekend had.

Ze sloeg haar ogen neer en deed alsof ze de linten van het perkament vastmaakte, maar van onder haar oogleden hield ze hem in de gaten.

'In elk geval heb je nog wat wol van de dode schapen kunnen scheren.'

Er gleed een sluwe uitdrukking over zijn gezicht voordat hij antwoordde: 'Helaas niet, vrouwe. We hebben de kadavers verzwaard en in het moeras gegooid om de rest van de kudde niet te besmetten.'

Ze tilde haar hoofd op en keek hem recht aan. 'Heel verstandig. Wie weet hoe besmet die vachten zouden zijn geweest door de kreupelrot.'

De rentmeester mocht van geluk spreken dat het verhoor juist op dat moment werd onderbroken door het geluid van paardenhoeven. Maar de blik die lady Kathryn hem toewierp toen ze naar buiten liep om de nieuwkomers te begroeten maakte duidelijk dat de zaak hiermee niet was afgedaan.

De bezoekers hielden net halt op de binnenplaats. Kathryn tuurde tegen de zon in. Ze herkende alleen broeder Joseph van de abdij. Een jong meisje van een jaar of zestien zat op de rug van een ezel die werd meegevoerd door een lange man met een hoekig gezicht. Eén moment zag Kathryn een visioen van de Heilige Maagd die Betlehem binnenreed. Maar het meisje dat halthield voor haar deur was duidelijk niet in verwachting. Zelfs de zedige snit van haar donkerblauwe jurk verried haar tengere gestalte. Het was een eenvoudig kleed, maar van uitstekende kwaliteit en ontwerp. Kathryns eigen wevers leverden niet zulke mooie stof. De enige versiering die het meisje droeg was een prachtig bewerkte hanger van verstrengeld zilverwerk, met in het midden een klein kruisje, met parels bezet. Ze streelde het nu, wat nerveus, met haar dunne, bleke vingers. De broche hing aan een rood koordje om haar hals. Een bijpassende band om haar hoofd hield een kanten sluier bijeen die haar donkere haar bedekte, zwart en glinsterend als de nek van een raaf. Ze maakte een exotische indruk met haar grote, amandelvormige ogen in een ovaal gezicht waarvan de fijne trekken als uit marmer leken gehouwen. Haar huid was eerder olijfkleurig dan melkwit. Dit was zeker niet de plompe meid waarop Kathryn had gehoopt. En ze gaf zichzelf een houding die, net als haar jurk, ver boven haar status verheven leek.

De man die naast haar liep moest haar vader zijn. Hij had de leidsels van de ezel stevig in zijn hand en hield met zijn zeegroene ogen elke stap van het dier nauwlettend in de gaten. Hij was een lange man, niet gespierd maar eerder pezig van bouw. Beschermend boog hij zich naar zijn dochter toe. Hij was gladgeschoren en droeg geen hoed, en Kathryn zag dat zijn grijze haar al dunner werd op de kruin. Zijn tuniek – lichtgekleurd linnen van goede kwaliteit, en smetteloos schoon – viel tot op zijn knieën. Verder droeg hij alleen een kleine dolk aan een leren riem, die los om zijn heupen sloot. Vader en dochter hadden een levend tableau kunnen zijn uit een van de mysteriespelen die het Lakengilde met Kerstmis opvoerde.

Terwijl hij zijn dochter hielp met afstijgen kwam Kathryn naar voren om hen te begroeten. Hij rook naar morenzeep, vermengd met een ander, onbekend maar subtiel geurtje, wellicht lijnzaadolie. De hand die hij naar zijn dochter uitstak had een smalle handpalm en lange, sierlijke vingers. Hoewel de nagels keurig waren bijgehouden vertoonde de nagelriem van zijn rechter wijsvinger een zweem van okerkleurig pigment. Hij maakte een verzorgde indruk. Kathryn hoopte dat hij geen veeleisende gast zou zijn.

Broeder Joseph nam het woord. 'Ik kom u uw gasten brengen,' zei hij, terwijl hij haar hand pakte. 'Maar ik vrees dat we...'

De rest van zijn woorden werd overstemd door het gedruis van een groep ruiters die in een grote zomerse stofwolk de binnenplaats op denderde. Zoveel mannen – onder wie de drost, zag Kathryn nu – waren er toch niet nodig om één vader en zijn dochter naar hun gastenverblijf te escorteren?

'Sir Guy,' zei ze tegen de nieuwkomer. 'Dat is lang geleden.'

Hij kwam regelmatig op Blackingham toen Roderick nog leefde. Met hun valken jaagden ze voor de sport in de velden rond Aylsham, en soms ook met pijl en boog op het wild van Bacton Wood. Sinds de dood van haar man had lady Kathryn hem niet meer gezien. En ze was niet blij met zijn komst nu.

Hij boog zich opzij vanaf zijn paard en bracht haar hand naar zijn lippen. 'Veel te lang, lady Kathryn. Mijn verontschuldigingen voor mijn laksheid, maar ik vrees dat dit een officiële missie is.'

Haar blik ging snel naar de drie ruiters achter hem, zoekend naar een bekend gezicht, terwijl ze zich tegelijkertijd afvroeg waar haar zoons waren. Had Alfred zich met zijn driftige karakter in een situatie gestort die pijnlijk – of misschien wel kostbaar – voor haar kon zijn?

'Officieel?' Ze lachte wat gedwongen.

De drost wees naar een paard dat nu naar de binnenplaats werd gebracht. Op het eerste gezicht leek er niemand op te zitten, maar toen ze beter keek zag Kathryn dat er een menselijke gedaante over de paardenrug lag, gewikkeld in een deken. De zomerbries tilde een punt van de deken op en Kathryn haalde haar neus op tegen de stank. Wie of wat er ook onder die deken lag, het moest in staat van ontbinding verkeren. Het paard stampte met zijn voeten en hinnikte, alsof het van zijn onaangename last verlost wilde worden.

De drost gaf een teken aan de man die het paard vasthield. 'Terug! Dat is geen lucht die een dame hoeft te verdragen. Zo dichtbij hoeft ze niet te komen om het lichaam te identificeren.'

Het lichaam identificeren! Lady Kathryn voelde de grond onder haar voeten wegzakken. Weer keek ze om zich heen, bijna in paniek nu.

Alfred! Waar was Alfred? En ook Colin had ze sinds die ochtend niet meer gezien. *Stel dat het Colin was!* Ze liep naar het lichaam op de paardenrug toe, met een hand tegen haar borst gedrukt om haar hart wat te kalmeren.

Sir Guy moest de angst in haar ogen hebben gezien. Hij hief een bezwerende hand op. 'Ik heb u voor niets laten schrikken, lady Kathryn. Het is niet de jonge Colin of Alfred. Het is slechts een priester.'

Ze dacht dat ze zou flauwvallen van opluchting. De lange vreemdeling die naast broeder Joseph stond stapte naar voren en legde een arm om haar heen om haar op de been te houden. Ze leunde heel even tegen hem aan, blij met zijn sterke arm. Toen verdween haar flauwte weer en maakte ze zich van hem los. Hij trok zich terug, niet meer dan een halve stap, maar voldoende om de gepaste afstand tussen hen te herstellen.

'Dank u,' zei ze. 'Een moment van zwakte. De dwaasheid van een moeder.'

De kunstenaar knikte en zei met een klein lachje: 'De liefde van een moeder is nooit dwaas, vrouwe.' Zijn stem klonk als het verschuiven van riviergrind, glad geslepen door het water. 'En ik heb moederliefde ook nooit als zwak ervaren.'

Het paard van Sir Guy stampte en snoof. De drost trok de teugels strak.

Toen lady Kathryn weer voldoende kracht had gevonden, vroeg ze: 'Een priester, Sir Guy? En wat heeft die priester met Blackingham te maken?'

Hij steeg af voordat hij antwoord gaf. Lady Kathryn wenkte een paardenknecht. Een klein groepje bedienden had zich bij de stal verzameld om te zien wat er gebeurde. Een van hen kwam naar voren om het paard van de drost over te nemen.

Sir Guy knikte naar het lichaam. 'Ik denk dat hij de afgezant van de bisschop is. In dat geval zou dit een heel ernstige zaak kunnen worden. Henry Despenser heeft al iedereen opgetrommeld om naar hem te zoeken. Hij zegt dat hij de man een paar dagen geleden naar Blackingham had gestuurd om zich bij u te melden, vrouwe. Op maandag bij het avondgebed werd hij weer in Norwich terugverwacht.' Hij liep naar het paard dat het dode lichaam droeg. 'We hebben hem gevonden in het moeras dat aan uw landgoed grenst. Zijn schedel was ingeslagen.'

Hij sloeg de deken terug. Daaronder zag lady Kathryn een bemodderde benedictijner pij. Sir Guy trok het levenloze lichaam omhoog. Ondanks de opgezwollen trekken en het geronnen bloed herkende ze de dikke zwarte wenkbrauwen van pater Ignatius. Vol walging wendde ze haar gezicht af, een begrijpelijke reactie, waarmee ze wat tijd won. De gedachten tolden door haar hoofd en ze voelde zich duizelig worden. Opnieuw zocht ze steun bij de sterke arm van de vreemdeling. Wat moest ze zeggen? Toegeven dat de priester hier was geweest? Haar zoons blootstellen aan een ondervraging? Haar kwetsbare positie riskeren? Had ze tegen iemand van de huishouding gezegd hoe bedreigd ze zich had gevoeld en hoe boos ze was geweest over de chantagemethoden van de priester? Hadden ze het geraden? Waar was Alfred geweest, die avond? Alfred, met het opvliegende karakter en de roekeloze driften van zijn vader. Had de priester hem te veel geprovoceerd?

Ze haalde diep adem en rechtte toen haar rug. 'Ik wist dat hij de gezant van de bisschop was, maar ik heb hem al twee weken niet gezien,' zei ze. Haar stem was nauwelijks meer dan een gefluister, maar haar blik was ferm. 'Hij moet zijn ontijdige einde hebben gevonden op weg naar Blackingham.'

IV

Het wemelt op de wereld van landheren en bestuurders die opzettelijk oneerlijk zijn. Zich daarvan bewust dient de dame (des huizes) voldoende wereldwijs te zijn om haar belangen te beschermen, zodat ze zich niet bedriegen laat.

CHRISTINE DE PISAN,
HET BOEK VAN DE DRIE DEUGDEN (1406)

Ze had geen andere keus dan Sir Guy uit te nodigen voor het avondeten. Ze hoopte dat hij haar aanbod zou afslaan omdat hij zo snel mogelijk naar Norwich terug moest met het lichaam van de priester, maar hij stuurde eenvoudig zijn mannen en zei dat hij hen wel achterna zou komen.

Nu ze aan tafel zat, luisterde lady Kathryn met een half oor naar de oppervlakkige gesprekken om haar heen. Haar gedachten gingen nu eens naar de leugen die ze had verteld, dan weer naar haar plichten als gastvrouw. Die plichten gaven haar de kans om de mogelijke gevolgen van haar leugen voorlopig voor zich uit te schuiven. Daar kon ze zich beter het hoofd over breken in alle rust en eenzaamheid. De ontvangst van Sir Guy op zo'n korte termijn was lastig genoeg om al haar aandacht op te eisen.

Gelukkig had ze haar kokkin, Agnes, opdracht gegeven wat meer klaar te maken dan anders, met het oog op haar nieuwe gasten en broeder Joseph. Ze was niet van plan geweest in de grote zaal te eten, in de hoop dat haar gasten genoegen zouden nemen met een dienblad op hun eigen kamer – een verstandig precedent – terwijl zij met haar twee zoons en broeder Joseph in de tuinkamer at. Maar de aanwezigheid van Sir Guy vroeg om meer, dus had ze haastig de bedienden de grote schraagtafel laten neerzetten, met een zijden tafelkleed. Agnes had geprotesteerd omdat het nog een maand duurde tot aan de oogst en haar provisiekast bijna leeg was, maar met karakteristieke loyaliteit en improvisatietalent had ze van de eenvoudige kost toch iets meer weten te maken, passend bij de verwachtingen van lady Kathryns onverwachte gast. Door dit alles had ze weinig tijd overgehouden om na te denken over de reden voor zijn komst hier. Pas nu ze aan tafel zat, kon ze dat onderwerp niet langer meer ontwijken.

'Wie de dader ook mag zijn, de moord op een priester zal zwaar drukken op zijn ziel,' zei Sir Guy, terwijl hij een stuk van de gebraden zwijnskop afsneed die de voorsnijder hem aanbood. 'Geen respect voor een heilig man. Dat krijg je, met die ketterse praatjes van de Lollards.'

'De Lollards?' vroeg lady Kathryn om het gesprek gaande te houden. Niet dat het haar iets kon schelen. Ze luisterde maar half, omdat ze nog steeds het opgezwollen lijk van pater Ignatius voor zich zag, een beeld dat ze liever zou vergeten. De man was al bedreigend genoeg geweest bij leven. In de dood leek hij nog gevaarlijker.

'Een stel bijeengeraapte, zogenaamde *priesters*, volgelingen van Wycliffe, die ketterse ideeën rondstrooien. Wycliffe speelt een gevaarlijk spel. Oxford heeft hem al verdreven.'

Plotseling op haar hoede, denkend aan de belastende tekst die ze in Rodericks kledingkist had gevonden, merkte Kathryn op: 'Moeder Maria zij dank dat dit gif nog niet zijn weg heeft gevonden naar Blackingham.' Maar ze vroeg zich af hoeveel Sir Guy al wist over de vriendschappen van haar overleden echtgenoot.

Ze wenkte de voorsnijder, die een dubbele portie steur op de plank legde die Sir Guy, als eregast, met zijn gastvrouw deelde. Uit haar karige kelder had ze een kleine leren zak met wijn gehaald, die de butler nu in de zilveren beker schonk die ze ook samen deelden en waaruit zij slechts kleine, plichtmatige slokjes nam, uit angst dat de zak leeg zou zijn voordat Sir Guy genoeg had gehad. De butler schonk bier in tinnen mokken voor de anderen aan tafel. Colin en broeder Joseph zaten naast Sir Guy aan Kathryns rechterhand, de kunstenaar, Alfred, en de dochter van de kunstenaar links van haar.

Broeder Joseph wond zich zo op bij het horen van de naam van Wycliffe dat hij zich langs Colin heen boog, zodat zijn tonsuur zichtbaar werd. 'Ze zeggen dat die ketter van een Wycliffe zelfs vragen durft te stellen bij het wonder van de mis,' zei hij tegen Sir Guy. 'De transsubstantiatie van de hostie noemt hij een *bijgeloof*!' Zijn stem schoot uit van verontwaardiging. 'De universiteit zal hem verstoten, en wat meer is: er gaan geruchten in de broederschap dat – nu de koning dood is en hem niet langer kan steunen – de aartsbisschop hem opnieuw zal aanklagen wegens ketterij.' Hij stak met zijn mes door de lucht, alsof hij Wycliffe in het hart wilde treffen. 'Als hij niet oppast krijgt hij de strop. Hoewel ik hem nog liever op de brandstapel zou zien.'

De anders zo ingetogen monnik lachte zelfvoldaan, alsof hij het liefst zelf het vuur zou aansteken. Lady Kathryn meende de vlammen al weerkaatst te zien in de kleine zwarte pupillen van zijn ogen. Ze kreeg een droge keel terwijl ze met lange tanden op een hap fazantenpastei kauwde. Haar vader had haar als jong meisje ooit meegenomen naar een verbranding en ze was nooit de doodsangst vergeten in de ogen van de vrouw die van hekserij was beschuldigd. Toen de baljuw de takkenbos aanstak en de eerste rookwolken opstegen begon Kathryn te huilen en verborg haar gezicht in haar vaders mouw. Maar toch was de stank van verschroeid vlees haar neus binnengedrongen.

Kleine zweetdruppeltjes verschenen langs haar haarlijn. Ze veegde ze weg met haar zijden zakdoek. De lange schemering had de hitte van de julidag niet kunnen verdrijven. Ze zweette tussen haar borsten en haar linnen jurk kleefde klam tegen haar huid. De geuren uit de keuken, de lucht van bakvet en gebraden vlees dreven door de ramen van de grote zaal naar binnen en vermengden zich met de zweetlucht uit de kleren van Sir Guy, die de hele dag in het zadel had doorgebracht.

Was het suggestie, of hing er ook een zweem van de lijklucht van de dode priester om hem heen?

Ze zou haar gast wel schone kleren hebben aangeboden, maar ze had het te druk gehad met de voorbereidingen van de maaltijd. Als de drost bleef overnachten – en die kans was groot, want zelfs een man van Sir Guys bedrevenheid met de wapens zou niet graag op een donkere avond twintig kilometer naar Norwich terugrijden door de bossen en het moeras – zou ze een verschoning van Roderick tevoorschijn kunnen halen.

Opeens merkte ze dat er een pijnlijke, afwachtende stilte was gevallen.

'Wat zegt u, heer?' De drost boog zich gespannen langs haar heen en keek de kunstenaar strak aan.

'Niet *heer*. Gewoon Finn, want zo heet ik. Ik ben miniatuurschilder van beroep, geen lid van uw adel.'

Zijn toon was hooghartig, bijna sarcastisch. Zijn stem had dezelfde klank van gladgeslepen grind die ze zich van eerder die dag herinnerde, toen hij haar met zijn arm had ondersteund, maar nu met een scherpe ondertoon.

'Ik zei dat hij nooit zal branden. Wycliffe komt niet op de brandstapel. Hij zal niet hangen. Daarvoor heeft hij te veel vrienden op hoge plaatsen.'

'Laat hij maar uitkijken dat hij niet te veel vrienden krijgt op *lage* plaatsen.' De drost lachte en sneed de rug van de patrijs open met zijn mes voordat hij het vlees aan de punt prikte en naar zijn mond bracht.

'Ik begrijp wat u bedoelt,' zei Finn langzaam en zonder stemverheffing, 'maar hoog en laag liggen soms niet zo ver uiteen. Wie goed luistert zal de duivel horen lachen bij menig pauselijk edict.'

Broeder Joseph verslikte zich.

Kathryn moest een einde maken aan deze discussie voordat die uit de hand liep. Terwijl ze in haar handen klapte om de voorsnijder te ontbieden wierp ze een zijdelingse blik op de nieuwkomer. Ze hoopte dat hij geen extra problemen zou maken in een tijd waarin zij zo wanhopig probeerde haar huis te vrijwaren van elke suggestie van ketterij.

'Beste heren, staak dit gepraat over brandstapels. Dat is geen passend onderwerp voor aan tafel. En u moet de woorden van mijn gast niet verkeerd uitleggen, Sir Guy. Hij is niet de eenvoudige handwerksman waarvoor hij zich uitgeeft. Ook hij heeft vrienden op hoge posten. Hij is een miniatuurschilder van grote faam, die hier komt werken voor de abdij. Ik neem aan dat hij u slechts uit uw tent lokt ter wille van de conversatie. Hier, neemt u wat gerookte haring met rode saus.'

Ze wenkte de butler om nog wat druppels wijn uit de leren zak te persen, terwijl de voorsnijder een flinke moot vis met rode moerbessensaus op Sir Guys gedeelte van de plank legde. Zelf hield ze haar hand op om te bedanken. 'Geef mijn portie maar aan broeder Joseph. De warmte heeft me mijn eetlust benomen.'

Broeder Joseph keek glimlachend naar die onverwachte meevaller op zijn bord en leek zijn verontwaardiging over de ketterse uitspraken van de kunstenaar al vergeten. 'U weet niet wat u mist, vrouwe,' zei hij. 'Maar ik zal het niet versmaden.'

Alsof er op Blackingham ooit iets werd versmaad, dacht Kathryn. Daar zorgden de bedienden wel voor, die thuis hongerige monden te voeden hadden. Toch was het grappig om de vreugde van de monnik te zien. Zijn kleine ronde buikje toonde wel aan dat hij vraatzucht niet de ergste zonde vond.

'Voor ik het vergeet, vrouwe, ik heb van onze apotheker iets voor u meegenomen tegen de hoofdpijn,' zei hij tussen een paar happen door. 'Gemalen pioenwortel met rozenolie.' Hij zocht in de diepe zakken van zijn pij en haalde er een klein blauw buisje uit.

'Wat vriendelijk van u, broeder Joseph. Breng mijn hartelijke dank over aan uw apotheker, als u wilt.'

En dat meende ze. Het was moeilijk te geloven dat deze zorgzame man die probeerde haar van haar pijn af te helpen een paar minuten geleden nog een medemens tot de brandstapel had veroordeeld, met hetzelfde fanatisme waarmee hij nu op zijn eten aanviel. En dat alles in naam van God. Maar goed, ze was blij met het medicijn. En ze zou het nodig hebben, als er niet snel een eind kwam aan dit avondmaal. Gelukkig ging het gesprek nu over meer alledaagse zaken. Colin vertelde broeder Joseph over de demonstraties van de gilden die hij met Pasen in Norwich had gezien. Sir Guy vroeg de illustrator naar de aard van zijn opdracht.

Maar nauwelijks was het ene vuurtje gedoofd of het volgende laaide alweer op. Alfred was wat dichter naar Finns dochter toegeschoven en boog zich nu naar haar toe om haar iets in het oor te fluisteren. De gloed van de vetkaarsen aan de muur achter hem deed zijn rode haar vurig oplichten. Lady Kathryn hoorde zijn vertrouwde, vrolijke lach en zag de olijfkleurige huid van het meisje blozen als een rijpe perzik.

De miniatuurschilder had haar eenvoudig voorgesteld als zijn dochter, Rose – niet Margaret, Anna of Elizabeth, maar Rose. Net als de bloem. Een vreemde naam voor een christelijk kind, vond Kathryn toen ze het hoorde. Dat was vlak nadat het lichaam van de priester was weggehaald en haar zoons op de binnenplaats waren verschenen, aangelokt door alle drukte. Zodra ze de blik in Alfreds blauwe ogen herkende wist ze wat haar te doen stond. Meer dan ooit was ze ervan overtuigd dat ze de juiste beslissing genomen had.

Finn boog zijn hoofd en fluisterde zijn dochter nu ook iets in het oor. Een standje, meende Kathryn, te oordelen naar de vluchtige frons op Roses gezicht en de misnoegde trek om haar mondhoeken voordat ze haar ogen neersloeg. Haar vingers speelden met de hanger om haar hals, als een talisman. Kathryn zou het meisje vanavond in de gaten houden, maar ze kon niet elke dag voor kindermeid spelen. Morgen zou ze Alfred haar besluit meedelen.

⁂

Ook Finn had zijn eigen gedachten toen hij daar aan tafel zat in de grote zaal. Hij hoorde de irritatie in de stem van zijn gastvrouw, rechts van hem, en besloot daarom geen politieke opmerkingen meer te maken. Hij wilde niet dat broeder Joseph naar Broomholm terug zou gaan met verhalen dat de abdij een ketter in dienst genomen had. Hij had al te veel ongewenste aandacht op zich gevestigd door de bisschop van Norwich op te biechten dat hij een van diens varkens had gedood. Hij had geprobeerd om de onbeschaamde melkmuil van een bisschop met respect te behandelen en zelfs aangeboden om het varken en de big te vergoeden, maar Finn kroop niet graag door het stof en hij was bang dat hij geen goede indruk had gemaakt. In elk geval had hij door zijn bekentenis de dwerg gered van de schandpaal – of nog erger.

Hij hoopte dat de abt elke mogelijke indiscretie van zijn nieuwe werknemer zou vergeten zodra hij de eerste bladen van het manuscript zag. Die zouden prachtig worden. Op weg van Broomholm naar Aylsham had Finn genoeg tijd gehad om na te denken over de schutbladen voor het evangelie van Johannes. De achtergrond zou net zo rood worden als de moerbessensaus die nu het brood op zijn plank kleurde en over de patrijs droop waar hij zijn tanden in had gezet.

'Ik hoop dat de saus naar uw genoegen is, heer... eh, Finn.'

'Ik vind hier nog veel meer naar mijn genoegen, vrouwe.' Verbeeldde hij zich, of bloosde ze? Haastig voegde hij eraan toe: 'U mag zich gelukkig prijzen met zo'n kokkin. De patrijs is heerlijk gekruid.'

Ze glimlachte tegen hem – een echte lach, niet de geforceerde grimas die hij tot nu toe van haar had gezien.

'Agnes is al bij ons sinds mijn vroegste jeugd. Ze was mijn kindermeisje. Ze is heel loyaal.'

Finn dankte haar met zijn mes en stak nog een stuk vlees aan de punt. Agnes, dacht hij: een naam om te onthouden. Het was altijd nuttig om vrienden te zijn met de kok. En hij wilde ook geen problemen met lady Kathryn. Als zij prijs stelde op loyaliteit, mocht hij niets meer zeggen om twijfel bij haar te zaaien aan zijn eigen goede trouw. Hij hoopte alleen dat dit niet zo'n vrome huishouding was waar hij voortdurend excuses zou moeten verzinnen voor zijn afwezigheid bij dat vermoeiende ritueel van dagelijkse gebeden. En hij zag ook liever niet dat Rose beinvloed werd door te veel godsdienstijver. Hij had de duistere kanten van dat soort vroomheid meegemaakt. Evenwicht in alles was het beste, vooral in religieuze zaken. Zo zou hij zijn dochter graag zien – met eerbied voor de Heilige Maagd, dat zeker, maar met een goed verstand daar tegenover. Zijn leven werd beheerst door het teken van het kruis. Daar had hij zijn talent als kunstenaar aan gewijd. Voor het kruis was hij zelfs de oorlog in gegaan. Maar hij was geboren onder een ander teken, de Weegschaal: met de vroomheid in de ene schaal, de rede in de andere.

Het zou schelen als hij wist waarom lady Kathryn ermee had ingestemd hem en zijn dochter kost en inwoning te verschaffen. Vermoedelijk niet alleen uit loyaliteit tegenover de Kerk. De abt zou haar wel betalen. Ze had een dure huishouding, te oordelen naar de zilveren bekers en hoornen lepels met zilverbeslag, maar het eten dat ze op tafel zette was weliswaar toereikend, maar niet bijzonder. En het was hem opgevallen dat ze heel voorzichtig was bij het uitschenken van de wijn. Hij en Rose zouden in de toekomst waarschijnlijk met minder genoegen moeten nemen. Lady Kathryn had moeite de eindjes aan elkaar te knopen met al die belastingen en kerkelijke aanslagen.

En de weduwe had ook andere behoeften, zoals hem niet ontging. De drost met zijn haviksneus, rechts van haar, met wie ze bord en beker deelde, raakte te vaak haar mouw aan en zou zijn lange neus graag in haar decolleté hebben begraven als ze hem niet op afstand had gehouden. Sommige mensen zouden haar een knappe vrouw vinden, maar Finns voorkeur ging meer naar donkerharige, mollige meiden met een vriendelijker natuur. Deze vrouw was te lang en te trots, en ondanks de aantrekkelijke rondingen onder de rechte halslijn van haar gesteven jurk had ze niet echt weelderige vormen. Het opvallendst was haar haar. Ze kon niet ouder zijn dan veertig, maar ze was al grijs, bijna wit, met één zwarte lok boven haar linkerslaap, die als een fluwelen lint door de ingewikkelde vlecht liep die ze met een blauwe band in haar slanke hals had gebonden. Hij vroeg zich af hoe ze er naakt zou uitzien in het maanlicht, met haar dikke haar los over haar borsten golvend als smeltend zilver. Het verbaasde hem dat hij al meteen zulke zinnelijke gedachten over haar had. Was ze dan toch aantrekkelijker dan hij had vermoed?

'Een heildronk op lady Blackingham.' Sir Guy hief zijn glas. 'Op de schoonheid van onze gastvrouw en de rijkdom van haar tafel.'

Kruiperige klootzak, dacht Finn. Bracht de drost een dronk uit op haar dijen of op haar weidegrond? Maar toch hief hij zijn eigen glas, om niet onbeleefd te lijken. Het was niet verstandig een drost te beledigen.

Het was warm in de zaal en Finn was zich vaag bewust van de geur van muskus, rechts van hem. Hij zag hoe de dunne stof van lady Kathryns sjaal tegen haar borsten kleefde en voelde een reactie in zijn lendenen. Gelukkig hoefde hij niet op te staan voor die heildronk. Hij had al te veel maanden celibatair geleefd. Niet omdat hij op bedevaart was of vastte – die onzin liet hij aan de monniken over – maar uit overtuiging en voorzichtigheid. Reizen met zijn dochter was een belemmering voor zijn liefdesleven. De lichtekooien die zich aanboden roken naar de armoedige hutjes waar ze woonden en waren vergeven van luizen. En zelfs in de bordelen die door de bisschoppen werden geleid liep je nog de kans op pokken.

Finn merkte dat er een stilte viel. De anderen keken hem vragend aan. De kleine dikke monnik boog zich over de tafel en riep in zijn richting: 'Vindt u ook niet, heer schilder?'

'Neem me niet kwalijk, ik...'

'Broeder Joseph, nog wat dessert?' Lady Kathryn wenkte de bediende. 'Agnes heeft speciaal voor vanavond verse custardtaart gebakken.'

De monnik hield zijn lepel al gereed. Zijn oogjes straalden vol verwachting. Blijkbaar was hij zijn vraag alweer vergeten.

Wat het ook was, hun gastvrouw had Finns antwoord niet vertrouwd, dat was wel duidelijk. Lady Kathryn was een slimme vrouw. Finn herinnerde zich haar reactie toen de drost met het lijk van de priester was verschenen. Ze had iets te snel geantwoord dat ze de priester al in geen twee weken had gezien. Wat stak daarachter? Nou ja, dat waren zijn zaken niet. Hij moest aan zijn dochter denken. Het was beter niet te veel te weten over de moord op een priester. Dat kon gevaarlijk zijn.

Een alarmbel in Finns hoofd wekte hem uit zijn overpeinzingen. Een andere stem nu, aan zijn linkerkant, gedempt en vertrouwelijk. 'Ik kan je de beste plek laten zien om te tekenen – een kleine baai met uitzicht over zee.'

Hij herkende de stem van de jonge blaag naast hem, die zijn rode krullen veel te dicht naar het hoofd van zijn dochter boog. Bijna raakten hun lippen elkaar.

Finn gaf antwoord, luid genoeg om Alfred te weerhouden van zijn amoureuze pogingen: 'Een kleine baai aan zee, zeg je? Rose en ik zullen daar graag een kijkje nemen. Nietwaar, Rose?'

Alfred mompelde wat, als een dief die was betrapt met zijn hand in de harington. Zijn dochter bloosde en keek haar vader met haar mooie ogen nijdig aan. Een onschuldige flirt, misschien, maar de jongen moest weten dat hij in de gaten werd gehouden.

De maaltijd leek eindeloos te duren. Het was een opluchting toen zijn gastvrouw eindelijk opstond. Nu kon hij zich excuseren en zich terugtrekken in de plezierige kamers die ze voor hen gereed had gemaakt. Beleefd nam hij afscheid van de anderen, bedankte lady Kathryn nog eens voor haar gastvrijheid en redde zijn dochter uit de klauwen van haar vurige bewonderaar. Maar voordat hij kon vertrekken kwam er een bediende naar hem toe met een verzegeld perkament. 'Dit bericht is voor u gekomen, heer. Ik moest het u persoonlijk overhandigen.'

Het zegel was onbekend, maar de afdruk van het heilige kruis gaf hem een aanwijzing over de herkomst. Waarschijnlijk een paar verlate instructies van zijn beschermheer.

'Wachtte de boodschapper op een antwoord?'

De drost zweeg nu en volgde het gesprek met interesse. Dat irriteerde Finn, net als de vragen die Sir Guy hem al eerder over zijn opdracht had gesteld.

'Nee, heer,' zei de page. 'De boodschapper vroeg me nog wel om u iets anders te zeggen. "Half-Tom voldoet zijn schulden." Zo luidde het bericht.'

De dwerg. Maar waarom zou hij een boodschap hebben overgebracht van de abdij van Broomholm? Die stond in Bacton Wood, een paar kilometer ten oosten van Aylsham, aan de andere kant van het bos. Blackingham lag niet in zijn buurt – minstens twintig kilometer ten noorden van Norwich. Half-Tom woonde aan de rand van de moerassen, ten westen van de stad. Nou ja, de vraag kon snel worden beantwoord door het perkament te openen. Dat wilde hij juist doen, toen de drost achter hem kwam staan en over zijn schouder meekeek. Bemoeizuchtige klootzak. In plaats van het zegel te verbreken tikte

Finn zijn dochter met de perkamentrol op haar mouw, schoof Alfred zachtjes opzij en pakte Rose bij haar arm.

'Kom, dochter. Het wordt tijd om naar onze kamers te gaan. Dan kan lady Kathryn in alle rust afscheid nemen van haar gasten.' Hij knikte naar de benedictijner monnik. 'Goedenacht, broeder Joseph. Zeg morgenochtend maar bij uw terugkomst tegen vader abt dat zijn illustrator druk aan het werk is. Ik wens u een goede reis. En u, Sir Guy.' Het *sir* kostte hem moeite.

'Maar u hebt uw bericht nog niet geopend,' zei de drost.

'Het zou van een dame kunnen zijn,' antwoordde Finn. 'Daarom wacht ik liever tot de beslotenheid van mijn kamer.' Hij schoof zijn stoel naar achteren.

Voor de tweede keer die avond trachtte lady Kathryn de spanning te breken door zich in het gesprek te mengen. 'In dat geval, Finn, wensen we u een goede nacht en houden we u niet langer op.' Ze pakte een bieskaars uit een brander. Alfred wilde hem van haar overnemen, maar ze keek hem fronsend aan en ontbood haar andere zoon, die Finn nog nauwelijks was opgevallen. Lady Kathryn gaf hem de kaars en zei: 'Colin zal u bijlichten. De trappen zijn donker en onbekend. We willen niet dat Rose zou struikelen.'

Opgelucht keerde Finn het gezelschap zijn rug toe. Toen ze de trap opliepen, dacht hij voor het eerst weer aan de gewonde baby voor de poort van Norwich. Hoe snel was hij haar weer vergeten. Zou het goed met haar gaan? Natuurlijk. Half-Tom. Het zegel van het heilige kruis. De boodschap moest afkomstig zijn van de kluizenaarster. Zodra ze op hun kamers waren pakte hij de kaars naast zijn bed en verbrak het zegel.

Het kind had nog maar drie dagen geleefd.

'U wilde me spreken, moeder?' Alfred wreef de slaap uit zijn ogen en probeerde het verwijt uit zijn stem te houden. Hij struikelde half in het bleke licht van de ochtendschemer, die nog maar nauwelijks tot lady Kathryns slaapkamer doordrong. De kaarsen in de branders flakkerden, bijna uitgedoofd.

Ze antwoordde niet meteen, maar ijsbeerde door haar kamer. De leren zolen van haar slippers maakten een schuifelend geluid in de stilte van de vroege ochtend.

Het bed van zijn moeder was al opgemaakt, zag Alfred, of misschien... te oordelen naar de blauwe wallen onder haar ogen... had ze nog niet geslapen. Was het weer die vreselijke hoofdpijn? Hij vergat zijn eigen ergernis om zo vroeg uit zijn dromen te zijn gewekt en volgde haar ongerust met zijn ogen. Ze droeg nog de kleren van de vorige avond. Zweetplekken ontsierden haar zijden tuniek onder haar armen. Ze had haar haarband afgelegd en haar zilveren haar viel in een losse, warrige waaier tot over haar middel. Haar gezicht leek dodelijk vermoeid in het grijze licht.

'Moeder, gaat het wel?'

Ze bleef staan en keek hem aan alsof ze schrok van zijn aanwezigheid in haar slaapkamer.

'Alfred, wat ben je vroeg. Is er iets?'

'U hebt me zelf laten komen, moeder,' antwoordde hij, niet in staat zijn irritatie te verbergen. Hij lag nog maar net in bed toen hij was gewekt. Zijn hoofd voelde dof en zijn tong te dik. Hij was met een paar jongens uit het dorp naar een hanengevecht geweest, maar dat kon hij haar beter niet vertellen.

'Het was niet de bedoeling dat Agnes je al zo vroeg zou wakker maken,' zei ze.

'Nou, dat heeft dat oude wijf dus wél gedaan, en met plezier.' Hij wachtte op een berisping van zijn moeder, maar die kwam niet. Ze keek hem alleen maar aan, alsof ze niet wist wat ze moest zeggen – heel ongebruikelijk voor een vrouw met haar messcherpe tong.

'Voelt u zich niet goed, moeder?' vroeg hij, opeens weer een kleine jongen, met paniek in zijn stem. Stel dat ze haar ook plotseling zouden verliezen, net als hun vader? Alfred had van zijn vader gehouden, maar het was lady Kathryn bij wie hij en Colin kwamen voor steun en voor wie ze bang waren als ze straf verdienden. Roderick was dikwijls maanden achtereen van huis geweest om tegen de Fransen te vechten of de koning te dienen aan het hof.

Ze schudde haar hoofd, ging op het bed zitten en klopte met haar hand naast zich. 'Nee, het gaat wel, Alfred. Kom eens bij me zitten. Ik moet met je praten over een heel belangrijke zaak.'

Dat was iets nieuws. Meestal was ze autoritair of toegeeflijk tegenover hem, soms de strenge, dan weer de liefhebbende moeder. Maar nu sloeg ze een heel andere toon aan, bijna alsof ze zijn advies wilde vragen. Goed, over een jaar zou hij zestien zijn, en meerderjarig volgens het Noormannenrecht, maar hij wist dat hij nooit het gezag over Blackingham zou krijgen zolang zijn moeder nog gezond was. Ze had het landgoed zelf ingebracht in haar huwelijk en alle rechten erop behouden in haar huwelijkse voorwaarden. Niemand kon het haar ontnemen behalve de koning zelf.

Hij kwam naast haar op de sprei zitten. Ze keek hem aan, legde één been op het bed en leunde met haar rug tegen een van de stijlen. Toen streek ze haar haar glad. Opeens was hij weer een kind en probeerde ze hem uit te leggen dat het een wrede grap was geweest om die kleine groene slang in het bed van zijn broer te leggen. Helemaal niet leuk. Maar zij had Colins babymondje niet gezien, verkrampt tot een angstige kleine *'O!'*, terwijl hij op één voet ronddanste en riep: 'Een slang, een slang!' Alfred schoot weer bijna in de lach bij de herinnering. Nu wist hij echt niet wat hij had misdaan. Of had ze het toch ontdekt, van dat hanengevecht?

'Alfred, je weet dat dit geen gemakkelijke tijden zijn. De dood van de koning heeft een grote leegte achtergelaten en zijn zoons proberen dat gat te vullen en zelf de macht te grijpen. Lancaster en Gloucester zullen waarschijnlijk niet zomaar toestaan dat de elfjarige zoon van hun overleden broer de troon bestijgt. En dan zijn er nog de Franse oorlogen en die extra paus om de zaak te compliceren.'

'Maar wat heeft dat met mij te maken?' vroeg hij. Ze had hem toch niet gevraagd om bij haar te komen voor een discussie over de hofpolitiek en de Kerk?

Lady Kathryn glimlachte en schudde vermoeid haar hoofd. Hij kende die blik van haar. Alsof hij achterlijk was.

'Dat heeft álles met jou te maken, Alfred. En met Blackingham. Als wij ons bij de verkeerde partij aansluiten, de partij die de strijd om de troon verliest, dan zouden wij... jij... alles kunnen verliezen.' Zachtjes raakte ze zijn kin aan met haar lange, spits toelopende vingers. Haar blik gleed liefkozend over hem heen. 'Ook dat prachtige rode haar van jou.'

'Maar vader en de hertog van Lancaster waren vrienden.'

'Precies. Jouw vader heeft een heel dom verbond gesloten met John of Gaunt. Stel dat de hertog het slachtoffer wordt van zijn eigen machinaties? Dat zou niet de eerste keer zijn. Stel dat de jonge Richard genoeg krijgt van de intriges van zijn beide ooms en onder de invloed van iemand anders komt te staan, bijvoorbeeld de aartsbisschop? John of Gaunt is niet populair bij de bisschoppen omdat hij die Wycliffe en zijn leer verdedigt tegen de macht van de Kerk. Want zij hitsen het gepeupel op tegen de paus. Als de bisschoppen zich tegen John of Gaunt keren, zou de heer van Blackingham tenonder kunnen gaan met de hertog, beschuldigd van verraad, beroofd van zijn landerijen. En die heer van Blackingham ben jij. Begrijp je me goed, Alfred?'

'Ik geloof het wel.' Misschien was Colin toch de gelukkigste van hen tweeën, dacht Alfred, die opeens de last van zijn geboorterecht op zijn schouders voelde. 'Wat doen we nu?' vroeg hij nuchter.

'We doen alsof we helemaal niets weten van de vriendschappen van je vader. We proberen ons zoveel mogelijk neutraal op te stellen. We maken onszelf onzichtbaar.'

'Onzichtbaar?'

'Het is als koorddansen. We wekken de indruk dat we loyaal zijn, maar heel onopvallend. We geven nooit ongevraagd onze mening, en als iemand vraagt waar onze voorkeur ligt, wegen we onze woorden op een goudschaaltje.' Ze bevochtigde haar wijsvinger en hield die omhoog. 'En we letten goed op uit welke hoek de wind waait.'

'Niet opscheppen over onze vrienden, dus.'

'Nee. En ook niet onze vijanden door het slijk halen.'

'En onze mond houden in het gezelschap van belangrijke mensen,' knikte hij begrijpend. 'Anders dan die kunstenaar vanavond deed.'

'Precies.' Haar mondhoeken gingen omlaag, waardoor haar gezicht nog vermoeider leek. 'Hij had nooit zo'n uitgesproken mening moeten geven waar de drost en broeder Joseph bij waren. Dat zou hem – en indirect ook ons – in problemen kunnen brengen.'

'Gaat u dat tegen hem zeggen?'

Ze keek peinzend. 'Ik denk het niet. Volgens mij zal een man als Finn nooit zijn mond houden uit voorzichtigheid.'

'Hij is dapper, bedoelt u,' zei Alfred.

'Ik bedoel dat hij geen landerijen heeft om te verspelen en geen zoons om in gevaar te brengen. Hij is een talentvol ambachtsman, zonder verplichtingen aan een gilde, en vanwege zijn talent geniet hij de bescherming van de Kerk.'

'Hij heeft een dochter.'

'Ja, hij heeft een dochter.' Ze wendde haar hoofd af. 'Maar ik heb je niet uit bed gehaald om over Finn en zijn dochter te praten.'

'Dat weet ik. U wilde me waarschuwen dat ik op mijn woorden moet passen.'

Ze knikte. 'En om je te vragen een begin te maken met je verantwoordelijkheden als heer van het landgoed.'

Daar komt het, dacht hij, de preek over verantwoordelijkheid, te veel drank en te veel feesten. Hij herinnerde zich hoe boos ze op hem was geweest. Hij had zich niet zo met Glynis moeten inlaten waar ze bij was. Waarschijnlijk had ze hem toch binnen horen sluipen in de kleine uurtjes.

'Maar ik ben nog niet oud genoeg om heer van het landgoed te zijn. Dat hebt u zelf gezegd, weet u nog?'

'Je bent oud genoeg om te leren hoe je je landerijen en je familie moet beschermen.' Ze hief een hand op om zijn protesten voor te zijn. 'Ik heb het niet over wapens. Ik weet dat je vader je heeft geleerd om met een zwaard en een dolk om te gaan. En wat heeft die kennis hem gebracht? Nee, ik heb het over een heel ander soort bescherming.'

Ze stond op en begon weer te ijsberen.

'Ik heb reden om aan te nemen dat Simpson ons... jou... besteelt. Hoe dan ook, hij weet nuttige dingen over de pachters, de schapen en de bewerking en verkoop van de wol. Kennis die jij ook nodig hebt.'

'Als u denkt dat hij steelt, waarom ontslaat u hem dan niet?'

'Omdat er door de pest en de Franse oorlogen niet veel mannen meer over zijn. Gewone arbeiders... opzichters, herders en wevers... zijn al lastig te vinden, laat staan mensen die kunnen lezen en rekenen.' Ze keek hem strak en doordringend aan. 'Dus vraag ik jou om in de leer te gaan bij Simpson. Zo kun je hem in de gaten houden en tegelijk iets nuttigs opsteken.'

'Als leerling? Ik? De toekomstige heer van Blackingham, erfgenaam van Sir Roderick, als leerling van een rentmeester?' Hij hoorde zijn stem overslaan als van een klein kind, maar hij kon het niet helpen. 'Waarom stuurt u Colin niet?'

'Omdat Colin niet de erfgenaam is van Blackingham Manor. Dat ben jij. Bovendien stuur ik je niet als leerling, Alfred. Simpson blijft een ondergeschikte, jij de heer. Dat zal hij respecteren. Hij is hebzuchtig genoeg. Waarschijnlijk zal hij proberen jou voor zich te winnen. Hij weet dat ik hem niet moet. En je kunt echt iets van hem leren. Hij mag een dief zijn, maar hij weet veel over wol. Maar het belangrijkste is dat je hem in het oog kunt houden om jezelf en ons tegen zijn oplichterspraktijken te beschermen.'

'Hoe lang?'

'Totdat je hem op heterdaad hebt betrapt.' Ze haalde haar schouders op. 'Misschien tot Sint Michiel, eind september.'

Na zijn eerste verontwaardigde reactie begon Alfred de voordelen van de situatie in te zien. Hij werd er dus op uit gestuurd als spion. Dat leek wel avontuurlijk. Hij zou die oude Simpson bij de neus kunnen nemen. En het was ook prettig om van het voortdurende toezicht van zijn moeder te zijn verlost. Soms beperkte ze hem wel heel erg in zijn bewegingen. Hij had al overwogen of hij niet ergens als schildknaap in de leer kon gaan, bijvoorbeeld bij de drost, Sir Guy de Fontaigne. Zijn vader had dat ooit geopperd, voordat hij stierf. Maar dit was misschien nog beter. Dichtbij, maar niet té dichtbij.

'Onnodig te zeggen,' voegde lady Kathryn eraan toe, 'dat je geëxcuseerd bent voor de gebeden. Ik weet niet hoe vroom we ons moeten gedragen vanwege onze nieuwe connecties met de abdij, maar ik vermoed dat we broeder Joseph wel vaker zullen zien. En misschien gaan er koeriers heen en weer tussen Blackingham en het scriptorium van de abdij. Daarom moeten we de schijn ophouden. Maar Simpson hoeft alleen maar op heilige dagen naar de kapel te komen. Als je liever hier blijft, als toekomstig heer van het landgoed, zul je natuurlijk vaker naar de kapel moeten gaan dan vroeger.'

Dat gaf de doorslag.

'Wanneer kan ik vertrekken?' vroeg hij.

'Morgen. Simpson brengt de boeken altijd op vrijdag. Gisteren werden we gestoord, daarom zal ik hem morgen opnieuw ontbieden. Jij bent natuurlijk ook aanwezig en ik zal hem op de hoogte stellen van jouw nieuwe status. Nu ik erover nadenk, moet hij maar verslag uitbrengen aan jou. Ik luister wel mee op de achtergrond, dan kan ik later eventuele vragen beantwoorden die je nog hebt. Maar Simpson ziet dan in elk geval dat jij de baas bent. Je kunt hem zelf vertellen dat je hebt besloten om een tijdje met hem op te trekken – om de wolhandel te leren kennen. Je moet hem niet achterdochtig maken.'

Deze nieuwe, volwassen rol was een beetje angstig, maar ook heel spannend. Hier blijven en naar de pijpen van zijn moeder dansen, of met Simpson meegaan en orders geven? Bovendien was mannelijk gezelschap best aangenaam. Alfred miste zijn vader.

'Goed, moeder, zo doen we het,' zei hij met een ernstige hoofdknik, alsof het helemaal zijn eigen beslissing was. 'Maakt u zich geen zorgen, ik zal die schurk wel voor u vangen.'

'Mooi zo.' Lady Kathryn glimlachte. 'Ik wist dat ik op je kon rekenen.' Ze zuchtte diep en haar gezicht ontspande zich. 'Zeg dan nu maar tegen Agnes dat ze je ontbijt kan klaarmaken.'

Ze gaf hem een kus op zijn wang. Haar lippen voelden zacht en haar haar rook naar lavendel. Deze keer had hij haar in elk geval gelukkig gemaakt. En zo moeilijk was dat niet. De landheer uithangen tegenover de norse Simpson zou best leuk kunnen zijn. Maar toen dacht hij aan Rose en slaakte een spijtige zucht. Hij was de knappe dochter van de illustrator helemaal vergeten. Wat een moment om weg te gaan! Misschien kon hij zo nu en dan bij Simpson vandaan glippen om te zien hoe het werk vorderde in het provisorische atelier.

⁓

Lady Kathryn liet zich opgelucht op het bed zakken. Buiten hoorde ze de eerste geluiden op de binnenplaats. De rook van de aanwakkerende keukenvuurtjes zweefde geurig door de vroege ochtendlucht. Blackingham schudde de sluimer van zich af: de knechten, de meiden en zelfs de honden die in de stallen sliepen werden langzaam wakker bij het grijze ochtendkrieken. Terwijl zijzelf de hele nacht geen oog had dichtgedaan, zinnend op de beste manier om Alfreds medewerking te krijgen. Maar in elk geval was haar plannetje geslaagd. Ze had hem ook kunnen bevelen haar te gehoorzamen, maar nu stond hij er zelf achter. Voor hem was het allemaal een spel.

Alfred en zijn spelletjes. Wat had ze graag naar hem gekeken toen hij nog een klein jochie was, met een stok aan zijn heup als zwaard, terwijl hij een provisorisch schild met zich meesleepte en allerlei veldslagen bedacht, met zichzelf als held tussen zijn denkbeeldige strijdmakkers. Zijn rode krullen dansten heen en weer als hij dappere toespraken hield over moed en eer. In gedachten hoorde ze hem nog roepen: 'Voorwaarts, mannen! Sla die schavuiten neer!' Gefrustreerd zwaaide hij dan met zijn stok naar Colin, die ongeïnteresseerd wegslenterde om de kleuren van een vlinder te bewonderen. Eén moment gunde lady Kathryn zich de illusie dat haar zoons weer kinderen waren en ze kon genieten van hun spel – de tijd dat ze hen nog over het hoofd streelde en in slaap zong, hun schrammen en builen verbond en al die andere dingen deed die moeders doen. Eenvoudige pleziertjes, die zo vanzelfsprekend hadden geleken.

Simpson bespioneren was gewoon een spel voor Alfred, maar het zou hem bij Rose vandaan houden. Hij zou zeker iets van de rentmeester kunnen leren, maar de man moest ook op zijn vingers worden gekeken. Alfred was slim genoeg. Als Simpson werkelijk geld verduisterde, zou Alfred dat wel ontdekken, en samen zouden ze er een eind aan maken. Toch zou ze haar vrolijke zoon missen als hij er niet meer was. Hij kon haar altijd aan het lachen maken. Misschien was Simpson geen goede invloed, maar wat kon hij nog aan Alfreds karakter beschadigen dat Roderick al niet had gedaan met zijn slechte voorbeeld?

De lijster buiten haar raam begon te zingen – brutaal ventje, om al zo vroeg de ochtend te verwelkomen. Ze zou haar schoen naar hem toe hebben gegooid als het geen ongeluk bracht om een lijster iets te doen. En Kathryn had geen behoefte aan nog meer pech.

Zoveel om te onthouden, zoveel waakzaamheid vereist. Soms voelde ze zich als een verdord blad, door de wind heen en weer gesmeten in de winter, zonder richting, zonder enige controle. Als ze maar even kon rusten, dan zou ze de kracht wel vinden om bij Finn en Rose te gaan kijken of ze zich al hadden geïnstalleerd.

Vlak voordat ze haar ogen sloot en in slaap viel bedacht ze dat ze één ding was vergeten. Ze had Alfred niet gevraagd waar hij was geweest in de nacht dat de priester was vermoord.

V

Laat het voldoende zijn om op uw altaar een voorstelling
te hebben van onze Verlosser, hangend aan het Kruis.
Dat herinnert u aan zijn Passie voor u, ter navolging.
Zijn gestrekte armen zullen u uitnodigen hem te omhelzen
en zijn naakte borst zal u voeden met de melk der liefde
om u te troosten.

AILRED VAN RIEVAULX,
REGELS VOOR HET LEVEN VAN EEN KLUIZENAAR (1160)

De kluizenaarster lag voorovergebogen voor haar altaar, voor het beeld van haar lijdende Christus, en kwam bij hem met haar eigen pijn. Haar contemplatie was ruw verstoord, haar gebed verdreven door een angst die ze niet kon bevatten. Alsof het geen jaren maar slechts dagen geleden was herinnerde ze zich het gezicht van de bisschop toen hij de dodenmis had gezongen en de klap waarmee hij de grendel voor de zware deur had geschoven om haar op te sluiten in deze symbolische graftombe. Het geluid van het slot en het schrapen van de grote eikenhouten deur over de vloer galmde nog in haar oren na terwijl ze hier voor haar altaar lag, in een wereld van stilte. En in het donker brak het kille angstzweet haar weer uit.

Haar roeping was de hoogste van alle, de keuze voor een leven van eenzaamheid, afgescheiden van de wereld, van familie en vrienden, zelfs zonder de troost van een kloostergemeenschap, zodat ze een leeg vat zou worden om Hem te ontvangen. De vrouw die ze ooit was geweest, was dood, in de ogen van de buitenwereld. Ze had zelfs haar naam opgegeven voor de naam van deze kerk – de kerk van Saint Julian, waartegen haar hut was aangebouwd. Het was nauwelijks meer dan een hokje buiten de kerkmuur, een symbool van de solitaire status van de kluizenaar. Ze had vrijwillig deze roeping gevolgd en zich afgesloten voor de wereldlijke en kerkelijke gemeenschap, om een leven te leiden waarin ze volledig afhankelijk was van de liefdadigheid van anderen, slechts in het gezelschap van haar Heer, met zo nu en dan een bezoeker die haar eenzaamheid doorbrak om troost bij haar te zoeken of met haar te bidden. En dat was genoeg geweest.

Tot vanavond.

Vanavond was alles weer als in die eerste nacht, toen haar hart in haar borst had gehamerd als een gekooid vogeltje. Net als toen voelde ze weer de opkomende paniek en wilde ze schreeuwen en met haar vuisten tegen die zware houten deur beuken die haar van de wereld gescheiden hield.

Hoe lang had ze daar gelegen in de drukkende duisternis, gebeden prevelend die niet in staat waren de kloof van haar verbroken communie te dichten?

Was dat een lijster? De klokken van de kathedraal luidden voor de metten. De dag moest nog beginnen.

Haar armen en benen voelden stijf, haar huid pijnlijk gekneusd tegen de klamme stenen, bezweet in de augustuswarmte. Een leven van contemplatie leiden, afstand nemen van die duizelingwekkende draaikolk, die *danse macabre*, haar oren sluiten voor het geweeklaag van de nabestaanden, hun nooit eindigende lijkzang. Immers, overal was de dood, die met zijn zeis rondwaarde om zielen te oogsten als rijpe korenaren. Van dat alles had Julian afscheid genomen om te luisteren naar de Kleine Stille Stem. Dat was de weg die ze had gekozen toen ze haar gelofte had afgelegd aan God.

En daar was ze tevreden mee geweest, tot het moment waarop de kunstenaar dat gewonde kind bij haar had gebracht.

Ze had het meisje in haar armen genomen en zachtjes een wiegenlied voor haar gezongen. Maar tegen de tijd dat de kunstenaar terugkwam met de moeder, was de 'kluizenaarster' naar de achtergrond verdwenen, om plaats te maken voor een gewone vrouw met diepe spijt, die zich pijnlijk bewust was van alles wat ze had opgegeven.

Haar maandstonden waren gestopt vanaf het moment dat ze haar kluizenaarshut had betrokken.

'Ze heet Mary,' zei de moeder toen ze de huid van het koortsige kind met water bevochtigden. Haar stem brak toen ze de naam uitsprak. Haar gezicht was een masker van verdriet, net zo grotesk als de dramatische maskers van de acteurs in de mysteriespelen. 'Ik heb haar genoemd naar Onze Lieve Vrouwe. Opdat Zij haar zou beschermen.'

Maar de Heilige Maagd had haar naamgenote niet gered. Evenmin als de Christus tot wie Julian haar gebeden richtte. Wist de moeder wel hoe Julian haar die kleine meid benijdde? Zelfs een dood kind leeft in de herinnering voort. Eerst kwam de afgunst, toen de twijfel. Welke andere zonden zouden zich nog door deze barst in haar geloof wringen?

De stenen smaakten naar schimmel en dood onder haar lippen. '*Domini, invictus,*' smeekte ze. Maar genade leek haar niet gegund. Haar lichaam was stijf na de lange nacht op de koude stenen vloer. Zou ze haar verkrampte gewrichten nog in beweging kunnen krijgen als ze het probeerde? Ik zal hier sterven, dacht ze. Ze zullen mijn botten voor het altaar vinden, met de lappen vlees als rottend fruit dat van zijn pitten valt. De vingers van haar linkerhand, die ze plat tegen de grond gedrukt hield, begonnen onbeheerst te trillen.

Ik weet de naam van de moeder niet eens, dacht ze.

Julian had geprobeerd haar te troosten. Maar de woorden vielen als kiezels in de stilte, hard en breekbaar. Wie kon over genade spreken waar geen genade wás?

Drie nachten na de begrafenis van het kind had Julian gedroomd dat de duivel haar wilde wurgen. Happend naar lucht was ze wakker geworden, luisterend naar de kreten achter het gesloten luik van de keuken, het verdriet van de moeder die in haar slaap de naam van haar dode dochter riep. Julian probeerde met al haar kracht het verlangen te onderdrukken dat het kind bij haar had opgeroepen. Ze had haar keuze gemaakt. Het was godslastering om daar nu op terug te komen.

'*Pastor Christus est...*' Haar lippen konden de woorden niet meer vormen. *Vergeef me mijn zwakke vlees, Heer. Ik dank u voor deze onvervulde behoefte. Ik draag mijn lijden als een offer aan U.*

Maar ze kon de hete tranen niet terugdringen die over haar gezicht op de stenen drupten. Huilde ze om het lijden van haar Verlosser, om de baby Mary, om de treurende moeder? Of huilde ze om haar eigen lege schoot?

Buiten in de tuin begroette de lijster de eerste ochtendschemer. Uit de kerk klonk het geschuifel van de ratten, op zoek naar wat kruimels van de hostie. Hoe kwetsbaar was het geloof.

'Heer, als het U behaagt, neem dan mijn verlangen weg. En als het niet Uw wil is dat ik word verlost van alle vrouwelijke begeerten, maak die behoefte dan tot een beter begrip van Uw volmaakte liefde.'

Als antwoord stroomde het parelgrijze ochtendlicht met ongrijpbare gratie onder de deur van haar cel naar binnen. Julian hoorde Alice al bezig aan de andere kant van de deur: het kraken van de takken voor het vuurtje onder de kookpot, de zucht waarmee het kleine luikje werd geopend waardoor Julian haar eten kreeg aangereikt. Ze hees zich overeind, verbaasd dat haar onwillige ledematen haar nog gehoorzaamden.

'Is de nacht voorbij?' vroeg ze toen Alice een stapeltje schoon linnengoed door het luik schoof.

'Ja. En de moeder is vertrokken,' zei Alice. 'Haar brits was leeg toen ik hier kwam. Ze zal terug zijn naar haar man.'

'Gelukkig maar. Dan kan ze beginnen met de verwerking.'

Tot Julians opluchting had Alice geen commentaar op de schrijnende onrechtvaardigheid van de dood van het kind, hoewel die opmerking haar op de lippen brandde. 'Heb je de hele nacht gebeden?' vroeg ze toen Julian een schone muts met een kapje van de stapel pakte.

'De Heilige Geest is als balsem voor een gewonde ziel.'

'Maar ook het lichaam heeft soms troost nodig,' zei Alice, zorgzaam als een moederkloek. 'Hier, een ei voor je ontbijt.'

Toen Julian een hap nam van het gekookte ei en het weer in zijn dopje zette, zag ze de pas geslepen ganzenveren in het mandje dat Alice in het luik had gezet.

'Ik zie dat je nog wat pennen voor me hebt. Ik eet later wel, als ik klaar ben met mijn werk.'

De meid kneep afkeurend haar lippen samen, maar slikte haar protest in. 'Ik heb een extra maanzaadkoek voor de dwerg meegebracht,' zei ze. 'Hij mag dan slechts een halve man zijn, maar hij heeft de eetlust van een reus.'

'En de geestkracht van twee. Maar breng die koek maar naar de aalmoezenpoort of voer hem aan de vogels. Tom is vertrokken, terug naar zijn palingfuiken. Onderweg heeft hij nog een bericht afgegeven voor de man die ons het kind had gebracht. Ik vond dat ik hem de afloop moest laten weten.'

Alice goot wat water uit de kerkput in een bak, schoof het half opgegeten ei opzij en zette de bak in het raam. 'Een vreemde vogel, die kunstenaar. Hij doet het werk van een monnik en maakt tekeningen voor de abdij, maar een monnik is hij zeker niet. Hij heeft een dochter.'

Alice legde zeep, handdoeken en verse kruiden klaar voor het wekelijkse ritueel. Julian stond erop om regelmatig een bad te nemen, ondanks Alices tegenwerpingen dat zoiets 'niet gezond' was. Julian kleedde zich uit en luisterde naar Alices roddels.

'Ik zou hem niet voor een familievader hebben aangezien. Hij had de koppige houding van een Welshman, maar hij sprak net zo vloeiend Normandisch Frans als jij. En dat klopt niet, want ik heb nog nooit een Welshman gehoord zonder accent. Ik zou er mijn maagdelijkheid – als ik die nog had – onder verwedden dat hij een rondtrekkende Kelt is. Geen christen, maar een heiden. Terwijl de Kerk hem in dienst genomen heeft! Ze zouden zich moeten beperken tot godvrezende Saksen.'

Julian draaide haar rug naar het raampje en trok haar hemd uit. De kleine cel, meestal koud, was nu verstikkend warm door de hitte van augustus. Het water voelde heerlijk op haar gekneusde huid. Behoorde dit wekelijkse bad ook tot de vleselijke lusten die ze zichzelf had moeten ontzeggen? Of zou ze het als een soort doop kunnen zien? Ze luisterde met een half oor naar het gebabbel van de oudere vrouw en snoof de rustgevende geur van de lavendel in het water op. Een verboden genot? Maar God zelf liet de lavendel toch zo heerlijk ruiken, als een geschenk van een liefhebbende vader?

'Godvrezende Saksen, dat is wat ik zeg.'

Julian had al eerder geconstateerd dat Alice, zoals veel mensen uit haar sociale klasse, vol vooroordelen zat, ondanks haar goede hart. Het had geen zin daar tegenin te gaan.

'Hij was wel heel goed verzorgd,' kletste Alice verder. 'Heb je zijn handen gezien? Glad als van een vrouw. En zijn nagels! Afgezien van wat verfvlekjes waren ze zo schoon als een kippenbotje dat door een bedelaar is afgekloven.' Ze wierp een sluwe blik naar Julian van onder haar wimpers. 'Maar verder had hij niets vrouwelijks.'

Een stilte. Een zucht. Julian wist wat er komen ging.

'Maar dat valt jou natuurlijk niet op.'

'Ik heb een gelofte van kuisheid afgelegd, Alice, maar ik ben niet blind. Maar veel belangrijker lijkt me dat hij een goed en eerlijk hart bezit.'

Alice snoof. 'Eerlijk genoeg om tegen de bisschop te liegen over dat varken! Ik weet dat de dwerg het beest had gedood. Dat heeft hij me zelf verteld. Hij was bang voor de schandpaal. De laatste dief die iets van de bisschop had gestolen hebben ze zijn neus afgehakt.'

Julian, die geen vrome reden kon bedenken om haar bad nog langer te rekken – kon ze haar ziel maar zo snel reinigen! – trok een schoon hemd over haar hoofd. Het rook naar loog, doordringend en scherp. De lucht prikte in haar neus.

'Maar het was een leugen om bestwil,' gaf Alice met tegenzin toe. 'De bisschop zal milder oordelen over een tekenaar van Broomholm Abbey dan over een palingvisser uit de moerassen. En gelukkig is het vorige week gebeurd, niet nu.'

'Een leugentje om bestwil, Alice? Daar moet ik eens over nadenken. En wat maakt het tijdstip voor verschil?'

'O, had je het nog niet gehoord? Ik dacht dat de dwerg het misschien verteld had.'

'Wat?'

'De priester van de bisschop is bij hem terugbezorgd in een zak. Met een gat in zijn hoofd.'

'Wat...?'

'Het was geen ongeluk. Henry Despenser heeft gezworen dat de moordenaar zal hangen. Zijn kop zal op een paal worden gestoken en zijn darmen zullen branden.'

'Maar wat heeft dat met de tekenaar te maken?'

'Nou, hij is een vreemdeling. Dat is alles. En iedereen weet dat die Welshmen een ruig zootje zijn. Hoe dan ook, de bisschop werd woedend toen hij het nieuws hoorde. Wie de dader ook mocht zijn, riep hij, de schuld lag bij John Wycliffe, die de mensen had opgestookt tegen de Heilige Kerk. Als Oxford die Wycliffe niet het zwijgen oplegde, zou hij naar de Franse paus stappen.'

Julian gaf Alice haar vuile kleren door het raampje. Alice pakte ze aan en praatte rustig verder: 'Hoewel ik me afvraag wat hij daar moet, want iedereen weet dat hij het hele land leegrooft om de campagne voor de Italiaanse paus te financieren. Twee pausen! Een in Frankrijk en een in Rome. Heilige Moeder Gods, is eentje niet genoeg? Hoe moet een godvrezend mens nu weten wie de echte is? Geen van beiden, denk ik.' En ze mompelde: 'Misschien roep ik mezelf wel tot paus uit, dan hebben we er drie, waarvan één vrouw.'

Blijkbaar zag Alice aan Julians gezicht dat ze te ver was gegaan.

'Nou ja, ik ga maar wat in de kruidentuin werken, dan kun jij verder met je schrijverij.' Ze opende de deur van de keuken en het ochtendlicht viel naar binnen. Door haar raampje zag Julian de grijze schaduw van een tak op de buitenmuur. Een blaadje bewoog zich in de lichte bries. Julian rook de groene ochtend en verlangde ernaar de zon op haar gezicht te voelen. Het weerkaatste licht viel door haar binnenraam over haar schrijftafel. Meer mocht ze niet verwachten. Daarmee moest ze tevreden zijn.

Weer hoorde ze Alices stem. Ze stond vlak buiten de deur en mompelde blijkbaar in zichzelf terwijl ze het onkruid tussen de tijm en de venkel weghaalde. Een zachte verwensing, en toen: 'Twee pausen! Het is een boze wereld. De antichrist waart rond.'

Julian boog zich over haar manuscript en begon te schrijven:

OVER CHRISTUS' VERVULLING

Ik wist dat er kracht genoeg was voor mij (en voor alle levende wezens die gered zullen worden) om weerstand te bieden tegen alle duivels uit de hel en alle schimmige vijanden...

De kokkin van Blackingham had nogal gemopperd dat ze nu twee extra monden moest voeden uit haar slinkende provisiekast. Toen ze de vurige kooltjes onder de withete as gladstreek om een vlakke ondergrond te maken en de zware kookpot op zijn plaats hing, foeterde Agnes tegen haar man, John, dat haar arme oude rug het niet lang meer zou volhouden.

'En dan heeft lady Kathryn een probleem,' zuchtte ze.

'Problemen heeft ze nu ook.'

Agnes wist dat ze niet tegen John moest klagen. Dat maakte hem alleen nog koppiger, en daar schoot ze niets mee op. Hij had haar jaren geleden al gesmeekt om hier weg te gaan, na de pestepidemie van 1354, waarbij zoveel mensen – goede werkers – waren omgekomen.

'Dit is onze kans om met het land te breken,' had hij gezegd. 'Ik heb gehoord wat voor lonen ze in Suffolk betalen. Een man kan daar al het werk krijgen dat hij wil. En weer vertrekken als het hem uitkomt, zonder dat iemand lastige vragen stelt. Na een jaartje in Colchester zouden we vrij kunnen zijn. Dan heeft Blackingham niets meer over ons te zeggen.'

'De wetten van de koning staan dat niet toe. We zouden een heel jaar vogelvrij zijn, John. En ik ben niet bereid om me als een wild dier te laten opjagen, alleen voor jou. Lady Kathryn heeft ons goed behandeld. Wacht nou maar af. Sir Roderick zal je ooit tot rentmeester benoemen.'

John was toen nog een sterke vent, en slim. Hij kon van alles en hij werkte hard. In zijn eentje had hij de kudden opgebouwd totdat ze genoeg wol produceerden om iedereen aan het werk te houden met het scheren, uitrollen, sorteren en verpakken van de vachten. Hij was toen nog een trotse man, maar het was niet zo gelopen als Agnes had gedacht. Haar John was niet beloond voor zijn inzet en loyaliteit. In plaats daarvan had Sir Roderick die nurkse rentmeester Simpson ingehuurd, die John meteen tot knecht degradeerde en hem niet eens met zijn eigen naam aansprak, maar met 'herder'.

Herder was John gebleven, en na een tijdje was alle plezier in het werk hem vergaan. Hij hield nog steeds toezicht op het scheren en verwerken van de vachten, naast allerlei andere klussen, die eigenlijk tot Simpsons taak behoorden. Vandaag nog had Agnes haar keuken moeten verlaten om een handje te helpen in de wolkamer, waar te weinig mensen waren. Het was al laat in het seizoen en tijd voor het hooien. John was het veld in met de maaiers, dagloners die door Simpson waren ingehuurd. Agnes en Glynis hadden de gewassen vachten uitgerold met de binnenkant omhoog, en ze op de schoongeveegde vloer van de wolschuur uitgespreid – geholpen door jongeheer Alfred, die was langsgekomen.

Als John tegenwoordig bij zonsondergang thuiskwam was hij zelfs te moe om te eten en zocht hij troost in een kruik bier. Dat misgunde Agnes hem niet, hoewel het haar pijn deed om haar ooit zo zachtaardige John zo grof en verbitterd te zien. Ze had hem verraden voor haar mevrouw. Als ze niet zo loyaal was geweest aan lady Kathryn, zou John nu een trots en vrij man zijn die voor een echt loon werkte, en niet als knecht voor een figuur als Simpson. Het leek onrechtvaardig dat zij zich nu beklaagde over haar lot, dus besloot ze niets meer te zeggen over het extra werk.

Maar extra werk of niet, het duurde niet lang voordat de miniatuurschilder haar hart veroverde. Al na twee weken moest ze toegeven dat Finns prettige, bescheiden houding voldoende opwoog tegen de extra inspanningen. Ze begon zich zelfs te verheugen op de dagelijkse middagpauze die hij in haar keuken doorbracht. Ze genoot van zijn intelligente gezelschap. Hij was niet Normandisch Frans, zoals lady Kathryn, of van Scandinavische afkomst, zoals Sir Roderick, maar zijn Welshe brutaliteit was beter te verteren dan Saksische lompheid. En ze had bewondering voor een man met kennis.

'Heb je misschien een glas bier of zelfs een slok perenwijn voor een arme tekenaar, Agnes?' had hij die eerste middag gevraagd toen hij haar keuken binnenkwam. Met zijn lange gestalte bleef hij in de deuropening staan en hield het licht tegen.

Ze keek op van het vlees dat ze tot gehakt vermaalde, niet blij met de interruptie, en bromde wat toen ze hem een kroes perenwijn inschonk.

Tot haar verrassing installeerde hij zich op de hoge kruk naast haar, zette zijn ellebogen en de kroes op het hakblok waaraan ze werkte en begon te praten. 'Je maakt mortrewes, durf ik te wedden. Net als mijn grootmoeder – die kon goed koken. Jij maakt dezelfde dingen klaar als zij.' Hij wees naar het mengsel van broodkruimels en vlees dat ze tot een platte bal kneedde. 'Rol jij het ook door gember en suiker? En saffraan? Haar mortrewes had de kleur van saffraan.'

Agnes fronste en gaf wat korzelig antwoord. 'Suiker is te duur. Meestal gebruik ik honing. Het geheim van goede mortrewes is de structuur. Je moet het tot de juiste stijfheid bakken. Maar u moet weer aan het werk, neem ik aan? Dan ga ik verder met het mijne.'

'Jonge Colin en Rose zijn bezig mijn verf te mengen. Colin heeft gevraagd of hij mijn leerling mocht zijn. Zijn oudere broer is erfgenaam en Colin wil niet afhankelijk worden, daarom zou hij graag een vak leren. Ik heb hem gezegd dat ik geen gildemeester ben en dus officieel geen leerjongen in dienst kan nemen, maar hij mag natuurlijk wel kijken en vragen stellen. Rose is een strenge meesteres. Die zal het hem wel leren.'

Agnes sloeg op het vlees. 'Jongeheer Colin is een snelle leerling. En uw dochter is veilig bij hem. Als het zijn broer was, zou ik die twee niet zomaar alleen laten, als u begrijpt wat ik bedoel.'

'Colin is onschuldig. De abdij zal hem ooit wel opnemen, en Rose stelt prijs op zijn gezelschap.' Fronsend tikte hij met zijn knokkels op de tafel en tuurde voor zich uit. 'Ik maak me wel zorgen dat ze te eenzaam is. De laatste tijd gedraagt ze zich nogal rusteloos. Ze was altijd zo'n lief, tevreden kind. Colin speelt de luit en ze zingen samen. Ze praten over muziek, over kleuren, over verre streken. Soms word ik zo afgeleid door hun gesprekken dat ik ze moet wegsturen om rustig te kunnen werken. Maar bedankt voor de waarschuwing. Ik zal erop letten dat jonge vriend Alfred niet spijbelt van de taken die zijn moeder hem heeft opgedragen, en de kans grijpt om te stelen wat hem niet toebehoort.'

Hij nam een flinke slok van zijn kroes. 'Uitstekende perenwijn, Agnes. Laat je het sap in vaten gisten?'

'Ja. Eikenhout,' zei ze.

'Aha, vandaar dat heerlijke, houtige aroma.'

Agnes glimlachte onwillekeurig.

Vanaf die dag keek ze uit naar de bezoekjes van de miniatuurschilder. Ze had altijd een kroes perenwijn voor hem – ook al was de bodem van het vat bijna in zicht en begon de perenoogst pas over een maand – en soms een zoete koek erbij. Ze vond het leuk om met hem te praten en liet zich graag door hem uithoren. Maar binnen zekere grenzen. Ook al was ze een boerenvrouw, ze was oud genoeg om de valse spelletjes van deze tijd te kennen en wist dat een verkeerd woord zowel edelman als knecht in grote moeilijkheden kon brengen.

Ze zaten bij het hakblok, Finn met zijn kroes perenwijn, terwijl Agnes een ganzenbout plukte om aan het spit te roosteren. Een koele wind vanaf de Noordzee verdreef de julihitte die zich in de keuken had verzameld. Turfrook van het altijd brandende vuurtje in de stenen haard vermengde zich met de geur van de dikke soep – gierst, prei en soepbeen – in de grote ijzeren pot die Agnes permanent op het vuur hield. Ze had altijd een kom soep en een haverkoek gereed voor een hongerige knecht of bedelaar, wie er ook aan haar deur klopte.

'Blackingham is een vrij groot landgoed. Ik heb gehoord dat Sir Roderick vrienden had aan het hof en zelfs bevriend was met de hertog van Lancaster,' zei hij.

'Ja, dat kun je wel zeggen. John of Gaunt is hier een keer geweest om te gaan jagen met Sir Roderick en die drost met zijn haviksneus. Een ramp voor mij, dat kan ik u wel zeggen. Ik heb me een ongeluk gewerkt: bakken, braden en daarna de vogel weer versieren met zijn eigen veren. Wat een gedoe.'

'En lady Kathryn? Is zij de hertog nog steeds trouw, nu haar man gesneuveld is?' vroeg Finn.

Agnes haalde haar schouders op. Ze besefte dat ze zich op glad ijs bewoog, maar ze genoot van Finns gezelschap en ze wist dat hij zou blijven zitten zolang ze antwoord gaf op zijn vragen. Maar ze koos haar woorden met zorg.

'Lady Kathryn is trouw aan haar zoons. En aan Blackingham. Ze is beducht voor die hertogen en hun strijd om de controle over de jonge koning.'

'Lancaster schijnt die strijd al te hebben gewonnen. Ze zeggen dat de jonge koning Richard volledig onder zijn invloed staat. Ik heb John of Gaunt één keer ontmoet. Ik mocht hem wel – hoewel ik natuurlijk geen pauw voor hem hoefde te braden,' zei hij met die scheve grijns die Agnes zo ontwapenend vond. 'Maar hij is sluw, dat is een feit, zoals hij die prediker John Wycliffe gebruikt om een wig te drijven tussen Kerk en koning. Rijk of arm, iedereen heeft genoeg van de kerkelijke belastingen.'

'Ja. Lancaster is nu aan de macht. Voorlopig. Maar hij is zelf ook een schraper. Die hoofdelijke belasting hebben we immers aan hém te danken. Let op mijn woorden, tekenaar, het gewone volk zal die belasting niet accepteren. Je kunt de mensen niet te ver drijven. Als ik u was, zou ik maar niet te snel partij kiezen. Die andere oom van Richard...' ze zocht naar zijn naam, 'Gloucester... is nog lang niet verslagen. Het tij kan keren. Een verstandig man laat zich niet naar zee sleuren.'

'Een goede raad, Agnes. Die zal ik onthouden.' Hij zocht de sterkste pennen onder de ganzenveren en testte ze tegen de toppen van zijn lange vingers. 'Is lady Kathryn dan wel trouw aan de paus? Nu ik het zeg, valt het me op dat hier weinig gebeden wordt – niet dat ik bezwaar maak, begrijp me goed. Ik dacht eigenlijk dat lady Kathryn de hervormingen wel zou steunen.'

Agnes wees naar de kunstenaar met de schacht van een veer die ze net van de bijna kale vogel had geplukt.

'Lady Kathryn is heel gelovig, tekenaar. Vertel nou geen verhalen aan de abt. Maar ze zegt haar gebeden in beslotenheid en ze heeft de bisschop genoeg betaald om die schavuit van een echtgenoot van haar nog uit de hel vandaan te bidden. Herinnert u zich de dode priester nog, die de drost in de bossen had gevonden? Die kwam hier alle dagen en viel lady Kathryn lastig met bedekte dreigementen. Altijd vroeg hij geld van haar, de afperser.'

Ze meende iets van verbazing op het gezicht van de kunstenaar te zien en was even bang dat ze te veel had gezegd. Ze pakte een hakmes en liet het met kracht neerdalen op de halsbotjes van de vogel, eerst het ene, toen het andere.

Finn ving ze op met de platte kant van zijn mes en gooide ze in de pruttelende soep op het vuur. 'En jij, Agnes? Wat vind jij van John Wycliffe en zijn idee dat de Roomse Kerk niet het recht heeft om belastingen te heffen op wat de koning toebehoort?'

'Ik? Vraagt u me wat ík ervan vind?'

'Je bent een wijze vrouw. Je hebt vast wel een mening.'

'Zeker. Maar als dat zo is, houd ik die voor mezelf. Hoe weet ik dat u geen spion bent van de bisschop? U doet monnikenwerk. De juiste plaats daarvoor is de abdij. Dit kan gewoon een excuus zijn om te spioneren. Misschien koesteren we een adder aan onze borst.'

Ze zei het half als grap. Maar wat wist ze eigenlijk van deze vreemdeling, die was opgedoken op dezelfde dag dat de priester van de bisschop vermoord was teruggevonden? Misschien had ze al te veel gezegd.

'Als ik een spion was, dan toch niet voor die melkmuil van een Henry Despenser. Jeugd en tomeloze ambitie kunnen een gevaarlijke combinatie zijn.'

Daar was Agnes het mee eens. Ze had de bisschop vorig jaar een keer gezien, toen ze met John naar Norwich was gegaan om de vachten naar de wolhandelaren uit Vlaanderen te brengen. Bisschop Despenser had toezicht gehouden op de reparaties aan de brug over de rivier de Yare. De grote wolkar met zijn vracht aan schapenvachten had een uur moeten wachten terwijl Despenser de arbeiders op hun ziel gaf. Agnes had zich mateloos gestoord aan zijn arrogantie en de manier waarop hij met zijn hermelijnen mantel pronkte.

Finn dronk zijn perenwijn op en kwam overeind om te vertrekken. 'Goed dat je over mijn werk begon, Agnes. Ik moet weer eens terug. Straks komt Rose haar vader nog zoeken.'

Maar Rose was niet op zoek naar haar vader. Ze had veel te veel plezier.

'Ik zal je leren op de luit te spelen,' had Colin haar een week geleden beloofd toen ze de penselen van haar vader schoonmaakten.

'Dat zou geweldig zijn. Dan kan ik mijn vader verrassen. Hij vindt het leuk als ik nieuwe dingen leer.' Uit gewoonte legde ze Finns manuscripten recht. Haar vader hield van orde en netheid.

'Nou, als je hem wilt verrassen, moeten we het niet hier doen.' Colins stem klonk zelfs melodieus als hij niet zong, dacht Rose. Soms had ze moeite zich te concentreren op zijn woorden. 'Denk je dat je lang genoeg zou kunnen wegkomen?' vroeg hij haar.

Rose dacht na en betastte het met pareltjes bezette kruisje om haar hals. Ze vond het prettig om het ingewikkelde filigreinwerk en de gladde parels te strelen. Het was haar lievelingssieraad. Door het aan te raken kon ze beter nadenken. 'Vader houdt elke middag op met schilderen als het licht verandert. Dan gaat hij de tuin in om de schetsen voor het werk van de volgende dag te maken, tot het begint te schemeren. Of als het regent of te koud is om in de tuin te zitten maakt hij een wandeling. Ik zal tegen hem zeggen dat ik ga borduren met lady Kathryn.'

Er verscheen een frons op Colins hoge, gladde voorhoofd. 'Rose, je moet niet tegen hem liegen. Ik heb grote bewondering voor je vader.' Hij zette een inktpot recht, raakte de stapel pagina's aan en volgde met zijn wijsvinger de omtrekken van het vergulde kruis in het midden van de dieprode schutbladen, die waren versierd met een ingewikkeld netwerk van zwart en amber. 'Stel dat hij erachter komt?'

'Dan vertellen we hem gewoon de waarheid, domme jongen, en is alles vergeven.' Ze keek graag naar zijn glanzende, lichte haar, dat vlak boven zijn kaaklijn danste, als een satijnzacht gordijn. 'Hij zou je heus niets verwijten. Integendeel, hij zou het prachtig vinden. Je weet hoe mijn vader ervan geniet als jij op de luit speelt. Is het je niet opgevallen dat hij veel plezieriger werkt als jij muziek maakt?'

Colins frons verdween. 'Ik denk dat ik wel een plek weet waar we elkaar kunnen ontmoeten zonder dat iemand ons zou zien of horen. Het wolhuis. Daar komt nooit iemand, behalve in de tijd van het schapenscheren, en dan alleen om de vachten te verzamelen.'

De middagzon was warm, de atmosfeer vadsig en lui, net als de hond die naast het pad lag toen Rose op de achtste dag de deur opende en naar binnen glipte. Een week lang hadden Rose en Colin elkaar aan het einde van de middag in het wolhuis ontmoet. Daar ging Rose op de aangeveegde vloer zitten, die glad aanvoelde door de lanoline van alle vachten die er in de loop van de jaren hadden gelegen. Ze vouwde haar benen onder zich en nam de luit op schoot. Soms kwam Colin achter haar zitten, met zijn armen om haar heen, terwijl hij haar vingers op de juiste snaren zette. Of hij zat tegenover haar en vertelde haar met engelengeduld hoe ze de snaren moest aanslaan. Tijdens die lessen leerde ze meer dan alleen de luit bespelen. Deze jongen, met zijn vriendelijke karakter en zijn zijdezachte blonde haar, maakte gevoelens in haar wakker die ze niet eerder had gekend. Zijn adem in haar nek en de aanraking van zijn hand op de hare deden haar hart sneller slaan. Soms kreeg ze zo'n licht gevoel in haar hoofd dat ze niet meer kon nadenken.

Het eerste dat haar vandaag opviel was de zware, doordringende lucht van wol – niet de gebruikelijke, vage geur van de lanoline die in de vloer getrokken was, maar een veel sterkere lucht. Ze zag dat de kale vloerplanken waren bedekt met pas geschoren vellen, en op hetzelfde moment hoorde ze de stemmen. Ze schrok zo van de ontdekking dat er anderen op hun geheime plekje waren dat ze instinctief in de schaduw terugdeinsde uit angst dat iemand haar zou zien. Eerst dacht ze dat ze het zich verbeeldde, omdat het wolhuis verlaten leek, afgezien van de vachten. Maar toen hoorde ze het weer: stemmen die kreunden en giechelden. Het geluid kwam van achter de grote wolzak die aan de balken was opgehangen om gevuld te worden. Rose bleef staan, met haar nerveuze vingers om het kruisje van haar hanger geklemd, zoekend naar geruststelling. Als aan de grond genageld luisterde ze naar de gefluisterde woorden.

'We moeten gaan, jongeheer Alfred. Uw moeder zal woedend op me zijn. En op u ook, denk ik, als ze erachter komt wat we hebben gedaan.' Weer een gilletje en wat gegiechel. Toen: 'Ik had kunnen weten dat u kokkie en mij niet zomaar kwam helpen bij het uitrollen van de vachten.'

Rose voelde het bloed naar haar gezicht stijgen. Hoewel ze heel beschermd was opgevoed, had ze toch wel een vermoeden van wat zich hier afspeelde. Ze herkende Glynis' hoge, schelle stem op hetzelfde moment dat ze vier voeten onder de wolzak vandaan zag steken. Armen en benen bewogen zich, half verstrengeld, en er klonken nog wat gedempte woorden, maar Rose wachtte het niet af. Ze rende naar de deur en dook naar de achterkant van de schuur. Daar leunde ze tegen de ruwe planken om weer op verhaal te komen, terwijl ze zich afvroeg wat ze nu eigenlijk had gezien.

Zo vond Colin haar. 'Rose, wat doe je hier buiten?'

'Ik... er waren mensen binnen. Ik wilde niet dat ze me zagen.'

Ze keek over zijn schouder, maar zonder de zwarte neuzen van de grazende schapen in de wei te zien of het zoemen van de bijen in de heg vlakbij te horen. Het enige dat ze zag waren Colins handen op de snaren van de luit, het enige dat ze hoorde was het bonzen van haar eigen hart.

'Het zal John wel zijn geweest, die de wol uitspreidde. Maar hij zal ons niet verraden. Kom mee, het geeft niet. We vinden wel een hoekje voor onze les.'

'Goed dan,' zei Rose, maar ze volgde hem schoorvoetend. Eerst wilde ze zeker weten dat de schuur weer verlaten was. Al die tijd vroeg ze zich af wat dat andere stel in de schuur gedaan had. Ze voelde haar nek gloeien. Stel dat Colin haar gedachten zou kunnen lezen?

Het wolhuis leek anders met de vellen op de vloer – een levende ruimte. Zelfs de muziek klonk anders. De noten galmden niet meer, maar hadden een zachtere, gedempte klank. Heel rustgevend. Colin sloeg wat akkoorden aan en zong een paar regels:

Zij is mijn stille liefde,
Die mij met haar schoonheid tart,
De mooiste van alle bloemen,
Aan haar behoort mijn hart.

Het waren roerende woorden, prachtig gezongen en gespeeld, en ze riepen bij Rose een eigen verlangen op, hoewel ze niet goed wist waarnaar. Een vreemd en nieuw gevoel.

'O, Colin, wat mooi! Kun je mij dat ook leren?'

Zonder iets te zeggen gaf Colin haar de luit en boog zich over haar heen om haar te laten zien hoe ze haar vingers moest zetten om de noten te spelen.

'Je ruikt lekker, Rose. Als de zomer,' zei hij over haar schouder.

Ze was blij dat ze haar haar had gewassen met lavendelwater. Ze was zich bewust van zijn nabijheid, meer dan ze dat ooit bij iemand anders had gevoeld – zelfs niet bij haar vader, die altijd zo strak en roerloos bleef staan als ze hem omhelsde, als een houten klaas, geen mens van vlees en bloed. Toen ze klein was had hij haar wel geknuffeld. Ze herinnerde zich zijn ruwe baard tegen haar wang. Maar dat was lang geleden. Ze vroeg zich af of Colin zou terugdeinzen al ze hem aanraakte. Ze zat zo stil als een hert, om de betovering niet te verbreken.

'*Zij is mijn stille liefde.* Zing het maar mee, dan zal ik je vingers verplaatsen,' zei hij.

Haar vingers trilden zo dat ze nauwelijks kracht had om de snaren in te drukken.

'*Die mij met haar schoonheid tart.*' Hij zong het zachtjes in haar haar, als een wiegenliedje.

Ze voelde zijn adem en dacht aan de verstrengelde benen die ze achter de wolzak had gezien. Ze wist nu wat ze daar hadden gedaan. Ze had ooit dieren zien paren en haar vader toen vol walging gevraagd of mensen dat ook zo deden. 'Zo ongeveer,' had hij kortaf geantwoord, waarop Rose zich had neergelegd bij een leven van maagdelijke onthouding.

Maar met Colin zou het anders kunnen zijn. En Glynis had duidelijk geen bezwaar gehad.

Colin legde de luit neer en raakte haar gezicht aan. Als ze heel stil zat, zou hij haar misschien kussen. Hoe zouden zijn lippen smaken? Ze leken op rijpe kersen. Ze voelde een bijna onbedwingbare neiging om haar tanden in zijn volle onderlip te zetten.

Ze sloot haar ogen en Colin kuste haar – eerst een verlegen, lichte aanraking met zijn lippen, toen een heftiger kus, met een voorzichtig zoekende tong. En Roses kinderlijke voornemens verdwenen als sneeuw in de lenteregen. Na de kus bleef hij haar vasthouden, begroef zijn gezicht in haar haar en zong: 'Rose, mijn Rose, aan haar behoort mijn hart.' En het liefdesliedje klonk als een belofte.

Ze lagen in elkaars armen totdat het begon te schemeren. Aarzelend verkenden ze elkaar, allebei verlegen met deze nieuwe ontdekking, toen Rose een zacht geritsel hoorde, bijna een fluistering. Ze schoot overeind.

'Wat was dat?'

'Ik hoorde niets.' Hij liefkoosde haar nek met zijn lippen.

'Luister. Daar is het weer.'

Een zachte zucht verstoorde de stilte van het wolhuis, als het ruisen van bladeren in een lichte bries.

'Wees maar niet bang, het is niets. Dat is de wol die afkoelt. Zie je die nevel boven de vachten? Ze zijn nog warm en levend. De wol ademt in de afkoelende avondlucht.'

Hij had gelijk. Toen Rose beter keek, zag ze een witte nevel boven de vellen en hoorde ze de vezels uitdijen, waardoor het leek of ze met elkaar fluisterden. Het was een mooi geluid, maar het had ook iets droevigs, als de geesten van oude gelieven die zuchtend terugdachten aan hun liefkozingen.

'Het is al laat, Colin. Mijn vader zal ongerust worden. We moeten gaan.' Maar haar haar was losgeraakt en zat beklemd onder zijn schouder. Ze maakte geen aanstalten om het los te trekken.

'Nog één kus, Rose. Toe. Je bent zo mooi. Ik hou van je. Dat wilde ik je zeggen, maar ik was bang dat je me zou uitlachen. Jij bent de eerste, weet je. Ik ben niet zoals mijn broer.'

'Ik zou je nooit uitlachen, Colin.' En toen drong zich een nieuwe, verontrustende gedachte op, als een slang in haar paradijs: 'Colin, denk je dat het verkeerd is wat wij hebben gedaan? Denk je dat we straf zullen krijgen?'

'Ik hou meer van je dan van wie ook, Rose. Meer dan van wat ook.' Hij volgde de lijn van haar lippen met zijn vinger, vol eerbied, zoals hij eerder de omtrekken van het kruis in het manuscript van haar vader had gevolgd. Toen kwam hij overeind, steunde zich op een elleboog en keek op haar neer. Zijn gezicht stond ernstig, zelfs wat ongerust. 'Hoe kan het nu verkeerd zijn, Rose? Jij wordt mijn vrouw. Ik zal mijn hart aan je geven, net als in het lied over Tristan en Isolde. Ik zal voor altijd van je houden. Ik hou zelfs meer van je dan van mijn muziek.'

'Dan moet het echte liefde zijn,' zei ze lachend.

En toen ze daar in zijn armen lag, in de nevel boven de vloer van het wolhuis, bedacht ze dat haar liefde voor hem net zo mooi en zuiver was als de witte vachten die zuchtend hun instemming betuigden.

VI

Handschriften dienen bij voorkeur zodanig te worden versierd dat hun vormgeving alleen al tot lezing uitnodigt. Wij weten dat de ouden zich veel inspanning getroostten om inhoud en uiterlijk schoon met elkaar in overeenstemming te brengen. De Heilige Schrift verdient alle mogelijke illuminaties.

ABT JOHANNES TRITHEMIUS,
DE LAUDE SCRIPTORIUM (14DE EEUW)

Lady Kathryn liet een waarderende blik door de kamer van haar nieuwe huisgast glijden. Een ordelijke werkplek weerspiegelde een ordelijke geest, en ordelijk was het zeker: kleine potjes inkt stonden als schildwachten op een rij tegen de achterkant van het bureau. Penselen en pennen, keurig schoongemaakt, waren naar grootte gerangschikt. Stapeltjes perkament lagen klaar, zorgvuldig en heel licht gelijnd als hulpmiddel voor de hand van de kunstenaar. Kathryn wist dat haar jongste zoon daarbij had geholpen. En dat vond ze leuk. Ze zag haar zoons graag gelukkig.

Ze was op zoek naar Colin, maar tot haar verbazing was er niemand te zien. Ze veronderstelde dat de kunstenaar misschien in de schemering in de tuin zou zitten tekenen, maar eigenlijk zocht ze Colin – om geen andere reden dan dat ze het gezelschap van haar kinderen miste. Alfred zag ze niet vaak meer nu hij zijn dagen bij Simpson doorbracht, en zelfs Colin liet zich de laatste tijd maar weinig zien. Vroeger kwam hij altijd aan het einde van de middag naar haar kamer om voor haar te zingen of haar te vertellen over een nieuw avontuur: een zwanennest dat hij in het riet ontdekt had, of een nieuw gedicht dat hij had gevonden in de paar boeken die Roderick had aangeschaft, meer uit prestige dan uit liefde voor de dichtkunst. Soms gingen ze samen naar de kapel voor het avondgebed. Dan mompelde hij de gebeden en knielde zij zwijgend naast hem, meer in communie met haar zoon dan met God.

Colin was blijkbaar bij de tekenaar in de tuin. Dat gaf niet. Ze wilde hem die relatie niet misgunnen. Dan moest ze hem maar wat minder vaak zien, als hij op die manier een vak kon leren dat hem voor de monnikskap zou behoeden. Te veel moeders offerden hun zonen aan de koning of aan de Kerk. Kathryn wilde die fout niet maken. Daarom was ze blij dat Colin iets van de meester-ambachtsman zou kunnen leren. Maar ze moest hem wel waarschuwen om op zijn woorden te passen en niet te veel prijs te geven. Wat wisten ze eigenlijk van die miniatuurschilder? Op het eerste gezicht leek hij te zijn voor wie hij zich uitgaf. Agnes mocht hem graag. Ze verwende hem zelfs met kleine lekkernijen, waar lady Kathryn geen bezwaar tegen had, omdat de abt haar goed betaalde voor zijn kost en inwoning. Maar de kokkin was een simpele ziel, gevoelig voor een man met charme. Achter die charme zouden ook een ijskoud hart en een sluw verstand kunnen schuilen. Kathryns man was ook heel charmant geweest. In het begin. Voordat hij haar landerijen in handen had gekregen.

De kamer was koel na de hitte van de dag. Een paar laatste stralen noordelijk licht vielen over de schrijftafel en gaven extra glans aan de heldere kleuren van de halfvoltooide pagina van geïllumineerde tekst. *In principio erat verbum.* 'In den beginne was het woord.' De verticale schacht van de initiaal was diep zeegroen van kleur, prachtig belijnd met filigreinwerk in rood en goud. De naar beneden doorlopende *I* beschutte de rest van de tekst als een subtiel heiligdom voor Johannes, voorzien van groene blaadjes en twijgjes, die zich met elkaar verstrengelden tot een gecompliceerde rand, zo fijn getekend dat hij tot leven leek te komen. Kleine vogels en exotische dieren speelden tussen de takken en twijgen. De kleuren sprongen van de pagina. Geen wonder dat de abt van Broomholm alles deed om het Finn naar de zin te maken.

Ze schoof de pagina wat opzij om te kunnen zien wat voor moois eronder lag. Wat ze op die bladzij vond verraste haar nog meer. Hier was de rand nog maar vaag geschetst en niet ingekleurd – nauwelijks meer dan een ontwerp. Maar het was de tekst die haar een schok bezorgde. Geen Normandisch Frans, maar Saksisch Engels! Een soort Engels, tenminste: deels oud Saksisch, deels Normandisch Frans, hier en daar gekruid met wat Latijnse woorden. Waarom zou Finn, of welke tekenaar ook, zijn talent en moeite verspillen aan een Engelse tekst? Frans was de taal van de adel en de rijken. Alleen zij konden zich de luxe van een boek veroorloven.

'Ik hoop dat mijn werk uw goedkeuring kan wegdragen.'

Lady Kathryn draaide zich haastig om bij het horen van Finns stem. Ze merkte dat ze bloosde omdat ze zich betrapt voelde. Meteen boog ze zich weer over het bureau, in de hoop dat de sluier van haar kapje haar verlegenheid zou verbergen. Ze besloot dat de aanval de beste verdediging was.

'Uw werk? Jazeker. Uw onderwerp wat minder.'

Finn trok een wenkbrauw op. 'U vindt de heilige Johannes geen illustraties waard?'

'De heilige Johannes heeft helemaal geen illustraties nodig. Ik doelde op wat eronder lag.'

'O ja? Wat ligt er onder de heilige Johannes? Ik meende dat hij als monnik leefde.'

In andere omstandigheden had ze daar misschien om kunnen lachen, maar nu vond ze zijn dubbelzinnige opmerking nogal irritant. Ze ging er niet op in, maar pakte de Engelse tekst en hield die onder zijn neus.

'O, dat,' zei hij. 'Het is een gedicht van een man die ik aan het hof heb ontmoet. Een ambtenaar van accijnzen, een bureaucraat van de koning. Een zekere Chaucer. Onthoud die naam. Die zult u wellicht nog vaker horen. Hij heeft merkwaardige opvattingen over taal, maar hij is een goede dichter.' Finn pakte het vel van haar aan en legde het weer op zijn bureau. Toen ordende hij het stapeltje dat ze had verstoord. 'Hij zegt dat dít de echte Engelse taal is.'

'Dit?' Ze wees naar het handschrift op het bureau. 'De echte Engelse taal?' Ze was zo verontwaardigd over die suggestie dat ze haar verlegenheid vergat. 'Er bestaat helemaal geen Engelse taal. Je hebt Normandisch Frans voor de edelen en Saksisch en Oudnoors voor het gewone volk. O ja, en Latijn voor de geestelijkheid.'

Finn grinnikte. Hij genoot zichtbaar van deze discussie. 'Hebt u ooit gehoord van het gedicht *The Vision of Piers Plowman*?'

'Een gedicht noemt u dat? Roderick, wijlen mijn echtgenoot, heeft het ooit meegebracht. Ik geloof dat Colin het nu heeft, hoewel ik niet weet wat hij ermee moet. Het is het gejank van een hond, en net zo onbegrijpelijk. Het vloeit niet soepel van de tong. Het lijkt me nauwelijks de pennen waard waarmee het geschreven is.'

'West Midlands Engels,' zei Finn. 'Een taal met een eigen schoonheid, als je er eenmaal aan gewend bent. Het Engels van de koning, noemen ze het in Londen. King Richard heeft het al tot de officiële taal van het hof en het recht verklaard. Niet verwonderlijk, want de koning en zijn ooms hebben een grote hekel aan alles wat Frans is – zelfs het oude noordelijke Frans dat hier door de vikingen is gebracht.'

'Ik verzeker u dat ik ook geen sympathie voor Frankrijk heb. Ik ben loyaal aan de jonge Richard, net als aan zijn vader.'

Ze hoorde hoe defensief dat klonk. Veel te nadrukkelijk. Zijn opmerking dat hij aan het hof was geweest maakte haar voorzichtig. Zou hij soms spioneren voor de hertog van Lancaster? Roderick had zijn voorkeur voor John of Gaunt niet onder stoelen of banken gestoken. Werd Finn soms door de hertog gestuurd om de weduwe en de zoons uit te horen of dat verbond nog intact was? Of, erger nog, stel dat Gloucester – de broer van John of Gaunt – de miniatuurschilder naar haar landgoed had afgevaardigd om bewijzen te verzamelen voor de dag waarop hij de machtsstrijd tussen de ooms van de jonge koning zou hebben gewonnen? Ze voelde een bekende pijn opkomen achter haar linkerslaap.

Een rechte straal van de laaghangende zon viel het smalle raam binnen en verbreedde zich tot een waaier, die een pad naar de gang verlichtte. Finn stond in het licht tussen haar en de deur. Terwijl ze sprak, liep ze van de schrijftafel naar de deur, vlak langs hem heen. Ze kon Agnes' perenwijn in zijn adem ruiken.

'Ik ben maar een arme weduwe, die niet veel van zulke dingen weet. Mijn oor hoort het liefst waar het aan gewend is, dat is alles. Normandisch Frans of Midlands Engels, het maakt allemaal niets uit, zolang de woorden van de Heer maar in het Latijn worden gelezen.'

Het was een losse opmerking, bestemd voor de abt, voor het geval haar nieuwe huisgast verslag zou uitbrengen aan zijn opdrachtgever. Eigenlijk wilde ze het gesprek op een ander onderwerp brengen dan de politiek. Maar opeens zag ze dat Finns gezicht verstrakte. Hij wilde iets zeggen, maar bedacht zich. Dat bracht haar in verwarring. Finn was toch al zo'n raadselachtige figuur. De abt had hem een heilige taak gegeven, maar Kathryn bespeurde een opvallend gebrek aan vroomheid bij de kunstenaar, en een luchthartige toon als het om religieuze zaken ging. Hij zei dat hij aan het hof was geweest, maar zijn lompe houding paste niet bij een hoveling.

'U bent een eenvoudige weduwe en ik een eenvoudige tekenaar die zijn penseel verhuurt – of de teksten nu in het Frans, het Latijn of de volkstaal van de Midlands zijn geschreven.'

Zijn halve grijns en de glinstering in zijn grijsgroene ogen leken haar te bespotten. Ze zou een gevat antwoord moeten bedenken, een scherpe reactie die duidelijk maakte dat ze meer was dan een 'eenvoudige weduwe'. Ze moest hem uithoren over zijn connecties met de kroon en de abdij, en hem vragen waar zijn eigen voorkeur lag. Maar ze zei niets. Zijn ogen deden haar denken aan de zeegroene poelen waarin ze altijd zwom als kind, toen ze hele zomers in het kleine huisje van haar moeder aan de zee had doorgebracht, nog vóór Roderick, vóór haar zoons, vóór de bezoekjes van de dode priester, vóór de tijd waarin ze meer over intriges en hebzucht had geleerd dan ze wilde weten. Ze hadden dezelfde kleur als de initiaal *I*... 'In den beginne'. Het leek wel of hij zijn penseel in de poelen van die zomers uit haar jeugd had gedoopt. Toen ze nog gelukkig was. Toen haar moeder nog leefde.

'Lady Kathryn, kwam u me iets vragen?'

Geschrokken voelde ze het bloed naar haar wangen stijgen. Finn wachtte op een verklaring waarom ze hem had gestoord in zijn privacy – zijn privacy, waarvoor de abt haar zo goed betaalde. Ze probeerde zich te herstellen, zocht naar een aannemelijke reden en koos ten slotte maar voor de waarheid.

'U hebt me betrapt terwijl ik hier rondsnuffelde, meneer. Dat spijt me. Het was niet mijn bedoeling me met uw persoonlijke zaken of met uw werk te bemoeien. Eigenlijk was ik op zoek naar Colin, maar bij toeval zag ik uw manuscripten. Ik bedoel, een moeder mag toch wel nieuwsgierig zijn naar het ambacht dat haar van het gezelschap van haar zoon heeft beroofd, nietwaar?'

'Ik voel me gevleid dat u belangstelling heeft voor mijn nederige pogingen,' zei hij. Maar zijn glimlach leek eerder geamuseerd dan gevleid. 'Colin heeft gevoel voor kleur en licht. Ik denk dat hij onder mijn leiding – en met uw toestemming, uiteraard – een goede tekenaar zou kunnen worden.'

Toen hij Colins naam noemde herstelde Kathryn zich weer, maakte haar blik los van zijn ogen en keek naar zijn met verf besmeurde voorschoot. Toen knikte ze naar het bureau onder het raam en glimlachte verontschuldigend.

'Vergeef me het gezeur van een moeder. Ik heb uw werk gezien. U hebt een groot talent. Als u Colin les wilt geven ben ik u daar natuurlijk dankbaar voor. En ik zoek wel ander gezelschap voor mijn stille uren. Gebed en contemplatie zijn altijd... voordelig.' Ze beet op haar bovenlip.

'Ja. Goed voor de ziel.' Hij knikte ernstig.

Hoorde ze iets van spot in zijn toon? Ze voelde zich niet op haar gemak en deed weer een stap naar de deur. Hij liep met haar mee. 'Misschien ga ik wel gedichten lezen,' zei ze. 'Ik zou me weer eens in

Piers Plowman kunnen verdiepen om te zien wat u daar zo mooi aan vindt. En natuurlijk heb ik mijn borduurwerk nog.'

Ze deed nog een paar stappen terug, om afstand te nemen en meer adem te krijgen. Deze keer liep hij niet met haar mee.

'Ik zou denken dat de drukte die zo'n groot landgoed met zich meebrengt u niet veel vrije uurtjes laat. En uw andere zoon?'

'Alfred? Hij is meer een zoon van zijn vader. En op dit moment loopt hij met de rentmeester mee. Hij wordt binnenkort meerderjarig. Twee dagen voor Kerstmis viert hij zijn zestiende verjaardag.'

'Dan krijgt u dus voldoende tijd voor gebeden en contemplatie. Tenzij een jonge landheer als hij nog de krachtige hand van een regent nodig heeft, natuurlijk.'

Was dat een verholen verwijzing naar Lancaster? Naar de hertog van Gloucester, wellicht? Of was het weer spottend bedoeld? Ze kon zijn gezicht niet zien. Hij was naar zijn schrijftafel gelopen, waar hij een vel perkament pakte, een paar pennen en een zakje gemalen houtskool. Kathryn kon ongehinderd door de deur verdwijnen. Vertrek maar, vermaande ze zichzelf, nu er nog iets van je waardigheid intact is. Ze was bijna bij de deur toen ze weer zijn stem hoorde.

'U kunt ook met me meegaan naar de tuin, als u wilt,' zei hij. 'Er is nog wat zon. Ik was alleen teruggekomen om mijn spullen te halen.'

Ze draaide zich om en zag dat hij haar was gevolgd naar de deur en weer vlak bij haar stond. Ze keek naar hem op.

'Ik denk niet... ik wil uw inspiratie niet verstoren.'

'Integendeel. Het gezelschap van een mooie vrouw kan alleen maar inspirerend werken.'

De engelen moesten hem die kleur van zijn ogen hebben geleend. Of de duivel, misschien. En zijn glimlach, scheef en een beetje minachtend, gaf haar toch een warm gevoel in haar hart.

'De rozen ruiken zo heerlijk. Kom,' drong hij aan. 'Neem uw borduurwerk mee. Dan kunnen we gezellig bij elkaar zitten terwijl ik schets en u borduurt. Praten is niet nodig. We genieten gewoon samen van de laatste zonneschijn.'

Als een oud, getrouwd stel, dacht ze. En met een huivering besefte ze opeens hoe eenzaam ze was. En zo lang al.

'Nou, voor deze keer dan. Ik zal mijn naald uit de kamer halen, dan kom ik naar de rozentuin.'

Deze ene keer, herhaalde ze bij zichzelf.

~

De Vlaamse gaaien raakten eraan gewend om lady Kathryn met Finn in de tuin te zien zitten en protesteerden niet langer tegen hun aanwezigheid. Kathryn begon zich te verheugen op hun middagen samen. Ze voelde zich op haar gemak bij hem. Elke dag liet ze wat meer van haar reserves varen, tot er niets meer van over was en ze vrijuit praatte, ondanks het feit dat ze nog steeds bitter weinig over haar huisgast wist. Maar ze had een glimp van zijn ziel opgevangen in zijn kunst, en dat gaf haar vertrouwen.

Vandaag was het stil in de tuin, warm en drukkend, eind augustus. Een welkom briesje vanuit zee, zuchtend langs haar vochtige huid, gaf wat verkoeling. Geïnspireerd door het roodborstje dat op de zonnewijzer zat koos ze een rode draad uit de mand aan haar voeten en stak hem door de naald. Naast haar gingen Finns lange vingers snel over het perkament. Met zekere bewegingen schetste hij de blaadjes en de grillige takken die hij de volgende morgen met verf zou invullen. Ze zag dat zijn blik ook heen en weer ging tussen de zonnewijzer en het papier. Met drie krachtige streken was het roodborstje voor eeuwig gevangen op de pagina, een houtskoolbelofte van toekomstige kleurenpracht. Zijn snavel stak tussen de blaadjes uit van een struik die verdacht veel op de haagdoorn leek die hen tegen de laatste zonnestralen beschutte.

'De dagen worden korter. Deze lange schemeruren zullen nu gauw voorbij zijn,' zei Finn.

Hoorde ze iets van spijt in zijn stem? Ook zij vond het jammer dat er een eind zou komen aan deze prettige avonden, maar dat kon ze niet zeggen.

'De oogst is al begonnen,' antwoordde ze daarom maar, terwijl ze de naald in haar borduurlap stak. 'Het is moeilijk om arbeiders te vinden. Een schande. Ze trekken van het ene landgoed naar het andere om het hoogste loon te krijgen en schamen zich zelfs niet om het graan en de gerst in het veld te laten rotten ter wille van één shilling meer.'

'Voor een shilling? Voor hun gezinnen, zou ik denken. Om eten, kleren en onderdak te kunnen betalen voor hun vrouw en kinderen.'

'Als ze op het landgoed waren gebleven waar ze hoorden, zou het ze niet ontbreken aan eten, kleren en onderdak. Vraag het maar aan Agnes. Vraag het aan John, of Glynis, of Simpson, of mijn melkmeiden en pachters of hun eerste levensbehoeften hier niet goed geregeld zijn.'

'Jawel, vrouwe, maar een man zoekt meer dan de eerste levensbehoeften. Hij heeft een droom nodig om na te jagen. Bovendien zijn niet alle rijken zo goed voor hun pachters en bedienden als u.'

'Rijken? Dacht u dat ik rijk was? U moest eens weten hoeveel geld ik kwijt ben aan de koning en de Kerk.'

Hij wuifde met zijn pen naar de omgeving van het landhuis. 'U hebt land. U draagt mooie kleren. U hebt bedienden. En al het eten dat u maar wilt. De moeder die geen droog brood heeft voor haar hongerige kind zal weinig van uw armoede begrijpen.'

Lady Kathryn was niet beledigd. Ze had al gemerkt dat hij zelden een blad voor de mond nam.

'Sir Guy zegt dat de kroon een nieuwe belasting wil instellen,' zei ze. Ze bracht de rode draad naar haar lippen en legde een Franse knoop aan het eind. 'Maar in elk geval is het nu een hoofdelijke omslag: een shilling per persoon. Misschien kan ik nog drie shilling bijeenschrapen voor Colin, Alfred en mezelf.'

'En Agnes en John?'

'Die moeten dat betalen uit het loon dat ze van me krijgen.'

'Betaalt u ze loon?'

Ze las waardering in zijn glimlach.

'Ik moest hun wel gaan betalen toen de pest de meeste mannen had weggenomen. Dat leek me wel zo verstandig. Ik kan me niet veroorloven om hen kwijt te raken. Agnes zou waarschijnlijk nooit van

Blackingham weggaan, maar John misschien wel. De drost zegt dat ze het uit eigen zak moeten betalen. Volgens Sir Guy is dat veel eerlijker. Een gelijke belasting voor iedereen, rijk of arm.'

'En dat noemt u eerlijk? Wat moeten de pachters dan, die geen loon krijgen en alleen wat geld verdienen met het stukje grond dat ze van u en de andere landeigenaren pachten? Een man met een vrouw en zes kinderen is dus acht shilling schuldig. Dat verdient hij in een heel seizoen nog niet.'

Daar had Sir Guy niets over gezegd. Kathryn was zo opgelucht geweest dat ze hem verder niets gevraagd had. Opeens voelde ze een zware last op haar schouders drukken. Ze wist bij wie haar arbeiders en pachters zouden komen als ze hun belastingen niet konden betalen. Dan stonden ze bij haar op de stoep en zou zij ergens het geld moeten vinden. En de anderen dan? vroeg ze zich af. Mensen die zichzelf per dag verhuurden? Wie zou er voor hén betalen? Of pachters met landheren die niet bereid waren hen te helpen – wat moesten ze dan?

'Nee, misschien is het toch niet zo'n eerlijke belasting,' gaf ze toe.

'Het is niet eerlijk en het zal niet werken. Zelfs arme mensen trekken een grens. Als ze met de rug tegen de muur staan en niets meer te verliezen hebben, kennen ze ook geen angst meer. Er is nu al verzet tegen de aartsbisschop van Canterbury.'

'Wat heeft hij met de belastingen van de koning te maken?'

'Hij is door John of Gaunt tot thesaurier benoemd. Samen hebben ze dit plannetje gesmeed om de schatkist aan te vullen, die door de Franse oorlogen was leeggeraakt. Anders zouden ze een beroep moeten doen op de rijkdommen van de abdijen. Maar het lijkt een heel slechte oplossing. Geldzucht, meer is het niet.'

Had hij het nu over de koning of de Kerk? Waar lag zijn loyaliteit? Maar ze vroeg het hem niet.

'Ik kan meepraten over de geldzucht van allebei,' zei ze, denkend aan haar parelsnoer dat in de zak van de priester was verdwenen. Ze vroeg zich af of het nu de slanke hals van een Franse courtisane sierde, of misschien wel de nek van de maîtresse van de bisschop. Ze zuchtte even. Hoe dan ook, zij was haar parels – de halsketting van haar moeder – kwijt.

Ze zaten een tijdje zwijgend naast elkaar. Zijn pen op het papier leek het enige dat er in de tuin bewoog. De bries ruiste niet langer door de rozenblaadjes. Het licht was veranderd en wierp nu lange schaduwen. De haagdoorn en de zonnewijzer schilderden donkere strepen over het gras. Kathryn borg haar naald weg. Ze wilde niet op haar werk zitten turen als een oude vrouw.

'Houdt Alfred toezicht op het oogsten?' vroeg Finn.

Ook hij hield op met zijn werk en borg het handschrift, de pennen en het zakje houtskool in een leren buidel die deed denken aan een herderstas, maar dan groter.

'Nee, dat gaat niet. Dan komt hij te veel in contact met de boeren. Hij is van adellijke komaf.'

Waarom schrok ze van haar eigen woorden toen ze dat zei?

'Juist,' zei Finn.

'Simpson houdt toezicht. En hij brengt natuurlijk verslag uit aan Alfred.'

'En Alfred aan u.'

'Totdat hij meerderjarig is.'

Finn borg zijn schetsen en pennetjes zorgvuldig op. Kathryn, die dat als een teken opvatte, wond de rode draad op de kluwen en stak haar naald in de houder. Finn wees naar de uitgestrekte velden achter de haagdoorn.

'Blackingham is een prachtig erfgoed. Uw echtgenoot heeft zijn zoon iets moois nagelaten.'

'Blackingham was van mij,' antwoordde ze, te snel om haar ergernis te kunnen verbergen. 'Roderick heeft weinig anders gedaan dan de inkomsten over de balk gooien om indruk te maken op zijn vriendjes aan het hof.'

Finn trok zijn wenkbrauwen hoog op, tot aan zijn grijzende haarlijn. 'Ik dacht...'

'Mijn vader had geen zoons en mijn moeder is gestorven toen ik vijf was. Ik heb voor mijn vader gezorgd tot hij oud was. Op een dag kwam hij thuis met Roderick en zei dat ik met hem moest trouwen – dat Blackingham een landheer nodig had.'

'Hield u van hem?'

'Ik hield zielsveel van mijn vader.'

'Ik bedoelde Roderick, uw man. Hield u van hem?'

Het roodborstje was verdwenen. De zonnewijzer stond nu helemaal in de schaduw. Het laatste uur was al verduisterd.

'Hij heeft me twee zoons gegeven,' antwoordde ze.

'Dat is niet wat ik vroeg.' Zijn stem klonk omfloerst. 'Hield u van hem?'

Ze haalde haar schouders op, kwam overeind en pakte haar mandje met borduurgaren.

'Liefde... wat is liefde tussen man en vrouw? Voelen en hijgen in het donker, de bevrediging van vleselijke lust.' Net als bij Roderick en zijn anonieme sletjes, dacht ze. Finn was ook van zijn bank gekomen en stond nu onbehaaglijk dicht bij haar. Kathryn had moeite met ademen in de stille augustuswarmte. Ze deed een stap terug en zei: 'Liefde is wat een moeder voor haar kind voelt. Liefde is wat onze Heer voor ons voelde aan het kruis.'

'Liefde kan veel dingen zijn en veel vormen aannemen. Die hogere liefde die u bedoelde is ook mogelijk tussen broeders, tussen vrienden. Zelfs tussen man en vrouw.'

De tuin lag doodstil in de schemering. Zijn stem was zo zacht dat zijn adem niet eens de lucht in beroering bracht in de kleine kloof tussen hen in. Sprak hij tegen haar of tegen zichzelf? Waarschijnlijk het laatste. Of tegen iemand uit zijn verleden. Het was moeilijk uit te maken.

Zwijgend staken ze de kleine strook gras naar de tuinkamer over. Toen ze bij de deur kwamen keek hij haar nadenkend aan. 'Gaat u met mij mee naar mijn kamer?'

Het duurde heel lang voordat ze antwoord gaf. Hij had haar volkomen verrast. Dat scheen een talent van hem te zijn. Ze bloosde, net als bij de opvliegers die haar soms 's nachts uit haar slaap wekten of haar op vreemde momenten van de dag overvielen. Ze wist zeker dat haar gezicht vuurrood was.

Hij grijnsde. 'Colin of Rose zal er wel zijn. Uw deugd en goede naam lopen geen gevaar. Ik wil u laten zien hoe mijn werk vordert. Het scheen u te interesseren.'

Ze kwam in de verleiding om hem op zijn nummer te zetten vanwege zijn zelfvoldane houding. Maar ze was ook nieuwsgierig. Vermoedelijk stak hier meer achter dan het evangelie van Johannes. En ze was inderdaad benieuwd naar de inkleuring van sommige schetsen die ze hem in de tuin had zien maken.

'Goed dan. Zoals u zegt, mijn reputatie zal er niet onder leiden. Per slot van rekening ben ik uw gastvrouw en heb ik dus alle recht uw kamers te inspecteren. En wat mijn deugd betreft... Ik verzeker u, heer Finn, dat die een hoge prijs verlangt.'

De tekenaar legde zijn hoofd in zijn nek en lachte warm en hartelijk. Zijn adem deed de bieskaarsen in hun branders flakkeren. Schaduwen dansten even om hen heen in de schemering van de halfduistere trap.

'Vrouwe, ik schrik van de suggestie dat ik iets anders op het oog zou hebben dan uw gezelschap. Bij de huidige prijs van de pauselijke aflaatbrieven is de zonde van de wellust meer dan mijn arme beurs kan dragen.' Hij zei het met een koddige frons op zijn gezicht, waardoor ze in de lach schoot. 'Een celibataire, platonische vriendschap is alles wat ik me kan veroorloven.'

Maar toen ze achter hem aan de trap op liep, bedacht ze dat vriendschap zijn eigen prijs had, maar in een andere munt. En zelfs die prijs kon te hoog voor haar zijn.

De miniatuurschilder was veel te charmant, besloot Kathryn nadat ze een plezierig uurtje in Finns kamer had doorgebracht, toekijkend hoe hij de schets van het roodborstje in schitterende rode tinten inkleurde. Ze had nog nooit een man zoals hij ontmoet. Alles aan hem beviel haar: zijn grote geduld met zijn dochter, zijn keurige werkplek, zijn snelle verstand, de zeegroene kleur van zijn ogen, zijn spontane lach en de manier waarop zijn vingers de pennen en penselen vasthielden, bijna alsof hij ze streelde als hij zijn snelle, vloeiende lijnen trok. Zelfs het gemak waarmee hij haar uit haar tent lokte, waardoor ze soms meer zei dan ze eigenlijk wilde, sprak haar wel aan. Maar het maakte hem tot een gevaarlijk man, die ze beter kon mijden.

Maar hoe meer ze dat probeerde, des te meer ze hem tegenkwam – op weg naar haar kamer, naar de keuken, of zelfs in de moestuin, als ze lavendel plukte voor het bad.

'Agnes heeft me een van haar speciale kaneelcustardtaartjes gegeven. Er is genoeg voor twee. Zullen we het op dit bankje opeten, hier in de kruidentuin? Een zomerpicknick.'

De man was een duivel. Hoe wist hij dat ze dol was op kaneelcustardtaartjes?

'Ik hou niet van kaneel, heer Finn. Maar dank u voor het aanbod.' En ze draaide zich om, met het water in de mond door de verleidelijke geur van de kruidige zoetigheid. Maar ze bleef flink en liet hem op zijn bankje zitten, met zijn uitnodigende glimlach en alleen zijn custardtaart als gezelschap.

De volgende dag hield hij haar aan in de rozentuin. Ze schrok van zijn onverwachte verschijning en haalde haar hand open aan een doorn. Hij verontschuldigde zich galant en bracht de gewonde hand naar zijn lippen. Haastig trok ze haar hand weg en voelde dat ze kleurde als een keukenmeid. Finn keek wat verbaasd.

'Ik was op weg naar het bos om bessen te zoeken voor een bepaalde tint purper. Het is zo'n prachtige dag. Ik hoopte dat u me uw gezelschap zou willen lenen,' zei hij.

Lenen, alsof het iets was dat hij zou moeten teruggeven. En hij had niet eens een emmer of een tas bij zich voor die bessen.

'Dank u. Maar nee, heer Finn. Ik... heb het veel te druk.' Stamelde ze? Ze keek langs hem heen om haar verlegenheid te verbergen en zich niet te laten overhalen door de teleurstelling in zijn ogen. 'Ik ben nog een paar dagen bezig met een inventarisatie van de boterschuur en de provisiekamer.'

Maar toen hij weg was, voelde ze zich schuldig. Wat zou er niet deugen aan een wandeling in het bos met een vriend? Maar ze wist heel goed wat er niet deugde. Ze voelde het aan haar bonzende hart. Het kon niet gezond zijn voor een vrouw van middelbare leeftijd dat het bloed zo snel door haar aderen stroomde!

Het maakte haar nerveus zoals hij op de meest onverwachte momenten voor haar neus stond.

Maar het maakte haar net zo nerveus als ze hem een tijdje niet zag.

Zoals de vier dagen die volgden, toen hij nergens te bekennen was. Ten slotte vroeg ze het aan Agnes, zo nonchalant mogelijk.

'Gisteren kwam hij nog zijn glaasje perenwijn halen in de keuken. Maar vandaag is hij met zijn dochter naar de markt in Aylsham, als ik het wel heb. Ze zijn al heel vroeg vertrokken. Had u hem nodig? Ik zal hem zeggen dat hij zich bij u meldt.'

'Nee, ik was gewoon nieuwsgierig. Ik had hem een tijdje niet gezien, dat is alles.'

Agnes zei niets, maar trok een wenkbrauw op en lachte een beetje.

Kathryn besloot dat te negeren.

Toen de zonnewijzer twee uur aangaf voelde Kathryn zich moe en lusteloos. Belachelijk. Het leek wel of ze hem miste. Het huis voelde leeg en haar voetstappen hadden een eenzame, fluisterende echo die ze nooit eerder had gehoord.

Ze liep naar de tuinkamer en ging op de vensterbank zitten, met haar borduurwerk op haar schoot. Op een kleine ronde tafel bij het raam had iemand – Colin, nam ze aan – een boek laten liggen: *The Vision of Piers Plowman*, dat Engelse boek. Ze dacht terug aan haar gesprek met Finn en begon te lezen, worstelend met de lastige spelling. Het las niet prettig, zoals Frans. Waarom zou iemand het dialect van de West Midlands als taal kiezen voor een gedicht? En dan de inhoud! Ook die deed haar denken aan Finn, met al die alliteraties zoals gebed, genade en genoegdoening.

Een schaduw viel over de tekst. Ze keek op en zag Finn in de deuropening staan. Hij keek naar haar met een ondoorgrondelijke uitdrukking op zijn gezicht. Haar hart bonsde tegen haar ribben. Ze haalde diep adem om wat rustiger te worden.

'Vrouwe, wat een geluk dat ik u hier zie.'

Ze sloot het boek en legde haar hand over de titel.

'Geluk, heer Finn? Om een dame aan te treffen in haar eigen kamer? Verklaar u nader.'

Hij glimlachte, maar het was een onzeker lachje dat niet tot zijn ogen reikte. 'Geluk in twee opzichten – dat u niet met iets anders bezig bent en dat ik een extra paar ogen nodig heb.'

'Hebt u last van uw ogen? Agnes heeft wel een tinctuur van...'

Hij lachte, nu met rimpeltjes bij zijn ooghoeken. 'Nee, nee! Mijn ogen zijn goed genoeg om schoonheid te kunnen zien als die zich aandient.'

Weer voelde Kathryn dat ze bloosde tot in haar hals. Ze kon er niets aan doen.

'Ik wil graag uw mening horen. Als u tijd hebt, tenminste. Meestal is het mijn dochter die me adviseert. Maar ze is meteen verdwenen toen we terugkwamen van de markt.'

'Een advies? Waarover?'

'De kleuren. Of ze te fel zijn, of juist te subtiel. Maar ik mag u eigenlijk niet storen als u zit te lezen. Dat kan ik niet van u vragen. Rose zal straks wel terugkomen.'

En hij draaide zich om.

'Wacht.'

Ze zou er later spijt van krijgen, dat wist ze nu al. Maar het was sterker dan zijzelf.

'Zo'n boek wegleggen is bepaald geen offer. Ik vind het Engels dat u zo roemde geen genoegen om te lezen. Het is niet melodieus. Maar ik zal met plezier een blik werpen op uw werk. Hoewel ik niet weet waarom u mijn mening als leek zou vragen.'

Hij draaide zich op zijn hakken om, alsof iemand hem aan een touw om zijn as had getrokken. Of deed hij dat zelf?

'Zal ik de pagina's soms hier brengen? Ik weet niet of ze al helemaal droog zijn, maar...'

'Ja. Nee, ik bedoel... ik kom wel naar uw kamer. Dan kan er niets mee gebeuren.'

Kathryn, Kathryn, je vraagt om moeilijkheden, zei een stemmetje in haar hoofd.

Maar haar hart zei heel iets anders.

Eind september waren de dagen al merkbaar korter. Finn zat nu al vroeg in de middag met lady Kathryn in de warme zon, niet meer in de avondschemer. Tegen die tijd gaven ze de voorkeur aan de privacy van zijn kamer. Zij inspireerde zijn werk – en nog veel meer. Het gouden licht van de herfst viel schuin naar binnen, over zijn werktafel en het bed, waar het stel innig verstrengeld tussen de gekreukte lakens lag. Hoe had hij haar niet mooi kunnen vinden, die eerste avond toen hij bij haar aan tafel zat? Misschien omdat ze zo'n heel ander gezicht en figuur had dan zijn Rebekka?

Finn maakte zich zachtjes uit haar omhelzing los en stapte uit bed. Haar armen gleden van hem af als water. 'Ik moet weer aan het werk, vrouwe,' zei hij lachend, 'nu ik nog genoeg kracht heb om mijn penseel op te tillen.'

Ze liet zich terugzakken in de donzen kussens, met haar armen achter haar hoofd, als een open uitnodiging. Al dat zilveren haar, dat in een grote waaier over het kussen lag, met de donkere lok als een zijden lint rond de roze tepel van haar borst gewonden.

'Uw penseel, meneer, schijnt uit zichzelf omhoog te komen,' zei ze.

Hij lachte, en voelde het hete bloed nu ook naar zijn gezicht stijgen. 'Dan zal ik het maar wegdoen en een ander nemen,' zei hij, terwijl hij zijn broek aantrok. Hij boog zich voorover om een kus op haar voorhoofd te drukken. Ze deed alsof ze pruilde toen ze het gekreukte laken om zich heen wikkelde en achter hem kwam staan. Zo keek ze toe, wachtend tot het donker werd.

Ze had gelijk gehad toen ze zei dat ze een hoge prijs vroeg voor haar deugd, dacht hij. Hij was er niet goedkoop vanaf gekomen. Hij had het gevoel dat hun liefde hem had veranderd op een ingrijpende manier die hij nooit eerder had ervaren met een vrouw. Hij zou nooit meer dezelfde zijn. Kathryn had hem meegenomen naar haar diepste zelf, waardoor hij een deel was geworden van haar. Ze had hem totaal verslonden – zijn lichaam, zijn geest, zijn ziel – met haar eigen vuur. Maar het was niet alleen haar hartstocht... hoewel die hem verrast had, omdat hij de diepte en breedte ervan niet had kunnen vermoeden totdat hij haar gekust had op die dag dat ze voor het eerst zijn schetsen kwam bekijken... en zelfs niet de manier waarop haar lichaam met het zijne versmolt, maar de wijze waarop haar geest zich scheen te veranderen om één te worden met de zijne. Soms leek het bijna alsof ze zijn gedachten kon lezen en hij de hare. Zelfs zijn artistieke gave, die de kern vormde van zijn wezen, kon hij niet tegen haar hitte beschermen. Op de geïllumineerde pagina's sprongen zijn lijnen en vormen bijna van hun smalle marges af. De donkere kleuren werden donkerder, de lichte tinten nog stralender, en de patronen nog subtieler, complex als haar vrouwelijke geest. Zijn talent was niet langer van hemzelf, maar van hen samen. En als hij zelfs dát niet voor haar verborgen kon houden, hoe moest het dan met zijn geheim? Hoe lang zou het nog duren voordat ze ook dat zou hebben ontdekt? Nee. Hij moest het voor zichzelf houden, haar ertegen beschermen, omdat zij de bron was geworden van zijn creatieve energie en het voorwerp van een liefde die hij niet meer had gekend sinds hij zijn vrouw ten grave had gedragen, nu zestien jaar geleden.

'Kleed je maar aan, Kathryn. Rose en Colin zullen zo wel komen.' Hij zat al aan zijn werktafel, met het gelijnde perkament voor zich uit gespreid, de tekst gekopieerd in Roses zorgvuldige kalligrafie.

'Dat duurt nog wel even. Ik zag Colin vertrekken met zijn luit. Toen ik vroeg waar hij naartoe ging, zei hij dat hij Rose lesgaf op de luit, als een *verrassing* voor jou.'

'O, dus daarom verdwijnen ze elke dag.' Hij veegde zijn penseel af aan een doek en doopte hem weer in de inkt. 'Ik zal mijn best doen om verbaasd te zijn.' Hij wachtte even en dacht over zijn volgende woorden na. 'Ik meende dat ik Alfred met Rose zag praten, een paar dagen geleden. Iets in zijn houding vond ik te familiair.' Hij wachtte tot ze zijn gedachten zou lezen en hem gerust zou stellen, maar ze keek hem alleen afwachtend aan. 'Ze is mijn dochter, Kathryn,' ging hij verder. 'Begrijp je? Ik wil haar beschermen tegen...' De smekende klank in zijn stem maakte hem kwetsbaar en dat wist hij. Maar hij vertrouwde haar. Hij wilde zijn zwakte niet voor haar verbergen.

'Ik begrijp het.' Ze boog zich naar hem toe en kuste zijn nek. 'Een kind is een zeldzaam geschenk, een gave Gods, dat boven alles beschermd moet worden.' Toen knabbelde ze aan zijn oor en fluisterde: 'Ik zal met Alfred praten.'

Hij kon zich niet meer concentreren en legde zijn penseel neer.

VII

Een groot huis betekent niet altijd een vroom mens,
en God is enkel gediend met vroomheid.
JOHN WYCLIFFE

Bisschop Henry Despenser had geen aandacht voor de subtiele reliëfs in de steen boven het portaal van de kathedraal van Norwich. Het was een afbeelding van een groep ongelukkige zielen die met touwen bijeengebonden door duivels naar een vlammende ketel werden gesleept, terwijl engelen een handvol verloste onschuldigen de andere kant op brachten. Hoewel deze grafische waarschuwing voor de verdoemenis die de zondaar wachtte daar niet was aangebracht voor poortwachters van het paradijs zoals hijzelf, zou bisschop Despenser, als hij wat onschuldiger en niet zo jong en arrogant zou zijn geweest, in deze stenen preek toch een aanleiding hebben gezien om zich eens te verdiepen in de toestand van zijn eigen ziel.

Maar hij bekommerde zich meer om deze wereld dan om de volgende. En op dit moment hield hij zich bezig met de onopgeloste moord op pater Ignatius, een incident dat steeds pijnlijker dreigde te worden.

Het geluid van zijn leren zolen over de stenen vloer verstoorde nauwelijks de diepe stilte onder de sierlijke Normandische bogen van de kloostergang aan de zuidkant van de kathedraal. O, Henry was wel onder de indruk van de grootsheid om hem heen: de zware houten ribben van het grote dakgewelf, als het skelet van een mythisch zeemonster, dat in de hoogte verdween; de schilderingen; de kruisschermen; de verzilverde en vergulde schatten van de kerk. Ja, de macht en rijkdom van dat alles maakte grote indruk op hem.

Sterker nog, Henry's God woonde hier. Maar hij was geen eenvoudige timmerman uit Galilea. De God van de bisschop was de kathedraal zelf. En zoals alle valse goden eiste deze godheid mensenoffers en eindeloze aanbidding. Niet Henry's eigen offers – hoewel hij op sommige dagen misschien zou hebben beweerd dat hij liever tegen de Fransen zou vechten, liever in maliënkolder en helm ten strijde zou trekken dan het gouden kruis met de robijnen Christus op zijn borst te dragen – maar de offers van een heel leger steenhouwers en timmerlui, van wie er velen al stierven voordat de bouw voltooid was, om te worden opgevolgd door hun zoons en kleinzoons en hun leerlingen. Sommigen hadden vijftig jaar aan de grote kathedraal gewerkt en waren nog altijd bezig met de vervanging van de houten spits, die een kwart eeuw eerder door storm was verwoest. Het geklots van mortel, het polijsten van de steen en het sissen van de schaaf waren geluiden die net zo bij de kathedraal hoorden als de gezangen van de monniken die in de priorij woonden.

Voor bisschop Despenser was het grote stenen gebouw, glinsterend in de gouden zon, een loflied op de menselijke scheppingsdrang, een eerbetoon aan de ambitie. Zijn eigen ambities gingen minstens zo hoog als het imponerende dakgewelf. Maar van alle glorie die hem omringde hield Henry toch het meest van de bisschopstroon achter het hoogaltaar. De troon had de onbetwiste ereplaats in de oostelijke apsis, als een Mozesstoel uit een oude synagoge. Die troon beheerste Henry's ziel. Macht over de kathedraal betekende macht over East Anglia. De duizenden schapen in de weiden, de goudgele velden van saffraan, de moerassen en rivieren met vogels, paling en andere vis, zelfs de wilgen en het riet langs de beken – dat alles kon tot Henry's bezit worden gerekend. Want wie de macht had om belastingen te heffen, had ook de macht om te vernietigen, zoals de bisschop van Norwich heel goed wist. En stond dat niet gelijk aan eigendom?

Maar het was een gedeelde eigendom, samen met de koning. En daar had Despenser grote moeite mee. Dat feit, en de reprimande van de aartsbisschop, waren de reden voor zijn slechte humeur op deze mooie zomerochtend. Hij was net op de hoogte gebracht van de nieuwe personele belasting die de koning had ingesteld.

De hermelijnen zoom van zijn zwarte mantel sleepte achter hem aan door de halfronde galerij toen hij haastig langs een groep monniken liep die bezig waren handschriften te kopiëren in de kloostergang, die als scriptorium dienstdeed. Despenser bleef niet staan om hun vorderingen te bekijken. Hij lette niet op het nerveuze geritsel van pennen en papieren. Boeken interesseerden de bisschop al niet in normale omstandigheden, en vandaag was geen normale dag. Het was vrijdag. Vandaag had de bisschop een bijzondere afspraak.

Hij was dankbaar voor de koelte van de kathedraal, maar zelfs de kerk zweette in de zomerhitte. Vochtplekken verschenen in de verbindingen tussen de stenen muren, net als onder de oksels van het dure witlinnen hemd van de bisschop.

Hij ging vandaag het schip niet binnen, hij liep niet naar het koor, hij knielde niet voor de gouden kelk op het altaar. Vandaag haastte hij zich naar de refter, om een schoon hemd aan te trekken en zijn zware mantel te verruilen voor een kortere jas, die hij al eerder zou hebben aangetrokken als hij geen ontmoeting had gehad met de schatbewaarder van de koning en de aartsbisschop. Die bejaarde kerkvorst had zich luid beklaagd over het gebrek aan protocol in de kerkelijke kledij. De Raad van Londen had zelfs een besluit uitgevaardigd waarin geestelijken werden berispt die 'gekleed gingen als ridders, niet als dienaren van de kerk'. Volgens de aartsbisschop bezochten ze de dure kleermakers in Colgate Street – waar ook Henry zijn mooie bisschopshemden kocht – en liepen ze te paraderen 'als pauwen'. Maar de bisschop was niet van plan om afstand te doen van zijn wettige recht op uiterlijk vertoon. Hij was tenslotte van adellijke komaf en bovendien nogal trots op zijn goedgevormde kuiten. Uit respect voor zijn kerkvorst had hij echter de zware mantel aangetrokken die hij nu opgelucht weer uitdeed in de privacy van zijn eigen kamer.

Hij trok zijn bezwete hemd uit en riep zijn kamerheer. De oude Seth, die in een hoek lag te dutten, schrok wakker, knipperde verbaasd met zijn waterige oogjes en kwam haastig overeind. 'Neemt u me niet kwalijk, heer,' prevelde hij, terwijl hij de bisschop een schoon hemd en wambuis aanreikte. De oude man pakte Despensers mantel aan en begon die krachtig af te borstelen. Te krachtig. Henry wist dat zijn kamerheer bang was om door een jongere man te worden vervangen. Die angst was onterecht. Seth was wel oud en traag, maar ook heel loyaal. En loyaliteit was veel waard in deze verraderlijke tijden.

'Heeft uwe eminentie al gegeten?'

'De aartsbisschop heeft ons oesters voorgezet, en vispastei met beignets en geconfijte kersen.' Hij fronste en boerde toen luid. 'Mijn maag is nog steeds van streek. De oesters waren over tijd, ben ik bang. Maar breng me een beker wijn. De rest van de middag heb je vrij. Ik verwacht bezoek.'

Henry keek niet eens toen de oude man zich met een buiging terugtrok. Evenmin hoorde hij hem een paar minuten later terugkomen. De bisschop schonk zich een beker wijn in en ging zitten om na te denken in het uurtje dat hij nog over had voordat het meisje zou komen. Constance kwam altijd op vrijdag voor haar biecht. Henry had er graag in toegestemd haar geestelijk raadsman te worden. Ze was de dochter van een oude vriend en de bisschop was niet blind voor haar stevige dijen en haar pronte borsten, die erom smeekten betast te worden.

Maar vandaag zou hij bijna wensen dat ze niet kwam. De hitte en de tirade van de aartsbisschop over het zedelijk verval onder de geestelijkheid hadden zijn vuur geblust. Die gewichtige oude dwaas had Henry nog eens herinnerd aan het schandaal van vier jaar geleden, toen tien priesters in Norwich waren beschuldigd van onkuis gedrag, een van hen zelfs met twee vrouwen! Henry slikte zijn antwoord maar in. Hij vermoedde dat de aartsbisschop zijn eigen maîtresse had. Bovendien tolereerde de kerkvorst dat de bisschop van Londen een prettig winstgevend bordeel instandhield. Toch vroeg hij zich af of er iets was uitgelekt over zijn vrijdagse escapades. Heel onwaarschijnlijk.

Maar de waarschuwing in de stem van de aartsbisschop was onmiskenbaar geweest.

Over de moord op pater Ignatius was de aartsbisschop nog duidelijker. 'Wat voor nieuws hebt u over de moord op de priester?' waren zijn eerste woorden toen hij zijn hand uitstak om zijn ring te laten kussen door Despenser.

'We hebben de schuldige nog niet gevonden.'

'Zet er dan druk achter. Deze misdaad kan niet ongestraft blijven. Ik wil resultaten zien.'

Resultaten. Zomaar. Resultaten! Alsof Henry al niet genoeg problemen had met geld bijeenbrengen voor zijn campagne om de tegenpaus in Avignon van zijn troon te stoten! En nu die nieuwe belasting. Het hield een keer op. Die vermoorde priester was ook een groot verlies. Niemand had zo handig allerlei vrouwen geld weten af te troggelen. Hij kwam juist van zo'n missie in Aylsham, of ging er net heen, toen hij in Blackingham aan zijn einde was gekomen. Meer wisten ze niet. De drost zei dat hij de edelvrouwe daar had ondervraagd. Misschien moest hij haar de duimschroeven aanleggen. Hij zou Sir Guy de volgende morgen nog eens ontbieden – de zwarte piet doorgeven.

Bisschop Despenser dronk van zijn wijn. De klok van de kathedraal sloeg de nonen: drie uur 's middags, drie uur voor de vespers. Zijn maag was weer tot rust gekomen. De wijn en de gedachte aan Constances koele blanke, strelende handen kalmeerden hem wat. Eén keer zou hij graag klaarkomen in haar, zonder zich terug te trekken. Maar dat was een risico; het zou zijn ondergang kunnen worden. Zo was immers ook het schandaal met de priesters ontstaan. Twee van de vrouwen waren zwanger geraakt. Stom. Onverantwoordelijk. Een zware zonde. Nee, hij zou zich wel beheersen, zoals altijd, en toch genieten.

'De Heilige Maagd keurt het goed,' had hij Constance verzekerd, die eerste keer dat ze met tegenzin bij hem kwam. Hij had haar kin in zijn rechterhand genomen en haar gedwongen hem in de ogen te kijken. 'Door jezelf aan Gods dienaar aan te bieden, geef je je lichaam aan God.' Daarna had ze meegewerkt, zij het niet van harte. Maar haar onwil deerde hem niet. Eerlijk gezegd vergrootte het zelfs zijn genot om macht over haar uit te oefenen.

Het meisje kon nu elk moment hier zijn. In gedachten voelde hij al haar warme, stevige vlees, de aanraking van haar huid, glad en levend onder zijn tastende vingers, als de reliëfs in het koor. Niets deed een man sneller zijn problemen vergeten dan een beetje lust en liefde op een zomermiddag. Hij dronk zijn wijn en liet die over zijn tong rollen. De Fransen moesten zich beperken tot waar ze goed in waren en de paus aan Rome overlaten.

Sir Guy zag de grijze rook in de verte toen hij de twintig kilometer van Norwich naar het noordelijk gelegen Aylsham reed. Een hooibrand, dacht hij, veroorzaakt door een onvoorzichtige pachter die zijn veld in de hens had gestoken in de veel te droge oktoberlucht. Sir Guy had een zuster aan het hof, die klaagde over de grijze hemel en de troosteloze regen van Londen, maar in East Anglia liet de zomer zich niet verdrijven. Het werd met de dag zonniger en warmer, en de schaarse wolkjes leken op schoongewassen schapenvachten. Hij was dankbaar voor de bries, ook al wakkerde die de brand aan de verre horizon aan. De wind koelde niet alleen zijn huid onder zijn leren wambuis, maar ook het paard, dat hij flink de sporen gaf.

Officieel was hij onderweg voor de kroon, officieus voor de bisschop. De jurisdictie in de kwestie van de vermoorde priester was nogal vaag. Aangezien het slachtoffer een gezant van de bisschop was, en dienaar van de Kerk, kon het onderzoek ook door de Kerk worden uitgevoerd. Maar omdat het misdrijf was gepleegd in de kroondomeinen, was besloten de zaak toch over te dragen aan de drost. Een vervelende affaire. De wereld zou zo'n geldzuchtige geestelijke niet missen, dus waarom al die drukte? Maar de bisschop wilde tot elke prijs de dader vinden en had de drost opgedragen om snel met resultaten te komen.

'De Kerk is diep gegriefd en een gerechtsdienaar van de koning zou niet de tijd kunnen vinden om de moordenaar op te sporen? Hoe moeilijk is het om een paar vragen te stellen, een motief te zoeken?' had Henry Despenser de drost een veeg uit de pan gegeven. 'Je hebt er de neus voor, man! Gebruik die snavel van je om wat antwoorden te vinden.'

Brutale vlegel. Sir Guy de Fontaigne bevelen geven als een Saksische boer! Hij moest lady Kathryn van Blackingham ondervragen. Maar misschien zou hij zijn voordeel kunnen doen met de verdenkingen van de bisschop. Hij betwijfelde of lady Kathryn in staat was tot moord, maar toch zat daar iets niet goed. Hij had gezien hoe ze haar rug rechtte en een strakke trek om haar mond kreeg toen ze ontkende dat ze de priester nog gezien had op de dag waarop het lijk was ontdekt. Als ze zich bedreigd voelde, zou ze haar kille houding tegenover hem misschien laten varen. Als hij de ondervraging handig aanpakte, zou ze hem zelfs als haar beschermer kunnen accepteren.

Zijn paard week opeens uit naar rechts, stampte met zijn hoeven en dreigde te steigeren. Er hing hier een scherpe lucht. De vlek boven de noordelijke horizon werd steeds zwarter en de wolken waren van wit in grijs veranderd. Ze leken aan de grond vast te zitten. Nee, dit was geen hooibrand. Het vuur woedde ergens rechts van hem, in de richting van Bacton Wood, ten noordoosten van Aylsham. Als het bos in brand raakte zou Broomholm Abbey gevaar lopen en zouden er vele hectaren maagdelijk bos verloren kunnen gaan. Misschien zou hij zelfs moeten vrezen voor de herten en wilde zwijnen in zijn favoriete jachtgebied. Hij gaf een ruk aan de teugels en ramde zijn sporen in de flanken van zijn paard. De dichte atmosfeer deed vermoeden dat de brand nog dichterbij was dan Bacton Wood, zelfs nog dichterbij dan Aylsham. Het zou het huisje van een pachter kunnen zijn, een herdershut of een van de verspreide schuren in het veld die voor de opslag van graan en de stalling van wagens werden gebruikt. Nee, de rookwolken waren te dicht voor een eenvoudig schuurtje. Toen hij de brand naderde, begon hij zelfs te vrezen dat het Blackingham zelf was. Sir Guy gaf zijn onwillige paard de sporen en galoppeerde op de rookwolken af. Hij had immers ook belangen in die richting.

VIII

Lully, lulley, lully, lulley
De valk [dwz. de dood] *heeft*
mijn liefste meegenomen.
UIT EEN VROEG 15DE-EEUWS LIED

Op de dag dat de wolschuur afbrandde was lady Kathryn druk bezig met het blussen van andere vuurtjes. Ze kwam net terug van een confrontatie met Alfred, die zich bitter beklaagde dat hij tot de 'scheerdershokken' was veroordeeld. Kathryn zei hem dat hij het nog twee weken moest volhouden en bij de rentmeester moest blijven tot de oogst was binnengehaald en de pacht was geïnd, 'om Simpson op het rechte pad te houden'. Bovendien was er nog een vracht wol over die aan een koopman uit Vlaanderen moest worden verkocht – tweehonderdveertig pond, niet geschoren maar getrokken voor de beste kwaliteit wol. Lady Kathryn had die partij achtergehouden om een betere prijs te kunnen krijgen als de markt niet meer zo overvoerd was.

'Nog maar twee weken, tot aan je verjaardag,' had ze gezegd, met de belofte dat hij een verjaarsfeest zou krijgen dat een jonge landheer waardig was.

Ze miste hem, met zijn vrolijke lach, zijn snelle verstand en zijn rusteloze energie. Maar ze zag er tegenop om hem weer in huis te nemen. Finn zou er ook niet blij mee zijn. Ze had hem beloofd dat ze

Alfred bij Rose vandaan zou houden, maar Alfred was haar zoon. Finn zou zijn eigen dochter scherper in de gaten moeten houden om te voorkomen dat Alfred dezelfde innige relatie met haar kreeg als Colin. Ze had die twee gezien als ze bezig waren met het prepareren van Finns handschriften of krijgertje speelden in de tuin. Hun lach steeg op naar het raam waarachter ze toekeek. Colin was altijd zo serieus en beschouwend. Kathryn was blij om zijn vriendschap met het meisje. Maar een paar keer meende ze een blik tussen hen beiden te hebben gezien die iets heel anders suggereerde, veel intiemer en minder onschuldig. Ze had het zelfs tegen Finn gezegd, maar hij vond het onzin. Ze waren gewoon bevriend, twee kinderen die nog niets wisten van de boze buitenwereld. Maar Alfred? Nee, hem vertrouwde Finn niet echt.

Alleen al de gedachte aan Finn maakte het verlangen in Kathryn wakker. Drie dagen geleden was hij naar Broomholm Abbey vertrokken met de voltooide pagina's veilig in zijn zadeltassen geborgen. Ze verwachtte hem pas morgen terug. Twee nachten had ze nu alleen geslapen, en ze miste zijn lichaam, dat zich als een sjaal om haar heen vouwde, met zijn adem warm in haar nek. Alleen al zijn nabijheid gaf haar een vreemd gevoel van troost. De hitte in haar, die soms zo hevig opvlamde, was nu bedaard tot een gelijkmatige warmte. Ook had ze minder vaak last van hoofdpijn. De laatste keer was al weken geleden, maar vandaag was het weer mis.

Ze was een losbandige vrouw geworden, hoewel ze strikt gesproken geen overspel hadden gepleegd. Finn had dat meteen gezegd toen ze voor het eerst met elkaar naar bed gingen, de eerste keer dat hij haar haar had losgemaakt en haar nek gekust, de eerste keer dat hij haar borsten had geliefkoosd met diezelfde sierlijke handen waarmee hij de heilige teksten van kleur voorzag. Zijn Rebekka was al zo lang dood, had hij opgemerkt, net als Roderick. Zelfs de Kerk erkende de behoeften van het lichaam. Het was geen *doodzonde.* Een paar onzevaders waren voldoende boetedoening. Toen had hij haar voorhoofd gekust, haar kin in zijn hand genomen en haar gezicht naar het zijne toegedraaid. Hun liefde was meer, zei hij, dan de bevrediging van dierlijke lusten. Het was een spiritueel verbond, waarop Gods zegen rustte. Hun innige voldoening was het beste bewijs.

Kathryn had haar schuldbesef afgelegd en haar geweten laten sussen door zijn geruststellende woorden. Finn was haar biechtvader geworden. Alleen hij kon haar schuld wegnemen. Maar nu, in zijn afwezigheid, kwam dat schuldgevoel weer terug. De Heilige Maagd gedoogde geen ontucht, daar was Kathryn van overtuigd. Niet dat ze de laatste tijd veel contact had met de Madonna – zonder het toezicht van een priester zei ze zelfs geen gebeden meer bij de vespers en had ze het ook tijdens het ochtendgebed heel andere dingen te doen.

Ook op ander gebied was ze onvoorzichtig geweest. Hoewel haar maandstonden nog maar onregelmatig kwamen – een zware bloeding en dan maanden niets – was ze vermoedelijk nog vruchtbaar. Het kon haar ook niet schelen. Ze had zelfs dagdromen over een baby, *zíjn* baby. Als ze naar Rose keek, verlangde ze naar een eigen dochter, een liefdeskind, geboren buiten het huwelijk, verstoten door de maatschappij, het voorwerp van minachting en medelijden. Heilige Moeder, wat was ze dom geweest! Maar toch miste ze Finn en verlangde ze naar zijn terugkeer.

Na haar confrontatie met haar oudste zoon had ze gevoeld hoe haar gezicht verstrakte en die vertrouwde, scherpe pijn weer terugkwam, vlak onder haar jukbeen. Ze had haar geduld met hem verloren, tegen hem geschreeuwd en hem onverantwoordelijk genoemd, net als zijn vader. Ze moest naar hem toe gaan om hem te zeggen dat het haar speet. Ze zou het wel goedmaken op zijn verjaardag. Maar nu wilde ze een koele dronk, dus liep ze naar de keuken, op zoek naar Agnes.

❧

Aanvankelijk viel de rook haar niet op. Het was altijd rokerig in de keuken. Er werd vlees gebraden en er stond vet te borrelen boven de haard. De lucht in de grote ruimte leek wel wat blauwer dan normaal, maar Kathryn schreef dat toe aan de oktoberzon die naar binnen stroomde door de achterdeur die wijdopen stond om de hitte van het vuur wat te verdrijven. In het binnenvallende licht hing er een blauwe nevel in lagen boven de lange houten tafel waaraan Agnes stond te werken. Zolang Kathryn zich kon herinneren was de oude vrouw bij haar geweest, en hoewel ze – zoals iedereen van haar stand – haar bedienden als eigendom beschouwde, putte ze toch troost uit Agnes' aanwezigheid, zoals een kind gehecht kan zijn aan een oud stuk speelgoed of een versleten deken. Het was een uitzondering, wist ze, dat een vrouw de leiding had over de keuken van een adellijk huis, maar Kathryn had een bepaling over Agnes opgenomen in haar huwelijkscontract. Blackingham was haar bruidsschat, maar als zijn vrouw zou overlijden ging alles naar Roderick. Gif was een voortdurend gevaar binnen een slecht huwelijk, dus had Kathryn ervoor gezorgd dat haar keuken haar trouw was.

'Agnes, heb je iets kouds te drinken?' Ze liet zich op een krukje naast de tafel vallen, dezelfde kruk waarop Finn altijd zat als hij naar de keuken kwam – wat minder vaak nu, omdat hij zijn vrije uren anders besteedde.

Agnes keek naar het keukenhulpje in de hoek. 'Pak een kroes van die plank boven je hoofd en haal wat karnemelk uit de kelder voor mevrouw.'

Het meisje, een mager kind van een jaar of veertien, leek haar eerst niet te horen, maar stak toen een hand uit naar de kroes.

'Wacht. Ga eerst die vuile handen wassen. Ik zag je die schurftige hond aaien die je altijd restjes voert.'

Het meisje liep langzaam naar de tinnen bak aan het einde van de tafel om haar handen te wassen. Ze deed het niet vluchtig, zoals de meeste kinderen, maar bleef daar staan, half verdoofd, terwijl ze haar handen over elkaar liet glijden, heel systematisch, tot het water ervan afdroop en op haar met as besmeurde schort terechtkwam.

'Ja, zo is het wel genoeg. Schiet op. Lady Kathryn kan er niet de hele dag op wachten. En pas op dat je niets morst.'

'Ik heb haar nooit eerder gezien,' zei Kathryn toen het meisje was verdwenen.

De dikke kokkin zuchtte terwijl ze een zware pan op het vuur tilde en het zweet van haar gezicht veegde met een puntje van haar schort.

'Ze is niet goed wijs. Haar moeder heeft me gesmeekt om haar bij me te nemen. Ze kon haar niet meer te eten geven, zei ze. Maar ze is me veel te lastig. Misschien moet ik haar weer terugsturen.'

Maar Kathryn wist dat Agnes ondanks haar norse manier van doen het meisje toch zou houden. Misschien zou ze weinig waardering krijgen van de oude kokkin, maar wel genoeg te eten. Hoewel Agnes veel hongerige monden in Aylsham vulde uit de keukens van Blackingham, wist Kathryn dat ze heel zuinig was en waarschijnlijk net zoveel uitspaarde als ze weggaf. Bovendien was liefdadigheid een christelijke taak, en door dit oogluikend toe te staan voelde Kathryn zich deelgenoot in Agnes' goede werken.

Ze keek naar de stapel lompen in een hoek bij de haard. Een hondenmand, geen bed voor een kind, zou Finn hebben gezegd als hij het zag.

'Agnes, zorg dat het meisje een strozak en een warme deken krijgt. De nachten worden kouder.'

De verbazing stond op het gezicht van de kokkin te lezen. 'Jawel, vrouwe. Ik zal er meteen voor zorgen.'

Kathryn hoestte. 'Wat is het hier benauwd vandaag. Is de schoorsteen de laatste tijd wel geveegd?'

'Ja, vorige maand nog. Maar het waait de hele dag, waardoor de kooltjes walmen.'

Het meisje kwam terug met de karnemelk, gaf de beker verlegen aan Kathryn en maakte een soort revérence. Kathryn zag dat de tinnen kroes maar halfvol was, maar zei er niets over. Het meisje had de helft gemorst of de beker maar half gevuld uit angst dat ze zou morsen en slaag zou krijgen.

Agnes wees met een zware lepel naar de keukenhulp. 'Ga nu naar het duivenhok en vang een paar duiven. Dat is het stenen huis achter het washok. Je weet waar het washok is: achter de wolschuur.'

Het meisje knikte zwijgend en aarzelde toen, alsof ze haar instructies niet helemaal begreep.

'Twee vette duiven,' zei Agnes. 'Vooruit, maak voort.'

'Sla je haar, Agnes?' Kathryn was verbaasd over haar eigen vraag. Maar iets in het meisje ontroerde haar en deed haar om een onverklaarbare reden aan zichzelf denken, hoewel zij een bevoorrechte jeugd had gehad. Maar toch was ze altijd bang geweest om te falen en had ze zich onzeker gevoeld tegenover mensen met gezag.

'Of ik haar sla? Nee. Afgezien van een tik met een houten lepel op haar schouder, zo nu en dan, om haar aandacht te trekken.'

'Een lichte tik met een kleine lepel,' zei Kathryn. 'Ze is maar tenger.'

Op dat moment verscheen het onderwerp van gesprek weer in de deuropening, zonder duiven, maar met grote ogen van angst.

Agnes zuchtte. 'Wat is er kind? Kun je het duivenhok niet vinden? Ik zei je toch...'

Het meisje liet haar niet uitspreken. 'N-neem me niet kwalijk, vrouwe...' zei ze zacht, bijna fluisterend. Ze keek eerst naar lady Kathryn, toen naar Agnes, blijkbaar niet in staat het verschil tussen hen te bepalen vanaf haar lage trede op de maatschappelijke ladder. 'Ik kwam terug om het te zeggen.'

'Te zeggen? Wat? Waar heb je het over?' vroeg Agnes.

'De b-brand. De wolschuur staat in brand,' fluisterde het meisje.

De wolschuur. En opeens rook Kathryn die andere lucht, veel sterker dan de rook – niet het pruttelende vet boven de haard, maar de lucht van brandende wol. Tweehonderdveertig pond wol. Haar winst. Ze duwde het meisje uit de weg en rende naar het wolhuis toe. Maar waar de schuur had moeten staan zag ze enkel nog een zwarte rookwolk en oranje vlammen.

~

Tegen de tijd dat Kathryn bij het wolhuis aankwam brandde de schuur als een fakkel. Simpson en een paar anderen, voornamelijk knechten en staljongens van Blackingham, stonden benedenwinds van de dichte rook, met nutteloze emmers in hun handen. Ze keken toe hoe een hoek van het dak inzakte en met een luide knal naar beneden kwam.

'Dit heeft geen zin. Hier valt niets meer te blussen,' zei Simpson, maar Kathryn zag dat hij nauwelijks zweette en niet eens een emmer had.

'Nee. Dat is pissen in de zee.' De spreker, die Kathryn niet kende

– waarschijnlijk een van de arbeiders van buiten, die Simpson had ingehuurd om de schuren gereed te maken voor de winter – zette zijn woorden kracht bij met een tandeloze grijns van achter zijn warrige baard.

Die grijns verdween toen lady Kathryn op hem toe kwam. De man zette zijn vuile muts af als een plichtmatig teken van respect, maar niet van harte. 'Neem me niet kwalijk, vrouwe.'

Simpson stapte naar voren en schoof de arbeider opzij als een korenschoof of een boomtak die hem de weg versperde.

'We konden niets meer doen, vrouwe,' zei hij. 'De schuur vatte vlam als een tondeldoos. De houten vloer en het wolvet van al die jaren brandden als een fakkel. En dan de wolzak zelf, natuurlijk.'

Ze zou graag dat smalende lachje van zijn gezicht hebben geveegd. Als ze maar iemand had uit zijn klasse en met zijn ervaring om zijn plaats in te nemen, zou ze hem ter plekke ontslaan. Ze klemde haar kaken op elkaar en haalde diep adem in de rokerige lucht. Meteen kreeg ze een hoestbui, die haar humeur en haar waardigheid nog verder ondermijnde. Haar ogen prikten door de rook en de frustratie. Haar linkerslaap bonsde.

Ze had gerekend op de winst van die laatste partij wol, om haar jongens in nieuwe kleren te kunnen steken. Alleen al een gewone overjas kostte drie shilling, twee dagen loon voor een arbeider. Nu hun verjaardag naderde had Kathryn wat extra gouden soevereins nodig voor het feest en de cadeaus. Een pond rietsuiker of een pond specerijen kostte tegenwoordig al vijf keer het dagloon van een geschoolde arbeider. Het werd steeds moeilijker om de schijn op te houden. Ze had op allerlei dingen bezuinigd om de begrafenisbelastingen te kunnen betalen, maar nu de jongeheren van Blackingham meerderjarig werden zou er steeds meer van haar gastvrijheid worden gevraagd.

'Ik begrijp niet hoe dit heeft kunnen gebeuren,' zei ze tussen haar hoestbuien door, schreeuwend boven het gebulder van het vuur uit. 'De wind heeft de vlammen aangewakkerd, maar waar kwam de vonk vandaan? Het heeft al weken niet gebliksemd.'

'Iemand heeft waarschijnlijk een lantaarn te dicht bij de wolzak laten staan.' Zijn ogen gingen naar Agnes en de keukenhulp, die achter Kathryn aan naar buiten waren gelopen en nu van een afstandje toekeken. Simpson verhief zijn stem. 'Iemand die onvoorzichtig was. Of dronken. Vraag het de herder maar. Als hij zijn gezicht nog laat zien.'

De tandeloze man snoof eens en wreef over zijn hoofd, dat zo kaal was als de rapen van vorig jaar. 'Als je het mij vraagt heeft die rook een vreemde zoete geur. Meer dan verbrande wol alleen. Verbrand vlees, zou ik denken.'

Hij tuitte zijn lippen en spuwde. De fluim boorde een gat in de wind en bleef schuimend aan zijn voeten liggen. 'Misschien mist u nog niemand, vrouwe, maar ik zou toch maar eens de koppen tellen.'

Hij zei het luchtig genoeg, alsof hij het over een zoekgeraakte wagen of beker had, maar Kathryn rook het nu ook: een doordringend accent in de rook – niet alleen de geur van hout en wol, maar ook de suggestie van verschroeid vet, haar en huid. Ze voelde haar maag draaien en drukte haar hand er tegenaan om niet te braken.

Alfred. Waar was Alfred? Moest hij niet bij de rentmeester zijn?

Simpson wist natuurlijk wat ze dacht. Maar hij wachtte af, genietend van het moment. Hij zou niets zeggen voordat hem iets gevraagd werd. Kathryn probeerde haar stem onder controle te houden. 'Simpson, weet jij waar jongeheer Alfred is?'

'Ik heb hem nog gezien. Hij vertrok van de binnenplaats. Op weg naar de White Hart, zou ik denken. Zoals hij zijn paard uitfoeterde leek hij hard aan een pint bier toe om zijn drift wat te bekoelen. Hij had toch met u gesproken, vrouwe, naar ik meen?'

Een geweldige opluchting overspoelde Kathryn en gaf haar de kracht om de insinuatie van de rentmeester te negeren. De hitte van het vuur schroeide haar gezicht. De wind joeg een fontein van vonken omhoog toen het dak instortte met veel geraas. De omstanders deinsden als één man terug voor de vonken, bovenwinds. De vlammen, gedeeltelijk voldaan, loeiden niet meer zo hevig maar knaagden nog slechts aan de verkoolde beenderen van het gebouw. De hitte was nog altijd te groot om in de buurt te kunnen komen. Kathryn tuurde door het inferno naar het midden, waar het dak was neergekomen. Een bedelaar, misschien, die 's nachts beschutting had gezocht tegen de koude wind? Of een dier dat onder de slecht sluitende deur door was gekropen? Een huivering deed haar maag weer omhoogkomen. Arm schepsel, mens of dier, dat onder die brandende balken lag. Maar goddank was het Alfred niet. En Colin had niets te zoeken in de wolschuur.

'Hier valt niets meer te doen,' riep ze boven het geknetter en gesputter uit. 'Ga maar weer aan het werk.' En ze draaide de mannen haar rug toe. Haar zucht klonk bijna net zo luid als het sissen van het vuur. 'Kom, Agnes. Laat de brand maar uitwoeden. De wol is verloren. Zelfs gebeden helpen niet meer.'

De keukenmeid rende weg als een angstig konijn, waarschijnlijk naar haar lompenbed bij de haard. Maar de oude vrouw verzette geen stap. Ze staarde langs Kathryn heen naar de voorkant van de schuur, waar de deur gezeten had. Opeens rende ze naar de brand toe, struikelend over haar lastige rokken, die zich om haar enkels wikkelden. Maar ze bleef overeind en ging door, als een zwemmer die zich stroomopwaarts worstelde. Het leek alsof ze zich in het vuur wilde werpen. Kathryn liep haar achterna en riep.

'Agnes, kom terug! Straks vat je nog vlam. Kom terug. Laat die schuur maar branden.'

Maar tegen de tijd dat Kathryn haar had ingehaald zat Agnes geknield en begon te jammeren met een hoog, doordringend geluid dat haar hele lichaam deed schokken. Ze klemde iets tegen haar borst dat ze van de grond had opgeraapt. Lady Kathryn knielde naast haar en trok zachtjes Agnes' handen weg om te zien wat ze vasthield.

Het was een herderstas, de leren tas die John altijd bij zich had. Kathryn kon zich niet herinneren dat ze hem ooit zonder had gezien. De stank waar de arbeider over begonnen was, die lucht van verbrand vlees... het was Agnes' man die in de schuur was omgekomen.

Het vuur verspreidde nog altijd een verzengende hitte, maar Kathryn bleef naast Agnes zitten, met haar armen om de oude vrouw heen geslagen. 'We weten het niet zeker, Agnes. Misschien is John hulp gaan halen. Hij kan elk moment weer terug zijn.'

Minuten verstreken alsof het jaren waren, maar John kwam niet terug. Simpson en zijn arbeiders glipten weg, ongetwijfeld bang dat er iets heldhaftigs van hen gevraagd zou worden. Maar Kathryn wist dat ze niets konden uitrichten. Als het Johns lichaam was dat lag te branden onder het ingestorte dak, zouden ze er maar weinig van terugvinden om te begraven.

Samen zaten ze geknield voor de brandstapel, als gelovigen uit de verre oudheid, biddend bij een heidens offer. Kathryn kreeg pijn in haar benen en haar schouders door die verkrampte houding, lang voordat Agnes' gejammer verstomde en ze probeerde weer iets te zeggen. Haar ogen bleven droog. Er waren geen tranen, alleen dat wanhopige, afschuwelijke gekerm, dat eerder van een dier dan van een mens afkomstig leek. En voor het eerst in al die jaren dat ze haar kende besefte Kathryn dat deze vrouw, wier dienstbaarheid ze altijd zo vanzelfsprekend had gevonden, veel meer op haar leek dan ze had kunnen vermoeden. Nee, Kathryn was niet bedroefd geweest om de dood van haar eigen man. Maar ze was wel degelijk in staat tot dit wanhopige verdriet – niet om Roderick, maar wel om haar zoons. Misschien zelfs om Finn. Weer ging er een huivering van opluchting door haar heen dat het niet een van haar zoons was geweest in die brandende schuur. En meteen voelde ze zich schuldig. Omdat ze blij was, als het iemand had moeten zijn, dat het John geweest was en niet Alfred.

'Als het John is, zal ik de mis betalen voor zijn ziel, Agnes. En als de as is afgekoeld, zullen we zijn arme lichaam daar weghalen en bij de kapel begraven.'

'Wilt u dat doen voor John, vrouwe? Na wat Simpson heeft gezegd?' En voordat Kathryn kon antwoorden ging ze verder: 'Het was niet waar wat hij zei, echt niet. Mijn John drinkt nooit overdag. Alleen 's avonds, als hij er behoefte aan heeft. Hij zou nooit een druppel drank aanraken terwijl hij werkt.'

'Dat weet ik, Agnes. Zet het maar uit je hoofd. Ik weet dat John een goede herder was en dat jij en je man trouw waren aan Blackingham.'

'Ja, trouw. Maar John zou hier niet tot zijn dood zijn gebleven als ik hem niet had tegengehouden.' En haar schouders schokten weer door haar droge snikken.

Kathryn begreep wat ze bedoelde. Ze wist al heel lang dat het Agnes' loyaliteit was die het echtpaar ervan had weerhouden om de vrijheid van de wijde wereld te zoeken en daar een arbeidersloon te verdienen.

'Kom.' Ze trok de zware vrouw, die nog zwaarder leek door haar verdriet, half overeind. 'We kunnen niets meer doen voor John. Als het John is,' voegde ze er lamlendig aan toe.

Ze nam de leren tas van Agnes over en opende de klep, op zoek naar een aanwijzing. Ze vond de gebruikelijke teerdoos, wat touw, een mes en een maaltijd van brood, kaas en uien, in een vetvrije doek verpakt. Agnes begon te jammeren toen ze de inhoud zag.

'Die heb ik voor hem ingepakt, vanochtend nog, voordat hij vertrok. Hij zei dat hij naar het verre veld ging en misschien niet voor de avond terug zou zijn.' Haar stem brak.

Kathryn haalde een leren fles tevoorschijn, trok de prop eruit die als kurk diende, en snoof aan de inhoud. Ze trok haar neus op bij de scherpe lucht van alcohol.

'Kijk, Agnes. Die fles is nog helemaal vol. Er is geen slok uit genomen. Als John naar die schuur is gegaan, had hij daar een goede reden voor. Het lijkt of hij zijn tas in haast heeft neergesmeten. Hij moet iets hebben gezien, misschien het begin van de brand. Daarom heeft hij zijn tas weggegooid en is naar binnen gerend om het vuur te doven.' Ze trok Agnes tegen zich aan. 'Ik denk dat jouw John als held gestorven is, Agnes.'

De kokkin keek op naar haar mevrouw, met een gezicht dat verkrampt was van verdriet.

'Hij heeft ook als held gelééfd, vrouwe. Maar dat heb ik hem nooit gezegd.'

Tegen de avond werden Johns verkoolde resten uit de smeulende as gered. Sir Guy was gearriveerd op het moment dat Kathryn en Agnes weer bij het huis terugkwamen. Op Kathryns verzoek riep hij haastig een groep brandweermannen bijeen – zelfs de nurkse rentmeester durfde zich niet te verzetten tegen de drost – om het vuur zo ver te doven dat ze het lichaam konden weghalen. Het begon al te schemeren toen de mannen de vrouwen weer naar de schuur lieten komen. Ze droegen de herder naar buiten, wikkelden hem in een schone deken en brachten hem toen plechtig weg – eerst naar Kathryn, daarna naar zijn weduwe. Agnes onderdrukte een wanhopige snik en prevelde wat verstikte woorden die Kathryn niet kon verstaan. Maar de dringende beweging van haar hand was duidelijk genoeg. Agnes vroeg hen om de deken weg te halen, zodat ze het gezicht van haar man zou kunnen zien. Kathryn begreep die behoefte aan zekerheid.

'Vrouwe, ik zou u niet aanraden...' begon Sir Guy, maar na een bruuske hoofdknik van lady Kathryn haalde hij zijn schouders op, knielde bij het lichaam en trok een punt van de deken weg om het gezicht van de dode man te tonen.

Kathryn moest zich afwenden om niet misselijk te worden, maar ze sloeg haar armen om Agnes heen toen ze de weduwe tegen zich aan voelde zakken. Johns botten en zijn verbrande vlees hadden niets menselijks meer. De huid van zijn gezicht was weggeschroeid. Twee gapende, verwrongen gaten gaven de plaats van zijn ogen aan, in een kale schedel die bedekt was met lappen zwartgeblakerd, omgekruld vlees, nog smeulend door de hitte. Maar één vertrouwde pluk grijs piekhaar kleefde nog achter zijn linkeroor, gespaard gebleven voor het vuur.

Kathryn liet Agnes voorzichtig op de grond zakken, naast haar man. Toen ze begon te snikken probeerde ze de kokkin niet te kalmeren, maar gaf haar de kans om uiting te geven aan haar verdriet. Ten slotte, toen Kathryn het niet meer kon verdragen en Agnes te zwak was om nog weerstand te bieden, droeg of sleepte ze de weduwe bij het lichaam vandaan.

'Breng hem naar de kapel,' zei ze. 'Wij komen wel.' Ze draaide zich om naar Sir Guy. 'Ik zou u zeer erkentelijk zijn, heer, als u naar Saint Michael's zou willen gaan om de priester te halen. Johns ziel moet worden gezegend. Vanavond nog. Voor Agnes' gemoedsrust. Ik zal iemand uit mijn huishouding met u meesturen.'

Haar blik gleed over de omstanders, speurend naar haar zoons. Ze ontdekte Colin, bleek en ontdaan, aan de rand van de menigte. Dit was te veel voor hem, dacht ze. Hij leek wel ziek. Maar ze had nu geen tijd om zich daarom te bekommeren.

'Ik zou het op prijs stellen als u Colin met u meenam, Sir Guy. Mijn jongste zoon heeft een gevoelig karakter, maar bezigheid is balsem voor de ziel. Ik zou hem wel in zijn eentje hebben gestuurd, maar het wordt al avond. En zelfs pater Benedict zal zich veiliger voelen in uw gezelschap.'

'Pater Benedict? Hebt u geen eigen biechtvader?'

Ze las de afkeuring op zijn gezicht. Waarom maakte iedereen zich zo druk over haar zielenheil?

'Hij is in het voorjaar overleden aan bloederige buikloop.' Ze probeerde de ergernis uit haar stem te houden. 'Ik heb nog geen ander gevonden, maar ik houd me aan mijn persoonlijke gebeden.'

Dat was niet helemaal gelogen. Ze hield zich niet aan de canonieke uren, maar bad wel dagelijks de rozenkrans en ging soms naar de kleine stenen kapel die tegen de achterkant van het huis was aangebouwd. Zij en Finn waren daar al twee keer geweest. Ze hadden op de voorste van de vier banken gezeten en hun gebeden gezegd tot het kleine, vergulde beeld van de Heilige Maagd op het altaar. Finns geloof was minder traditioneel, maar ook persoonlijker dan het hare. Hij had geen officiële formules uitgesproken, geen rozenkrans gebeden, maar zwijgend gemediteerd, terwijl Kathryn haar Ave Maria's bad.

Sir Guy zei niets, alsof hij op een nadere uitleg wachtte.

'Wij maken gebruik van de priester van Saint Michael's. Pater Benedict heeft Blackingham goed geholpen. En uit de opbrengsten van de wol hebben wij een ruime bijdrage kunnen leveren aan de bouw van de kerk.'

Als hij nog meer commentaar had op de geloofsbeleving van Blackingham, hield hij dat voor zichzelf. De afkeuring op zijn gezicht verdween als letters op het strand, weggespoeld door de zee, om plaats te maken voor zijn gebruikelijke ondoorgrondelijke blik. Kathryn mocht Sir Guy de Fontaigne niet erg. Ze vond hem pretentieus en sluw, misschien zelfs gevaarlijk, maar toch was ze blij met zijn komst.

En toen hij zijn hakken tegen elkaar sloeg en zei: 'Zoals u wilt, vrouwe. Ik zal niet terugkeren zonder de priester en ik zal proberen de gedachten van uw zoon wat af te leiden van het drama waarvan hij getuige is geweest,' kreeg ze bijna een warm gevoel bij zijn glimlach.

Nu de kwestie met de priester en Colin was geregeld kon ze zich concentreren op haar volgende taak, waar ze als een berg tegenop zag. Heel even overwoog ze Glynis te vragen om Agnes te helpen met het lichaam, maar de lege blik in de ogen van de oude kokkin maakte Kathryn duidelijk dat ze zelf het lichaam zou moeten wassen en afleggen – als die verkoolde resten tenminste nog gewassen konden worden. Agnes was te verlamd door verdriet om van veel nut te zijn. Goddank heb ik een sterke maag, dacht Kathryn. Als die pijn in haar hoofd maar wat minder werd.

Ze nam Agnes mee naar de keuken, zette haar bij het vuur en hield een kroes bier bij haar lippen. 'Opdrinken,' beval ze. Agnes opende haar mond en slikte, met schokkerige, houterige bewegingen, als een marionet.

'Agnes, als je niet in staat bent om Johns lichaam af te leggen, zal ik Glynis wel roepen om me te helpen.'

De oude vrouw schudde haar hoofd, kort en heftig. 'Nee, dat is mijn taak. Mijn laatste plicht.'

Kathryn klopte haar op haar schouder om haar gerust te stellen. 'Dan doen we het samen.'

Opeens bedacht ze wat Roderick zou hebben gezegd over het feit dat ze een bediende aanraakte. Dat gevoel werd meteen gevolgd door een hevig verlangen naar Finn: zijn kracht, zijn zelfvertrouwen en zijn medeleven.

Simpson schuifelde de keuken binnen. 'Het lichaam ligt in de kapel, vrouwe. Als u me niet meer nodig hebt, ga ik nu eten. Mijn bediende had het net klaargezet toen Sir Guy mijn hulp inriep.'

'Natuurlijk, Simpson. Ga maar. Het zou zonde zijn als je eten koud werd.'

De rentmeester werd zo rood als gekookte ham. Hij draaide zich om, maar voegde haar nog over zijn schouder toe: 'O, vrouwe... als u een onderzoek wilt instellen naar de brand in de wolschuur, ondervraagt u dan eerst die zoon van u.'

De schurftige hond. Om met zo'n insinuatie te vertrekken, voordat ze antwoord had kunnen geven. Zou Alfred schuldig zijn? Zou de schuur zijn afgebrand door zijn onvoorzichtigheid? Of, erger nog, door zijn woede? Ze hadden die ochtend ruzie gehad. Maar dat was onzin. De brand was ook zíjn verlies. Aan de andere kant, wie kende de drift en onredelijkheid van de jeugd? Ze zou hem onder handen nemen als ze hem weer zag, aangenomen dat hij nuchter genoeg was om een antwoord te kunnen geven. Maar eerst had ze werk te doen.

Terwijl Agnes als een houten beeld bij de haard zat en de keukenhulp met grote ogen toekeek, ging Kathryn op zoek naar een schoon laken. Eerst koos ze er een met een grof patroon, maar toen pakte ze zuchtend een mooier laken, dieper uit de kist. Daarna zocht ze tussen alle zijde in haar naaimandje naar haar naaldenkoker en een draad van voldoende sterkte en gewicht.

Toen ze de trap afliep naar de keuken kwam ze Glynis tegen en gaf haar opdracht de tafel te dekken in de tuinkamer. Ze zou voor een fatsoenlijke maaltijd moeten zorgen. Sir Guy, de priester en haar zoons moesten toch eten. Maar dat kwam later wel. Daar kon ze zich nu niet om bekommeren.

In het schemerdonker van de rokerige keuken liep ze naar de kokkin toe en zei zo voorzichtig mogelijk: 'Kom, Agnes. We moeten dit doen, voor John.'

Samen liepen ze naar de kapel om de dode in zijn lijkwade te naaien.

IX

De nachtraaf onder de balken symboliseert de kluizenaars die onder de balken van de kerk wonen omdat zij weten dat ze zo'n vroom leven moeten leiden dat de hele Kerk en alle christenmensen op hen kunnen leunen... Om die reden is een kluizenaarster het anker van de kerk, als het anker onder een schip, om het op zijn plaats te houden, zodat het niet kan omslaan in de golven en de storm.

ANCRENE RIWLE
(13DE-EEUWS REGLEMENT VOOR KLUIZENAARSTERS)

Finn genoot van zijn rit naar Broomholm Abbey. Het was een mooie dag, heel warm voor oktober, in elk geval voor de troosteloze oktobermaanden die hij gewend was in de bergen die de smalle grens vormden tussen Engeland en Wales. Zelfs in Londen vielen nu misschien al de eerste winterse regenbuien. Maar hier was het nog volop zomer en had het al dagen niet geregend. Hij bracht de nacht door als gast van de abdij, niet zoals de pelgrims en reizigers die in de vleugel van het hospitium werden ondergebracht, maar als speciale gast van de abt zelf. Hij at goed en sliep als een roos. Tussen de stenen muren, in die stilte van vele eeuwen, droomde hij van Kathryn en werd hij wakker met een glimlach op zijn gezicht en een vochtige plek in zijn lakens – iets wat hij sinds zijn jongensjaren niet meer had meegemaakt.

Hij ontbeet die ochtend met de abt, die het complexe vlechtwerk en de verstrengelde gouden kruisen op de rode schutbladen bestudeerde. 'Prachtig! Heel gecompliceerd,' riep hij uit. 'De werkelijke test voor het talent van een miniatuurschilder. Wat een volmaakte symmetrie! U bent net zo bedreven met de passer als met het penseel. Het zal niet meevallen om een boekband te maken die deze pagina's recht doet.'

Finn was gepast trots op deze complimenten, die het voortreffelijke ontbijt van ham, brood en kaas nog beter deden smaken. Zorgvuldig bekeek de abt de pagina's van de eerste vijf hoofdstukken en trok de lijnen van de tempera-tekeningen met een beringde wijsvinger na. 'Uitstekend werk. Ik zou niet beter kunnen wensen.'

Hij gaf de pagina's aan broeder Joseph, die achter hem stond en Finn achterdochtig opnam. Tijdens hun eerste rit van Broomholm naar Blackingham was de monnik prettig gezelschap geweest, dus had Finn hem de vorige dag hartelijk begroet. Maar Joseph reageerde stug en Finn vroeg zich af wat hij had misdaan om zijn ongenoegen te verdienen.

'Uw kunst is de tekst waardig,' verklaarde de abt. 'Ik heb al een goudsmid van goede naam in de arm genomen. Het boek krijgt een band van gedreven goud, afgezet met edelstenen.'

'Ik mag u ook complimenteren met het werk van uw scriptorium, eerwaarde,' zei Finn. 'Ze hebben me een tekst gegeven die genoeg ruimte laat.' De monniken hielden zich bezig met het saaie ambacht van het kopiëren, waarbij ze alleen de grote hoofdletters en natuurlijk de marges voor hem vrij lieten. 'Mijn Latijn is niet zo vloeiend als het zou moeten zijn, maar ik herken een goede transcriptie als ik die zie.'

Finn was zich onprettig bewust van Josephs minachtende blikken. Wat was de reden? Iets met de Schrift en de tekst. Dat was het. De vertaling. Wycliffe en zijn Engelse vertaling van de bijbel. Opeens herinnerde Finn zich hoe broeder Joseph zich in de grote zaal van Blackingham over de tafel had gebogen, met zijn lippen nijdig samengeknepen om iets dat Finn had gezegd. Het gesprek ging over Wycliffe en zijn Lollards, en Finn bedacht nu dat hij een halfslachtige poging had gedaan om de verguisde geestelijke te verdedigen. Heel onverstandig, in deze omstandigheden.

'Voorzichtig, broeder Joseph, maak er geen vlekken op,' zei de abt streng over zijn schouder. Toen draaide hij zich weer naar Finn, die tegenover hem aan tafel zat, schoof zijn stoel naar achteren en legde zijn ineengestrengelde vingers over het rijkversierde kruis op zijn borst. Hij leek bijzonder content met zichzelf.

'Finn, uw reputatie is volkomen verdiend.'

'Ik ben blij dat u tevreden bent.'

'Tevreden? Veel meer dan dat. Deze kwaliteit verdient een bonus. Die rijke kleuren... zoveel goud op de schutbladen... ik weet dat zoiets geld kost, mijn vriend.' Hij gaf een teken aan broeder Joseph, die blijkbaar zonder nadere instructies begreep wat hij bedoelde. Even later kwam de monnik terug met een bewerkt kistje, dat hij zorgvuldig voor de abt neerzette voordat hij weer achteruit stapte. Uit zijn stijve houding bleek zijn afkeuring, maar de abt lette er niet op toen hij tussen de sleutels aan zijn gordel zocht, het deksel opende en zes gouden munten uittelde. Hij gaf ze aan Finn.

'Dank u voor uw vrijgevigheid.'

'U hebt er elke penning van verdiend.'

'Ik ben blij een nederige dienaar van de abdij te mogen zijn.'

De abt pakte nog wat zilveren munten, deed die ook in een zakje, trok het koordje dicht en gaf het aan Finn.

'Dit is voor de edelvrouwe van Blackingham. Wilt u ervoor zorgen dat ze dit krijgt?'

'Ik zal het haar persoonlijk overhandigen.' Finn glimlachte en stak het zakje in zijn eigen grotere beurs, die om zijn hals hing, onder zijn hemd.

'Ik hoop dat het u en uw dochter aan niets ontbreekt op Blackingham?'

'Wij worden goed verzorgd.'

'En is er ook aandacht voor uw spirituele behoeften, naast uw lichamelijke welzijn?'

Sloeg het vocht van de abdijmuren broeder Joseph plotseling op de neus en moest hij daarom niezen? Of snoof hij minachtend?

'Broeder Joseph, gaat u naar het scriptorium om de pagina's te halen van de teksten die we inmiddels voor de miniatuurschilder gereed hebben gemaakt.'

Broeder Joseph verdween, met zijn hoofd in zijn nek, zich ervan bewust dat hij werd weggestuurd.

'Nu kunnen we even praten,' zei de abt.

'Lady Kathryn leidt een vrome huishouding. Mijn dochter en ik hebben ons dikwijls bij haar aangesloten in het gebed.'

De abt aarzelde heel even. 'Wij zijn blij dat te horen. Er bestond enige zorg, omdat ze geen biechtvader heeft. Pater Ignatius maakte zich voor zijn onfortuinlijke dood ernstig ongerust dat de zielen op Blackingham gevaar liepen.'

Finn veronderstelde dat broeder Joseph zijn bijdrage had geleverd aan de ongerustheid van de abt.

'Ik kan uwe eerwaarde verzekeren dat er geen reden is voor die bezorgdheid. Lady Kathryns geldkist is voldoende geplunderd om de zaligheid van haar ziel te garanderen.'

Bijna onmiddellijk had Finn spijt van die opmerking. De abt was zijn opdrachtgever. Hij begon zich te verontschuldigen. 'Eerwaarde, neem me niet kwalijk...'

'Ik neem u niets kwalijk. Als de belastingen van de koning wat minder zwaar zouden zijn, wellicht...'

'Wellicht,' beaamde Finn.

'Breng onze achting aan lady Kathryn over, met onze dankbaarheid en vriendschap.'

De ernst van zijn toon weersprak de plichtmatige inhoud van die woorden. De abt, vermoedde Finn, was een man die wist welke kant de omgehakte boom op zou vallen.

Toen broeder Joseph terugkwam stond Finns gastheer op, als teken dat hun gesprek ten einde was. Finn kwam overeind en broeder Joseph gaf hem de nieuwe transcripties en een verzegeld pakje.

Over het laatste zei hij: 'Een boodschapper heeft dit vorige week voor u gebracht, met instructies het voor u vast te houden.'

'Dank u,' zei Finn, terwijl hij de twee pakjes aannam.

'Het heeft een zegel uit Oxford.' Broeder Joseph keek hem uitdagend aan.

'Inderdaad,' zei Finn, en hij klemde beide pakjes onder zijn arm, niet van plan de nieuwsgierigheid van de monnik te bevredigen. 'Heer abt. Broeder Joseph.' Hij knikte hen om beurten toe. 'Ik heb al genoeg beslag gelegd op uw tijd. Dank u voor uw gastvrijheid en uw bescherming. Het is me een genoegen voor u te werken. Ik kom zo snel mogelijk weer terug met de geïllumineerde teksten.'

'Ik ben blij dat u en uw dochter veilig en comfortabel in Blackingham zijn ondergebracht. Onze wegen worden soms onbegaanbaar als de winter invalt. En dat kan in East Anglia heel plotseling gebeuren. Als een ongeduldige echtgenoot die zijn bruid neemt zonder hofmakerij of ceremonieel.'

Die merkwaardige metafoor uit de mond van een man die uitsluitend in het gezelschap van monniken verkeerde wierp bij Finn de vraag op welke zeeën de abt had bevaren voordat hij in Broomholm was gestrand.

De abt stak zijn hand uit. 'Ga met God,' zei hij.

Broeder Joseph zei niets.

De soevereins waren ruim voldoende om de dure pigmenten te kunnen kopen die hij nodig had om het handschrift te voltooien. Het was donderdag, marktdag in Norwich, en Finn kwam nog op tijd in de stad aan om een deel van zijn meevaller te kunnen besteden. Hij kocht een nieuwe soeplepel voor Agnes, die had geklaagd dat de oude krom was, en cadeautjes voor Rose en Kathryn: mooie leren schoenen, zacht als handschoenen, niet van gestikte koeienhuid, zoals de slippers die ze meestal droegen, maar de laatste mode, rechtstreeks uit Londen, waar de nieuwe zilveren sluitingen – die ze 'gespen' noemden – een echte rage waren. Van Roses schoenmaat was hij bijna zeker, van Kathryns helemaal. Hij had haar voet in zijn hand gehouden, met zijn handpalm haar wreef gestreeld en met zijn vingers haar hiel en de bal van haar voet gemasseerd, tussen haar slanke, volmaakte tenen.

Hij wilde zo snel mogelijk weer terug naar Kathryn en Rose, en verheugde zich erop om aan het werk te gaan met het nieuwe pakket dat hij in Broomholm had gekregen, de codex van Wycliffe. Dat was een heel ander soort uitdaging. Hij had die opdracht aangenomen op aandringen van John of Gaunt, voor wie hij het vorige jaar een getijdenboek had gemaakt, hoewel hij zich bewust was van de controverse rond de geestelijke.

Hij vond Wycliffes keuze voor het Engels als taal van de Heilige Schrift heel intrigerend, en het principe van een minder uitbundige, zuiverder artistieke expressie sprak hem wel aan. Dat leek een passender illustratie van de evangeliën dan de overdadige, met edelstenen versierde editie die de abt in gedachten had. Bovendien was hij onder de indruk geweest van de eerlijke, spontane houding van de geestelijke, net zo eenvoudig als zijn kleding en zijn woorden. Finn had waardering voor dat gebrek aan pretentie. In dienst van de hertog had hij al genoeg snoeverij en valse schijn meegemaakt. Nee, hij had geen spijt van die opdracht, hoewel hij er discreet mee omging en zo verstandig was geweest het pakje niet te openen in het bijzijn van de abt. Gelukkig was het Oxford-zegel niet verbroken.

Laat in de middag verliet hij de markt en klom op zijn paard. Een huivering gleed over zijn schouder. De abt had gelijk gehad. Het weer sloeg om. De zomer stond op het punt te worden verjaagd, en zo hoorde het ook. Het ritme van de seizoenen. Het zou prettig zijn om de koude winterdagen door te brengen in de warme cocon van het bakstenen landhuis, met zijn kunst en met de twee vrouwen van wie hij hield. Maar hij moest nog één bezoek afleggen voordat hij naar Aylsham terugging. Hij wendde zijn paard naar de kleine kerk van Saint Julian.

Julian herkende de man die op haar bezoekersraam tikte zodra ze het gordijn terugschoof. 'Finn,' zei ze. 'Wat fijn om je te zien.' Ze had nog steeds het blad perkament in haar hand waarop ze aan het werk was.

'Ik heb op Alices deur geklopt, maar er was niemand, dus ben ik maar naar dit raam gekomen. Ik stoor je bij je werk. Dat spijt me.'

'Je stoort me alleen in mijn frustratie. En daar ben ik blij mee. Ik zou je graag iets aanbieden, maar Alice is vandaag niet geweest.'

'Ik heb al gegeten. Maar ik breng je een vers brood, en nog een traktatie erbij.'

Hij haalde een pakje onder zijn wambuis vandaan en gaf het haar door het smalle raam. Ze maakte het open met een kreetje van plezier. Het knapperige brood was welkom, maar het kleine bruine blok ernaast was echt een grote schat.

'Suiker! O, Finn, dat is minstens een pond. Veel te veel voor één persoon.' In gedachten maakte ze een berekening. Je had driehonderdzestig eieren nodig om te ruilen voor één pond suiker. Een ei per dag, een heel jaar lang. 'Je moet wat terugnemen.'

'De abt heeft me vorstelijk betaald, en op Blackingham krijg ik goed te eten. Jij krijgt veel bezoekers. Je zult vast wel een manier vinden om die suiker te delen.'

Zijn stem klonk als de zware toon van een rietpijp. Julian voelde dat ze zich ontspande op het zachte, golvende ritme. Hij tikte even op het brood met zijn lange, met verf bevlekte vingers – de handen van een kunstenaar. Ze vroeg zich af of ze zijn werk mooi zou vinden. Eigenlijk twijfelde ze daar niet aan.

'Het brood is nog warm van de oven,' zei hij. 'Eet er wat van, voordat het koud wordt.'

'Alleen als jij ook meedoet,' zei ze, plotseling weer opgewekt. 'Kom maar binnen door Alices keuken. Alice legt de sleutel altijd onder de tweede staptegel in de tuin. We kunnen het brood delen door het luik naar de keuken. Dat is groter dan dit smalle raam.'

'Het zal me een eer zijn om het brood te breken in zulk vroom gezelschap.'

Terwijl ze wachtte op het geluid van de sleutel in de buitendeur sneed ze alvast twee sneetjes. De geur van gist verspreidde zich door de afgesloten kamer. Ze smeerde wat kostbare suiker op de twee boterhammen. Toen ze daarmee klaar was kwam Finn de keuken binnen en trok een krukje onder het luik.

'Alice heeft me nog verse melk gebracht voordat ze wegging.' Ze trok haar eigen kruk bij om tegenover hem te zitten, schonk twee tinnen kroezen in en zette ze in het luik. Toen goot ze wat op een schoteltje en zette dat op de grond bij haar voeten. Een grijze schim maakte zich los van de nog donkerder schaduwen in de hoek en stak de kamer over.

Finn wees lachend naar de antracietgrijze kat, die nuffig de melk oplikte. 'Ik zie dat je een pensiongast hebt gekregen sinds de vorige keer.'

'Dit is Jezebel,' zei Julian, terwijl ze wat brood in de melk op het schoteltje kruimelde en de poes aaide. 'Half-Tom heeft me haar gebracht. Hij had haar op de markt gevonden, half uitgehongerd en bijna stikkend door de haarballen.'

'Een vreemde naam voor de metgezel van een heilige vrouw.'

'Pater Andrew, de kapelaan hier, noemde haar zo in een vlaag van woede. Ze had de communiewijn omgegooid.'

'En toch mocht je haar houden, na zo'n vergrijp?'

'Ik heb hem gewezen op de regel in de *Ancrene Riwle* – de voorschriften voor kluizenaarsters – die duidelijk stelt dat een heilige vrouw een kat in haar cel mag houden. Dat overtuigde hem. En het feit dat ze een goede muizenvanger is, natuurlijk.'

Ze lachten er samen om. Het was heerlijk om weer te lachen. Ze had er de laatste tijd weinig reden toe gehad.

Terwijl ze het brood en de melk deelden praatten ze over Half-Tom, over de manier waarop Jezebel haar toilet maakte, en over Julians visioenen. Finn vroeg naar de schaal met hazelnoten op de brede vensterbank van het luik.

'Die deel ik uit aan mijn bezoekers, om ze te herinneren aan Gods liefde. Hoe Hij van alle dingen houdt die Hij heeft geschapen, ook het kleinste. Neem er een mee, als je weggaat. Het kost je minder dan een heilige relikwie. Het is gratis, net als de goddelijke genade.'

Ze zag Finns blik naar het manuscript dwalen dat ze haastig opzijgeschoven had. Hoewel er een kleine schrijftafel in de kale cel stond, gebruikte ze meestal de vensterbank van het luik om aan te werken.

'Het schrijven wil niet lukken, zei je?'

Ze slikte even voordat ze antwoord gaf. 'Het meeste... de openbaringen uit mijn visioenen... dateert al van maanden geleden. De laatste tijd heb ik weinig geschreven.'

'Sinds de dood van de baby,' zei hij.

‘Ik kan het verdriet van de moeder niet verwerken – het feit dat ik haar niet kon troosten, haar niet Zijn liefde kon laten zien, ondanks de dood van haar kleine meid.’ Met een vingertop depte ze wat gemorste suiker op.

Ze was dankbaar dat Finn geen holle woorden van troost voor haar had, geen vermaning dat verdriet een teken was van een zwak geloof, en dus een zonde. Zijn eigen verdriet was zichtbaar in zijn strakke kaak toen ze hem vertelde dat het beter leek te gaan met de baby en dat haar been goed genas, totdat ze hoge koorts kreeg. De moeder had zich niet laten troosten, maar was tekeergegaan tegen een wrede God die haar haar kind ontnam. Ze had de Kerk vervloekt, en het varken, en de bisschop die de eigenaar was van het beest.

Toen Julian uitgesproken was, zwegen ze allebei een tijd, totdat hij haar vroeg of hij haar werk mocht zien.

Ze schoof de stapel vellen naar hem toe en kauwde zwijgend op het zoete brood terwijl hij ze doorbladerde. Jezebel, die haar schoteltje had schoongelikt en haar snoet had gewassen met een roze tongetje, sprong op Julians schoot en nam Finn behoedzaam op. Met haar halfgesloten groene ogen hield ze hem in de gaten terwijl hij las, zachtjes spinnend toen Julian haar tussen haar gepluimde oortjes kroelde.

Minuten verstreken. Julian voelde zich niet op haar gemak. Het besef dat ze graag zijn goedkeuring wilde, verbaasde en schokte haar. Alsof Jezebel haar onrust aanvoelde sprong ze van Julians schoot en trippelde terug naar haar donkere hoek. Ten slotte legde Finn de vellen weer op een keurig stapeltje, nog netter dan ze hadden gelegen.

‘Ik ben geen vroom man, maar ik zie wel hoe dit verhaal... jouw leer van een liefhebbende God, een Moedergod... tot een beter begrip van Gods aard zou kunnen leiden. Dit is een tekst die illustraties verdient.’

Ondanks zijn ontkenning vermoedde ze dat hij juist een heel vrome man was, maar niet op de betweterige manier van zoveel anderen, met hun protserige rozenkransen en kruisen. En ondanks haar angst voor de zonde van de hoogmoed was ze blij en ook een beetje verlegen dat hij haar werk waardeerde. Hij moest toch veel beter geformuleerde teksten onder ogen hebben gehad.

'Ik schrijf vooral voor mijn eigen begrip. Om de ware betekenis van mijn visioenen te kunnen doorgronden. Ik ben niet geleerd genoeg – mijn Latijn is niet zo goed. Het is niet bedoeld voor anderen. Ik kan niet schrijven in de taal van de Kerk.'

Hij glimlachte. Het was een scheef, enigszins raadselachtig lachje. 'Vertel eens wat meer over je visioenen,' zei hij.

Ze vertelde hem over haar ziekte. Praten erover was zoveel eenvoudiger dan erover schrijven. En Finn kon goed luisteren. Hij boog zich geïnteresseerd naar voren toen ze hem vertelde hoe ze als jonge vrouw, verlangend naar verlossing, drie dingen van God gevraagd had.

Eerst had ze gebeden om een werkelijk begrip van Zijn passie, uit een verlangen om Zijn lijden te ervaren – zoals Maria Magdalena, die aan de voet van Zijn kruis had gestaan. Om Zijn pijn te zien, te kennen en te delen, Zijn smeekbede aan de Vader te horen en de heldere fontein van Zijn reinigende bloed te zien toen de Romeinen Zijn zachte vlees doorboorden. Het was niet voldoende om de Schrift te horen in een taal die ze maar half begreep. Ze wilde Zijn passie zien, kennen, zelf ervaren voordat haar ziel zich aan die bron zou kunnen laven.

Finn knikte haar bemoedigend toe toen ze hem vertelde hoe ze had gebeden om een lichamelijke ziekte, een ernstig lijden, om dichter bij God te kunnen komen in geduld en begrip, zodat haar ziel zou worden gereinigd. Ze had God gevraagd om drie wonderen: ware wroeging, ware compassie en een waar verlangen naar God.

Ze zweeg om een slok te nemen uit de beker. Ze hoorde zichzelf slikken.

Finn luisterde... ze had nog nooit een man zo stil zien zitten... toen ze hem vertelde over de ziekte die haar lichaam aanviel, hoe ze drie dagen en nachten op het randje van de dood had gezweefd, hoe haar moeder haar hoog tegen de kussens had gelegd zodat ze kon blijven ademen nadat ze onder haar middel totaal verlamd was geraakt, hoe de priester was gekomen om haar te bedienen, terwijl haar ogen steeds slechter werden en ze alleen nog het licht zag van het kruis dat haar kapelaan haar voorgehouden had. Alleen het kruis. Alleen het licht.

'Dat was zes jaar geleden, voordat ik naar de kluizenaarscel van Saint Julian kwam. Ik was toen dertig,' zei ze.

Terwijl ze haar verhaal deed, werd ook het licht in haar kamer steeds zwakker. Ze stond op, pakte een kaars en zette die op de vensterbank tussen hen in. De kaarsvlam verlichtte zijn gezicht: zijn grijzende baard en zijn hoge voorhoofd waar zijn haar al dunner werd. Ze wachtte op een teken – een rusteloos gebaar, het schrapen van zijn stoelpoten – dat hij genoeg kreeg van haar verhaal. Sommige mensen hadden er het geduld niet voor. Finn stelde geen vragen, maar wachtte tot ze verderging. Het brood had hij neergelegd, half opgegeten.

'Toen opeens, terwijl ik naar het kruis keek, werden al mijn pijn en al mijn angst van me weggenomen. Alsof ze er nooit geweest waren. Ik voelde me weer net zo goed als daarvoor. Gezonder en levendiger dan ik me in weken had gevoeld. Ik wilde opstaan, rennen, zingen. En ik wist meteen dat die wonderbaarlijke verandering alleen Gods geheime werk kon zijn geweest.'

Hij verplaatste zijn gewicht en leunde nog wat dichter naar haar toe. 'En de visioenen?' vroeg hij.

'Ik zag het rode bloed onder Zijn doornenkroon vandaan druppelen. Heet en vers. En levensecht. Net als in de tijd dat de doornenkrans op Zijn hoofd werd gedrukt. Het deed heel veel pijn om Hem zo te zien, maar het was ook een grote vreugde. Een verrassend grote vreugde – zoals er ook in de hemel zal zijn, denk ik. En daardoor begreep ik veel meer dingen. Zonder een bemiddelaar, zonder iemand tussen mijn ziel en de Zijne, kon ik het zélf zien en begrijpen. Zonder dat iemand het voor me interpreteerde of verklaarde.'

'Zonder de hulp van een priester, bedoel je. Ik heb die doctrine al eens eerder gehoord, van... dat doet er nu niet toe. Ga door. Wat voor andere visioenen had je nog?'

'Het laatste dat Hij me liet zien was Zijn Moeder, onze Heilige Maria. Hij toonde me haar in een spookachtige gelijkenis, als een meisje, jong en gedwee, nauwelijks meer nog dan een kind.'

Hij wees op de vellen perkament. 'En dat is wat je opschrijft?'

'Dat probéér ik, tenminste. Maar mijn talent is niet toereikend.'

Hij pakte de pagina's en woog ze in zijn handen. 'Wat ik ervan heb gezien is een prachtig begin.'

'Maar daar gaat het juist om. Meer is er niet. Ik heb alle verschijningen beschreven, en het is niet genoeg. Mijn schrijfsels zijn de vreugde niet waardig die Hij me heeft geopenbaard. Ik kan de overvloed van Zijn liefde niet beschrijven. Mijn woorden... of welke woorden ook... zijn daar niet toe in staat. Er bestaan niet genoeg woorden om dat uit te leggen.' De kaarsvlam flakkerde door haar heftige ademhaling. 'Ik kan zeggen dat het de liefde is die moeders koesteren voor hun kinderen, die mijn eigen moeder voelde voor haar zieke kind, maar het is nog meer. Zoveel meer. Die woorden zijn machteloos en leeg, vergeleken bij de warmte waarmee Hij me omgaf. Toch is moederliefde nog de beste vergelijking, al stijgt het daar ver bovenuit. Hij is de volmaakte moeder met de volmaakte liefde voor een oneindig aantal kinderen.'

'De volmaakte moeder? Maar Hij was een man.'

Ze schudde haar hoofd. 'Ik ontken Zijn mannelijkheid ook niet. Ik zeg alleen dat God de Vader onze schepper is, terwijl Hij, de Zoon, ons voedt, behoedt en beschermt. Zijn bloed geeft ons leven, zoals moedermelk. Zijn liefde voor ons laat zich het best begrijpen als het offer van een moeder. Dat is de enige manier waarop ik het kan uitleggen.'

Finns trekken verzachtten, als klei die warm werd onder de hand van een beeldhouwer. 'Ik weet iets van die liefde. Ik heb zelf een dochter, Rose.'

Julian knikte als teken dat ze het nog wist. Een merkwaardige naam voor een christelijk kind. Apart. Maar heel mooi zoals hij het uitsprak.

'Mijn vrouw is in het kraambed gestorven. Maar weet je wat het laatste was dat ze zei? Rebekka, mijn vrouw, hield onze Rose tegen zich aan, dat kleine, pasgevormde menselijke wezentje wier geboorte haar zo'n pijn had gedaan, en fluisterde: 'Dit is zo'n diepe vreugde, echtgenoot. Ik wou dat ik je deelgenoot kon maken.'

Rebekka! Een joodse naam? Een christen met een jodin? Nee. Dan zou je heel dom moeten zijn, en dat was de kunstenaar zeker niet, wist

Julian. Tenzij zijn joodse vrouw hem behekst had. Maar een jodin zou zich niet willen bezoedelen met een christen. Bovendien zou ze haar eigen leven in gevaar brengen. In Frankrijk kon een jood worden onthoofd wegens relaties met een christen. De joden waren beschuldigd van het vergiftigen van putten, waardoor de pestepidemie van '34 was ontstaan. Julian had gebeden voor hun zielen toen ze hoorde dat honderden van hen in schuren bijeen waren gedreven en levend verbrand in streken langs de Rijn. En ze had gehuild. Sommigen binnen de Kerk drongen aan op verdraagzaamheid. Ze wezen erop dat de pest ook was uitgebroken op plaatsen waar helemaal geen joden woonden, terwijl in gebieden met veel joden de epidemie geen slachtoffers had gemaakt. Finn zou wel tot de verdraagzame richting behoren. Maar zo verdraagzaam dat hij zijn Kerk en koning zou trotseren door met een jodin te trouwen?

Julian zag hoe zijn kaakspieren zich spanden bij de bitterzoete herinnering aan zijn vrouw. Ze wachtte tot hij nog meer zou zeggen, maar dat deed hij niet. Ten slotte stak ze haar arm uit, raakte zijn hand aan en zei: 'Ik weet één ding, en dat weet ik heel zeker, Finn. Wat er ook gebeurt in deze wereld, *onze Moedergod zal ervoor zorgen dat alles goed komt.*'

Hij keek haar ongelovig aan. 'Hoe kun je dat met zo'n stelligheid geloven, kluizenaarster, na de dood van dat kind en het verschrikkelijke verdriet van die moeder?'

'Ik geloof het omdat Hij het me gezegd heeft. Mijn Moedergod heeft het me verteld. En mijn Moeder liegt niet tegen mij.'

'Ik benijd je die zekerheid,' zei hij, terwijl hij met zijn vingers op het manuscript trommelde. 'Laat mij dit eerste deel meenemen – het gedeelte over je ziekte. Ik zal het voor je decoreren. Terwijl jij de rest bewerkt.'

'Ik vind het fijn dat je het wilt lezen, maar de taal is geen illustraties waard. Het had Latijn moeten zijn.'

'Door die taal zal het juist veel meer gelezen worden. Heb je wel eens gehoord van John Wycliffe?'

'Genoeg om te weten dat de bisschop hem niet mag.'

Ze schoot in de lach toen ze Finns frons zag. 'Dat alleen lijkt me al een grote aanbeveling,' fluisterde ze op samenzweerderige toon.

Hij antwoordde met zijn scheve lachje: 'Moeder Julian, je bent een vrouw met een groot inzicht.' Toen stond hij op en pakte haar manuscript. 'John Wycliffe is bezig met de vertaling van de Heilige Schrift in dezelfde taal als waarin jij schrijft. Ik heb een paar leerlingen die hiermee zouden kunnen oefenen, als je me vertrouwt.'

'Natuurlijk. Neem mijn handschrift maar mee. Ik weet dat mijn woorden bij jou veilig zijn, Finn. Mijn enige verzoek is om de illustraties eenvoudig te houden, passend bij mijn nederige woorden, niet overdreven of uitbundig.'

'Moeder Julian, je hebt meer met John Wycliffe gemeen dan je zelf weet.'

De lange schemering van East Anglia was eindelijk de kamer ontvlucht en het enige licht kwam nu nog van de eenzame kaars in het luik. Toen Finn naar de buitendeur liep met het manuscript onder zijn arm volgde Julians blik hem tot aan de drempel. Een streepje van de avondhemel was zichtbaar door haar luik toen hij de deur opende. De koele oktoberavond was windstil en de volle maan bescheen de blauwgroene perkjes met kruiden langs het pad.

'Daar zal gauw de vorst overheen gaan,' zei Finn. Hij wachtte even in de open deur. Zijn paard hinnikte, ongeduldig om te vertrekken nu het de stem van zijn berijder hoorde.

'Het zal een koude nacht worden om op de grond te slapen,' zei Julian. 'Het is de avond voor Allerheiligen, geen nacht om buiten te zijn. De weg naar Blackingham is nog lang. Misschien kun je beter bij de monniken slapen in de kathedraal.'

Finn lachte. 'Ik neem wel een veldbed in de herberg, bij de haard. Daar ben ik veiliger, tussen de zwervers. De bisschop mag me niet. Hij vindt dat ik hem zijn eigendom heb ontstolen.'

'Bedankt voor wat je me hebt gebracht,' riep ze nog toen hij zijn hand opstak. 'En neem de volgende keer je dochter mee.'

Maar hij had de deur al achter zich dichtgetrokken. Ze hoorde de sleutel in het slot en het geluid waarmee hij hem teruglegde onder de staptegel. Toen schonk ze de laatste melk uit de bekers op het schoteltje van Jezebel, veegde de kruimels op en wikkelde het brood en de suiker zorgvuldig in vetvrij papier. Ten slotte blies ze de kaars uit – kaarsen waren bijna net zo kostbaar als suiker – en liep in het donker naar haar bed in de hoek. Jezebel sprong bij haar op bed, draaide heen en weer op de deken, en rolde zich als een knot wol in de warmte van haar knieholte.

Rose had zich nog nooit zo alleen gevoeld, zelfs niet bij de nonnen in Thetford. Zelfs haar lievelingsjurk van blauwe zijde, de kleur van de zee op een zonnige dag, bracht haar niet in een beter humeur. Ze had hem aangetrokken voor Colin, maar Colin was er niet. Lady Kathryn zei dat hij 'uitrustte' en niet met hen kwam eten in de tuinkamer. Ze verontschuldigde zich dat ze niet de tafel in de grote zaal had laten dekken. De drost antwoordde dat het wel 'knus' was. Rose vond het benauwd.

Ze moest niet veel hebben van de drost met zijn lange neus. Het beviel haar niet hoe hij naar lady Kathryn keek – en naar haar. Die gitzwarte kraaloogjes van hem gaven haar de kriebels. Was haar vader maar hier! Toen ze nog klein was, had haar vader haar nooit alleen gelaten met vreemden. Hoewel Rose moest toegeven dat lady Kathryn eigenlijk geen vreemde was. Ze was Colins moeder. Ooit zou ze misschien haar schoonmoeder zijn. Die gedachte deed haar hart sneller slaan.

Misschien kon ze vragen of ze Colin een blad mocht brengen. Niemand vertelde haar ooit iets. Ze behandelden haar als een kind als het hun beter uitkwam om haar in het ongewisse te laten. Het enige dat ze wist was dat de wolschuur was afgebrand en dat John, de herder, in de vlammen was omgekomen. Verbrand, als een ziel in de hel. Afschuwelijk. En nu zaten ze hier allemaal aan een maaltijd van duivenpastei met prei, alsof er niets gebeurd was. Zij en Colin waren de vorige avond nog in het wolhuis geweest. Hadden ze een kaars aangestoken? Ze kon het zich niet herinneren. Soms deden ze dat. Maar ze zouden hem zeker hebben gedoofd voordat ze weggingen. Ja, toch?

Lady Kathryn glimlachte tegen haar over het bord dat ze deelde met de drost. Het was een vermoeid lachje. Rose had haar geholpen met koken voor de drost en de priester. Het zou hardvochtig zijn geweest om het aan Agnes te vragen. Agnes, die altijd zo aardig voor haar was. Ze werd nu verscheurd door verdriet om de dood van haar arme man. Rose huiverde en haar vingers gingen naar het zilveren kruisje om haar hals. Haar hand vond slechts haar naakte huid. Ze had het kruisje afgedaan om het koordje te wassen en vergeten het weer om te doen. Ze voelde zich kwetsbaar zonder haar hanger. Naakt. Alsof ze was vergeten haar hemd of haar rok aan te trekken.

Er glinsterde iets vettigs in de baard van de drost. De geur van gebraden duif vermengde zich met de rook van de haard die ze hadden aangestoken tegen de kou en de stank van de afgebrande wolschuur, die nog in huis hing.

De deur van de tuinkamer waar ze aten kwam uit op de binnenplaats.

Rose wist hem maar net op tijd te bereiken voordat ze moest overgeven.

X

Wie zich vergrijpt aan een verklaarde maagd,
zal drie jaar boete doen.

Boeteboek van Theodorus (8ste eeuw)

In de duisternis van de grote keuken was het eeuwige vuur in de reusachtige stenen haard gedoofd. Er steeg geen rook meer door de schoorsteen omhoog, voor het eerst sinds de pestepidemie van '34, toen lady Kathryns vader nog heer van Blackingham was. Maar de keukenhulp, die lag te rillen in haar bed van lompen, wist dat niet. Ze wist alleen dat het ijzig koud was. Zelfs de hond die soms tegen haar aan kwam liggen op de koude vloer had een warmer bed verkozen.

Maar Magda had geen ander bed. Het was drie kilometer lopen naar het dorp waar haar ouders en haar vijf broertjes en zusjes in een smerige hut woonden, allemaal in één kamer. Het was een wandeling door velden waar boze geesten in de schaduwen loerden, langs het verkoolde geraamte van de wolschuur, waar vandaag een man was gestorven in het duivelsvuur. Maar zelfs zonder die schaduwen en boze geesten had Magda niet naar huis kunnen gaan. Ze kon de woede van haar vader en de teleurstelling van haar moeder niet verdragen. Haar vader had haar stommiteit verwenst en haar geslagen toen ze groenten in plaats van onkruid uit de zielige moestuin van haar familie had getrokken. Uit wanhoop had haar moeder haar ten slotte hier gebracht.

'Dan ben je in elk geval warm en krijg je te eten,' had haar moeder gefluisterd. 'Doe wat ze je opdragen.' Ze had niet gezegd dat Magda niet meer thuis mocht komen, maar het kind had het begrepen uit de afhangende schouders van haar moeder toen ze, kromgebogen om haar dikke buik te beschermen, was vertrokken zonder nog één keer om te kijken.

Dus had Magda deze verandering geaccepteerd zoals ze ook de wisseling van de seizoenen accepteerde, of de dronken driftbuien van haar vader, of de jaarlijkse bevalling van haar moeder – al die dingen in het leven waarover ze geen enkele controle had. Dat verwachtte ze ook niet. Ze wist dat ze simpel was. Dat hadden ze haar vaak genoeg gezegd. Niet goed wijs, zeiden ze. Maar ze wisten niets van haar gave. 'De Heer geeft en de Heer neemt,' had haar moeder gezegd toen haar oudste zoon door een omvallende wagen was verpletterd. Misschien had de Heer haar die gave geschonken om haar te vergoeden dat ze simpel was. Anderen bezaten die gave niet, dat wist ze. Waarom zouden ze anders zulke domme dingen doen en zeggen? Zoals die keer dat haar vader hun enige varken had geruild voor een koe die de volgende dag al ziek was geworden en gestorven. Magda had geweten dat de handelaar niet te vertrouwen was. Zijn ogen en zijn haast verrieden zijn hebzucht. Maar haar vader had dat niet gezien. Dus was het een talent dat niet iedereen bezat, concludeerde ze: de gave om mensen te doorzien, om te horen wat ze niet zeiden.

En Magda zag ook andere dingen. Zoals de kleur van hun ziel. Die lange dame met het witte haar had wel een trotse stem, maar haar ziel was blauw – niet de kleur van de hemel, maar groenblauw als de rivier. Ja, de rivier. Een overschaduwde poel met de weerspiegeling van wilgen op de oever en witte schapenwolkjes in een blauwe, zonnige lucht. En de kokkin had een roestbruine ziel, als de natte aarde waarvan stenen potten werden gebakken. Zo droevig, dat haar man nu dood was. Magda had de herder maar een paar keer gezien, maar hij leek heel aardig. Ook zijn ziel was bruin, maar wat lichter, meer de kleur van het gras in de winter. Maar Magda hield het meest van het meisje dat de lange vrouw had geholpen de duivenpastei te maken. Rose en lady Kathryn. Magda wist nu hoe ze heetten. Ze herhaalde de namen voortdurend bij zichzelf, net als de woorden van een lied dat ze de minstrelen had horen zingen op de eerste mei. Ze herhaalde het net zo lang tot ze het niet meer kon vergeten. Vanuit haar hoek had ze de vreemde kleur van Roses huid gezien, heel licht bruin, niet roze en wit zoals haar eigen huid. En ze had donker haar, glinsterend als kooltjes. Maar Magda werd vooral gefascineerd door de twee kleuren van Roses ziel, stralend met elkaar verbonden, de ene binnen de andere, goudgeel als zoete boter, met een roze rand. Magda had in haar leven maar één keer eerder iemand met een tweekleurige ziel gezien. De ziel van haar moeder was violet en had soms een gouden kern. Niet altijd, maar soms.

Magda huiverde en krabde aan het korstje van een vlooienbeet op haar been tot het begon te bloeden Misschien kon ze de as nog oppoken en iets brandbaars vinden in de stal. De stal was dichtbij. Daar durfde ze wel naartoe. Ze pakte de zware pook in twee handen en porde ermee in de as tot ze wat vonken vond. De staljongen had tegen haar gelachen en haar 'meidje' genoemd, maar zijn ziel was groen en ze was nog nooit iemand met een groene ziel tegengekomen die haar slecht behandelde. Hij zou haar wel helpen. En Agnes zou de volgende morgen blij zijn dat Magda het vuur aan had gehouden. Bovendien hoefde ze dan niet zo koud te slapen.

Finn had een bed gemaakt op een strozak bij de haard in de gelagkamer van de herberg, in plaats van een schimmelige matras te delen met twee onbekenden in een van de kleine kamertjes boven aan de wenteltrap. Hij luisterde vol afkeer naar het gesnurk van de zes of zeven reizigers – pelgrims op weg naar Canterbury – die om hem heen lagen te slapen. De dichtstbijzijnde pelgrim zag eruit alsof hij zijn baard en zijn haar niet meer had gewassen sinds de graanoogst van vorig jaar. In het piekerige haar waren stukjes hard vet te zien, broodkruimels en god mocht weten wat nog meer. Finn trok zijn deken strakker om zich heen en vroeg zich af hoe ver een vlo kon springen. En hoeveel struikrovers er onder de andere gasten waren. Hij trok zijn zware beurs nog verder onder zijn hemd, zodat de geldbuidel niet zichtbaar zou zijn als hij sliep. Helaas had hij zich geen zorgen hoeven maken, want de slaap wilde niet komen. Zijn onrust en zijn afkeer van deze smerige omgeving hielden hem wakker.

De dag die zo veelbelovend was begonnen – de bonus van de abt, zijn bezoek aan de kleurige marktkraampjes en zijn gesprek met de kluizenaarster – was totaal omgeslagen sinds hij bij het kerkje van Saint Julian was vertrokken. Hij had King Street willen nemen, de stad uit naar Blackingham, maar dan had hij het grootste deel van de reis in het donker moeten afleggen. Daarom volgde hij de rivier de Wensum een kilometer of drie naar het noorden, tot aan Bishop's Gate. Daar, in de schaduw van de grote kathedraal, zou hij wel een herberg vinden.

Bij Bishop's Gate had hij een tijdje moeten wachten omdat er een grote stoet de stad binnenkwam. De meeste andere reizigers waren afgestegen uit eerbied voor het zegel van de Kerk dat aan de rode gordijnen van de grote koets was bevestigd, maar Finn was op zijn paard blijven zitten, dat ongeduldig snoof toen het kleurig versierde rijtuig voorbijkwam. Daardoor zat Finn opeens oog in oog met de hooggeplaatste inzittende van de koets.

Het was Henry Despenser, de bisschop van Norwich.

Finn keek snel opzij om oogcontact te vermijden, maar het was al te laat. De twee mannen hadden elkaar herkend. De grote koets kwam knarsend tot stilstand. Er steeg een verbaasd gemompel onder de menigte op toen er een bediende in rood livrei uit het rijtuig stapte en naar Finn toe liep.

'Zijn eminentie, Henry Despenser, bisschop van Norwich, zou graag met u spreken,' meldde de livreiknecht en hij knikte met zijn gepluimde hoed in de richting van de koets.

Finn moest zich bedwingen om niet zijn paard de sporen te geven en ervandoor te gaan. Maar domheid was niet een van zijn gebreken. Hij steeg af en gaf de teugels aan de fraai uitgedoste bediende, die een beetje verbaasd keek maar toch braaf bij het paard bleef staan, starend naar de teugels alsof hij iets heel smerigs tussen de geringde vingers van zijn handschoenen hield.

'Pas goed op dit paard,' zei Finn. 'Het heeft waardevolle manuscripten van Broomholm Abbey in zijn zadeltassen.' Met nog een zenuwachtige blik op het pakket uit Oxford liep Finn naar de teruggeschoven gordijntjes voor het raam van de koets. 'Eminentie,' zei hij tegen het hooghartige gezicht erachter.

De menigte drong enigszins op, doodstil nu, en luisterde met een collectief oor. De bisschop mompelde iets tegen een andere livreiknecht. De deur van de koets ging open en er werd een voetenbankje met brokaat en franje op de stoffige straat gezet.

Finn verroerde zich niet, maar keek deze tweede – net zo kostbaar uitgedoste – bediende vragend aan.

'Mijn heer de bisschop wil u onder vier ogen spreken.' Uit zijn toon bleek duidelijk dat hij dat te veel eer vond voor een eenvoudige ruiter. De menigte zuchtte toen Finn het gordijn voor de deur opzijschoof en de met draperieën behangen koets binnenstapte.

Eenmaal in dit rijtuig van de Roomse Kerk, dit paleis op wielen, was Finn sociaal gesproken in het nadeel. Moest hij ongevraagd gaan zitten of half gebukt blijven staan? Zijn lange gestalte bracht hem in een onhandige en weinig comfortabele positie. De grijns op Despensers gezicht bewees dat de bisschop zich van Finns dilemma bewust was. Na een pauze die lang genoeg was om duidelijk te maken dat Henry Despenser genoegen schepte in het ongemak van anderen, wuifde hij naar de met fluweel beklede bank tegenover hem. 'Ga zitten, alstublieft.'

Finn gehoorzaamde zwijgend.

De stilte duurde voort. Finn doorstond de vorsende blik van zijn gastheer. Van zo dichtbij, en in het afnemende licht, leek de bisschop nog jonger dan Finn zich herinnerde. Zijn arrogantie was er niet minder om.

Despenser nam het woord. 'U bent de miniatuurschilder die voor de abdij van Broomholm werkt.'

'Jawel, eminentie.'

'En die zo van varkensvlees houdt.'

Een bedekte verwijzing naar hun vorige ontmoeting, maar Finn ging er niet op in. 'Sinds ons laatste gesprek,' vervolgde Despenser, 'onder nogal ongelukkige omstandigheden...' – hij lachte venijnig – 'heb ik navraag gedaan naar de kwaliteit van uw werk. De abt liet me weten dat het verstandig van me was om uw geringe eerbied voor kerkelijke eigendommen door de vingers te zien. Hij was bijzonder lovend over u.'

Finn zei nog steeds niets over hun vorige ontmoeting en accepteerde het compliment met een hoofdknik en een lachje. Waar ging dit naartoe? Speelde de bisschop gewoon een spelletje met hem? Despenser lachte als de kat van de kluizenaarster, met Finn als een weerloze muis tussen zijn sierlijke poten.

'U bent een man van actie, niet van woorden,' concludeerde de bisschop. 'Goed, dan zal ik terzake komen. Misschien heb ik een opdracht voor u. Ik wil u vragen een retabel, een altaarstuk, voor mij te schilderen.' Hij wachtte even, alsof het idee nu pas bij hem opkwam. 'Een voorstelling van het lijden, de wederopstanding en de hemelvaart van onze Heer.'

Dat was een verrassing. Of zou het een valstrik zijn? Wilde Despenser wraak nemen voor het geslachte varken?

'Ik weet wat u denkt,' vervolgde de bisschop. 'Waarom ga ik niet naar een gilde? Maar ik stel hoge eisen en volgens de abt zal ik de kwaliteit van uw werk niet gauw ergens anders vinden.'

Veel lof, en nog wel uit hoge kringen. Daar zou Finn blij mee moeten zijn, maar dat was hij niet. Het benauwde interieur van de koets met zijn zware gordijnen deed denken aan een gevangenis. En ondanks zijn jeugd en zijn hermelijnen mantel rook de bisschop bepaald niet fris. Hij verspreidde een lucht van oude knoflook en verschraald parfum.

'U bewijst me een grote eer,' antwoordde Finn voorzichtig. 'Maar ik vrees dat ik op dit moment niet beschikbaar ben. De abt heeft me veel werk gegeven, en hij is een genereuze opdrachtgever. Ik zou hem niet graag teleurstellen.'

Hij had het nauwelijks gezegd of hij begreep dat dit het verkeerde antwoord was.

De bisschop liep rood aan. 'Dus u stelt liever een bisschop teleur dan een abt? Broomholm is niet eens een vooraanstaande abdij. Ik begin te twijfelen aan uw ambities, tekenaar. En aan uw gezonde verstand.'

'Ik wil u zeker niet teleurstellen, eminentie. Ik vraag slechts om uitstel, tot het moment waarop ik zo'n altaarstuk alle aandacht kan geven die het verdient.'

Despensers dunne lippen verstrakten. Ook dat was niet wat hij wilde horen. Finn had moeten beseffen dat de bisschop op geen enkele wijze wilde worden achtergesteld bij de abt. Had hij het daarom gezegd? Uit een onderbewust verlangen om deze patserige kerkleider – die alles vertegenwoordigde wat Finn haatte in de Kerk – te provoceren? Hij probeerde het opnieuw.

'Ik voel me zeer gevleid door het vertrouwen van zo'n nobele en hooggeachte opdrachtgever, maar uwe eminentie zal beamen dat ik door mijn werk voor de abdij dezelfde Heer dien die ik zou eren met mijn opdracht voor u. De een boven de ander verkiezen zou heiligschennis zijn tegenover de Heilige Maagd aan wie ik mijn kunst heb opgedragen.'

'Een vroom en voorzichtig antwoord, dat geef ik toe. En heel geslepen.' Maar uit Despensers toon bleek duidelijk dat hij geen vroomheid of geslepenheid zocht in een kunstenaar.

Finn wierp tegen dat hij in miniatuur werkte en dat de schaal van een altaarstuk misschien zijn mogelijkheden te boven ging. 'Met alle respect, maar misschien zou u beter terecht kunnen bij een van de Vlaamse schilders.'

De bisschop reageerde nogal kriegel op dat antwoord, zoals Finn nu kriegel heen en weer schoof op de harde vloer van de drukke herberg.

'Nou, als u het niet aan kunt, zal ik elders moeten zoeken,' zei hij scherp. Toen gebaarde hij ongeduldig naar de livreiknecht buiten het raampje. De deur ging snel weer open en Finn stapte uit in de kilte van de vroege avond. Hij stond nog maar nauwelijks naast het rijtuig toen de koetsier zijn zweep over de paarden legde en de wagen vooruit schoot.

Dat had hij dus helemaal verkeerd aangepakt, dacht Finn nu. Misschien had hij zelfs een vijand gemaakt, een machtige vijand. Maar voorlopig had hij meer last van het gesnurk en de scheten van het slapende geteisem om hem heen. Geef het maar op, Finn, dacht hij. Van slapen zal vannacht niets komen. Dus was hij voor het eerste ochtendlicht al uit bed om de stalknecht te zoeken en zijn paard te zadelen. Zodra de sombere winterochtend haar grijze onderrok liet zien was hij al buiten de muren van Norwich, op weg naar Blackingham.

Finns vroege ochtendrit was lang niet zo plezierig als hij de vorige dag had gehoopt. Hij voelde zich onrustig en nerveus – zo'n eenzaam en onheilspellend gevoel dat eerder bij het einde van de dag hoort dan bij het begin. Zelfs het gewicht van de gouden florijnen om zijn hals en de gedachte aan de geschenken in zijn zadeltassen konden hem niet in een betere stemming brengen. Hij had pijn in zijn rug en zijn ogen brandden door slaapgebrek. Hij werd te oud om nog op de grond te slapen. Of misschien was hij verwend geraakt door zijn comfortabele kamers op Blackingham. Blackingham... Ook die gedachte benauwde hem, als een te strak geknoopte broek. Hij kende de prijs van de liefde.

Wat zou de tol zijn voor deze kortstondige verlossing uit zijn eenzaamheid? Want het kon niet lang duren. Als bekend werd dat hij en Kathryn een relatie hadden... Maar zijn verleden had hij achter zich gelaten. En als zijn werk klaar was, zou hij vertrekken. Niet omdat hij dat wilde, maar omdat hij geen keus had. Zolang hun verhouding geheim bleef kwam Kathryns positie niet in gevaar. Maar misschien moest hij zich toch beheersen, anders zou hij voor dit kortstondige geluk misschien een prijs moeten betalen die hij zich niet veroorloven kon.

Een donkere wolkenlucht stal de warmte van de zon toen hij halthield om zijn paard te laten drinken uit een poel. Misschien kwam het door het gewicht van de Schrift in zijn zadeltassen, maar van zijn aangeboren optimisme was niet veel meer over. Of lag het aan het geheim dat hij zo diep had begraven dat hij het soms zelf vergat? Mocht hij dat wel voor haar verborgen houden? Aan de andere kant was onwetendheid haar enige verdediging.

Hij tuurde naar een niet-bestaande horizon. De grijze hemel ging naadloos in het moerasland over, en de moerassen kwamen uit in zee, als een schilderij van een somber kind met alleen de kleur grijs op zijn palet. Een landschap zo vlak, dat het leek of je aan het eind over de rand van de wereld zou vallen – zonder één enkel heuveltje, zelfs geen molshoop in dat waterige terrein om hem tegen de wind te beschutten. Hoe had hij die vlakte en die uitgestrekte, dreigende hemel ooit mooi kunnen vinden? De lange zomer met haar heldere gouden licht had hem betoverd, maar hij had het gevoel dat er aan die zomer nu een einde was gekomen. De kille noordenwind in zijn nek bevestigde dat.

Ten slotte doemde Blackingham voor hem op. De roodstenen gevel gaf gelukkig weer wat kleur aan zijn duistere stemming. Slechts een dunne rookpluim kringelde uit de schoorsteen van de keuken omhoog, nauwelijks zichtbaar tegen de grijze hemel, maar Finn zag er een welkom in en gaf zijn paard de sporen, op weg naar Rose en Kathryn. Rose en Kathryn...

Colin bracht de nacht in de kapel door, uitgestrekt op de koude vloer, waar hij de volgende morgen wakker werd, zich pijnlijk bewust – zoals die hele nacht – van het lichaam in de lijkwade dat voor het altaar lag opgebaard. De schroeilucht deed zijn maag omhoogkomen. De bleke linnen lijkwade weerkaatste het spookachtige licht van de eenzame kaars in de brander, die de wacht hield over de dode tot de ochtend kwam en de herder aan zijn laatste reis zou kunnen beginnen. Ook Colin hield de wacht. *Pater noster, qui es in caelis, sanctificetur nomen tuum. Adveniat regnum tuum...* Hoe vaak had hij het onzevader niet gezegd? Hij had een droge keel en een dikke tong van het bidden. *Libera nos a malo, libera nos a malo, libera nos a malo.* Verlos ons van het kwaad. Maar diep in zijn hart vreesde hij dat het daarvoor al te laat was. En het was allemaal zijn schuld. Waarom had hij dat niet eerder gezien? De duivel had Roses schoonheid gebruikt om hem tot een doodzonde te bewegen. Hij had een maagd verleid, en het bloed van de herder bevlekte nu zijn eigen ziel en de hare.

Hadden ze de lamp wel gedoofd? Hij kon het zich niet meer herinneren. Maar het deed er ook niet toe. God had tot hem gesproken via het vuur. De brandende wolschuur was Gods oordeel over hen geweest. *'Et dimitte nobis debita nostra,'* prevelde hij tussen zijn snikken door in de kille stilte van de kapel. Er verscheen geen witte duif op de smalle vensterbank, geen engelachtig licht achter het raam als teken van verlossing. Alleen een rat schuifelde over de vloer. Eigenlijk verwachtte hij ook geen bovennatuurlijk teken. Zo gemakkelijk liet zijn zonde zich niet vergeven. Het zou een heel leven van onzevaders vergen om zijn ziel te redden, en die van Rose – Rose, die als eerste het woord 'zonde' had gebruikt voor wat zij deden.

Had hij niet altijd geweten dat hij aan God toebehoorde? Maar hij had zijn roeping ontkend, en de duivel, niet tevreden met zo'n geringe buit, had hem in de val gelokt. En nu had hij bloed aan zijn handen, net als Rose – mooie, onschuldige Rose, bezoedeld door zijn lust. Hij zou de rest van zijn leven blijven bidden voor haar redding. Maar het zou heel anders zijn dan hij zich had voorgesteld. Geen muziek, geen koor van harmonieuze stemmen. Geen prachtige hymnen, geen lofzang op de hemel. Hij zou voor een stille abdij kiezen, misschien de franciscanen. En hij zou een gelofte van stilte afleggen, om de rest van zijn jeugd en alle dagen van zijn volwassen leven zwijgend door te brengen, biddend voor de Rose die hij had besmeurd. Hij zou oud worden zonder de troost van de muziek. Als boetedoening.

Zijn huid voelde heet aan, ondanks de kilte van de kapel. Misschien zou hij ziek worden en sterven. Ontsnappen. Maar hij kon niet verlangen naar een dood zonder genade. Bovendien mocht hij Rose niet in de steek laten. Haar ziel had hem nog nodig.

De klok op de binnenplaats sloeg het eerste uur en riep de gelovigen op tot het ochtendgebed. Hem ook. Dit geweeklaag tegenover een altaar waar veel te weinig gebeden werd had geen enkele zin. In het grijze licht van de ochtend leek de ruimte nog spookachtiger, maar het joeg hem geen angst meer aan. Moeizaam kwam hij overeind, stram als een oude man. Hij zou zich in zak en as hullen als hij de kar met Johns lichaam naar Saint Michael's volgde. Hij zou het lijk persoonlijk uit de wagen tillen en door het poortje van het kerkhof naar de heilige grond brengen waar het zou worden begraven. En dan? Hij voelde de steen op zijn hart verschuiven – niet verdwijnen, maar verschuiven, zodat hij het gewicht beter kon dragen.

Dan zou hij zijn zonde biechten aan de pater van Saint Michael's. En daarmee zou er een einde komen aan zijn leven als Colin, de jongste zoon van Blackingham.

Ook Sir Guy de Fontaigne was al bij het ochtendkrieken uit bed. Hij wilde niet te lang op Blackingham blijven. Hij had slecht geslapen na een kleine portie van de duivenpastei die zijn schuldbewuste gastvrouw op tafel had gezet. De knecht die bij de brand was omgekomen was blijkbaar de man van de kokkin geweest. Nou en? Ze was maar een bediende. Haar eerste plicht was aan de huishouding waar ze werkte. Als hij heer van Blackingham zou zijn... een gedachte die de drost steeds meer aansprak, vooral sinds hij had ontdekt dat Blackingham oorspronkelijk lady Kathryns bruidsschat was geweest en na de dood van haar man weer aan haar was toegevallen... zou hij zo'n laksheid nooit hebben getolereerd. Niet dat hij de vrouw haar verdriet misgunde. Zelfs boeren en knechten hadden daar recht op, nam hij aan. Ze kon haar tranen gebruiken om het eten te kruiden. Zolang ze maar zorgde dat er eten op tafel kwam. En op tijd. De sociale status en de plichten van een mens waren door God gegeven. Anders had Sir Guy wel koning kunnen worden. Hij had er de ambitie voor. Maar dat was te hoog gegrepen – Blackingham Manor misschien niet.

Eerst moest hij lady Kathryn het hof maken, maar met die hevige buikpijn en een koude haard op zijn kamer was hij daar niet voor in de stemming. De vorige avond had hij de priester gehaald, zoals ze had gevraagd, en *geprobeerd* de aandacht van haar huilerige zoon wat af te leiden. Roderick had de andere knul vaak meegenomen op de jacht.

Alfred was een jongen naar zijn hart: vrolijk en baldadig. Dat bleke joch met zijn zijdezachte haar en zijn knappe gezicht was maar één keer meegegaan om te jagen en in tranen uitgebarsten bij het zien van een gewond hert. Roderick had hem bespot en hem naar huis gestuurd. 'Hij heeft te lang aan de tiet van zijn moeder gelegen. Hij zal nooit een man worden.'

Lieve god, hij was slecht gezelschap geweest. De knaap leek wel doofstom, zo weinig als hij reageerde op de pogingen van de drost om zijn aandacht af te leiden. Binnen een uur waren ze weer terug geweest, met de priester op sleeptouw, maar van de gastvrijheid op Blackingham was niet veel over. En dat alles vanwege de dood van een herder! Blackingham had een harde hand nodig, en de drost stond te popelen. Die trotse Kathryn was een bonus. Als hij Rodericks weduwe trouwde, zouden haar landerijen onder zijn gezag komen.

Haastig kleedde hij zich aan in de eerste koude ochtend van de winter, vloekend dat er geen water in zijn lampetkan zat. Toen bond hij snel zijn zwaard en zijn dolk aan zijn riem. Even later stak hij de verlaten binnenplaats over naar de grote keuken. Maar er bewoog nog niets in het sombere huis. Hoopvol stapte hij de rokerige ruimte binnen. Misschien lag er toch ergens een worstje te sputteren. Maar ook de keuken was uitgestorven, afgezien van de keukenmeid, die bij een flakkerende haard lag te slapen.

Hij sloeg met de platte kant van zijn dolk tegen een paar hangende pannen. Het slapende meisje schoot omhoog, als een hond die een schop kreeg, en kroop onwillekeurig weg, alsof ze zich onzichtbaar wilde maken.

'Schiet op, wicht. Waar is je meesteres?'

Het meisje knipperde met grote, slaperige ogen.

'Allemachtig, kind. Ben je achterlijk? Wat moet iemand doen om hier een korst brood te krijgen?'

Het meisje sprong overeind als een kat, op handen en voeten. Opeens leek ze klaarwakker. Ze mompelde iets onverstaanbaars, maar liep haastig naar een kast. Ze vond een halfrond brood, verpakt in een schimmelige doek, en stak het omhoog.

'Brood,' zei ze. Vervolgens legde ze het brood op de tafel tussen hen in en kroop weer weg in het halfdonker.

'Ze biedt u het voedsel aan uit haar eigen voorraadje. Het zou onbeschaafd zijn om te weigeren.'

Sir Guy draaide zich bliksemsnel om, met zijn dolk in zijn hand. Hij liet het wapen maar half zakken toen hij de grijnzende man zag die achter hem was opgedoken.

'Het lijkt me nog onbeschaafder om beschimmeld brood te eten.' Hij stak de dolk weer achter zijn riem, maar hield zijn hand op het heft. Opeens brak de herkenning door op zijn gezicht. 'U was hier op de avond dat de gezant van de bisschop werd vermoord. U bent van de abdij... een kunstenaar of zo.'

'Miniatuurschilder. Mijn naam is Finn. En u bent de drost. Ik kan het me nog goed herinneren. U joeg lady Kathryn de stuipen op het lijf door haar zo bruusk met het lijk van de priester te confronteren.'

Sir Guy verstrakte. Zijn duim gleed over de versiering op het heft van zijn dolk. De vlerk sloeg een opvallend arrogante toon aan voor een ambachtsman. Zijn houding klopte niet. En Sir Guy hield niet van dingen die niet klopten. Hij herinnerde zich een woordenwisseling tussen hen, een onenigheid aan tafel, maar wist niet meer precies waar het over ging. In elk geval had de man hem toen al geërgerd. Net als nu. 'En ik herinner me dat u een pensiongast hier bent, geen lid van de huishouding. Het is dus niet uw plaats om op te merken of lady Kathryn ergens van schrikt of niet.'

De indringer leek die opmerking te negeren en keek de keuken rond. Ze waren alleen. Het meisje was verdwenen en had het schimmelige brood achtergelaten.

'Waar is Agnes?' Finn snoof. 'Meestal is ze om deze tijd al brood aan het bakken.'

De vertrouwdheid van de tekenaar met Blackingham en het feit dat hij niet alleen de naam van de kokkin kende maar ook over haar sprak alsof ze oude vrienden waren, irriteerde Sir Guy nog meer.

'*Agnes* is naar de begrafenis van haar man. En daarom moeten we nu allemaal vasten.' Hij werd beloond met een uitdrukking van oprechte ontsteltenis op het gezicht van de kunstenaar. Daarover waren ze het blijkbaar eens. Maar Finns schrik gold niet de lege ontbijttafel, zoals uit zijn volgende opmerking bleek.

'John? Dood? Maar hoe...'

Een geluid achter hen, een koude windvlaag, en het geritsel van rokken. Een meisje met ravenzwart haar rende op Finn toe en sloeg haar armen om hem heen. Sir Guy, die schrok van zoveel vertoon van affectie, pijnigde zijn geheugen. O ja, de dochter. Maar wat een emotie. Niets van de beleefdheid en het respect dat hijzelf van een dochter zou eisen. Dit domme wicht zou haar plaats moeten weten.

'Vader, het is zó afschuwelijk! Ik miste je zo. Ik kon er niet tegen.'

De drost zag hoe Finn voorzichtig de armen van zijn dochter rond zijn hals losmaakte en een traan van haar wang veegde met een met verf besmeurde wijsvinger.

Vreemd, het was hem niet eerder opgevallen hoe exotisch het meisje eruitzag. Ze had een heel andere tint dan haar vader. Waarschijnlijk het product van een of andere donkere slet.

'Sst, Rose. Stil maar. Wat is er gebeurd?'

Het meisje keek om zich heen en zag kennelijk nu pas dat ze niet alleen waren.

'Het was het wolhuis, vader. Dat is afgebrand. En John was binnen.' Haar stem was nauwelijks meer dan een gefluister.

De kunstenaar keek geschokt, bijna verbijsterd. Sir Guy vroeg zich af wat hij met die herder had.

'Arme John.' Finn schudde zijn hoofd, oprecht bedroefd, en mompelde toen: 'Arme Agnes.' En: 'Wat vreselijk.'

De drost begreep er niets meer van.

'Het was ook een grote klap voor lady Kathryn, vader. Ze rekende op de wol.'

Eindelijk een emotie die de drost kon begrijpen.

'Ze zei niet veel, maar ze was vreselijk van streek,' vervolgde het meisje. 'Ik denk dat ze jou miste.'

Dat ze jou miste? Zij? lady Kathryn? Zandkorrels van onzekerheid en irritatie maakten krassen in de gladde plannetjes van de drost.

'Ik ga meteen naar haar toe. Droog je tranen nu maar. Wat doe je hier zo vroeg in de ochtend?'

'Ik kwam helpen. Als ze van de begrafenis terugkomen willen ze iets eten natuurlijk, lady Kathryn, Colin en Agnes.'

Agnes? Dit meisje, te gast in een adellijk huis, wilde bediende spelen voor de kokkin? Stond de wereld plotseling op zijn kop?

'Ik kan best helpen,' zei ze trots. 'Ik heb lady Kathryn gisteravond ook geholpen. We hebben duivenpastei gemaakt.'

De drost voelde zijn maag nog protesteren bij de herinnering.

'Dan zal ik ook de handen uit de mouwen steken,' zei haar vader. 'Net als vroeger. Lady Kathryn, Colin en Agnes zullen een warme keuken en een warme maaltijd vinden als ze terugkomen.'

De drost draaide zich op zijn hakken om en vertrok, half vloekend, zich er pijnlijk van bewust dat Finn en Rose – druk bezig met het vuur – hem al lang waren vergeten.

Achter een stuk brood met kaas bij de Beggar's Daughter, een bierhuis in Aylsham waar de drost en zijn ondergeschikten vaak gratis werden bediend door de kastelein, kauwde Sir Guy nog op een ander probleem.

Ik ga meteen naar haar toe, had de kunstschilder gezegd. Op een bezitterige manier. Alsof er iets bestond tussen lady Kathryn en die Finn, iets als vriendschap. Sir Guy kauwde en slikte. Zo'n vriendschap zou zijn eigen plannen in de weg kunnen staan. Als ze al een beschermer had, was ze niet zo kwetsbaar als hij haar graag zou zien. Misschien sliepen ze zelfs samen en waren ze geliefden. Nee. Dat was een belachelijk idee. Een edelvrouwe met een ambachtsman. Bovendien zou dat ontucht zijn, en hoewel lady Kathryn geen overdreven vrome vrouw was, zoals hij uit Rodericks verhalen had begrepen, was ze wel voorzichtig. En koud, volgens Roderick. Nee, hij vermoedde dat de kunstenaar de rol had van vriend en adviseur. Toch had hij zich bij haar opgedrongen en wie wist waar dat toe kon leiden. Eén ding stond vast: vriend of minnaar, de tekenaar was een obstakel dat uit de weg moest worden geruimd. Maar eerst iets anders.

De zaak van de vermoorde priester. Dat was nu drie maanden geleden. Aanvankelijk had de bisschop zich er nauwelijks mee bemoeid, omdat hij bezig was de ruïne van de oude Angelsaksische kathedraal van North Elmham te verbouwen tot een land- en jachthuis. Maar nu de aartsbisschop ongeduldig werd, eiste de bisschop ook een oplossing. Dus zat de drost nu met het probleem. Sir Guy dronk zijn bier op, kneep de dienster in haar billen bij wijze van betaling en vertrok, zonder zelfs maar een knikje naar de kastelein. Buiten gekomen hees hij zich op zijn paard en ging op weg naar de plaats van het misdrijf.

De Bure was een van de vele stromen in de veenmoerassen van East Anglia, een ondiepe, luie rivier, die regelmatig buiten zijn smalle oevers trad op zijn kronkelende weg naar zee. Hij liep ten noordoosten van Aylsham, langs de zuidelijke weidegronden van Blackingham, waar zwartkopschapen vredig graasden. Hier was de oversteekplaats waar de rivier de hoofdweg kruiste naar Aylsham, en Norwich verderop. Hier was ook het lichaam van de priester gevonden, in het ondiepe water tussen het riet, op het terrein van Blackingham. De priester moest op weg zijn geweest naar het landgoed. Hij kwam er niet vandaan, want lady Kathryn zei dat ze hem niet gezien had. Misschien was hij nog noordelijker geweest, naar Broomholm Abbey. Dat was het gebied waar Sir Guy op deze sombere dag naar terugkeerde om zijn onderzoek voort te zetten, hoewel hij niet wist wat hij hoopte te vinden, omdat in het drassige terrein alle eventuele sporen natuurlijk allang waren uitgewist. Een koud spoor, maar toch een spoor. Zijn mannen waren er een paar dagen na de moord geweest en zouden niets hebben gevonden. Maar onder de nieuwe druk van de bisschop wilde de drost zich overtuigen.

Het paard zocht aarzelend zijn weg langs de randen van het moeras en verstoorde een zaagbek die tussen het riet naar eten zocht. De scherpe ogen van de drost konden niets bijzonders ontdekken. Sporen van bloedig geweld zouden natuurlijk al verdwenen zijn. Er was alleen een open plek in het veen waar de rietsnijders pas hun werk hadden gedaan. Ze hadden nog een bundel achtergelaten, half verborgen in het hoge gras. Geen plekje werd overgeslagen. Sir Guy was grondig, dat moest gezegd. Maar omdat hij niet wilde afstijgen prikte hij de rietbundel aan zijn zwaard. De zaagbek, opnieuw verstoord, kwaakte boos, klapperde gefrustreerd met zijn vleugels en vloog weg.

De drost kon niets vinden onder de rietbundel en gooide hem weer weg. Met de snijkant van zijn zwaard als zeis zocht hij tussen het riet dat er nog stond. Tevergeefs, zoals hij al had verwacht. Met een ruk van de teugels stuurde hij zijn paard scherp naar rechts. Het dier raakte de bundel riet weer met zijn hoef. Opeens viel er een klein, vierkant bruin pakje uit. Waarschijnlijk een zakje van het middagmaal van een rietsnijder, maar toch de moeite waard om te bekijken.

Sir Guys nieuwsgierigheid was voldoende geprikkeld. Hij steeg af en greep het pakje, dat verrassend droog was – beschermd door de zware bundel. Het was blijkbaar achter het gras blijven haken en met de bundel meegebonden nadat het riet was weggehakt. Bij nadere beschouwing bleek het een klein, in leer gebonden leitje te zijn, met een krijtje aan een koordje. Sir Guy voelde zijn hart sneller slaan toen hij zag dat de buitenkant van het leren omslag een reliëf droeg van het zegel van de Kerk. Zonder zich nog iets aan te trekken van het water dat in zijn dure leren laarzen sijpelde bestudeerde de drost de tekst op het leitje. Zijn Latijn was voldoende voor een hakkelende vertaling.

2 gouden florijnen, gevolgd door de initialen P.G. *Voor de ziel van haar moeder.*

1 verzilverde bokaal, met de initialen R.S. *Voor zijn overleden echtgenote.*

2 penningen. Jim de Kaarsenmaker, voor de zonde van de hebzucht.

Deze drie notities waren door een accolade met elkaar verbonden. Daarachter stond het woord 'Aylsham'. De drost begreep wat hij gevonden had. Het was een inventaris van de laatste reis die de priester voor de Kerk had gemaakt. Bovenaan stond zelfs de datum: '22 juli, de feestdag van Maria Magdalena.'

Maar er was meer. Nog één aantekening. De laatste. *1 parelsnoer. L.K. Voor de zonden van Sir Roderick.* Daarnaast stond: 'Blackingham.'

Lady Kathryn had gezegd dat de priester nog niet op Blackingham was geweest. Maar hier stond het, in het handschrift van de dode zelf: het bewijs dat lady Kathryn gelogen had.

De ochtend was al een eind op streek toen Alfred de telganger van lady Kathryn de sporen gaf in de richting van Saint Michael's, op zoek naar zijn moeder. Hij had haar al eerder gezocht, om het weer goed te maken. Glynis had hem verteld dat zijn moeder en zijn broer naar de begrafenis waren. Ze zou wel kwaad zijn dat hij haar paard had genomen zonder haar toestemming, maar hij hoorde nu toch zijn eigen paard te hebben. Zijn vader had zijn zoons mooie hengsten beloofd zodra ze volwassen werden. Zijn moeder had dat teruggedraaid, omdat er zogenaamd geen geld was. Colin had daar begrip voor. Ja, wat kon het zo'n meid schelen! Hij was natuurlijk weer met mammie mee. Om bij haar in het gevlij te komen. Alfred hoorde daar ook te zijn, omdat zijn moeder dat zou willen, en op dit moment wilde hij graag weer vrede met haar sluiten.

Hij huiverde in zijn linnen tuniek. Hij had iets warmers moeten aantrekken. De vochtige atmosfeer was zwaar van de kookvuurtjes van Aylsham. De lucht van braadvet herinnerde hem eraan dat hij nog niet gegeten had. Voor zich uit zag hij de plompe kleine toren van Saint Michael's al. Wat een verschrikkelijke manier om te sterven. Alfred zou er graag bij zijn geweest toen ze het lichaam van de herder naar buiten brachten. Waren zijn oogbollen gesmolten? Was het vlees van zijn botten gekruld? Hij durfde een kroon te verwedden dat hij stoer genoeg zou zijn geweest om het lijk te bekijken zonder te kotsen. Als Colin erbij was geweest, zou hij wel groen zijn geworden en zijn maag hebben omgekeerd. De melkmuil. Waarschijnlijk had hij nog nooit een meid gehad.

Simpson zei dat John dronken was geweest en dat de wolschuur door zijn onvoorzichtigheid was afgebrand. Alfred betwijfelde dat. Hij kende de rentmeester nu goed genoeg om te weten dat zijn moeder gelijk had: de man was niet te vertrouwen. John hield wel van een biertje, maar hij was niet onverantwoordelijk. Hij zou midden op de dag niet dronken zijn geweest. Nee, uit eigenbelang of misschien uit zuivere kwaadaardigheid wilde Simpson de schuld op John schuiven.

Maar het waren niet alleen Simpsons beschuldigingen waarover Alfred met zijn moeder wilde praten. Hij had iets dat van haar was, iets dat hij in het huis van de rentmeester had gevonden. Gisteren was hij er woedend vandoor gegaan, kwaad omdat hij niet thuis mocht komen van zijn moeder. Hij had er genoeg van om voor spion te spelen. Simpson had zijn rol van landheer al snel doorzien en allerlei manieren gevonden om hem simpele klusjes te laten doen. Het was moeilijk om landheer te blijven als je tot aan je middel in de schapenmest stond. Dus was hij de vorige dag, na de tirade van zijn moeder, eerst naar de White Hart in Aylsham gereden voor een paar biertjes om zijn woede en zijn gekwetste ego te verdrinken. Daarna was hij naar Simpsons huis gegaan voor een stevig gesprek. Als hij daar nog twee weken moest blijven, tot aan zijn verjaardag, werd het tijd om de dingen bij de naam te noemen.

Toen hij niemand thuis trof, maakte hij van de gelegenheid gebruik om het huisje van de rentmeester te doorzoeken. Tot dan toe had Simpson zijn kamer altijd afgesloten. Alfred vond geen bewijzen voor verduistering, maar wel iets anders waarmee zijn moeder hem onder druk zou kunnen zetten. Het dreigement van een aanklacht wegens diefstal zou Simpson wel op het rechte pad houden. En Alfred zou haar die bewijzen geven als een soort zoenoffer, een goedmakertje. Hij had zijn besluit genomen. Hij was de oudste zoon van Sir Roderick van Blackingham en hij was niet van plan om nog één dag langer als knecht rond te lopen.

Maar als hij van zijn moeder niet thuis mocht komen, had hij een ander plan. Zijn vikingbloed van vaderskant verlangde naar actie en hij wist waar hij die kon vinden. De jongens in de White Hart klaagden over het voornemen van de bisschop om een leger op de been te brengen waarmee hij de Italiaanse paus te hulp wilde komen. Als hij werkelijk een aanval wilde doen op Avignon, had hij niet genoeg aan goud alleen. Dan zou hij dappere Engelse soldaten nodig hebben. Engelse edelen. Maar dan moest Alfred wel zijn eigen paard krijgen. Ook dat was een reden om het weer goed te maken met zijn moeder. De laatste keer dat hij de wapenrusting van zijn vader had aangetrokken, in het voorjaar, was hij eindelijk lang genoeg. De helm en de beenkappen pasten nu, maar de maliënkolder zat nog wat ruim rond de borst, en hij kon er zich moeilijk in bewegen. Maar in de loop van de zomer moest hij weer wat forser zijn geworden, dus zou hij het opnieuw proberen.

Hij spoorde de onwillige telganger nog eens aan. De kou en de vochtigheid waren vergeten. In gedachten reed hij in de zon, onder een wolkeloze hemel, met de wind in zijn haren. Hij droomde over roem op het slagveld, wapperende banieren, het hoorngeschal van de herauten. Hij zag zichzelf triomfantelijk het Franse hof binnenrijden, waar de dames opgewonden fluisterden achter hun waaiers over die jonge, dappere Engelse ridder in zijn glinsterende harnas (zonder een spatje modder of een vlekje bloed). Misschien zou hij het zelfs tot Ridder van de Kousenband brengen, een status die zijn arme vader nooit had bereikt.

Voor het poortje van het kerkhof hield hij de teugels in. De begrafenis was al afgelopen. Alleen de oude kokkin stond nog te huilen bij het vers gedolven graf. Zijn moeder en Colin waren nergens te bekennen.

Eén kort moment overwoog Alfred om af te stijgen en naar Agnes toe te gaan om zijn medeleven te betuigen. Maar hij zou niet weten wat hij tegen een lijfeigene moest zeggen.

XI

Dirige, Domine, Deus meus, in conspectus tuo viam meam.
Leid, o Heer, mijn God, mijn stappen naar uw aanblik.
DE DIRIGE (KLAAGZANG) UIT DE DODENMIS

Lady Kathryn stond alleen op het kerkhof van Saint Michael's. De handvol pachters en hun families die de begrafenismis hadden bijgewoond knikten haar timide toe voordat ze weer vertrokken.

'Goedendag, vrouwe.'

'Het was nobel en mooi van u om naar de begrafenis van de herder te komen, vrouwe.'

Nobel en mooi? Of juist heel dom? Ze had... ja, werkelijk... zelfs enige jaloezie gevoeld toen ze allemaal om Agnes heen dromden om hun medeleven te betuigen en haar te troosten. Onder de pachters en lijfeigenen van Blackingham bestond een hechte gemeenschapszin die haar nog nooit zo was opgevallen. Maar wanneer kreeg ze daar ook de kans toe? Eerst hadden ze alles met haar vader geregeld, en daarna met haar echtgenoot – twee mannen die niet bekendstonden om hun vrijgevigheid. Nu was het Simpson die hun het leven zuur maakte als ze te laat waren met de pacht, die hun hele hebben en houden in beslag nam en hun zoons opeiste als onbetaalde arbeiders, om hun schulden te voldoen. En omdat eerst Roderick en nu Simpson die dingen deden uit háár naam, kon ze alleen maar raden hoe deze mensen haar moesten haten. Ze wierpen schichtige, verlegen blikken in haar richting.

'Het is niet gepast om de eucharistie te vieren met de adel,' fluisterde een van hen.

Hij leek bekend, maar ze kon zich zijn naam niet herinneren, evenmin als de namen van de anderen. Ze keek om zich heen, zoekend naar Simpson, die schitterde door afwezigheid. Dat ergerde haar. Hij had moeten komen om zijn respect te betuigen, en om een tussenpersoon te zijn tussen haar en de pachters. Ze deed alsof ze hun gefluisterde opmerkingen niet hoorde en niet zag – hoe ongemakkelijk ze reageerden op haar aanwezigheid. Kathryn voelde zich net zo slecht op haar plaats als een duiveltje tussen de engelen.

Ze betaalde de monniken die de dodenmis hadden gezongen, maar bleef nog heel lang wachten, ook na de laatste psalm, het laatste *misere nobis*, toen het lichaam in de lijkwade uit de processiekist was getild, in het graf gelegd en met turfaarde was bedekt. Zelfs toen alle anderen al waren vertrokken bleef ze achter, omdat ze Agnes niet alleen wilde laten op het kerkhof. Agnes knielde bij het graf, dat rauw en lelijk scheen, als een vers litteken op een mooie huid. Kathryn bleef onder het bemoste dak van het poortje staan, wachtend op haar zoons. Ze had Alfred ontboden, maar hij was niet gekomen. Zelfs Colin had haar in de steek gelaten. Hij had erop gestaan om mee te lopen in de rouwstoet achter de tweewielige wagen met de kist. Maar blijkbaar was hij voor of tijdens de mis al weggeglipt. Dat verbaasde haar. Colin hield van de liturgie.

Kathryn ging op de bank zitten waar, nog geen uur geleden, de kleine processie had uitgerust toen ze wachtten tot de priester kwam. Een treurduif riep klaaglijk naar zijn wijfje. Kathryn huiverde. Ze had haar mantel moeten aantrekken. Agnes leek de kou niet te voelen terwijl ze daar zat, ineengedoken bij de berg aarde. Maar iedereen wist dat boeren niet zo teer waren als edelen. Hoe zou het voelen om een echtgenoot te verliezen van wie je gehouden had? Zelf was ze niet lang bij Rodericks graf gebleven, uit angst dat haar gezicht haar opluchting zou verraden – niet haar verdriet.

De wind was naar het noorden gedraaid en blies de dode bladeren ritselend over het dode gras. Had Agnes niet genoeg getreurd? En toen dacht Kathryn aan Finn. Hij was niet haar man. Dat zou hij nooit kunnen zijn omdat de koning geen toestemming zou geven voor een huwelijk tussen een edelvrouwe en iemand uit het volk. Maar hoe zwaar zou ze het hebben gevonden om hém zo achter te laten op een eenzaam kerkhof, omringd door zwarte taxusbomen, als eenzame schildwachten? Ze trok haar sjaal nog strakker om zich heen en blies op haar handen om ze warm te krijgen.

Toen ze de kou niet langer kon verdragen liep ze zachtjes naar Agnes toe, sloeg haar armen om haar schouder en probeerde haar overeind te tillen, zoals ze ook had gedaan op de dag van de brand.

'Kom, Agnes. We hebben alles gedaan wat we vandaag konden doen voor je John. Ik zal de missen betalen voor zijn ziel. Maar nu moeten we gaan. Je hebt een warme maaltijd nodig.'

'Gaat u maar, vrouwe. Als u het niet erg vindt wil ik nog even alleen zijn met John. Als ik terugkom zal ik eten klaarmaken voor u, voor jongeheer Colin en de dochter van de tekenaar.'

Kathryn had geen andere keus dan Agnes achter te laten en in haar eentje de drie kilometer naar huis te lopen. Maar ze was vastbesloten om zelf te koken. Deze ene keer kon ze haar eigen belang toch wel ondergeschikt maken aan de toestand van deze vrouw – die zo loyaal aan haar was dat Kathryn zich schuldig voelde – en haar in alle rust haar verdriet laten verwerken. In elk geval hoefden ze geen rekening meer te houden met de drost. Kathryn had Sir Guy in alle vroegte zien vertrekken, ongetwijfeld verontwaardigd over het gebrek aan gastvrijheid op Blackingham. Dat zou hij wel overal rondbazuinen. Ze had gemerkt dat hij zijn neus optrok voor het eten dat Rose en zij hadden klaargemaakt. Nu hoefde ze alleen te koken voor Colin, Rose en zichzelf. Zouden de knechten de haard in de keuken hebben verzorgd? Waarschijnlijk niet. Dus zou ze eerst nog het vuur moeten aansteken. Heel vermoeiend, allemaal. Ze verlangde nu al naar de warmte van haar eigen haard.

Het was een lange wandeling. Waarom had ze geen steviger schoenen aangetrokken? De aardkluiten van het ruwe pad deden pijn aan haar voeten. Maar toen ze het huis naderde zag ze rook uit de dubbele schoorsteen kringelen. Goddank was dat probleem haar al uit handen genomen.

Toen ze de binnenplaats overstak hoorde ze een bekende mannenstem. Meteen vergat ze haar vermoeidheid en haar pijnlijke voeten. Ze tilde haar rokken op en rende naar de keuken. Rose was er, samen met Finn, die eieren brak op een rokende ijzeren plaat.

'Je bent weer terug!' zei ze, en ze hoorde zelf hoe onnozel dat klonk. Het liefst was ze hem om zijn hals gevlogen, maar dat kon ze niet doen – niet waar Rose bij was.

'Mijn deelneming, vrouwe. Rose heeft me verteld over de brand,' zei hij. Maar ze las iets heel anders op zijn gezicht, die geheime taal die gelieven tegen elkaar spreken met hun ogen, niet met hun mond.

Opeens rammelde ze van de honger. 'Heb je genoeg eieren om te delen?'

Hij lachte – zijn zware, zoete lach. 'We hadden ze voor u klaargemaakt. Maar we zouden ons vereerd voelen als u ons uitnodigde om mee te eten.'

Maar halverwege de maaltijd van brood, kaas en eieren – wanneer had zo'n eenvoudig maal zo heerlijk gesmaakt? – werd Rose plotseling groen en rende naar buiten om haar maag om te keren op de binnenplaats. Finn ging haar haastig achterna en hield haar hoofd vast. Toen alles eruit was veegde hij het gele spuug van haar lippen met zijn linnen zakdoek.

'Ik ga maar even liggen, vader. Ik voel me niet zo goed,' zei ze, toen ze de eieren kwijt was.

Lady Kathryn legde de rug van haar hand tegen Roses voorhoofd. 'Ze heeft geen koorts. Het zal wel een reactie zijn op alles wat er gebeurd is toen jij er niet was. Ze is heel dapper geweest en heeft me goed geholpen. Een echte dochter van Blackingham had het niet beter kunnen doen.'

Het meisje glimlachte bleek om die complimenten waar haar vader bij was, maar haar gezicht had nog steeds een ongezonde groene kleur.

'Breng haar naar jullie kamers en leg haar in bed. Ik zal een kalmerende thee zetten, een middel dat ik ook bij mijn vader gebruikte als hij last had van zijn maag.'

Finn nam zijn dochter mee, bezorgd als een moederkloek, terwijl Kathryn probeerde haar belofte waar te maken. Na een snelle zoektocht – ze begon deze keuken beter te kennen dan gepast was voor een vrouw in haar positie – vond ze een vijzel en stamper. Daarmee mengde ze anijs, venkel en karwijzaad tot een poeder. Tegen de tijd dat ze met de kruidenthee naar boven kwam lag Rose al in bed. Haar vader bekommerde zich om haar, trok de deken tot aan haar kin en sloot het zware gordijn tegen het licht van de vroege middag.

'Ik voel me al beter. Ik kan wel weer opstaan. Ik moet Colin helpen bij het mengen van de kleuren. U hebt ze weer nodig nu u terug bent, vader.'

'Colin rust ook uit.' Kathryn bracht de geurige thee naar de lippen van het meisje. 'Ik heb hem niet meer gezien sinds de begrafenis. Het is een moeilijke tijd geweest voor ons allemaal. Ik heb Glynis gevraagd een blad naar zijn kamer te brengen, en ik heb wat brood, kaas en een glas wijn achtergelaten voor Agnes.' Ze wierp een veelbetekenende blik naar Finn. 'Ik trek me straks ook terug.' Maar Finn had het te druk met Rose om de uitnodiging in Kathryns ogen te zien – als het zo bedoeld was. Zelfs Kathryn was daar niet meer zeker van. Ze zou eeuwig kunnen slapen. Rose dronk haar thee. Toen haar oogleden dichtvielen sloop Kathryn op haar tenen de kamer uit. Finn zat nog steeds naast Roses bed en scheen niet te horen dat ze vertrok.

~

De haard in haar kamer brandde nog matig, en Kathryn was net bezig het vuur op te poken toen er op haar deur werd geklopt. Dat zou Alfred wel zijn, om het weer goed te maken na hun ruzie. Dat deed hij altijd. Zou hij nog moeten eten? Of zou Simpsons huishoudster een ontbijt voor hem hebben gemaakt voordat hij vertrok? De kans was groter dat hij die ochtend al een biertje had genomen in zijn stamkroeg in Aylsham. Vermoeid wikkelde ze een mantel om zich heen – ze had zich al uitgekleed tot op haar hemd.

'Vrouwe, mag ik binnenkomen?' Een zachte, omfloerste stem. Niet Alfred.

Ze liep naar de deur, tilde de grendel op, maar opende de deur slechts op een kier. 'Moet jij niet bij Rose blijven?'

'Ze slaapt als een baby. Mijn aanwezigheid zou haar alleen maar storen. Het zullen wel zenuwen zijn, zoals je al zei. Het meisje is geschrokken. Doe eens open, ik heb iets voor je.'

Verleiding. Het verlangen naar zijn armen. De kans om de vermoeidheid en ellende van de afgelopen twee dagen te vergeten. 'Niet nu. En niet op mijn kamer. Colin of Alfred kan komen.'

'Is dat zo erg dan?'

Ze herinnerde zich hoe voorzichtig hij was geweest met zijn eigen begroeting in de keuken en haar niet had omhelsd in het bijzijn van zijn dochter. Het bloed steeg naar haar slapen. Ze moest hem de deur wijzen.

'Toe, doe nou open. Ik wil alleen maar praten.'

❧

Kathryn begon eindelijk weer warm te worden, niet door het verwaarloosde vuur in de haard, maar door het pezige lichaam dat zich om haar heen gevouwen had. In de kamer hing de rook van de knetterende kooltjes en de lucht van hun vrijpartij. Een heerlijke loomheid lag als een wollen deken over haar heen. Kon ze zo maar altijd blijven liggen, haar armen en benen verstrengeld met de zijne, als zijden koorden, haar lippen tegen zijn gladde kruin, waar zijn haar was uitgedund tot een volmaakte O.

Ze was zich bewust van het ritme van zijn lichaam als ze samen lagen, zijn ademhaling aangepast aan de hare, lang nadat hun hartstocht al was uitgewoed. Het bleef een groot mysterie hoe ze 'van één vlees werden'. Dat leek net zo'n wonder als de eucharistie, de verandering van brood en wijn in het lichaam en bloed van Christus. Want dat laatste moest ze maar geloven – ze had daarbij nog nooit de smaak van vlees en bloed in haar mond geproefd. Omdat ze niet vroom genoeg was? In haar mond bleef de wijn gewoon wijn en het brood gewoon brood. Maar deze heilige rite, de communie van twee zielen, voltrok zich werkelijk aan haar. Zo had ze dat nooit beleefd met Roderick. In haar huwelijk, door Kerk en koning ingezegend, was ze niets anders geweest dan een fokmerrie, en haar echtgenoot een dekhengst. Een simpele copulatie.

'Ik heb je iets gebracht van de markt in Norwich,' zei Finn.

'Ik hoef geen geschenken. Dat jij hier bent is voor mij al genoeg.' En met elk woord drukte ze een zachte kus op die volmaakte O.

'Dat ik hier ben... o, ik begrijp het. De abt heeft je je vergoeding gegeven omdat ik hier ben. Een goedgevulde beurs. Het moet een zware opgave zijn.'

Hij plaagde haar en streelde haar lachend onder haar kin toen hij het zei, maar toch stak het haar. Ze wist dat hij haar zelfzuchtig vond, een vrouw zonder belangstelling voor wie niet tot haar eigen kringen behoorde. Ze herinnerde zich hun discussie over wie de personele belasting voor haar bedienden moest betalen. Toen hij haar hals kuste en een lok haar optilde om een van haar borsten te ontbloten voor zijn tong, duwde ze hem zachtjes weg en trok het laken tot onder haar oksels.

Ze steunde op een elleboog en keek hem aan. 'Je moet me niet bespotten. Dat bedoelde ik niet met "dat je hier bent". Het gaat me om jou. Hoewel ik niet zal ontkennen dat ik blij ben met de vrijgevigheid van de abt. Vooral nu de wolschuur is afgebrand, om nog maar te zwijgen over de verloren inkomsten van die wolzak.' Waarom zei ze dat, over inkomsten? Omdat ze wist dat het hem zou ergeren?

Omdat ze in zijn toon een onprettige insinuatie had gehoord. Hij had haar bijna een hoer genoemd. Daar maakte je geen grapjes over.

'Je vergeet de herder.'

'Ja, natuurlijk. De herder. Het zal niet gemakkelijk... en niet goedkoop... zijn om een ander te vinden.' Nu speelde ze opzettelijk op zijn mening over haar geldzucht in.

Hij liet zich achterover zakken, met zijn armen achter zijn nek. Hij had een hazelnoot in een tinnen vatting aan een leren bandje om zijn hals. Ze had hem ernaar gevraagd en hij had gezegd dat het een geschenk was van een heilige vrouw. Opeens ergerde dat haar, alsof het symbolisch was voor een verborgen deel van hem, dat hij voor haar geheimhield. Ze duwde de hanger weg en traceerde de contouren van zijn borstbeen met het topje van haar vinger, een beetje plagerig. Maar hij glimlachte niet meer en keek haar niet langer aan. In plaats daarvan staarde hij fronsend naar het plafond, alsof hij demonen zag dansen in de donkere hoeken tussen de geteerde balken.

'Is dat de enige reden?'

'Hoe bedoel je, de enige reden?'

'Winst. Is *winst* het enige waar je aan denkt?'

'Nee, niet het enige, natuurlijk,' zei ze, wijzend naar het omwoelde bed.

Waar was hij geweest, toen zij het lijk van de herder had gewassen? Waar was hij geweest, met zijn verheven ideeën over naastenliefde, toen zij Agnes troostte? Toen zat hij te praten met bisschoppen en discussieerde met heilige vrouwen over wijsbegeerte. Toen deed hij zich tegoed aan wijn en lekkernijen in de gerieflijke vertrekken van de abt.

'Ik moet aan mijn zoons denken en hun erfenis beschermen. Jij bent een handwerksman.' Ze zag dat hij zijn wenkbrauwen optrok en had meteen spijt van dat nadrukkelijke 'handwerksman'. 'Ik bedoel dat jij op je vakmanschap kunt vertrouwen om je dochter te onderhouden. Dat kan de Kerk of de koning je nooit afnemen.'

Ze voelde dat zijn bloed sneller begon te stromen en dat zijn gezicht verstrakte. Alle spieren in zijn lichaam spanden zich, als de pas gestemde snaren van een harp. Ze raakte de holte onder zijn borstkas aan, waar de huid en de spieren wat losser waren. Maar ook daar stond nu alles strak.

'Ik vertrouw op mijn vakmanschap als "handwerksman" omdat ik geen andere keus heb. De Kerk en de koning hebben me al kaalgeplukt, kaal als een wilgentak in de winter.'

Ze liet haar hand op zijn buik rusten. Haar vingers draaiden lusjes in de haartjes rond zijn navel.

'Wat bedoel je?'

'Wat ik bedoel, Kathryn, is dat jij niet de enige bent die de laars van de tirannie in haar nek voelt. Vraag het de pachters die je wol kaarden. Of de arbeiders die je land bewerken voor een schamel loon. Of de knechten die jouw horigen zijn. Maar voor hen is het *jouw* bevallige voet die hen met hun gezicht in de modder trapt.'

Haar hand lag plotseling stil. 'Je mag dan goed overweg kunnen met verf en penseel, heer kunstenaar, maar je begrijpt echt niet wat er nodig is om een landgoed zo groot als Blackingham in stand te houden.'

Hij lachte snuivend, met oprechte verontwaardiging en gekwetste trots. Zijn ogen lachten niet mee. Hij was echt boos en gegriefd.

'Dit kleine stenen huis met die paar hectaren schapenweide? Laat me u dan vertellen, *vrouwe*, dat ik ooit zelf erfgenaam was van een landgoed, een stenen kasteel met een slotgracht en een binnenhof, en mijn eigen personeel, waarbij vergeleken Blackingham niet meer is dan... het huis van een gildemeester.'

Had ze hem goed verstaan? Haar hand vloog naar haar borst om het bonzen van haar hart wat te bedaren.

'Wil je zeggen, Finn, dat je van adellijke afkomst bent? Daar heb je me nooit iets over verteld. Weet je wel wat dat betekent?' De hand die zo-even nog lusjes in zijn buikhaar draaide, pakte nu zijn kin vast en draaide zijn gezicht naar haar toe. 'Als je van adel bent, zouden we de koning toestemming kunnen vragen om te mogen trouwen!'

Hij zei niets. Tegenstrijdige emoties – irritatie, consternatie en wanhoop – joegen elkaar na op zijn gezicht. Kathryn wachtte. En met elke zwijgende seconde sijpelde haar vreugde verder weg. Een hitte die niets met hartstocht te maken had deed haar wangen gloeien. Stel dat hij dit voor zich had gehouden omdat hij helemaal geen huwelijk met haar wilde? Omdat hij haar niet goed genoeg vond? Al die tijd had hij haar uitgelachen terwijl ze de adellijke dame speelde. Nu ze in een aanval van trots en arrogantie deze informatie aan hem had ontlokt, had hij moeten bekennen dat hij niets anders met haar wilde dan het bed te delen. Was het mogelijk dat haar grote liefde voor hem slechts een avontuurtje was geweest – een avontuurtje waarvoor zij zelfs betaald kreeg?

Ze voelde zich als Eva na de zondeval.

Ze kon hem niet aankijken. Ze kwam overeind, schoof naar de rand van het bed en trok het laken met zich mee.

Hij greep de punt en hield het vast, voordat ze het hele laken van hem af kon trekken. 'Ik zei *was*, Kathryn. Ik *was* erfgenaam. Maar ik ben precies wat je zei. Niets meer dan een handwerksman,' antwoordde hij somber. 'Mijn landerijen en mijn titel zijn door de koning verbeurd verklaard.'

Verbeurd verklaard? Dat kon maar één ding betekenen. Hij moest een verrader zijn, en zij had hem onderdak verschaft! Ze had hem – letterlijk – gekoesterd aan de borst van Blackingham. Ze had het geboorterecht van haar kinderen verkwanseld, misschien zelfs hun leven in gevaar gebracht.

'Je had het me moeten vertellen,' zei ze. 'Je had het me moeten zeggen dat je verraad hebt gepleegd.'

Nog steeds kon ze hem niet aankijken. Door haar in het ongewisse te laten had hij haar vertrouwen – hun intimiteit – beschaamd. Toch zou ze hem het liefst tegen zich aan willen drukken om hem te troosten met zijn verlies. Wat kon erger zijn dan je land kwijtraken? En ze kende hem voldoende, of dácht dat ze hem voldoende kende, om te weten dat hij vooral verdriet had om zijn dochter, niet om zichzelf.

'Als ik de koning had verraden, zou ik zijn opgehangen en gevierendeeld,' hoorde ze zijn stem achter zich. 'Dan zou mijn hoofd op een paal zijn gestoken en zouden de kraaien allang mijn ogen hebben uitgepikt.'

Die ogen, met de kleur van de zee, die haar ziel konden lezen... Die lachende ogen, waarvan ze de oogleden nu wilde kussen, omdat ze niet meer lachten.

Hij ging rechtop zitten in bed, boog zich over haar schouder en streelde haar wang. 'Mijn land is verbeurd verklaard omdat ik te veel van een vrouw hield. Dat schijnt mijn zwakke punt te zijn.'

Een misverstand dus, een klein vergrijp dat misschien nog kon worden rechtgezet en vergeven? En wat maakte het uit of hij zijn landgoed niet meer terugkreeg? Blackingham was genoeg voor hen beiden, ondanks zijn geringschattende commentaar.

'Waar stond je kasteel dan?' vroeg ze over haar schouder. Ze zat nog steeds met haar rug naar hem toe, niet in staat hem aan te kijken.

'In de Marches, aan de grens met Wales.'

'En de vrouw? Is zij...'

De klank van zijn stem stelde haar gerust. 'Zij was de moeder van Rose.'

Kathryn voelde een grote last van haar schouders glijden. Ze wist hoe hij van zijn vrouw gehouden had. Daarom hield ze des te meer van hem, hoewel ze diep in haar hart ook jaloers was op die dode vrouw.

'En de koning keurde het niet goed.'

Het was geen vraag. Een oud verhaal, maar gemakkelijk te begrijpen, dacht Kathryn. Finn was nog jong geweest, en verliefd. Hij had zich opstandig getoond en de koning getrotseerd. Hij was overhaast getrouwd en had misschien de echtgenote afgewezen die koning Edward al voor hem had gekozen.

'De koning keurde het niet goed,' bevestigde hij.

Toen zweeg hij weer. Kathryn wachtte, enigszins opgelucht, op zijn romantische verhaal over een grote liefde die had standgehouden ondanks de tegenwerking van de buitenwereld. Ze wilde zich weer naar hem omdraaien, maar wachtte nog even op zijn geruststelling – en om hem te straffen voor de schrik die hij haar had bezorgd. Ze zat rechtop, met een stijve rug, starend naar het plafond. Eindelijk hoorde ze dat hij diep zuchtte en snel weer uitademde.

'Ik ben met een jodin getrouwd,' zei hij.

Eerst dacht ze dat ze het verkeerd verstaan had, maar het woord bleef hangen, zwevend tussen de balken. Het leek zichzelf in de lucht te schrijven, met letters die steeds groter werden. Jodin, jodin, jodin. Kathryn zat doodstil nu, verstijfd als een konijn in de schaduw van een havik. Ze ademde zelfs niet meer.

Jodin, jodin. Ik ben met een jodin getrouwd, had hij gezegd. Ze had geslapen met een man die gemeenschap had gehad met een jodin – een vrouw uit het volk dat Christus had vermoord.

Hij stak een hand uit en raakte haar schouder aan. 'Kathryn, als je Rebekka zou hebben gekend...'

Ze kromp ineen en merkte dat ze zich zo ver mogelijk terugtrok, tot aan de uiterste rand van het bed. *Rebekka.* En Rose, met haar olijfkleurige huid en haar ravenzwarte haar, het meisje dat ze ooit met de Heilige Maagd vergeleken had. Hoe had ze dat kunnen weten? Ze had in haar hele leven maar één jood gezien, een oude geldschieter in Norwich die haar vader haar ooit aangewezen had. Kathryn gaf een ruk aan het laken, tot het losschoot. Ze sloeg het om zich heen en stond op, nog altijd met haar rug naar hem toe. Ze wilde zich niet naakt laten zien aan een man die met een jodin gelegen had.

'Ik moet weer naar de keuken om te zien of Agnes alweer aan het werk is. De mensen hier moeten eten,' zei ze met een klein stemmetje, half verstikt.

'Kathryn, vind je niet dat wij...'

'Ga maar terug naar Ro... naar je dochter. Straks komt een van mijn zoons nog binnen.'

Alfred en Colin. Hoe zouden zij reageren als ze wisten dat hun moeder ontucht had gepleegd met een jodenvriend?

Ze trok haar hemd aan en hoorde zijn diepe zucht, het geluid van zijn broek toen hij die over zijn dijen trok. Kathryn vlocht haar haar in een dikke vlecht en voelde zijn adem tegen haar rug, zijn zachte lippen in haar nek. Ze kreeg kippenvel.

'Kathryn, alsjeblieft...'

'Een andere keer, Finn. Later. Als er weer tijd is.'

Zou hij iets van haar walging merken en haar veroordelen om haar bekrompenheid? Maar zij was anders dan hij. Ze had niet zo'n groot hart, zoveel compassie en genade.

Ze hoorde dat hij wegliep. Zijn broekspijpen ritselden over het riet dat op de vloer lag. *Roep hem terug. Zeg hem dat er niets veranderd is.*

'Later, Finn. We praten er nog wel over, dat beloof ik je.' Ze prutste aan de bandjes van haar lijfje. Ze moest aan haar zoons denken. Het was verboden om omgang te hebben met een jood.

Geen antwoord. Ze wilde zich omdraaien en hem weer naar haar bed roepen. Maar het was al te laat. De ijzeren grendel viel dicht en de deur sloot zich achter hem. Ze was alleen.

En op het tafeltje naast haar bed glinsterden de zilveren munten die de abt haar had gestuurd.

~

Alfred kwam die middag niet naar de kamer van zijn moeder, zoals verwacht. Hij was er al geweest, maar op het moment dat hij de gang in liep, zag hij de deur dichtvallen achter de rug van een bezoeker. Een man. Hij had heel even aan de deur geluisterd, lang genoeg om te weten wie het was. Daarna was hij rechtstreeks naar de kamers van de kunstenaar – de oude kamers van zijn vader, hoe dúrfde ze! – gelopen om zijn verdenking te bevestigen. Daar was niemand, zoals hij al had gedacht. Hij loerde even achter het gordijn van de meisjeskamer, waar Rose lag te slapen. Op een ander moment zou die aanblik ondeugende gedachten bij hem hebben opgeroepen, maar vandaag niet. Niet terwijl zijn moeder de nagedachtenis van zijn vader en haar kuise weduwenbed besmeurde met deze indringer.

Hij betastte de parels in de zak van zijn tuniek – het halssnoer van zijn moeder, dat hij in Simpsons eigen kamer had gevonden. De sluwe rentmeester zou het wel hebben ingepikt toen lady Kathryn even niet keek, in de hoop dat ze zou denken dat ze het zelf was kwijtgeraakt. Alfred had zich erop verheugd de parelketting aan zijn moeder terug te geven als bewijs van zijn kwaliteiten als spion. In gedachten zag hij al haar blije glimlach als ze de ketting terug zou krijgen. Het was een keihard bewijs voor haar, iets waarmee ze Simpson onder druk zou kunnen zetten. Maar zijn moeder had blijkbaar andere zaken aan haar hoofd, en Alfreds plezier was grondig vergald.

Daarom had ze hem dus weggestuurd, met de smoes dat hij de rentmeester in de gaten moest houden. Ze had hem gewoon de deur uit gewerkt zodat ze het nest in kon duiken met die vreemdeling. Ze dacht zeker dat Colin toch te onnozel was om te zien wat zich onder zijn neus afspeelde. Allemachtig! Waarschijnlijk hadden ze het met elkaar gedaan in zijn vaders bed! Hij werd misselijk bij de gedachte. Zijn eigen moeder! Het was alsof ze zijn vader had uitgewist. Alfred moest zich beheersen om niet met één machtige zwaai al die verf- en inktpotjes van het bureau van zijn vader af te slaan, het bureau dat die... die *smerige rat* zich had toegeëigend. Maar nee, dan zou het slapende *prinsesje* in de andere kamer wakker zijn geworden en zou hij zich de woede van zijn moeder op de hals hebben gehaald. In plaats daarvan pakte hij een paar pennen en verbrijzelde ze in zijn handen totdat de scherpe punten in zijn vlees drongen en hij een grimas maakte van pijn.

Aan een haakje hing een open leren boekentas – de tas waarin ooit de boeken van zijn vader hadden gezeten. Alfred bladerde de losse pagina's van het geïllumineerde handschrift door. Een snelle blik vertelde hem dat de bovenste vellen het evangelie van Johannes waren. Daaronder lagen nog meer pagina's, helemaal onderop, alsof ze van minder waarde waren, of half vergeten. Hij herkende wat Saksische woorden, Engelse woorden. Onbelangrijke krabbels. Zelfs in zijn woede durfde hij het niet aan om zoiets heiligs als de Heilige Schrift aan stukken te scheuren, maar opeens kwam er een gedachte bij hem op. Zorgvuldig borg hij het evangelie van Johannes weer in de tas. Toen haalde hij het parelsnoer uit zijn zak en legde het onder in de tas, met de losse vellen er half overheen, zodat iemand die met een half oog erin keek de parels wel zou zien, terwijl het toch leek of ze verborgen waren.

Nadat hij met deze kleinzielige wraakneming zijn woede had afgereageerd liep Alfred op zijn tenen de kamer uit, maar niet voordat hij een velletje bladgoud had meegenomen. Je hoefde geen kunstenaar te zijn om te weten dat zoiets kostbaar was. Met een grijns op zijn gezicht liep hij de trap af. Eenmaal buiten legde hij het bladgoud over een koeienvlaai, lachend bij zichzelf om het resultaat. Hij overwoog nog even om de vergulde koeienvlaai op het bed van de tekenaar te leggen, maar hij wilde geen vieze handen krijgen, dus zag hij er maar vanaf. De gedachte alleen al gaf hem een geweldige voldoening. Zijn moeder moest haar parels maar terugvinden in de kamer van haar minnaar. Die mocht dan een verklaring bedenken.

❧

Alfred reed rechtstreeks naar de Beggar's Daughter om zijn wraakactie te vieren – en zijn verdriet te verdrinken. De eerste pul betaalde hij nog zelf. Het tweede rondje was van Sir Guy de Fontaigne. En het derde. En toen begon Alfred te praten.

Sir Guy, die aandachtig luisterde, sloeg de jongen vaderlijk op zijn schouder, deed of hij vreselijk met hem te doen had en gaf de kastelein een teken om nog een pint te brengen.

❧

Agnes zat nog heel lang bij het graf, zonder iets te merken van de kou. Ze kon niet weg. Eerst had ze nog iets te zeggen.

'Je bent een goede man voor me geweest, John. Afgezien van de drank. En dat zal God je wel vergeven. Hij weet dat het jouw schuld niet was.'

Ze trok een lange lok van haar hoofd – wanneer was ze zo grijs geworden? – en wikkelde die rond haar wijsvinger tot een volmaakte cirkel. Toen haalde ze de grijze ring van haar vinger en legde die in de rulle aarde. De eksters zouden hem wel stelen om er hun nest mee te bekleden, maar ze had niets anders om hem te geven.

John had ook zo'n ring voor haar om zijn vinger gewonden op hun trouwdag: een lichtgekleurde lus van zijn eigen bruine haar. Toen een vonk van het kookvuurtje de ring verschroeide, had Agnes gehuild; meer om het verlies dan om de pijn. John had haar lachend in zijn armen genomen. Als het zijn bruid gelukkig maakte, zou hij zijn hele hoofd kaal scheren om al zijn haar – zijn weelderige bruine lokken – tot ringetjes voor haar te wikkelen.

'Eindelijk ben je nu vrij, John. Maar veel te vroeg. Ik weet dat je geen liefde voelde voor Blackingham, en ik ben blij dat je niet op Blackingham begraven ligt. Maar lady Kathryn heeft je goed behandeld. Ze geeft jou de schuld niet van de brand, evenmin als ik.'

Ze bleef nog een hele tijd naast hem zitten. Een nevelige zon probeerde zich te laten zien, maar drong niet door de mist heen. De duif staakte zijn treurige roep. Het enige geluid was het ritselen van de droge bladeren aan de takken die over het dak van Saint Michael's hingen.

'Ik moet nu gaan, John. Ik heb nog dingen te doen.'

Ze stond op en draaide zich om voordat zijn geest het enige verwijt aan haar lippen zou ontlokken dat ze niet wilde uitspreken, het enige dat ze niet kon vergeten. Ze was al voorbij het poortje, buiten gehoorsafstand van het graf, toen ze de woorden mompelde. Maar door het te zeggen wrong ze de laatste druppel bitterheid uit haar hart.

'Je hebt me geen kinderen gegeven, John. Je hebt me eenzaam achtergelaten.'

Ze liep de drie kilometer terug naar Blackingham over hetzelfde harde pad dat lady Kathryn eerder had genomen. De kou voelde ze niet en het eelt op haar voeten in haar slechtzittende klompen bewees nu goede diensten. Voor haar uit doemde het roodstenen gebouw op, dat haar weer aan de arbeid riep. Het was te laat om nog vlees te braden, zag ze aan de stand van de bleke zon, die verstoppertje speelde met de mist. Misschien kon ze een patrijs roosteren aan het spit. Als ze voortmaakte, zou er zelfs nog tijd zijn voor een custardtaart.

Dunne rook kringelde uit de schoorsteen van de keuken. De Heilige Maria zij dank. Ze was bang dat de knecht die het vuur brandend moest houden zijn werk zou hebben verzaakt zonder haar toezicht. Hij was de zoon van een poorter, maar een luie, lompe knul, getekend door de pokken en niet geschikt voor de oorlog, anders zou hij wel met de rest zijn meegegaan.

Ze kwam de stille keuken binnen en duwde de eikenhouten deur dicht met haar rug. Waarom had ze nooit eerder gemerkt hoe zwaar hij was? Opeens gaf hij krakend mee en viel de metalen grendel op zijn plaats als door de hand van een onzichtbare engel.

'Ach, jij bent het maar, Magda. Verstop je je weer achter de deur?' zei ze, terwijl ze haar grove wollen sjaal aan een haakje hing. 'Eerder de duivel dan een engel, als properheid een deugd is.'

Ze had de keukenmeid opdracht willen geven zich te wassen toen lady Kathryn had gezegd dat ze mocht blijven. Zo'n smerig kind wilde ze niet in haar keuken. Het wicht glimlachte tegen haar alsof ze een complimentje kreeg, met grote ogen van blijdschap. Ze bracht haar hand naar Agnes' hoofd en streelde de lucht alsof het een mooie lap zijde was die tussen haar vingers door gleed.

Het kind was achterlijk, jammer genoeg. Agnes nam haar scherp op. Niet goed wijs... maar toch meende ze iets te zien achter die neergeslagen ogen, misschien zelfs een vorm van intelligentie.

Het meisje wees op het vuur, toen naar zichzelf en knikte nadrukkelijk.

'Wat wil je me nou zeggen, kind? Wees duidelijk.'

'Magda.' Ze wees weer naar zichzelf en toen naar de haard. 'V-vuur.'

'Heb jij het vuur brandend gehouden?'

Het meisje knikte met een brede glimlach. 'Heb de jongen om h-hout gevraagd.'

'Nou, kijk eens aan. Je hebt het vuur verzorgd. Misschien ben je toch niet zo simpel als ze zeggen.'

Het meisje wreef over haar armen. 'Magda koud,' grijnsde ze.

De warmte van het vuur deed ook Agnes goed. Nu pas merkte ze hoe koud ze was. *Koud. Had John het ook koud op het kerkhof? Nee, zo mocht ze niet denken. Ze moest het verdriet niet ondraaglijk maken.* Weer nam ze het meisje aandachtig op. De staljongen had reden om vriendelijk tegen haar te zijn, besefte Agnes. Het kind was tenger, maar onder haar vodden waren toch al de borsten van een vrouw te zien.

'Eten. Voor jou.' Magda wees naar een bord gebakken eieren.

'Heb jij ook die eieren gekookt?'

Het meisje boog haar hoofd, alsof ze het jammer vond dat ze die prestatie niet op haar naam kon schrijven. 'Nee. Een m-man en de dame.' Toen, bijna uitdagend: 'Maar ik kan wel eieren koken.'

'O ja?'

Lady Kathryn. Wat zorgzaam van haar. En een man. Blijkbaar was de kunstenaar weer terug. En Agnes was er blij om. De eieren kwamen goed van pas. Niet alleen omdat ze honger had – hoewel haar verdriet haar eigenlijk de eetlust benam – maar ook omdat de anderen dus al iets gegeten hadden. Agnes moest nog wel iets koken voor het avondmaal, maar niet zoveel.

Met een vuile hand reikte het meisje haar een snee brood aan. Agnes keek ernaar en fronste – brood gebakken voor de haard, toen haar John nog bij haar was – maar ze pakte het toch aan en depte wat gestold eigeel op met de korst die het meisje niet had aangeraakt. Onder het kauwen keek ze nog eens naar de keukenhulp.

'Zet maar water op om te koken, Magda. We gaan je wassen.'

Het meisje schudde haar hoofd en sperde angstig haar ogen open.

'Je gaat er niet dood van, kind. En als je die vlooien en luizen kwijt bent, hoef je niet meer met de honden te slapen.'

Magda keek nog steeds angstig, maar toch goot ze water in de bungelende ketel. Die ochtend had ze de waterkruik nog gevuld uit de put, maar ze was er heel spaarzaam mee, alsof elke druppel giftig was.

'Vooruit, giet hem maar vol. Ja, zo.'

Voor het eerst sinds de brand voelde Agnes de druk op haar borst wat minder worden. Ze liep naar de kast en pakte een stuk loogzeep en wat rafelige wollen doeken. Maar toen ze terugkwam, was het meisje verdwenen. Het enige geluid in de keuken was het sissen van het kokende water. Totdat Agnes een zacht geschuifel onder de zware eikenhouten tafel hoorde – als het krassen van de borstel van de schoorsteenveger.

'Kom tevoorschijn, kind. Ik zal je geen kwaad doen en je zult niet smelten.'

Het meisje kroop aarzelend onder de tafel vandaan, zoals haar was bevolen, maar kromp ineen toen ze de zeep en de doeken zag. Agnes pakte haar zachtjes bij de arm, trok haar naar de haard en zette haar op de stenen rand. Magda bleef gehoorzaam staan, klaar om te vluchten, toen Agnes een kom met stomend water vulde. Ze nam Magda's omhoog gedraaide gezichtje in haar hand en begon het te schrobben tot de huid langzaam roze werd.

'Vanavond slaap je bij mij in bed,' zei Agnes. 'Dan kunnen we elkaar warm houden.'

❧

Kathryn hoorde Colin bidden in de kapel toen ze voorbijliep op weg naar de grote zaal voor Simpsons maandelijkse afrekening. *'Misere nobis, kyrie eleison.'* Gebeden bij het eerste ochtendlicht, bij terts, sext en none, en tegen de avond bij de vespers. Op alle tijden van de dag, zelfs als de klokken de nacht inluidden na het avondgebed, had ze haar zoon zien bidden. En niet oppervlakkig, maar in volledige, oprechte overgave.

Waren de zonden van Blackingham zo ernstig dat haar prachtige jongen, bleek en uitgeteerd door het vasten... wanneer had ze hem voor het laatst zien eten?... zo onophoudelijk om genade moest bidden? Fluisterde hij zijn gebeden zelfs bij de metten, als de bieskaarsen spookachtige schaduwen wierpen in de koude kapel, en opnieuw bij het ochtendlof, als de haan van Sint Petrus de duisternis vlak voor de nieuwe morgen met zijn gekraai verscheurde? Terwijl de zondige bewoners van Blackingham nog sliepen en zijn moeder het liefst haar bed zou delen met een Christusmoordenaar die meer christelijks had dan enige priester die ze ooit had ontmoet, hield haar kind – zonder twijfel de onschuldigste van allemaal – de wacht over hen met zijn gebeden.

Ze bleef staan bij de deur van de kapel, klaar om naar binnen te stappen en hem bij zijn devotie vandaan te sleuren naar het heldere zonlicht van de novemberdag. Ze kon zich niet herinneren wanneer ze voor het laatst samen hadden gesproken. In elk geval niet meer sinds de dood van de herder, een week geleden. Ook Finn was niet meer bij haar gekomen sinds die middag waarop ze hem had weggestuurd. Zeven nachten had ze gewacht, luisterend naar een klop op haar deur. De dag erna had Glynis haar een boodschap van hem gebracht: 'Een teken van waardering voor mijn vrouwe, die onderdak geeft aan een arme ambachtsman en zijn dochter.' En bij die boodschap zat een pakje. *Ambachtsman.* Dat woord was een klap in haar gezicht. Ze maakte het pakje open en vond een paar schoenen van zacht suède, met een soort sluiting die ze niet kende. Ze wist dat gespen de nieuwste mode waren, maar ze had er nog nooit een gezien. De schoenen waren prachtig. Waarom was hij ze niet zelf komen brengen?

Domini Deus. Colin bad nog steeds in de kapel. Zijn bleke haar glansde als een stralenkrans om zijn fijngevormde gezicht, dat nu hol leek door een overdaad aan vroomheid. Het licht door het raam van de kapel viel over zijn haar en schilderde een donkerrood kruis over zijn kruin en zijn schouders, als een monniksmantel. Het was het venster van de heilige Margareta. Roderick had veel geld betaald voor de prachtige kleuren waarin de beschermheilige van de geboorte was weergegeven. Toen ze zwanger was van zijn zoons had hij kaarsen gebrand en de kapel – die eigenlijk Saint Jude's heette – aan Sint Margareta gewijd. Hij wisselde net zo gemakkelijk van heiligen als dat hij zijn liefjes inruilde. Al dat geld en al die moeite waren niet voor Kathryn bestemd geweest, maar voor zijn erfgenamen, de 'trots van zijn lendenen', zoals hij de gezonde tweeling noemde die de vroedvrouw hem had voorgehouden. Toch had hij vanaf het eerste begin een duidelijke voorkeur gehad voor de ene zoon boven de andere.

De kleinste, slapende jongen had hij aan Kathryn teruggegeven. De rood aangelopen schreeuwlelijk die hij Alfred had gedoopt hield hij hoog in de lucht, met één hand, als een trofee. 'Deze,' zei hij, 'deze zal een vechter worden.' Kathryn had gehuiverd toen ze die woorden hoorde. En ze had de heilige Margareta gebeden allebei haar zoons te beschermen. Diezelfde heilige Margareta spande nu samen met haar eigen zonverlichte kruis om Colin van haar af te troggelen. Wat zou Roderick hebben gezegd als hij zijn jongste zoon dag en nacht voor het altaar had zien mompelen? Roderick had niet de neiging tot boetedoening, hoewel zijn zonden hem daar alle reden toe hadden gegeven.

Colin zat nog altijd voor het altaar geknield, roerloos, met gevouwen handen en zijn ogen dicht, in de klassieke houding van de berouwvolle zondaar. Hij moest haar aanwezigheid nu toch hebben gevoeld, het ruisen van haar rokken hebben gehoord. Maar hij reageerde niet.

'Colin.' Zachtjes, bijna fluisterend.

Hij leek uit steen gehouwen, afgezien van de lichte beweging van zijn lippen als hij zijn gebeden prevelde.

Zuchtend draaide ze zich om. Niet in staat zijn broer te redden had ze de jongste van de twee behoed voor de vloek van Rodericks affectie. Maar ze wilde niet strijden met die andere Vader. Zelfs niet om haar zoon. Uit angst dat ze niet alleen haar eigen ziel, maar ook de zijne in gevaar zou brengen.

'Christi eleison.' Zachter nu, met een smekende klank, toen haar voetstappen weer verdwenen.

Christus, heb genade met ons. Ja, en vooral met jou, Colin, mijn mooie zoon. Genade met jou. In stilte herhaalde ze de woorden. *'Christi eleison.'*

En genade met mij, bad ze. Ze voelde de bonzende pijn weer onder haar wang. De migraine zou niet lang achterblijven. Haar maandstonde was te laat. Moest ze zich zorgen maken? Het was niet de eerste keer. Ze weet het aan haar leeftijd. Maar was het dat wel? Of zou Finns zaad al op weg zijn naar een hoekje van haar schoot dat nog vruchtbaar was? Hij hád zich toch teruggetrokken? Elke keer? Hij had er nooit over gesproken, haar niet betrokken bij die zondige samenzwering, maar ze had geleerd om te wachten tot hij zijn hartstocht over haar zachte buik uitstortte. Als gemorste wijn.

Coïtus interruptus.

Ze masseerde haar linkerslaap om de pijn te verdrijven. Ze moest de rekeningen nog doornemen met Simpson.

Coïtus interruptus. Christi eleison. Ze zuchtte diep en ademde weer uit. Haar boezem bewoog net zo zwaar als ze zich voelde. Veel te veel Latijn in haar leven.

Kathryn kwam de grote zaal binnen waar ze met de rentmeester had afgesproken. De eettafels en banken waren weggeruimd na het laatste grote feestmaal. Die waren er niet veel meer sinds Rodericks dood. De inrichting bestond nu enkel nog uit de zware kleden tegen de muren, om de kou tegen te houden die door de bakstenen sijpelde, en een eenzame tafel en stoel, die ze gebruikte in haar verschillende functies als edelvrouwe. De zadelvormige stoel van stevig Engels eikenhout had haar echtgenoot goed gepast. Roderick was een grote man geweest, die de hele ruimte vulde – een meester op zijn troon. Maar zelfs met haar wijde fluwelen mantel, uitgespreid tegen de gebogen armleuningen van de stoel, hield Kathryn nog ruimte over. En als ze met haar ellebogen op die leuningen steunde voelde ze zich als een gewonde valk met zijn vleugels onnatuurlijk gestrekt.

Ze had orders gegeven om de stoel vanaf het podium naar het midden van de zaal te laten brengen, omdat hij dan minder dreigend overkwam. Kathryn voerde haar besprekingen liever in de warme sfeer van de tuinkamer en gebruikte de grote zaal alleen voor deze ontmoetingen om de nurkse rentmeester aan haar positie te herinneren. Achteraf had ze spijt van haar beslissing om de stoel te verplaatsen. Het zou beter zijn als Simpson tegen haar op moest kijken, en bovendien voelde ze zichzelf verloren in deze grote, lege ruimte. Maar de stoel was veel te zwaar om er zelf mee te gaan sjouwen, en ze had een bonzende hoofdpijn.

Ze sloot haar ogen om voldoende kracht te verzamelen om de bekende pijn te kunnen verjagen of doorstaan, in afwachting van Simpsons komst. Waarom liet ze zich eigenlijk ringeloren door die man? Hij was maar een bediende, zij de vrouw des huizes. Ze zou hem moeten ontslaan, maar waar vond ze een vervanger? Even later hoorde ze schuifelende voetstappen en het gemompel van stemmen. Toen ze haar ogen opende zag ze niet alleen Simpson, maar ook haar zoon. Natuurlijk. Waarom was ze vergeten dat Alfred nog steeds met hem optrok? Alfred... wanneer was hij zo'n lange, knappe vent geworden?... stond naast de rentmeester. Kathryns angst verdween grotendeels. Ze rechtte haar rug en stak haar kin vooruit.

Alfred pakte haar hand, bracht die naar zijn lippen en zakte door een knie als teken van respect.

'Ik hoop dat mijn moeder in goede gezondheid is.'

Hij had hoofse manieren geleerd, dacht ze. Wat leek hij al op zijn vader in veel – té veel – opzichten. Maar hij was haar zoon. Zij had hem gezoogd. En dat schiep een sterke band. Alfred zou een krachtige heer van Blackingham worden. Glimlachend bedacht ze dat haar eigen vader, de eerste heer van Blackingham, trots zou zijn geweest op zijn stoere erfgenaam.

Ze had veel te zeggen tegen haar zoon – dat had ze al te lang uitgesteld – maar ze was voorzichtig in Simpsons bijzijn. De rentmeester stond achter Alfred, maar niet bepaald deemoedig.

Ze gaf Alfred een teken om overeind te komen.

'Redelijk goed, naar omstandigheden. Ik ben blij dat ik je eindelijk weer zie. Je afwezigheid tijdens die ellendige gebeurtenis van de afgelopen week viel nogal op.' Ze keek fronsend naar de rentmeester. 'En dat geldt ook voor u. Ik had u bij de begrafenismis verwacht.'

Simpson keek haar smalend aan. Op zijn gezicht las ze wat de man niet hardop durfde te zeggen: dat een begrafenismis voor een gewone boer een vreemde komedie was waar hij zich boven verheven voelde.

Alfred kleurde een beetje, maar zijn ogen bliksemden. 'Moeder, het was niet mijn bedoeling om te verzaken. Ik had het druk met het andere werk dat u me had opgedragen.'

Mooie woorden, maar zijn toon beviel haar minder.

'Ik ben naar uw kamer gekomen op de middag na de begrafenis van de herder,' vervolgde hij, 'om u als plichtsgetrouwe zoon steun te geven op dat moeilijke moment, maar uw deur was dicht en u had al bezoek. Ik wilde niet storen, dus ben ik weggegaan.'

De rentmeester grijnsde nu openlijk, maar Kathryn zag het niet eens, zo geschrokken was ze. De middag na de begrafenis van de herder, had hij gezegd: de laatste keer dat zij en Finn samen waren geweest. Ze voelde het bloed uit haar gezicht trekken.

De deur was op slot geweest, dat wist ze zeker. Alfred kon niet weten wie ze daar had ontvangen, of in welke intieme omstandigheden. Dus koos ze voor de aanval, de beste verdediging. Tenminste, dat was altijd Rodericks strategie geweest.

'Je had moeten kloppen. Ik weet zeker dat ik alleen was. Mijn zoons zijn altijd welkom. Ik moest je spreken. Ik had vragen over de brand en over jouw bezigheden. Ik vroeg me af of je soms in het wolhuis was geweest voordat de brand uitbrak.'

Verbeeldde ze het zich, of reageerde Simpson wat nerveus? Als hij over Alfred had gelogen, was dit het moment voor een verklaring.

'De brand?' Alfred keek verbaasd en liep nog roder aan. Ze zag dat hij driftig werd. 'U wilt míj toch niet de schuld geven! Ik ben daar maar één of twee keer geweest om... om John te helpen bij het uitspreiden van de schapenvachten.'

'Iemand had je op de ochtend van de brand naar binnen zien gaan. Dus dacht ik...'

‘Wát? Dat ik die brand had aangestoken? Ik durf te wedden dat je Colin niet hebt gevraagd waar hij uithing.’

Snel keek ze naar Simpson, die opeens grote belangstelling toonde voor het zoldergewelf van de grote zaal. Maar hij luisterde mee en genoot van elk woord. Nog steeds deed hij geen moeite om die smalende uitdrukking van zijn gezicht te vegen.

‘We praten er nog wel over, onder vier ogen, na de boekhouding,’ zei ze.

Simpson stapte naar voren, gaf de in leer gebonden bladen aan Alfred, die ze aan lady Kathryn doorgaf. Ze las de cijfers aandachtig door en zag dat alles klopte met de afrekening van de oogst van vorig jaar, die ze vooraf uitvoerig had bestudeerd.

‘Dat lijk allemaal in orde.’ Ze legde het grootboek op de tafel, tussen haar en de twee anderen in. ‘Heel goed, Alfred. Jouw toezicht schijnt een heilzame invloed te hebben op Simpsons cijfers. Ik kan nu geen tekorten ontdekken.’

Eindelijk verdween de smalende grijns van Simpsons gezicht.

‘U kunt gaan,’ zei ze tegen de rentmeester. ‘Ik wil nu met mijn zoon spreken.’

Zijn buiging was kort en abrupt, als het dichtslaan van het deksel van een doodskist.

Toen zijn voetstappen waren verdwenen bleef Alfred kaarsrecht voor haar staan. Hij wilde zijn volwassen houding niet zomaar laten varen, dacht lady Kathryn.

‘We zijn nu alleen, Alfred. Kijk maar niet zo nors. Kom, geef je moeder een kus, dan zijn we weer vrienden.’

Maar hij verroerde zich niet. Hij leek zelfs te verstrakken. Toen stak hij zijn hand onder zijn wambuis en haalde een rol perkament met een zijden koordje tevoorschijn.

‘Ik heb een verzoek aan mijn moeder.’

Hij bleef op afstand. Dat was Kathryn niet van hem gewend. Ze dacht aan Colin, die voor het altaar in de kapel van Sint Margareta lag geknield, en onderdrukte een zucht. Haar jongens zouden spoedig volwassen zijn. Ze voelde al hoe ze haar door de vingers glipten.

Ze knikte gelaten, niet van zins om hem in zijn nieuwe waardigheid aan te tasten. 'Laat me je verzoek maar zien.'

Hij gaf haar het perkament. Ze herkende het zegel van Sir Guy de Fontaigne. Aarzeling en nieuwsgierigheid streden om de overhand.

'Dit is het zegel van de drost,' zei ze. 'Ik dacht dat het jouw eigen verzoek was.'

'Dat is het ook. Nu mijn vader er niet meer is, wil Sir Guy mijn petitie ondersteunen.'

'Juist,' zei ze, terwijl ze haastig haar vinger onder het zegel door liet glijden en de was verbrak. 'Dan heb je een geduchte bondgenoot.'

'Een bondgenootschap dat mijn vader al tot stand had gebracht, en overeenkomstig zijn wensen, zoals u zult zien.'

Ze las de tekst en bladerde de andere pagina's door, met ongeloof op haar gezicht. Verstijfd van angst bleef ze zitten. Ze wilde op hem toe stappen, haar armen om hem heen slaan en hem tegen haar borst drukken, maar ze was bang dat haar benen haar niet meer zouden dragen.

'Alfred, weet je heel zeker dat je dit wilt?' was alles wat ze wist uit te brengen.

'Het is wat mijn vader voor me wilde. En zo zou ik het hebben gedaan als hij nog in leven was geweest.'

'Maar is het ook wat jíj wilt?'

'Jazeker. In dienst van Sir Guy kan ik leren om een ridder te worden zoals mijn vader. Ik heb mijn vaders maliënkolder al aangetrokken, en zijn wapenrusting past me goed. Die zal ik meenemen. En van Sir Guy krijg ik een paard.' Toen, ijzig: 'Met uw toestemming, natuurlijk.'

Opeens voelde ze zich oud. De grote zaal leek groter dan ooit. Onder de hoge balken fladderde een kraai naar binnen die naar het verlaten nest van een winterkoninkje pikte. Ze keek nog eens naar het perkament. Sir Guys handtekening, scherp en hoekig als de man zelf, stond boven het officiële zegel van de drost. Ze wist dat ze niet kon weigeren. Dan zou Sir Guy een verzoek indienen bij de jonge koning en zijn regent, John of Gaunt. Zij zouden haar zoon tegen haar kunnen opzetten en misschien zelfs heel Blackingham – ook haar eigen deel – onder Alfreds gezag plaatsen en haar verbannen naar een somber klooster om de rest van haar dagen te slijten onder 'bescherming' van de koning. Met alleen Colin die haar nog kon verdedigen.

Christi eleison.

Nee, ze mocht Sir Guy de Fontaigne niet tegen zich in het harnas jagen.

'Ik zal je missen,' zei ze met een klein stemmetje.

'Ik weet zeker dat u wel ander gezelschap zult vinden. U was allang blij dat u van me af was.'

'Dat was anders. Toen wist ik dat je vlakbij was en kon ik je zien wanneer ik wilde.' Ze wees naar het grootboek. 'Dat was een noodzakelijk offer voor het welzijn van Blackingham.'

Zijn enige reactie was een strakke trek om zijn mond. Hij stak zijn kin vooruit – Rodericks kin.

'Kom je wel naar huis met Kerstmis? Dan geven we een verjaarsfeest voor jou en je broer.'

'Als Sir Guy me permissie geeft.'

Zijn jonge lijf stond voor haar in de houding, stijf en onbuigzaam. Hij zou niet toegeven, wist Kathryn, ook niet als ze haar armen om hem heen zou slaan. En zo'n afwijzing zou ze niet kunnen verdragen.

'Ga dan, met de zegen van je moeder,' zei ze, met een stem die nauwelijks meer was dan een gefluister.

Hij maakte een lichte buiging en draaide zich om.

'Zelfs geen zoen, Alfred?'

Hij boog zich over de tafel tussen hen in en raakte vluchtig haar wang met zijn volle lippen. Er kwam een herinnering bij haar op aan een gewelfd babymondje, om haar tepel geklemd, gulzig drinkend – zo onwillig toen om haar los te laten, zo gretig nu.

Ze bedwong de aanvechting om hem terug te roepen toen hij naar de deur liep. Ze had de macht niet meer om hem te bevelen. Hij was de wereld in getrokken en had andere relaties aangeknoopt. Ze zou zichzelf voor schut zetten.

'Neem een van de knechten mee om je te dienen. Ik wil niet dat je armoedig bij de drost aanklopt. Je zult gaan als een man. Laat je vaders harnas poetsen.'

Hij draaide zich om, en heel even meende ze in zijn ogen weer de jongen te zien die zijn tranen in haar rokken had verborgen als hun vader zijn zoons had geslagen om 'kerels van ze te maken'. Maar ze moest het zich hebben verbeeld, want hij liep uitdagend naar de deur en groette haar daar pas als afscheid.

Ze had hem niet die andere vraag gesteld, die haar al zo lang bezighield: waar hij geweest was op de dag dat de priester werd vermoord. Dat was nu maanden geleden, en waarschijnlijk was het van geen enkel belang meer – behalve voor haar. Ze treurde om het verlies van haar zoon, en in haar achterhoofd luidde een alarmbel. Door in dienst te treden van de drost had hij Sir Guy bij hun familie betrokken. En hoewel Kathryn nog nooit met een valk op haar arm had gejaagd, herkende ze een roofdier als ze er een zag.

Nog een hele tijd bleef ze daar zitten, in de stilte van de grote zaal, terwijl ze haar dubbele verlies verwerkte. Binnen zeven dagen had ze twee van de belangrijkste drie mensen in haar leven verloren. En de derde begon zich terug te trekken. *Christi eleison. Heer, heb genade.*

De kraai zat nu roerloos op een balk van de zoldering, met zijn snavel boven het nest, alsof hij wachtte op de terugkeer van de winterkoninkjes. De middagzon viel schuin door de smalle ramen en wierp een donkere schaduw over Kathryn, klein en eenzaam in haar grote eikenhouten stoel.

XII

Ze knielde boven op hem en greep haar dolk met het brede,
glinsterende lemmet, om haar zoon, haar enig kind, te wreken.

BEOWULF
(8STE-EEUWS ANGELSAKSISCH EPOS)

Toen hij uit bed kwam – niet meer dan een stapel huiden op de vloer van peppelhout (een aarden vloer wilde niet harden in de moerassen) – pookte de dwerg het haardvuur op en ging naar buiten om zijn behoefte te doen. Het was vroeg in de ochtend. De dag rekte zich uit, half slaperig, en had nog iets hoopvols. Hier en daar waren geluiden te horen die de stilte verstoorden van de nachtdieren die al geeuwend een plekje hadden gezocht om de dag slapend door te brengen. Half-Tom zoog de nevel boven het moeras diep in zijn longen. Een jeugdige, bleke zon probeerde door de mist te dringen. De dwerg had genoeg van zulke ochtenden meegemaakt om te weten dat de zon zou winnen. Het zou een prachtige dag worden, een zeldzaam geschenk voor half november, het feest van Sint Maarten. Maar Half-Tom hield de heiligendagen niet zo bij. Hij ging ook niet naar de kerk, zelfs niet naar de prachtige nieuwe Saint Peter Mancroft, de marktkerk van Norwich, met zijn galmende klokken. Half-Toms kalender werd bepaald door de wisselende standen van de maan.

Met streepjes in een wilgentak hield hij de marktdagen bij, niet de heiligenfeesten. Een blik op de inkepingen vertelde hem dat het de tweede donderdag van november was, een marktdag in Norwich. Als hij nu vertrok, zou hij er voor het einde van de dag kunnen zijn. Alles wees op een strenge winter; dit zou zijn laatste kans kunnen worden tot de lente. Hij zou zichzelf mogen trakteren op een pintje of twee. Er was zelfs nog tijd voor een bezoek aan de heilige vrouw. Hij dacht aan de lange tocht naar huis, bij avond. Desnoods zou hij in de hooiberg van een pachter kunnen slapen tot de wassende maan opkwam. Dan zou hij de weg naar huis wel vinden over het drassige witte land.

Hij liep naar binnen om een platte koek en een gedroogde vis mee te nemen voor onderweg. Hij had zijn eenkamerhut gebouwd rond een kromme populier en het dak gedekt met riet uit de rivier de Yare. De hut was verrassend stevig en vormde 's winters een goede beschutting tegen de kille oostenwind. En het was er veilig. Zijn kwelgeesten durfden hem niet te achtervolgen tot in het hart van dit gebied. De modderige slokdarm van het moeras kon een paard en ruiter binnen enkele seconden verzwelgen en zijn jammerende slachtoffers onder het zand trekken.

Het turfvuurtje in de haard in het midden van de kamer, met zijn luie stoel er tegenover, pleitte tegen de lange reis. Die stoel was helemaal gemaakt op zijn kleine gestalte, handig uitgesneden uit een bocht in de stam, waar de scheefgewaaide boom een lus maakte. Maar er zou nog genoeg tijd zijn om in die lange winter voor zijn haard te zitten, genoeg tijd om zijn handelswaar te vlechten – bijenkorven, palingmanden, visfuiken, draagtassen – uit de wilgentakken die hij in het voorjaar had afgesneden en in de zomer had geschild. Genoeg tijd ook om te dromen. Tijd om voor zichzelf de liederen te zingen die hij had gehoord van de rondtrekkende minstrelen die naar het klooster kwamen waar hij zijn jeugd had doorgebracht – liederen over de heldendaden van de machtige Beowulf.

In zijn winterse dromen speelde Half-Tom zelf de rol van de grote krijger. Als hij zijn gedroogde vis en zijn knollensoep had gegeten, sprong de dwerg in het rond en daagde de flakkerende schaduwen uit met de wilgentak die hij als zwaard hanteerde. In zijn fantasie wás hij

Beowulf. Het was Half-Tom die trouw zwoer aan heer Hrothgar, Half-Tom die het zwaard opnam tegen het monster Grendel, Half-Tom die een zucht van voldoening slaakte als zijn dolk diep in de zachte keel van de grote zee-trol verdween. Dan kon hij de fontein van warm bloed bijna vóélen. Rook het naar varkensbloed? Het was Half-Tom, de dappere held, een reus onder de mensen – de dichters zongen zijn lof – die Grendels wraakzuchtige, monsterachtige moeder tot aan haar leger in het moeras achtervolgde. Het was Half-Tom die 'haar keel doorkliefde en door het kraakbeen stak'. Het was Half-Tom die het staal van zijn zwaard zag smelten in haar giftige bloed.

Op meer beschouwende momenten (want als hij geen wilde dromen had of wonderbaarlijke daden verrichtte in een ander leven, had hij tijd om na te denken) kon hij ook enig begrip, wat menselijke warmte, opbrengen voor het monster. Want was het niet de grillige hand van Wyrd die Grendel die begeerte naar mensenvlees had gegeven? Viel Grendel wel iets te verwijten? Was het niet het noodlot dat monsters schiep? Ze ontstonden immers niet vanzelf. En dan was er de moeder, fanatiek in haar wraakzucht, vurig in haar liefde. Hij benijdde Grendel zo'n moeder.

'Duivelsgebroed,' riepen ze Half-Tom wel eens na. 'Heksenkind.' Zijn ziel was gehard door zulke woorden, gehard tot een glinsterende edelsteen. Als God... en niet de duivel, want de heilige vrouw had hem verzekerd dat de duivel niets kon scheppen... als God hem onvoltooid had gelaten, moest daar een reden voor zijn.

'God heeft alles gemaakt wat er is. En God houdt van alles wat Hij heeft geschapen,' had de kluizenaarster gezegd. Ze was zo geruststellend geweest, zo moederlijk in haar liefde en haar zekerheid, dat Half-Tom haar had geloofd.

Hij greep zijn drietandige visspeer en liep naar de plek waar het ondiepe water van de Yare in een hoefijzervormig meer uitkwam. Met één worp van zijn gespierde arm spieste hij een grote snoek met zijn kieuwen aan de ondiepe bodem vast, haalde de spartelende vis uit het water en deed hem in een wilgenmand. Een mooie vis voor zijn vriendin. Een mooi geschenk voor de heilige vrouw.

Aan het einde van de marktdag, na zijn tweede kroes goedkoop bier – een betere kwaliteit kon hij zich niet veroorloven – en na zijn bezoek aan Julian van Norwich, vertrok Half-Tom niet naar de moerassen, terug naar huis, maar naar Aylsham in het noorden. Hij had een boodschap voor de miniatuurschilder, *zijn* Hrothgar. Deze keer zou hij het pakket niet aan een bediende afgeven. Hij had de heilige vrouw beloofd dat hij de pagina's, verborgen onder zijn tuniek, persoonlijk aan de kunstenaar zou overhandigen.

Het was een hele omweg, twintig kilometer naar Aylsham en nog eens drie naar Blackingham Manor, en het begon al te schemeren. Maar het was het minste dat hij kon doen. Hij was de kunstenaar veel verschuldigd.

En moeder Julian was ook goed voor hem geweest Ze begreep zijn behoeften beter dan wie ook. Ze kende zijn diepe eenzaamheid. En meer nog, ze loofde zijn kleine postuur. De eerste keer dat hij bij haar kwam had hij zijn gal gespuwd over een God die hem een halve man had gemaakt in een wereld die om reuzen vroeg. Ze had hem aangekeken met mededogen in haar blik – iets dat hij aanvankelijk niet herkende, omdat hij het niet gewend was. Toen had ze een hazelnoot gepakt uit een schaal op de vensterbank van het luik.

Ze boog zich naar voren en hield hem omhoog. 'Zie je dit, Tom?' Ze noemde hem nooit bij die andere, kleinerende naam, die hij had gekregen van de monniken die hem op hun stoep hadden gevonden. 'Het is een hazelnoot. Onze Heer liet me dit kleine dingetje zien, dat ik in de palm van mijn hand kon houden, rond als een kogeltje. Ik keek ernaar en probeerde het te begrijpen. "Wat is dit?" dacht ik.'

Ze opende zijn eeltige vuist en legde de hazelnoot erin. 'Opeens drong het tot me door,' ging ze verder. 'Dit is de hele schepping, zo klein maar. Een wereld niet groter dan een hazelnoot. Veilig in Christus' beschermende hand. Ik vroeg me af hoe lang het kon bestaan. Het was zo klein dat het elk moment zou kunnen verdwijnen. Maar het antwoord kwam vanzelf: "Het zal altijd blijven bestaan, omdat God het liefheeft. En zo is alles doortrokken van de liefde Gods.'"

Dat was nu drie jaar geleden. En het hazelnootje dat Half-Tom in een zakje van vossenleer om zijn hals droeg was nog net zo stevig en hard als toen ze het in zijn hand gedrukt had. Voor hem was dat wonderbaarlijk genoeg. De kloosters bewaarden hun botjes van heiligen in gouden, met juwelen bezette relikwieënkistjes, maar dit was de enige relikwie dat Half-Tom nodig had.

De zon ging onder, helder maar koud, toen hij naar het noorden liep. Er waren nu bijna geen pelgrims meer. De meesten waren in Norwich gebleven, en wie nog verder wilde had een onderkomen gezocht voor de nacht. Het was een dapper man, of een dwaas, die zich na het donker nog buiten waagde, als bandieten en struikrovers hun rechten opeisten met dolken en wurgstokken. Hij slaakte dan ook een zucht van opluchting toen hij de laatste stralen van de ondergaande zon weerkaatst zag in de roodstenen gevel van Blackingham.

Zijn blik ging naar de schuren, waar hij misschien een slaapplaats zou kunnen vinden. Hij trok zijn neus op toen hij langs de leerlooierij kwam, waar de verse vachten van geslachte koeien in vaten met urine lagen te koken. Als hij zijn pakje had afgeleverd zou hij wel een strozak vinden bij de smidse, waar de hitte van de vuurhaard nog lang zou blijven hangen in de koude nacht. Vanaf Aylsham was de atmosfeer zwanger geweest van de rook van pachters en vrije boeren die hun vlees voor de winter rookten. Hoe dichter hij bij Blackingham kwam, des te sterker was die lucht. Hij besloot door de keuken naar binnen te gaan. De kokkin zou wel iets te eten hebben voor een boodschapper met een bericht voor een gast van het huis. Er moest nu genoeg vlees zijn uit de slacht voor de winter, misschien een stoofpot van schapenvlees, of een varkenspastei.

Toen hij naar de keuken liep, viel het laatste licht over een dode boom, die met zijn knoestige eikenhouten vingers en zijn grillige holle stam scherp afstak tegen de blauwpaarse hemel. Een goede bijenboom, dacht hij met een zucht. Maar de honing zou eind september al zijn geoogst. Misschien was er wel honingwijn in de keuken van Blackingham, zoet en bedwelmend, gefermenteerd op de resten van de honingraat. Wijn en vleespastei...

Hij klopte eens op het pakje onder zijn kiel en liep resoluut naar de keukendeur. Maar opeens bleef hij als aan de grond genageld staan. Er klonk een gefluister uit de richting van de boom. Toonloos, maar toch muzikaal. Zoemende bijen, misschien, klaar om een zwerm te vormen. In november? Hij liep naar de boom toe om poolshoogte te nemen. Op de heuvel verkleurde de grijze schemering tot licht lavendel, en de wind ging liggen. Opeens was het doodstil, zoals wel vaker aan het einde van de dag. Half-Tom scheen alleen te zijn onder de takken van de boom. Hij kon tenminste niemand ontdekken. Toch werd dat toonloze gefluister steeds sterker en melodieuzer. Een engelenlied. Muziek zoals alleen de Heer die hoorde in het paradijs. De stem van de Heilige Moeder? Een diepe angst deed hem huiveren vanaf zijn tenen tot aan zijn hoofd, dat dwaas heen en weer begon te schokken, als de houten pop van een nar. Hij kwam nog dichterbij, aangelokt door die zwevende, golvende muziek, zacht als een vrouwenlichaam, die verboden vrucht waarvan hij nooit had mogen proeven, behalve in zijn dromen (want het was alleen het overrijpe of rotte fruit dat zich aan hem aanbood, en daar moest hij niets van hebben).

Zijn ogen tuurden door de purperen schemering, speurend tussen de heuvel en de boom. Het geluid leek afkomstig uit de holle stam van de grote eik. Hij cirkelde er omheen, als een hert dat een bosrand nadert. Hij raakte de ruwe bast aan. Een lied, ongetwijfeld de stem van een vrouw – nee, jonger nog, een meisje. Niet de Heilige Maagd. Haar stem zou immers van boven zijn gekomen, niet uit een holle boom. Een heks dan? Een boze geest die in de boom woonde? Half-Tom was niet gauw bang. Hij had roofdieren en hun prooi gezien, hij kende de verraderlijke listen van het open veld, de moerassen en de elementen. Een paar keer was hij een geest tegengekomen, of misschien een grote libel – wie zou het zeggen? Maar ondanks alle wonderen die de dwerg in zijn kinderlijke geloof van de wereld accepteerde, wist hij dat bomen nu eenmaal niet zongen. Maar deze wel. Met een vrouwenstem. Dat was op zichzelf al reden voor behoedzaamheid. Hij trok zijn hand terug, sneller dan van een heet fornuis. Toen draaide hij zich om en vluchtte naar de keuken alsof de duivel hem op zijn hielen zat.

❧

Magda zat met gekruiste benen in de grote holle eik en neuriede zachtjes in zichzelf. Dat was een geluid dat de bijen beviel. Ze wist ook niet hoe ze dat wist, maar ze wist het gewoon. De bijen waren haar vrienden en deze boom was haar lievelingsplekje. Zo heerlijk stil – een kleine, geheime kamer, verscholen voor de wereld. Ze was naar binnen gekropen door een gat onderin, waar ze langs de knoestige wortels kon glippen. Met haar offer bij zich had ze haar lichaam in zithouding gewrongen. Zo moest een baby zich ook voelen in zijn moeder, dacht ze. Geen wonder dat ze allemaal huilend ter wereld kwamen.

Magda hield vooral van kleine dingen: kleine ruimtes, kleine wezens. Ze miste de twee kleintjes op wie ze thuis altijd had gepast. Op koude avonden zoals deze had ze haar kleine zusjes onder haar armen genomen op de hooizolder waar ze sliepen, als kuikens onder haar vleugels. Wie zou hen nu warm houden? En wie zou de fret verzorgen die ze hapjes van haar vaders tafel had gevoerd?

Niet dat ze ongelukkig was op Blackingham. Het werk was zwaar, maar ze kon het wel aan. En kokkie was goed voor haar en nam haar zelfs bij zich in bed in koude nachten. Ze kreeg genoeg te eten en ze had een warm wollen hemd dat naar kruiden rook. Haar oude rafelige hemd had naar een beerput gestonken. Ze was blij dat kokkie het had verbrand. Nu had ze een schone, roze huid. Haar haar rook naar lavendel, en al haar korstjes waren weg (ze kon zich niet herinneren dat ze ooit géén korstjes had gehad). Maar het was hier zo groot, met zoveel mensen, zoveel leegte en zoveel kleuren, dat ze er soms confuus van werd. En op eenzame momenten verlangde ze terug naar de kleintjes. Ze had niemand meer om voor te zorgen.

In de duisternis van de holle boom kon ze nauwelijks de bijen onderscheiden die zich tegen de wand hadden gehecht als een golvend, levend tapijt. De vleugeltjes van de buitenste bijen bewogen zich en maakten lichaamswarmte om de rest warm te houden. Als de buitenste het koud kregen, verruilden ze van plaats. Wat een volmaakte eenheid, die samenwerking om de hele zwerm de winter door te helpen. Waarom konden mensen niet zo samenwerken? Waarschijnlijk om een reden die zij in haar domheid niet kon bevatten. Want ze was simpel. Dat had haar vader zelf gezegd.

Ze nam twee stokjes uit het schaaltje dat voor haar op de grond stond, doordrenkt met honingwater, en stak ze voorzichtig in het levende tapijt, zodat de bijen konden eten. De binnenkant van de massa was net zo warm als de beddensteen die kokkie op koude nachten in hun bed legde. De geur van het pulserende bijenvolk vermengde zich met die van de aarde en het hout. Maar nergens rook Magda de weeë lucht van verrotting. De werkbijen hadden alles schoongemaakt.

De korf begon te groeien. Al gauw zou de boom te klein zijn. Volgend jaar zouden ze de oude koningin verdrijven en zou er een nieuw volk ontstaan. Magda herinnerde zich het gevoel van de bijen op haar armen en schouders, als zachte wol, toen ze in september de honing had weggehaald. De smid was gekomen om de bijen te doden en ze van hun kostbare schat te beroven, maar Magda had hem met een nadrukkelijke hoofdknik – en kokkies hulp – overgehaald om haar de honing te laten verzamelen. En de bijen te redden.

'Laat haar het maar proberen,' had kokkie gezegd. 'Die meid stelt je soms voor verrassingen.'

De smid, een vriendelijke reus, had een stap terug gedaan en geknikt. Ze kende hem goed. Alle kinderen kenden hem. Hij liet hen bij de smidse rondhangen om te zien hoe zijn hamer de vonken uit het aambeeld sloeg. Als een van hen een strontje in zijn oog had, zei hij: 'Kom maar hier. Houd deze ijzeren staaf vast, terwijl ik het andere eind plat sla. Als ik klaar ben, zal ik wel naar je oog kijken.'

Door de hitte van het vuur kwam het pus eruit, dat de smid daarna heel plechtig wegveegde, terwijl hij een bezwering mompelde.

'Ze heeft magische krachten, dat is zeker,' had de smid gezegd toen ze de bijen temde en de druipende honingraat uit de boom weghaalde.

Magda had nooit geweten dat ze een bijzondere gave had, maar ze wist wel hoe ze de honing moest wegnemen zonder het bijenvolk te verstoren. De bijen hadden een plicht tegenover God, zoals alle schepsels, en zij betaalden die in het zoete goud. Nu was Magda gekomen om de werkers te belonen: een schaaltje met stokjes, water, honing en rozemarijn, zodat ze zich konden voeden in de winter.

Ze zat bij de bijen terwijl het buiten donker werd, blij dat ze dit toevluchtsoord had gevonden. De duisternis herinnerde haar eraan dat het tijd werd om terug te gaan naar de keuken en kokkie te helpen. Magda bracht altijd het eten naar de tekenaar en zijn dochter. De laatste tijd, een hele week al, gingen ze niet meer naar de tuinkamer om met lady Kathryn te eten. De tekenaar leek boos, van streek, en het meisje was vaak misselijk. Ze zag groen en ze moest steeds overgeven. Maar ze was niet ziek. Haar vader hoefde zich niet zo ongerust te maken. Magda wist waarom Rose haar eten niet binnen kon houden. En ze begreep nu ook waarom de dochter van de tekenaar werd omgeven door twee kleuren: die roze rand met dat licht erin, dat steeds feller begon te schijnen naarmate Rose misselijker werd. Het zou wel gauw overgaan. Dat duurde nooit lang.

Toen Magda de bijen op het bruine fluweel aan de binnenkant van de stam niet langer kon zien, haalde ze twee met honing doordrenkte stokjes uit een vetvrij zakje aan haar gordel en legde ze op de plek waar ze gezeten had, als een zoet eerbetoon aan de bijen. Toen hield ze op met neuriën en kroop de holle boom weer uit.

Ze kwam net op tijd overeind om een wit licht te zien, dat laag en snel over de grond scheerde, op weg naar de keuken. Vanaf haar plek op de heuvel zag Magda de keukendeur opengaan. Kokkie verscheen in de deuropening, afgetekend tegen het licht van de haard, en gebaarde naar iemand in de purperen schaduwen van de schemering. Toen ze de heuvel afdaalde glimlachte Magda bij het horen van kokkies schelle stem. Ze ging wel tekeer, maar ze meende het nooit zo kwaad.

'Het kan me niet schelen wie er achter je aan zit, maar met die modderschoenen kom je mijn keuken niet in.'

Magda's nieuwsgierigheid won het van haar aangeboren schuchterheid. Haar voeten vlogen bijna over de grond, die door de avondkou al tot harde kluiten was bevroren. Ze explodeerde bijna van vreugde toen ze de keuken binnenstormde. Want daar stond een heerlijke man, een prachtig klein mannetje, wild gebarend, midden in kokkies keuken. En hij had de mooiste aura die ze ooit had gezien.

XIII

Maar als deze aandoening [het uitblijven van
de menstruatie] het gevolg is van woede of verdriet,
vrolijk haar dan op, geef haar versterkend eten,
laat haar drinken en zo nu en dan een bad nemen.
En als dit het gevolg is van te veel vasten of slaaptekort,
zorg dan dat ze goed te eten en te drinken krijgt,
om haar bloed te versterken. Laat ze plezier maken
en gelukkig zijn en sombere gedachten verjagen.

De ziekten van vrouwen,
samengesteld door Gilbert de Engelsman
(13de eeuw)

Finn was gaan staan terwijl hij werkte, om nog iets van het vluchtige decemberlicht te kunnen vangen door een hoekje van het raam. Vanuit die positie, leunend over zijn bureau, wierp hij zo nu en dan een blik naar het gordijn van Roses kamer. Meteen na het middagmaal had hij zijn dochter naar bed gestuurd. De keukenmeid had een kom soep en een beker hete, kruidige cider gebracht, maar Rose had niets willen eten, zogenaamd omdat ze het te druk had met haar werk. Toen het meisje de kom en de kroes voor haar neerzette, als een heilig offer voor een godin, had Rose de kom weggeduwd alsof ze onpasselijk werd van de geur van salie en rozemarijn.

'Mijn dochter heeft niet veel eetlust,' zei Finn, als verontschuldiging tegenover de keukenmeid.

Het meisje trok zich voorzichtig terug. Ze leek iets te willen antwoorden. Ze bewoog haar lippen en haalde diep adem, maar blies weer uit zonder iets te zeggen. Finn pakte zijn eigen kom en warmde er zijn handen aan. Jammer dat zijn dochter niets wilde eten van de volle, voedzame soep.

'Neem het maar mee terug naar de keuken,' zei hij. 'En zeg tegen Agnes dat het niet aan haar kookkunst ligt.' Hij schoof zijn eigen kom naar de andere kant van het grote bureau, onder Roses neus vandaan. 'Ik eet straks wel wat.'

Het meisje pakte de kom, maakte met gebogen hoofd een revérence en liep met stille waardigheid naar de deur. Moeilijk te geloven dat dit hetzelfde vuile kind was dat hij ooit weggekropen naast de haard had gezien. Finn zou haar graag uit haar tent lokken om te horen wat ze had willen zeggen, maar niet nu. Eerst moest hij zich om zijn dochter bekommeren. Hij had gezien dat ze weer groen werd. En haar bleke gezichtje en de wallen onder haar ogen bevielen hem evenmin. Misschien was het een mysterieus vrouwenkwaaltje. Jammer dat hij er niet met Kathryn over kon praten.

'Misschien kun je beter wat slapen dan eten, Rozenknop.' Zo had hij haar al tijden niet meer genoemd. Hij hoopte op haar protest tegen die kindernaam, maar ze reageerde niet. 'Toe maar,' zei hij. 'Ik hoorde dat je vannacht nog laat op was en niet kon slapen. Bovendien moet ik nu werk doen waarbij je me toch niet kunt helpen.'

'Goed, vader,' zei ze zonder protest.

Dat was helemaal niets voor haar, om zo stil te zijn. Of zo bleek. Was het een ziekte van het lichaam of de geest? Hij keek haar na toen ze het zware gordijn tussen hun kamers dichttrok. Ze begon een vrouw te worden en had recht op haar privacy. Alweer een teken dat ze de huwbare leeftijd naderde. Hoeveel langer kon hij haar nog beschermen tegen de gevolgen van haar afkomst?

Achter het geborduurde gordijn hoorde hij gedempte geluiden, wat geschuifel en gehoest, toen stilte.

Aan de invalshoek van het licht te zien moest dat een uur geleden zijn. Hij weerstond de aandrang om een kijkje bij haar te nemen.

Hij kon de tijd beter gebruiken om aan Wycliffes bijbel te werken. Opzettelijk had hij Rose daar niet bij betrokken. Hij mocht de erfenis van zijn dochter niet bezwaren met zijn eigen dubieuze beslissingen. Hoewel hij haar hulp goed had kunnen gebruiken, omdat hij in dit geval kalligraaf, tekenaar en miniaturist in één moest zijn. En de kalligrafie was een kunst die hij een beetje verwaarloosd had. De meeste manuscripten die hij illumineerde waren geschreven door monniken in scriptoria, of door afschrijvers van de grote Parijse gilden. Door zijn eigen kalligrafie te doen bleef hij in elk geval verschoond van het slordige werk van de Parijse ambachtslieden. Bovendien zou het eindproduct dan een artistieke homogeniteit vertonen, een evenwicht dat moeilijker te bereiken viel als hij maar een deel van het werk deed.

Hij borg het handschrift op waaraan Rose had gewerkt, een psalmboek dat een nieuwjaarscadeau voor lady Kathryn moest worden. Dat was Roses eigen idee geweest. Ze had grote bewondering voor de edelvrouwe van Blackingham. Finn had gemerkt hoe zelfs het kleinste complimentje van lady Kathryn haar plezier deed. Hij had zelfs gehoopt dat zijn dochter een tweede moeder in haar zou kunnen zien. Wat een onzinnig idee.

Hij bepaalde zijn gedachten weer tot zijn werk. Het leek hem beter zijn eigen inkt te maken voor de kalligrafie. Hij had al zoveel gekocht als hij durfde zonder ongewenste aandacht te vestigen op zijn illegale project. Hoewel het niet Wycliffe was die op geheimhouding aandrong. Wycliffe was juist heel openhartig in zijn confrontaties met de Kerk. Toch was voorzichtigheid soms beter.

Van onder de tafel pakte Finn een leren emmer met sleedoornbast die hij had geweekt. Zoals al zijn kennis was de kunst van de inktbereiding hem geleerd door zijn Vlaamse grootmoeder. Ze haatte Wales en iedereen die er woonde. Wat zou het haar plezier hebben gedaan om te weten dat de dingen die zij hem als kind had geleerd later zijn broodwinning waren geworden. Ze was een sterke vrouw geweest, trots en niet op haar mondje gevallen – enigszins zoals lady Kathryn.

Behalve in dit geval. Kathryn had zich beheerst en geen woord meer tegen hem gezegd over haar afkeer van zijn joodse betrekkingen. Een engel moest haar tong in bedwang hebben gehouden. Of misschien was ze te ontzet om haar vooroordelen onder woorden te kunnen brengen. Maar woorden waren ook niet nodig. Hij had het gelezen in de manier waarop ze haar blik afwendde, omdat ze hem eenvoudig niet kón aankijken.

Zorgvuldig zeefde hij het water uit de bast, bracht het naar de garderobe en gooide het door het gemak, waar het samen met het andere afval in de rivier de Bure terechtkwam en werd afgevoerd naar zee. Het zwarte residu dat overbleef mengde hij met sap van de kersenboom in de tuin. Hij had de boom in de herfst afgetapt, toen het licht warm en goudkleurig was. Daarna waren hij en Kathryn naar haar kamer gegaan om de hele middag te vrijen, terwijl in de tuin het sap uit de gewonde kersenboom droop. Dat beeld contrasteerde hij later in miniatuur met de gekruisigde Christus op de pagina's van het evangelie van Johannes. Kersenrode druppels die uit Zijn doorboorde lendenen vielen. Het druipende bloed uit de gewonde boom.

Hij verwarmde de kersenhars boven een kaarsvlam tot een consistentie die hij met het residu van de sleedoorn kon vermalen. Hij probeerde niet aan Kathryn te denken en die middag te vergeten. Net als de middag drie weken geleden, toen ze hem uit haar bed had weggestuurd. Ze had nog geprobeerd de schijn op te houden door te zeggen dat ze hem zou waarschuwen als haar zoons bij haar waren geweest en weer vertrokken, maar dat had ze niet gedaan. En sindsdien had hij haar nauwelijks meer gezien. Aanvankelijk wilde hij dat ook niet. Zijn gegriefde trots had tijd nodig om te herstellen, zijn woede tijd om te bekoelen.

Als ze elkaar toevallig tegenkwamen, mompelde ze een formele groet, wendde haar blik af en deed alsof ze het druk had met de komende kerst en het verjaarsfeest voor haar zoons. Ze zouden snel weer tijd hebben voor elkaar, had ze hem beloofd, de laatste keer dat hij haar had gezien, toevallig buiten de kapel. Met sint-juttemis, dacht hij. En hij weigerde om haar op zijn knieën te smeken. Dat strookte niet met zijn mannelijkheid.

Hij roerde de inkt, maar zette het mengsel toen weg. Zijn hand was vandaag niet zeker genoeg om de sierlijke letters te tekenen. Hij moest maar wachten tot een betere dag, als hij meer geduld had. Hij zou wel iets doen dat minder nauw luisterde, zoals de vergulde achtergrond voor de rand van de tekst die hij al had gekopieerd.

Iemand had weer aan zijn inktpotten gezeten. Ze stonden door elkaar. Waar was het bladgoud? Hij had het goud meegebracht van de markt op dezelfde dag dat hij de mooie schoenen met de zilveren gespen had gekocht. Had Kathryn ze mooi gevonden? Ze had hem een beleefd bedankbriefje gezonden, heel formeel: 'Heer Finn, ik dank u voor uw vrijgevigheid...' Zo'n briefje dat een adellijke dame aan iemand van lagere afkomst stuurde. Niet bepaald een billet-doux dat je op je hart zou dragen. Niet de taal van de liefde. Zou ze de schoenen al hebben gedragen? Nu hun verhouding zo kil was had hij niet de moed om speels haar rokken op te tillen om te kijken.

Zijn frustratie nam nog toe toen hij dezelfde inktpotten oppakte en weer neerzette, oppakte en neerzette. Maar het bladgoud was nergens te vinden. Misschien had Rose het in de boekentas gedaan die aan een haakje hing.

Hij haalde de zorgvuldig opgeborgen pagina's van Johannes eruit, die al klaar waren. Hij tastte onder het fragment van de Engelse bijbel waaraan hij werkte, zorgvuldig verborgen voor nieuwsgierige blikken, totdat zijn vingertoppen ergens op stuitten... geen bladgoud, maar iets dat glad en rond aanvoelde. Stenen? Hij haalde ze onder de ritselende papieren vandaan. Een prachtig, lang parelsnoer ving glinsterend het schaarse licht in de kamer.

Achter zich hoorde hij het ruisen van het gordijn. Toen hij zich omdraaide zag hij Rose. Ze had weer wat kleur op haar wangen en ze glimlachte.

'Het spijt me dat ik er zo de kantjes af loop, vader. U moet me wel een luie dochter vinden.' Haar tanden glinsterden net zo wit als de parels in zijn hand.

'Voel je je weer wat beter?'

'Zo gezond als een vis. Ik weet niet wat me mankeerde. Het zal wel iets onnozels zijn. Niet zo fronsen, hoor. Het gaat weer goed met me. Maar wat is dat mysterieuze project waaraan ik niet mag meewerken?'

Ze was dichterbij gekomen, ging op haar tenen staan en keek over zijn schouder in de boekentas. Toen ze de parels in zijn hand zag slaakte ze een onderdrukte kreet. 'Vader, wat prachtig! Zijn die voor mij?' Ze stak haar hand al uit. 'Eerst die schoenen met hun kleine zilveren sluitingen en nu zo'n mooi halssnoer! Geen enkel meisje heeft ooit zo'n geweldige vader gehad. Hier.' Ze tilde de zware vlecht op die tot vlak boven haar middel hing. 'Doe ze maar om mijn hals.'

Hij kwam in de verleiding. De opwinding had een blos op haar wangen gebracht. Ze straalde.

'Ik moet mijn mooie dochter teleurstellen, maar ik ben bang...'

'O.' Ze liet haar vlecht weer vallen. 'Ze zijn niet voor mij.'

Haar volle lippen pruilden even, maar ze probeerde haar teleurstelling te verbergen. Ze heeft de mond van haar moeder, dacht hij. Dat was hem nooit eerder opgevallen. Hoe meer ze zich tot vrouw ontwikkelde, des te meer ze hem aan Rebekka deed denken.

'Zijn ze voor lady Kathryn?'

'Lady Kathryn? Waarom zou ik zoiets duurs kopen voor onze gastvrouw?' Hoorde ze de bittere klank in zijn stem?

Rose bloosde nog dieper en sloeg haar ogen neer. 'Nou, als ze niet voor mij zijn, en niet voor lady Kathryn, voor wie heb je ze dan gekocht?'

'Dat is het hem juist. Ik zocht naar mijn bladgoud, dat ik nergens kan vinden, toen ik dit halssnoer tussen mijn manuscripten ontdekte. Ik weet niet hoe het daar komt of wie het daar heeft verborgen.'

Hij probeerde na te denken. Een van de bedienden had de ketting misschien gestolen, was nu bang voor ontdekking en had de parels hier verstopt om ze later op te halen. Of een andere mogelijkheid. Hij keek Rose strak aan.

'Zeg eens, dochter, heb je soms een verliefde blaag het hoofd op hol gebracht, een jongeman over wie je me niets verteld hebt, en die jou dit buitensporige cadeau gegeven heeft?'

'Nee, vader. Natuurlijk niet.'

De gedachte aan een minnaar kwam haar zo absurd voor dat ze weigerde hem aan te kijken, dacht hij.

'Ik... ik weet niets van die parels. Maar misschien wel van het bladgoud, hoewel ik er niet zeker van ben.'

'Hoe bedoel je, niet zeker? Je weet het of je weet het niet.'

'Ik denk dat er misschien een insluiper was.'

'Dat dénk je?' Hij probeerde zijn ongeduld te beheersen. Hij wilde Rose niet van streek maken. 'Natuurlijk is er een insluiper geweest als wij allebei niet weten hoe die halsketting hier gekomen is.'

'Nee, ik bedoel dat ik misschien een insluiper heb *gezien*.'

'Denk je dat? Of heb je echt iemand gezien, Rose?'

'Ja, maar eerst dacht ik dat het een droom was. Ik zag Alfred uw spullen doorzoeken.'

'Alfred?' Ze had nu zijn volle aandacht. 'Alfred is hier geweest zonder dat je mij dat hebt verteld?'

'Eén keer maar. En ik was er niet zeker van. Ik bedoel, ik sliep. Het was die dag waarop ik ziek werd, een week of drie geleden. Lady Kathryn had thee voor me gezet, weet u nog, en ik was naar bed gegaan. Ik werd wakker uit een diepe slaap en dacht dat ik gerinkel hoorde, en toen voetstappen, zware voetstappen, en een deur die dichtsloeg. Het gordijn was open.'

Ze zweeg, alsof ze het tafereel weer terughaalde in haar gedachten. Hij wachtte, knikte bemoedigend en zag hoe ze met het kruisje van filigreinwerk speelde dat hij haar had gegeven op haar zesde verjaardag. Het was van haar moeder geweest en hij had gezegd dat ze het altijd moest dragen, in de hoop dat het haar zou beschermen – niet tegen de duivel, maar tegen een even groot kwaad.

'Ik kon niets zien, maar ik stond op en liep naar uw werktafel. Uw inktpotjes lagen verspreid over de vloer. Ik rende naar de deur en keek de gang in. Daar zag ik Alfred, of ik dácht dat het Alfred was, van achteren gezien – lang, breedgeschouderd, rood haar. Ik riep hem na, maar hij liep weg. Ik voelde me duizelig, dus ging ik terug naar bed. Toen ik wakker werd, stonden alle potjes weer op hun plaats. Daarom dacht ik dat ik alles misschien gedroomd had, door die kruidenthee van lady Kathryn. Maar nu denk ik dat het toch geen droom was en dat Glynis is binnengekomen en alles heeft opgeruimd terwijl ik sliep.'

Alfred? Wat voor reden kon Alfred hebben gehad om die parels hier te verbergen? Tenzij hij in opdracht handelde van zijn moeder. Maar Kathryn was toch niet boos of angstig genoeg om te proberen zich van hem te ontdoen door hem van diefstal te beschuldigen? Wat nu? Moest hij de parels terugbrengen en haar confronteren met Alfreds daad of haar eigen verraad? Dat zou de doodssteek kunnen betekenen voor een toch al moeizame relatie. En stel dat hij zich vergiste? Dan zou hij een onoverbrugbare kloof tussen hen hebben geslagen.

Er zat een valse bodem in de kleine reiskist die hij bij zich had. Daarin bewaarde hij Wycliffes papieren. Hij zou het halssnoer in de kist verbergen totdat hij wist wat hij moest doen. Hij mocht niet overhaast reageren. Morgen was het vroeg genoeg.

Agnes sorteerde de laatste Norfolk-stoofappels, de kleine rode appeltjes die John zo lekker had gevonden, toen Magda vertrok met de bladen met het middagmaal. De oude kokkin zegde een zwijgend dankgebed aan de Heilige Maagd voor dat meisje. Ze praatte niet veel, maar ze was goed gezelschap, bereidwillig en een van de weinigen hier die Agnes niet hoefde te vertellen wat ze doen moest. Ze leek simpel, maar dat was ze niet. Dit meisje had een eigen wil.

De appels waren overrijp en roken naar gist en cider. Agnes stak er een in haar zak voor later, om hem op Johns graf te leggen als ze tijd had voor een bezoek. Maar dat zou niet vandaag worden, en ook niet morgen, zo te zien. De appels hadden veel te lang in de kelder gelegen. Sommige begonnen al te rotten. Er was nog zoveel werk te doen, vooral met de naderende kerst. Ze kreeg al pijn in haar voeten en haar rug als ze eraan dacht. Maar het zou niet meer zo druk worden als in Sir Rodericks tijd, dacht ze. Lady Kathryn gaf niet van die grote feesten. Ze was immers nog in de rouw. Sir Roderick was pas in de lente omgekomen. (Gesneuveld in dienst van de hertog, zeiden ze, maar daar had Agnes haar twijfels over. Waarschijnlijk doodgestoken in een ruzie over een vrouw.) Maar rouw of niet, in elk geval was er de gebruikelijke open dag voor de knechten, de pachters en de arbeiders die voor een loon op het landgoed werkten. Er zou een tafel worden gedekt in de grote zaal, met pekelvlees, gerookte vis, saffraankoeken, notencake en natuurlijk de kleine gedroogde appeltjes.

Dat kon ze zelf nog wel aan, met wat hulp uit het dorp, Aylsham. Heel anders dan vorig jaar Kerstmis, toen Sir Roderick de hertog van Lancaster had ontvangen. Toen had haar keuken een invasie te zien gekregen van een hele troep mannen, die orders blaften en verwaand rondliepen in hun roodgroene livrei, snoevend tegen elkaar met onderling venijn. Er was een dikdoenerige huismeester bij geweest die toezicht hield op alle brouwers, bakkers en knechten van de keuken, de provisiekast en de waterput, en twee koksmaten die waren ingehuurd om een os en een zwijn en vijf biggen aan het spit te braden.

'Blackingham kan geen figuur slaan tegenover de hertog met een keuken die door een vrouw geleid wordt,' had Sir Roderick gezegd. 'Zet dat oude, dikke mens maar in een hoekje, waar ze de hapjes voor mijn vrouw kan klaarmaken.'

Het was een onderdeel van lady Kathryns huwelijkscontract dat ze niets anders at dan wat Agnes voor haar kookte. Een slimme bepaling, omdat heel wat bruiden waren vergiftigd om hun bruidsschat, vooral als ze eenmaal voor een erfgenaam hadden gezorgd. Verrassend genoeg liet Sir Roderick meestal ook Agnes voor zich koken en zijn bier brouwen, zonder zelfs maar een dienstknecht om haar te helpen. Als ze zelf extra personeel inhuurde – meestal vrouwen – vond hij dat ook goed. Waarom was *híj* dan niet bang vergiftigd te worden? Agnes zelf was vaak genoeg in de verleiding gekomen om zijn jachtsaus te kruiden met nachtschade. Was hij zo zeker van de trouw van zijn echtgenote? Of was het gewoon een bewijs van zijn arrogantie dat hij zichzelf te sterk achtte om door vrouwen te worden vermoord? Of hield hij meer geld over voor jacht en sport door Agnes in de keuken te zetten? Behalve als zijn adellijke vriendjes kwamen. Dan hing hij de grote sinjeur uit en was Agnes wel verantwoordelijk voor alles, maar zonder dat ze iets te zeggen had.

Zuchtend om de verspilling gooide ze twee appels in de emmer met varkensvoer. Een andere legde ze opzij op een groeiende berg. Als de rotte plekken waren weggesneden kon de helft nog worden gebruikt voor appeltaart. De stevige, gezonde appels ontdeed ze van hun klokhuis en legde ze op een zware eikenhouten plank, om onder druk van een gewicht in een afkoelende oven te worden gedroogd. Ze keek over haar schouder toen Magda terugkwam met de bladen. Fronsend zag de kokkin de volle kom soep.

'Gezond eten wordt hier weggegooid terwijl het op weg naar Aylsham wemelt van bedelende vrouwen die een hele dag zouden willen werken voor iets warms in de buik van hun kinderen!'

'Het meisje eet niet,' verklaarde Magda.

Agnes snoof. 'Ja, het zou me verbazen als het de Welshman was. Aan zijn eetlust mankeert niets. Maar die Rose ziet de laatste tijd wat bleekjes, dat is waar.' Ze sloeg een kruisje. 'God verhoede dat ze de pest onder de leden heeft. Je kunt niet voorzichtig genoeg zijn met buitenlanders.'

Dertig jaar geleden was Agnes haar vader, haar moeder en drie oudere broers aan de pest verloren, maar het leek nog pas gisteren dat de lijkwagens waren langsgekomen: 'Breng je doden naar buiten!' Zelf was ze gespaard gebleven als enige van haar familie, omdat ze op Blackingham werkte. Ook die epidemie was door buitenlanders veroorzaakt – volgens sommigen door een groep rondreizende toneelspelers, volgens anderen door een oude jood, die de pest in zijn tassen had meegebracht. Nog lange tijd werden er geen troubadours meer toegelaten, terwijl het huis van de oude jood en zijn familie in brand was gestoken. Zelf hadden ze maar ternauwernood kunnen ontsnappen, met niets anders dan de kleren die ze droegen.

'Niet de p-pest,' zei Magda, karig met woorden, zoals altijd. 'Ze is zwanger.'

'De dochter van de tekenaar? Klets toch niet. Dat meisje is nog maagd. Ze zijn van hogere komaf, kind. Die vrouwen slapen niet met de eerste de beste staljongen die op ze af komt met een stijve...'

Het meisje staarde haar aan met haar grote, ronde ogen, grijs en sereen, als diepe, heldere waterputten.

'Nou ja,' vervolgde Agnes, 'ze heeft de kans niet gekregen. Dat wilde ik maar zeggen.' Ze gooide nog een appel bij het varkensvoer. 'Die vader van haar waakt over haar als een broedse hen.' Ze verzamelde de halfrotte appels in haar schort, legde ze op het hakblok en begon de rotte plekken eruit te snijden. 'Waarom zeg je zulke dingen?'

'Het is waar. Haar ziel is gespleten.'

'Wat een onzin, kind.'

'Haar ziel heeft twee kleuren. Net als bij mam, voordat ze bevalt.'

Wat een bewering! Dat je een ziel zou kunnen zien, als een hoed of een mantel. Twee kleuren, jawel!

'De ziel van Rose is r-roze,' zei het meisje een beetje dromerig. Het klonk bijna romantisch, vond Agnes. 'De ziel van het kleintje is als b-boter, heel warm, en smeltend aan de randen.'

Smeltend aan de randen! Aan de andere kant, er waren meer dingen tussen hemel en aarde... En misschien had Magda een gave. Of een vloek.

'Zeg dat nooit tegen iemand anders. Hoor je me, kind?' zei Agnes zo streng mogelijk. 'Vrouwen zijn op de brandstapel gebracht voor zulke verhalen. Wat je ook denkt dat je gezien hebt, hou het voor jezelf. Het zal wel niets anders zijn dan je rare fantasie.'

Meer was het niet. De verbeelding van een kind. Meisjes op de rand van de huwbare leeftijd hadden wel meer van die ideeën.

Magda pakte het mes dat Agnes had neergelegd en begon de halfrotte appels te snijden. Zuchtend nam Agnes het mes weer van haar over.

'Hier. Ik maak die appels wel af. Ga jij de wasvrouw halen. Ik moet haar dringend spreken.'

Kathryn werd wakker en gooide de dekens van zich af. Ze lette niet op de kou van de tegels aan haar blote voeten toen ze haar hemd over haar hoofd trok, in haar rokken stapte en in haar kledingkist naar kousen zocht. Glynis had nauwelijks de tijd om water in de wasbak te gieten voordat Kathryn haar gezicht begon te wassen.

'Haal er maar een kam doorheen, Glynis, en laat het los hangen. Ik zet wel een muts op. Ik heb geen tijd voor ingewikkelde vlechten.' Ze griste het meisje de kam uit haar hand. 'Zo schieten we niet op. Hier, ik doe het zelf wel. Loop jij naar de keuken en zeg tegen Agnes dat ze een mand met eten klaarmaakt voor de vrouw van de leerlooier. Nu meteen.'

'Meteen' was een woord dat het meisje niet kende, dacht Kathryn, toen Glynis naar de deur sjokte met een nors gezicht. Het had geen zin om haar uit te foeteren, want dan ging het nog langzamer. Kathryn moest van alles regelen voor de huishouding, een sociaal bezoekje brengen aan een zieke pachter – ze mocht haar goede werken niet verwaarlozen, vooral niet nu ze zoveel te verantwoorden had – en daarna wilde ze nog even bij Finn langs, op zijn kamer.

'Kom meteen weer terug,' riep ze het meisje na. 'Mijn schoenen moeten gepoetst. Ze zitten onder de modder.'

Gisteren was ze gaan biechten. In haar eentje had ze de drie kilometer naar Saint Michael's gelopen, door de modder, in de wind. Dat was al een vorm van boetedoening: haar paard laten staan. Toen ze de kapelaan gevonden had, vertelde ze hem zo beknopt mogelijk over de zonde van het vlees (zo noemde de priester dat) tussen haar en Finn. Ze had haar biechtvader met zorg gekozen, overtuigd van zijn discretie. Saint Michael's was immers gebouwd met de opbrengsten van de wol van Blackingham. De priester zou zo'n genereuze weldoenster niet verraden. En het was maar een onbeduidende zonde.

Haat boetedoening viel dan ook mee: twintig Ave-Maria's en tien onzevaders, gevolgd door een goede daad – vandaar de mand met eten voor de vrouw van de leerlooier. Maar het maakte niet uit of ze opdracht zou hebben gekregen om op haar knieën naar Walshingham Shrine te kruipen, hartje winter, om de relikwie van het heilige kruis te kussen. Alleen de vlammen van de hel, likkend aan de zoom van haar jurk, zouden een eind kunnen maken aan haar verlangen. En ze was bang dat ze zelfs met haar minnaar mee zou gaan tot in het vagevuur, als dat zijn straf was, tot aan de poorten van de hel. En nog verder? Die vraag wilde ze liever ontwijken. Maar als er ooit een liefde was geweest waarvoor ze haar ziel en zaligheid wilde opofferen, was het deze wel.

Het was drie weken geleden sinds ze Finn uit haar bed had weggestuurd, en elke keer dat ze hem op de trap of op de binnenplaats tegenkwam zag ze die vraag in zijn ogen. En als ze geen antwoord gaf, voelde ze de afstand tussen hen groter worden. Het was niet alleen lust – hoewel ze ook dat vuur niet kon blussen met gebeden, hoe ze haar best ook deed – maar zijn hele wezen: zijn spontane lach, zijn humor, zijn begrip, de manier waarop hij haar gedachten scheen te lezen. Steeds als ze hem nu zag vertoonde de mantel van intimiteit die ze hadden gedeeld meer slijtplekken en drukte de deken van eenzaamheid en verdriet nog zwaarder op haar schouders. Toen ze het verlies niet langer kon dragen was ze naar de priester gegaan om absolutie te vragen, niet alleen voor haar zondige verleden, maar ook voor zonden die ze in de toekomst nog zou begaan.

Ze had haar ontucht gebiecht, maar meer ook niet. Ze had gezwegen over het feit dat Finn met een jodin gelegen had. Maar was de Verlosser zelf geen jood geweest? En zou Hij het haar niet verwijten dat ze iemand zoals Hij verstootte? En als de volmaakte genade van onze Heer zich ook tot de joden uitstrekte, was het dan niet zondig van haar om haar hart daarvoor te sluiten?

Bovendien had ze ook recht op een beetje geluk.

Toen ze de keuken binnenkwam liep Kathryn naar de broodplank, sneed een boterham, stak die aan een lange vork en liep ermee naar het vuur.

'Laat Magda dat toch doen, vrouwe,' zei Agnes, die opkeek van de mand die ze bezig was te vullen. 'U hoeft uw eigen ontbijt niet klaar te maken. Ik wilde net een blad pakken, maar ik moest eerst iets anders voor u doen. Glynis zei dat u...'

'Ik rooster mijn eigen brood wel. Net als vroeger, Agnes. Weet je nog, toen ik klein was? Dan gaf je me altijd een korst brood en een vork.'

'Maar nu bent u edelvrouwe. Het past u niet om uw eigen brood te roosteren.'

Agnes knikte naar de keukenhulp, die voorzichtig de vork van haar aanpakte en hem zorgvuldig boven het vuur ronddraaide om het brood mooi bruin te krijgen. Toen het goudgeel en knapperig was, smeerde

Magda er zwartebessenjam op en gaf het aan Kathryn op een schoon servet. Kathryn zag dat het meisje nu ook schone handen had.

'Het gaat goed met je keukenhulp, nietwaar, Agnes?'

'Goed genoeg.'

Kathryn kauwde zwijgend op haar toast en dacht na over dat zwijgzame antwoord van een vrouw die normaal toch niet karig met woorden was.

'Voel je je niet goed, Agnes? Dan kunnen we misschien de vrouw van de smid inhuren om je te vervangen, zodat jij kunt rusten.'

Maar niet te lang, dacht ze erbij, want die vervanging kostte een penning per dag.

Agnes keek over haar schouder en knikte met haar hoofd naar de deur. 'Ga eens naar de rookschuur, Magda, en haal een zij spek,' zei ze, terwijl ze een knapperig zwart brood in de aalmoesmand verpakte.

'Twee zijden,' zei Kathryn. *Goede werken, als boete voor zonden uit het verleden en zonden in de toekomst.* 'En snij ze maar dik.'

Een koude windvlaag deed de as in de haard opstuiven toen het meisje de zware eikenhouten deur achter zich dichtdeed. Agnes kauwde op haar bovenlip, Kathryn at haar toast.

'Ik ben niet ziek, vrouwe,' zei Agnes ten slotte, 'maar ik zit ergens mee.'

Kathryn trommelde ongeduldig met haar vingers op het hengsel van de aalmoesmand. 'Als je een probleem hebt, Agnes, zeg het me dan. Over die personele belasting hoef je je geen zorgen te maken. Ik heb al besloten om die voor je te betalen. Dat is alleen maar terecht. Je bent een goede, trouwe bediende.'

'U bent te goed voor me, vrouwe. Ik ben u heel dankbaar. Maar het gaat niet om de belasting.' Ze schoof de mand opzij, in afwachting van het spek uit de rookschuur. 'U weet dat ik niet graag praatjes rondstrooi... roddelen is duivelswerk, en zo... maar...' Agnes veegde haar handen aan haar schort af en wapperde nerveus met haar armen.

'Als ik iets moet weten, Agnes, is dat geen roddel. Vertel het me maar.'

Kathryn at haar toast op en likte de zoete kruimels van haar vingertoppen. Het zou wel een ruzie zijn tussen de bedienden en de lijfeigenen. Er was altijd heibel over het loon dat de bedienden kregen. En misschien was het Simpson nu uit de hand gelopen.

'Het gaat om de dochter van de miniatuurschilder,' zei Agnes. 'Ze is de laatste tijd vaak misselijk en gisteren heeft ze haar eten teruggestuurd.'

Kathryn haalde opgelucht adem. 'Maak je geen zorgen, Agnes. Ze was ziek, maar ik geloof dat ze alweer beter is.' Die arme Agnes. Elke snotneus was voor haar een voorbode van de pest. Ze had een redeloze angst voor de zwarte dood. 'Je weet hoe jonge meiden zijn. De dampen, denk ik. Of de vloek van Eva.'

Agnes tuitte haar lippen en schudde haar hoofd. 'Nee, vrouwe, niet de vloek van Eva. Volgens de wasvrouw heeft ze al drie maanden geen bebloed wasgoed meer gezien van het meisje.'

Kathryn schonk zich een beker schapenmelk in. 'Misschien is ze niet zo regelmatig. Dat heb je vaak, op die leeftijd. En je weet hoe snel er geruchten gaan onder...'

'Ja, dat weet ik. Daarom heb ik de wasvrouw persoonlijk ondervraagd. Vóór die tijd kon je de klok erop gelijk zetten, maar de afgelopen drie maanden... helemaal niets.'

'Wil je zeggen...?'

'Ik herhaal alleen wat de wasvrouw zegt. En ik vond dat u het moest weten.'

De deur ging schrapend open. Agnes pakte het gerookte spek aan van het meisje, wikkelde het in een schone linnen doek en deed het in de mand. Kathryn pakte de mand op en knikte tegen Agnes.

'Laten we dit voorlopig maar onder ons houden.'

'Jawel, vrouwe. U kunt op me vertrouwen.' En toen Kathryn zich omdraaide: 'Doe de groeten aan de vrouw van de leerlooier. Laat ze die soep proberen die ik van een mergbot heb getrokken. Daar zal ze van opknappen.'

Eenmaal verborgen voor Agnes' scherpe blik leunde Kathryn tegen de andere kant van de deur en zocht steun bij de deurpost. Met de aalmoesmand in haar armen geklemd dacht ze aan Rose, die vrolijk haar vader of Colin plaagde, met die betoverende lach van haar, die haar ogen deed oplichten. School er de wijsheid van een volwassen vrouw achter die ogen? Nee, Rose was een onschuldig kind. Daar durfde Kathryn een baal wol onder te verwedden. Er moest een andere verklaring zijn. Om die reden had ze immers Alfred weggestuurd? Tenminste, ze dácht dat hij bij Rose uit de buurt was gebleven. Maar stel dat ze elkaar toch hadden ontmoet? In het geheim? 'Vraag het maar eens aan die zoon van u,' had Simpson gezegd toen de wolschuur was afgebrand.

Heilige Moeder Gods.

⁂

Kathryn vond Rose in haar eentje in Finns kamer, zo verdiept in haar werk dat ze niet eens opkeek. De deur stond halfopen om extra licht binnen te laten uit de gang tussen Finns slaapkamer met de garderobe en de kleinere kamers. Kathryn stapte over de drempel. Haar slippers schuifelden bijna onhoorbaar over de stenen vloer.

Rose zat op een hoge kruk aan de zijkant van het bureau. Ze leunde wat naar voren, met haar lippen opeengeklemd in opperste concentratie, terwijl haar handen snel over de pagina's bewogen die ze voor zich had uitgespreid. Kathryn herkende Finns zekere, lichte streken, maar nu uitgevoerd door de sierlijke hand van zijn dochter, die nog eleganter leek door haar pofmouwen met de strikjes om de manchetten. Het meisje was net zo mooi gekleed als een Normandische edelvrouwe. Ze droeg een rok van goudbrokaat en een bijpassend lijfje dat haar boezem omhoogdrukte in twee lichte rondingen boven de rechte halslijn – een maagdelijke belofte van een volwassen decolleté. Het hemdje van mooi Frans linnen paste bij de brede witte ceintuur van de rok. Om haar hoofd droeg ze een golvende sjaal van hetzelfde fijngeweven linnen, die kiekeboe speelde met haar donkere haar. Heel elegant voor de dochter van een ambachtsman. Heel elegant voor een jodin. En dan was er dat kruisje dat ze altijd droeg. Ze zei dat ze het van haar vader had gekregen; het was van haar moeder geweest. Een kruisje van een jodin? Of een slimme afleidingsmanoeuvre van Finn: een christelijke talisman om zijn dochter te beschermen?

Terwijl ze zat te werken neuriede Rose een lied dat Kathryn vaag bekend voorkwam, ergens aan de rand van haar geheugen. Roses zachte stem en het krassen van de pennetjes over het perkament waren de enige geluiden in de kamer. Opeens hield Rose op met neuriën, slaakte een zucht en staarde in de verte, met haar pen zwevend boven het papier. Haar gezicht leek magerder, bijna ingevallen, rond haar breed uiteen geplaatste ogen. Verder maakte ze een gezonde indruk. Een waterig zonnestraaltje door het glas in lood hoog boven haar hoofd schilderde een bloesem op haar wang. Afgezien van de blosjes op haar jukbeenderen had ze de frisse tint van de jeugd waar een vrouw van Kathryns leeftijd jaloers op zou zijn geweest – als afgunst geen zonde was.

Een zuchtje wind uit het rookkanaal gleed de kamer door naar de halfopen deur waar Kathryn stond. De wind bracht de linten aan Roses manchet in beweging, waardoor ze over het papier streken en de zorgvuldig getekende letters deden vlekken. Rose slaakte een kreet van schrik en probeerde met één hand de lastige linten bij elkaar te binden.

Kathryn stapte naar voren. 'Laat maar. Ik help je wel even.'

Rose keek naar de deur. Haar lippen vormden een geschrokken O. 'Vrouwe!' zei ze. 'Het spijt me. Ik zag niet dat u er was. Ik bedoel, ik hoorde u niet.' Rose stond op van haar kruk en ontmoette Kathryn halverwege. 'Kom binnen, alstublieft.' Ze maakte een kleine reverence, met een ondeugend lachje in haar grote, donkere ogen. Het nest. Ze wist dat Kathryn zich ongemakkelijk voelde met dat soort formaliteiten.

'Je bent hard aan het werk. Ik kom later wel terug.'

De waarheid nog even uitstellen. Het probleem negeren, in de hoop dat het zichzelf zou oplossen. Maar Kathryn was al bezig de blauwe linten in mooie strikken boven Roses polsen te binden. Ze gaf een klopje op de laatste knoop.

'Zo,' zei ze, terwijl ze door een mist van tranen haar eigen moeder datzelfde gebaar zag maken – een moeder van wie ze zich het gezicht niet eens meer voor de geest kon halen, maar de handen wel: lange, slanke vingers die strikken legden in blauwe linten.

'Dank u. Het is lastig om het zelf te doen. Dan mag je wel een slangenmens zijn.'

'Ja, zo is het. Als een meisje een bepaalde leeftijd krijgt, heeft ze een kleedster nodig om haar te helpen. Zeg dat maar tegen je vader. Hij kan best een meisje uit het dorp betalen. De abt is gul genoeg.'

'Ik heb er wel aan gedacht, maar ik weet het niet... Vader en ik zijn altijd samen geweest, en ik wil hem niet kwetsen. Soms helpt Magda – Agnes' keukenmeid – me wel eens. En anders wring ik me in allerlei bochten, en dan lukt het wel.' Rose lachte en keek naar haar manchetten. 'Nou, meestal.'

Ze had Finns hoge voorhoofd. Maar die brede mond en die donkere ogen... van Rebekka? Prachtige ogen. Hoe zou haar zoon, of welke jongen ook, daar weerstand aan kunnen bieden?

'Kom toch zitten, alstublieft,' zei Rose. Ze nam Kathryns hand en trok haar een eindje mee voordat ze haar weer losliet. 'Ik ben blij met uw gezelschap.' Opeens verbleekte haar glimlach, als een kaarsvlam waar een kap overheen werd gezet. 'Maar u kwam natuurlijk voor vader. Hij is er niet, helaas. Hij is naar de markt van Norwich om bladgoud te kopen. Hij zou voor het donker weer terug zijn, zei hij. Blijft u bij me totdat hij er is? Dat zou ik leuk vinden.'

Misschien was het toch geen verlangen naar een verloren geliefde, dacht Kathryn, maar was het meisje gewoon eenzaam. Kathryn wist zelf nog hoe dat was, als een soort misselijkheid. Nog voordat haar kinderen werden geboren, zelfs nog voor haar huwelijk met Roderick, was ze al de enige vrouw geweest in de huishouding van haar vader, met alleen Agnes als gezelschap. Ziekte, maar ook eenzaamheid of spanningen, konden de cyclus van een vrouw verstoren. Het was een grillig en mysterieus verschijnsel. Zelfs bij een jong meisje als Rose. Of bij een oudere vrouw als zijzelf. Ze had verhalen gehoord over vrouwen in kloosters, die na een tijdje allemaal dezelfde cyclus kregen, zodat het hele gezelschap op hetzelfde moment ongesteld was. Of hoe in andere kloosters, als de nonnen eenmaal met Christus waren getrouwd, hun maandstonde helemaal uitbleef.

'Nee, ik kwam voor jou, Rose. Niet voor je vader.'

Rose glimlachte zo stralend dat het bijna haar hart brak.

Kathryn zocht een plek om te gaan zitten. Ze bleef bij het voeteneind van het bed staan en streek haar rokken glad, maar bedacht zich toen. Haar huwelijksbed. Rodericks bed. Finns bed, nu. De hemel was opzij getrokken, het bed keurig opgemaakt. Finn was de ordelijkste man die ze ooit had gekend. Alles aan hem – zijn kleren, zijn omgeving, zelfs zijn manier van denken – weerspiegelde dat gevoel voor orde. Heel anders dan de vorige gebruiker van dat bed, die geen enkele discipline had gekend. Een kil gevoel dat bij haar enkels begon kroop langs haar rug omhoog en deed haar nekharen overeind komen. Een scheur in het weefsel van de tijd, een korte glimp slechts, maar heel even, als een flits achter haar ogen, zag ze het bed zoals ze er de laatste keer met haar echtgenoot in had gelegen: de hemel gesloten, de lakens om haar heen gewikkeld, strak en benauwd, het gewicht van zijn lichaam dat haar van het laatste restje bedompte lucht beroofde, terwijl zij roerloos als een pop onder hem lag. Haar lichaam herinnerde het zich ook: het geweld waarmee hij in haar had gestoten en haar toen met een vloek had weggeduwd.

'Vrouwe,' zei Rose. Haar stem bracht Kathryn terug in de werkelijkheid. 'U ziet zo bleek. Ga even zitten, op vaders bed. Dat vindt hij niet erg.'

Het bed was haar weer vriendelijk gezind, netjes opgemaakt, de gordijnen opzijgeschoven, met kwastjes aan de bewerkte staanders vastgemaakt. Het rook er naar schoon linnen, lijnzaadolie en terpentijn, een lucht die Finn in zijn kleren meedroeg, met een vleugje turfrook van de haard. Ze ademde diep in.

'Nee, het gaat wel weer. Je vader zal het niet waarderen als ik op zijn bed ga zitten. Ik neem zijn krukje wel.'

Ze ging tegenover Rose zitten, met de verspreide vellen kalfsperkament tussen hen in. Kathryn zag de teksten. Iets om over te praten. Ze kon niet zomaar de vraag stellen die haar een droge keel bezorgde. Dat zou onfatsoenlijk zijn tegenover het meisje.

'Waar ben je mee bezig? Het is Engels, zie ik, of wat je vader Engels noemt.'

Rose bloosde en borg de papieren haastig op. 'O, niets bijzonders. Een aardigheidje. Een getijdenboek voor... een vriend.'

Of een geschenk voor een geliefde. Heilige Moeder, laat het niet mijn zoon zijn.

'Ik ben blij dat je werk hebt,' zei ze. 'Je moet je hier soms wel eenzaam voelen.'

'Ja, soms. Een beetje. Als vader er niet is.' Rose boog haar hoofd en voegde er haastig aan toe: 'Maar ik heb het hier naar mijn zin. Colin komt wel eens met zijn luit om voor me te spelen en te zingen. En hij is ook een goede schrijver. Volgens vader heeft hij talent.'

De bekende melodie die Rose had zitten neuriën – een lied van Colin.

'Ik ben blij dat hij goed gezelschap is voor jou en je vader,' zei ze. 'Ik hou ook van zijn muziek.'

'Ik... we zien hem de laatste tijd niet vaak.'

'En Alfred is nu ook weg,' probeerde Kathryn.

'Alfred? Die zag ik toch maar zelden. Hoewel ik hem vast wel aardig zou hebben gevonden,' voegde ze er verontschuldigend aan toe. Het was roerend hoe voorzichtig ze was om Kathryn niet te kwetsen. 'Maar hij had het altijd zo druk, of hij was bij de rentmeester.'

Een geruststellend antwoord. Het was moeilijk om het meisje niet aardig te vinden, wat haar afkomst ook mocht zijn. Ze had dezelfde charme als haar vader.

'Ik zie mijn eigen zoons ook maar zelden. Ik mis ze allebei. Alfred is vertrokken als schildknaap van Sir Guy, en Colin... die zie ik ook niet vaak, helaas. Sinds de dood van de herder brengt hij veel tijd door in de kapel. Hij praat in raadsels, over vergiffenis en verzoening, alsof hij een groot schuldgevoel met zich meedraagt. Maar hij wil er niets over zeggen. Niet tegen mij, tenminste. Praat hij er met jou wel over?'

Rose sloeg haar ogen neer en bracht een bevende hand naar haar keel. Haar mondhoeken trilden. 'Hij heeft nergens tijd meer voor, zelfs niet voor muziek. Sinds de brand.'

'Hij zal het wel verwerken. Hij moet een hechtere band met John hebben gehad dan ik wist. Een moeder kan ook niet alles weten over haar zoons. En jij, Rose? Voel je je wel goed? Je vader maakt zich grote zorgen sinds de avond dat je zo ziek was. Toen ik je die kruidenthee bracht, weet je nog?'

Rose knipperde met haar ogen en knikte. 'U was zo lief voor me. Ja, het gaat wel beter, geloof ik. Hoewel ik soms nog duizelig ben. Dan voel ik me heel slap, Maar het grootste deel van de tijd gaat het goed, hoor.' Er gleed een lachje om haar mondhoeken.

Ooit zou ze daar lachrimpeltjes krijgen, net als haar vader, dacht Kathryn.

'Weken lang kon ik niets binnen houden, maar nu haal ik het in. Gisteren werd ik midden in de nacht wakker en had ik plotseling zo'n zin in haring in het zuur. Terwijl ik dat niet eens lust! Mijn mond trekt ervan samen.'

Opeens kreeg Kathryn een kurkdroge smaak in haar eigen mond. En dat had niets te maken met haring in het zuur. Het meisje had vreemde eetbuien. Was ze zo onschuldig dat ze echt niet wist wat dat betekende? Aan de andere kant, hoeveel vrouwen had ze in haar omgeving om haar te begeleiden op weg naar de volwassenheid? Kathryn wist dat zelf uit ondervinding. Toen haar maandstonde – haar rode bloem, zoals sommigen het noemde – begon en ze het donkere bloed zag, had ze gedacht dat ze doodging. Maandenlang was ze dat blijven denken, totdat ze eindelijk naar haar vader was gestapt. Hij was vuurrood geworden en had de vroedvrouw laten komen, die haar het mysterie had uitgelegd in termen die haar niet blij maakten met die stap naar de volwassenheid.

Hoeveel zou Finn zijn dochter hebben verteld? Hij was zachtaardiger dan haar eigen vader was geweest, maar zou hij ook niet dat onderwerp hebben vermeden dat meisjes meestal met hun moeder of een vrouwelijk familielid bespraken? Per slot van rekening had hij ook de mogelijke implicaties van zijn joodse huwelijk voor Kathryn en haar zoons verzwegen.

'Laten we vrijuit praten, Rose. Als vrouwen onder elkaar.' Als moeder en dochter, zou ze ooit hebben gezegd, maar dat kon ze nu niet over haar lippen krijgen. 'Zijn je maandstonden wel regelmatig?'

Rose keek haar onzeker aan.

'Je maandelijkse bloeding, kind. Komt die nog elke maand?'

Buiten verdween de zon achter een wolk. Het werd donkerder in de kamer en alles leek grijs, behalve de blos op Roses wangen.

'Het is al drie maanden geleden,' zei ze. 'Maar het is vroeger ook wel eens weggebleven. Toen ik nog jonger was dacht ik dat het door ziekte kwam.'

De stilte tussen hen duurde zeker een minuut. De zon kwam niet meer tevoorschijn en het werd koud in de kamer, ondanks het sputterende turfvuurtje in de haard. Kathryn voelde haar linkerslaap bonzen. Dit was geen gesprek dat ze wilde voeren. Dit was Rebekka's taak geweest, niet de hare. Zouden joodse moeders anders met zulke situaties omgaan? Welke raad zou de dode Rebekka haar dochter hebben gegeven?

'Rose, misschien heeft het te maken met je ziekte, maar niet op de manier die jij denkt. Het zou de oorzaak kunnen zijn, in plaats van het gevolg.'

'Ik begrijp het niet,' zei ze bijna jammerend, met een kinderstemmetje – het kind dat ze zo kortgeleden nog was geweest.

'Misschien ben je...'

Hoe moest ze het anders zeggen? 'Misschien ben je zwanger. De bloeding blijft ook weg als een vrouw een kind verwacht.'

Rose leek op het punt om flauw te vallen. Ze streek met een trillende hand over haar gezicht. Kathryn stond op, liep naar haar toe en boog zich over haar heen. Zachtjes nam ze de kin van het meisje in haar hand en tilde die op, zodat ze Kathryn recht moest aankijken.

'Rose ben je met een man geweest?' Elk woord zacht, maar helder en langzaam uitgesproken.

Het meisje zei niets, maar kauwde op haar bovenlip. Haar kin trilde.

'Geef antwoord, kind. Ben je met een man geweest?'

Kathryn probeerde haar stem rustig te laten klinken, om het meisje niet bang te maken, maar dat viel niet mee. Alfred mocht dan wel vrijuit gaan, maar dit was Rose.

'Alleen met Colin.'

'Zo bedoel ik het niet. Ik wil weten of je gemeenschap hebt gehad met een man? Een van de knechten die je in de tuin heeft zien lopen en misbruik van je heeft gemaakt? Je misschien zelfs heeft gedwongen tot vleselijke gemeenschap?'

Rose begon te huilen. Grote tranen vielen in een fontein over de randen van haar ogen, zochten in kleine stroompjes hun eigen weg en kwamen weer samen in plasjes bij haar trillende mond.

'Alleen Colin, vrouwe.'

Colin?

'Rose, weet je wel wat vleselijke gemeenschap betekent?' vroeg Kathryn vermoeid.

Rose knikte en sloeg haar handen voor haar gezicht.

'Telt kussen ook? We hebben alleen maar gekust. Meestal.' Ze zweeg. Haar bevende vingers gingen naar het mooie kruisje dat ze om haar hals droeg. 'In het wolhuis.'

Het wolhuis! Kathryn voelde een steek in haar hart.

Vraag die zoon van u maar eens naar het wolhuis.

Rose stond op, zo heftig dat haar rokken het krukje met een klap tegen de grond deden vallen, waardoor ook een emmer met ondergedompelde sleedoornbast omviel. Maar Kathryn en Rose letten niet op de donkere vlek die zich over de vloer verspreidde en in de houten planken trok. Rose liep heen en weer, met de rug van haar hand strak tegen haar keel gedrukt. Ze begon te huilen. Kathryn moest haar kalmeren, anders zou ze zichzelf ziek hebben gemaakt. Ze sloeg haar armen om het meisje heen en zette haar voorzichtig op de rand van het bed.

'Rose,' zei ze zo rustig mogelijk, 'kussen telt niet. Is dat alles wat jullie hebben gedaan? Hebben jij en mijn zoon nog iets anders gedaan dan kussen in die wolschuur?'

Kathryn kon haar bijna niet verstaan. De woorden waren als een snik die van achter haar hand ontsnapte.

'Twee keer.'

'Twee keer? Heeft Alfred twee keer gemeenschap met je gehad, Rose?'

Ze begon nog harder te huilen, en knikte toen. 'We hebben maar...

twee keer. Maar het was niet Alfred.' Nog meer snikken, met gierende uithalen. Ze drukte haar gezicht tussen de strikjes van haar manchetten. 'Het was Colin.'

Ze hikte even toen ze die naam uitsprak. Kathryns verbazing had niet groter kunnen zijn als Rose de paus had genoemd. Ze hapte naar adem. Naast haar zat het hysterische meisje kreunend heen en weer te wiegen. 'Zeg... het... niet... tegen... vader... alstublieft.' Elk woord werd uit haar longen geperst door een moeizame ademtocht. Kathryn sloeg haar armen strak om het kind heen.

'Stil maar. Straks maak je jezelf nog ziek, en daar schieten we niets mee op,' fluisterde ze, terwijl ze het meisje in haar armen wiegde. *Colin,* dacht ze maar steeds. Waarom had ze het niet gezien? Maar dat had ze wel. Alleen had ze er niets anders achter gezocht dan twee kinderen die samen speelden. 'We zeggen het nog tegen niemand,' zei ze. 'Misschien vergissen we ons. Het is mogelijk dat je, hoewel... Het is mogelijk dat je niet zwanger bent. We moeten maar afwachten. Als het wel zo is, dan... zijn er bepaalde aanwijzingen. Voorlopig moeten we kalm blijven.'

Kathryns geruststellende houding had een kalmerende uitwerking op Rose. Haar emotionele uitbarsting ebde weg tot wat gesnotter en gesnuif, terwijl Kathryn probeerde alle consequenties te overzien. Ze wist dat haar troostende woorden zo leeg waren als de waterputten van de hel. En ze wist ook dat er geen tijd te verliezen was. Ze zou meteen naar de vroedvrouw gaan. Er waren bepaalde drankjes... maar eerst moest ze met Colin praten. *Colin!*

Ze had Rose beloofd dat ze het niet tegen Finn zou zeggen. Dat was ook beter. Anders was de ellende helemaal niet te overzien. Hij zou woedend zijn als hij hoorde dat haar zoon zijn dochter had ontmaagd. Waarschijnlijk zou hij erop staan dat er meteen een huwelijksaankondiging kwam. Per slot van rekening had hij alles opgegeven ter wille van een jodin. Zou hij niet hetzelfde van haar zoon verwachten? Maar een zoon van Blackingham zou niet met een jodin trouwen. Niet zolang zij er iets aan kon veranderen.

Ze hield het meisje op armlengte en keek haar aan.

'Droog je tranen, Rose. Ga naar je kamer om te rusten. En doe je gordijn dicht, voor het geval je vader binnenkomt en zijn dochter in zo'n toestand ziet.'

Finn mocht haar niet zo aantreffen. Dan zou hij de waarheid uit haar weten te krijgen met hetzelfde gemak waarmee een dikke pater scheten laat.

'Ik laat je een beker met een kalmerend drankje brengen. Probeer je niet te veel zorgen te maken. We verzinnen wel wat.'

XIV

Want zoals de bijbel Christus toont,
is dat alles wat nodig is voor verlossing;
nodig voor alle mensen,
niet voor priesters alleen.

JOHN WYCLIFFE

Vanuit het noorden reed Finn Norwich binnen. Vanaf de heuvel boven de stad zag hij de markt als een slingerend lint, dat begon bij Norwich Castle, een log en lelijk kasteel, niet langer een militaire vesting, maar een gevangenis waar zielen in kerkers wegkwijnden. Ondanks de lichtgekleurde gevel van Caen-steen, goudglanzend in de zon, wierp de burcht een dreigende schaduw over de kleurige marktkraampjes, als een buizerd die loerde in de hoogte. Finn huiverde en trok zijn wollen mantel wat dichter om zich heen.

De kasteelbrug kwam uit bij een voorhof waar de veemarkt werd gehouden. Een groep toeschouwers had zich daar verzameld onder een schavot. Finn wist wat de attractie was. Die dingen vonden altijd plaats op marktdagen, met veel publiek. Zelfs van deze afstand – hij kwam niet dichterbij, omdat hij niet van zulke vertoningen hield – hoorde hij het rauwe gelach. Als hij een paar minuten eerder was geweest zou het hele spektakel hem zijn bespaard. Maar nu kon hij het niet ontlopen. Hij had al gezien dat ze de strop om de nek van de ter dood veroordeelde hadden gelegd. Hoe hij het ook probeerde, Finn kon zijn blik er nu niet meer van losmaken. De anonieme meute kreunde met één stem, een geluid dat aanzwol tot een luid gejoel. Het valluik ging open. Finn hield zijn adem in toen de menigte een diepe zucht slaakte, als in extase. Finn voelde dat de spieren van zijn eigen bovenlijf zich spanden toen het lichaam van het slachtoffer verkrampte en na een paar stuiptrekkingen aan het einde van het touw bleef bungelen als een stuk vlees. Hij dankte de Heilige Maagd dat hij niet zo dichtbij was dat hij de uitpuilende ogen en de paarse, opgezwollen lippen kon zien. Hij trok zijn paard naar rechts en reed weer verder, vechtend tegen een opkomende misselijkheid.

Arme donder, dacht hij, toen hij met de rug van zijn hand zijn mond afveegde en zijn paard de sporen gaf. Waarschijnlijk een opstandige boer die te luid had geprotesteerd tegen de nieuwe personele belasting van John of Gaunt, de tweede in drie jaar. Een harde straf voor niets anders dan de moed om de waarheid te zeggen. Zijn afgehouwen hoofd zou nu snel op een paal bij een stadspoort prijken, waar de vogels zijn ogen zouden uitpikken als waarschuwing aan anderen. De waarheid spreken was een gevaarlijk tijdverdrijf.

Met het kasteel nu achter hem bleef Finns blik rusten op het andere architectonische wonder van de stad, ten oosten van de markt. Net als Castle Prison glinsterde Norwich Cathedral in de middagzon, en in Finns ogen leek de kathedraal nauwelijks minder onheilspellend. Maar hij moest toegeven dat het gebouw er veel aangenamer uitzag. De vierkante Normandische kruistoren was imposant, ook al miste hij zijn bovenstuk. Een orkaan had de houten torenspits in 1362 tot spaanders versplinterd en ook een deel van de apsis verwoest. Finn glimlachte toen hij zich herinnerde dat Wycliffe de orkaan had betiteld als 'Gods toornige adem'.

De apsis van de kathedraal was herbouwd door de voorganger van bisschop Despenser, maar andere prioriteiten hadden voorrang boven de restauratie van de spits. De kloostercellen moesten nog worden hersteld, en er was een muur nodig om de benedictijnse monniken tegen de opstandige bevolking te beschermen. In 1297 had een woedende meute de kloostercellen in brand gestoken omdat de benedictijnen soms bepaalde missen, zelfs de eucharistie, aan de gelovigen onthielden als ze niet eerst iets hadden geofferd. 'Ze hebben het lichaam van onze Heer voor een stuiver verkwanseld om vergunningen te kunnen kopen om concubines te mogen houden,' had Wycliffe tegen Finn gezegd. En in de honderd jaar die er sindsdien waren verstreken was er nauwelijks iets veranderd, voegde Wycliffe eraan toe. Finn was het met hem eens geweest.

De restauratie van de kloostercellen was nog altijd niet voltooid. Terwijl Finns paard zijn weg zocht door Castle Street naar Elm Hill, zag hij de metselaars bezig. Hij hoorde het geluid van hun troffels in de mortel en het schrapen van de stenen. De stevige plaatselijke vuursteen werd bekleed met een mooiere, geïmporteerde steensoort uit Normandië. Hun gevloek – omdat de mortel te snel droogde in de koude lucht, of omdat hun verkleumde vingers bijna bevroren in hun vingerloze handschoenen – werd begeleid door het krijsen van de vogels die uit hun nesten in de stenen ribben van de kloostercellen werden verjaagd.

Op Elm Hill aangekomen steeg Finn af bij de Beggar's Daughter, waarvan het uithangbord een schuimende pul bier beloofde. Allemachtig, daar was hij wel aan toe. Hij gooide de teugels van zijn paard naar een straatjochie dat hij al eerder had gezien.

'Een halve stuiver en een vleespasteitje als mijn paard hier nog staat als ik terugkom.'

Het zwervertje rende naar hem toe, greep het paard bij zijn bit en bracht het naar een beschutte plek in de smalle steeg tussen de gebouwen.

'Magere Hein zelf krijgt hem hier niet te pakken, heer!' Hij salueerde parmantig, met een kracht en energie die niet paste bij zijn armoedige omstandigheden.

'Voor Magere Hein ben ik niet zo bang,' zei Finn.

Hij had waardering voor de ondernemerszin van de jongen. Hij had hem al eerder bezig gezien. Het joch deed boodschappen, veegde de straat voor de marktkooplui en deed van alles om een snee brood te verdienen. Er liepen tientallen van zulke straatjongens rond, ondanks het feit dat ze goed moesten oppassen om niet als bedelaar in het cachot te worden gegooid. Zelfs iemand die een bedelaar hielp liep de kans op gevangenisstraf. De meesten waren weggelopen lijfeigenen, die leefden van het vuilnis van de stad en zich binnen de muren verscholen totdat ze eindelijk vrij zouden zijn. En vuilnis was er hier genoeg. Elm Hill was de smalste straat van Norwich. Een open riool dat door een goot in het midden van de keitjesstraat stroomde maakte het moeilijk begaanbaar voor mens en dier. Maar afgezien van de wekelijkse markt was dit de belangrijkste handelswijk van Norwich. Rijke wolhandelaren en Vlaamse wevers woonden in de grotere huizen, met daarachter hun pakhuizen, die zich uitstrekten tot aan de rivier. Aan het andere eind van de straat waren de huizen van winkeliers en gildemeesters te vinden, boven winkels en werkplaatsen, schots en scheef tegen elkaar aan gebouwd in een reusachtig labyrint. In die doolhof konden een jongen en een paard gemakkelijk verdwijnen als de verleiding te groot werd.

Finn stapte naar binnen en ging achter een vuil raam zitten waar hij het joch en zijn paard in de gaten kon houden. De jongen salueerde nog eens en knipoogde. Finn groette terug. Zijn paard zou er nog wel staan als hij het nodig had, daar was Finn van overtuigd.

Hij was naar Elm Hill gekomen om pennetjes te kopen. Maar eerst wilde hij iets drinken om zijn botten te verwarmen. Bovendien wachtte hij op Half-Tom, die hem hier zou ontmoeten met een pakket van Wycliffe. Hij hoefde niet lang te wachten. Uit de verste hoek van de kroeg hoorde hij dronken gelach van een groepje van vijf mannen, die in een kring zaten. De leider, die het dichtst bij Finn zat, met zijn rug naar hem toe, droeg het uniform van Castle Prison.

'We kunnen hem opknopen en zien of hij net zo ver heen en weer zwaait als die andere.'

'Nee, hij is te klein. Dat wordt niks. Hij zou gewoon blijven bungelen als visaas aan een hengel.'

Luid gelach.

'Goed. Laten we dan eens kijken hoe hoog we hem kunnen gooien.'

Een uitgestoken arm, en het volgende moment werd er een baal vodden naar het plafond gesmeten, die tegen een van de balken stuiterde en een salto maakte voordat hij weer neerkwam, even buiten de kring. De voddenbaal strekte zich uit en sprong op twee benen overeind, als door een wonder ongedeerd. Half-Tom. De dwerg rende naar de deur, maar een arm greep hem weer en trok hem in de cirkel.

Finn pakte de dolk in zijn laars en liep naar het tafeltje.

Binnen de kring spartelde Half-Tom heftig tegen en probeerde vloekend de arm te bijten die hem vasthield.

'Verdomme, het is een taaie rakker. Maar ik wed twee stuiver dat hij deze keer uit elkaar zal spatten.'

Finn liep op de mannen toe. Het was een armoedig stelletje. Ze deden met de bullebak mee, maar meer uit angst dan uit plezier – en misschien uit bloeddorstigheid, aangewakkerd door de executie op de voorhof. Finn had het al eerder meegemaakt: gewone kerels, die op andere momenten heel vriendelijk konden zijn, veranderden in wilde honden als ze bloed roken. Met voorgewende belangstelling keek hij over de schouder van de gevangenisbewaarder en deinsde even terug toen hij een luis zag naderen door het vette haar van de man. Tegelijkertijd drukte hij de punt van zijn dolk tegen de rug van de cipier, net onder zijn ribben, hard genoeg om door zijn leren wambuis heen te dringen.

'Laat die dwerg nou maar gaan, vriend,' zei hij, heel beleefd, maar met wat meer druk op de dolk om zijn woorden kracht bij te zetten.

De man keek haastig om naar zijn belager en verstijfde toen hij de punt van de dolk door het grove linnen van zijn hemd voelde snijden. Heel even verslapte zijn greep, waarvan Half-Tom gebruik maakte om zich los te rukken en naar de deur te rennen.

Finn legde zijn ene hand op de schouder van de cipier, terwijl hij met de andere de dolk stevig op zijn plaats hield.

'Je vrienden hier vieren waarschijnlijk een feestje omdat zij daar niet hangen, aan het eind van Castle Bridge.'

'Wat heb jij daarmee te maken?'

Maar er klonk een vals bravoure in zijn stem en Finn zag de schichtige blikken van zijn kameraden toen ze probeerden deze nieuwe ontwikkeling in te schatten. Hij zou het hun makkelijk maken.

'Waard, breng een rondje eerste kwaliteit bier voor mijn vrienden, en zet het op mijn rekening.'

Een lange, behoedzaam ogende poorter haalde zijn schouders op en was de eerste die opstond. Eén voor één slenterden de anderen achter hem aan en pakten een pul van het blad dat de opgeluchte waard hen voorhield. De ban was gebroken en de dwergwerpers dropen af, zonder elkaar aan te kijken. Maar het was nog niet voorbij, dacht Finn met een blik op de forsgebouwde ruziezoeker aan de punt van zijn dolk. De man was niet blij dat iemand zijn spelletje had verziekt.

'En jij, vriend? Er staat nog een pint voor jou.'

Nog voordat hij uitgesproken was had de man zich omgedraaid en een greep gedaan naar het mes. Maar hij had zich verrekend en zijn vingers sloten zich om het scherpe lemmet. Krijsend als een geschroeide kat trok hij zijn bloedende hand terug.

Net op dat moment verscheen Half-Tom in de deuropening met een gezagsdrager op sleeptouw – een van de mannen van de drost.

'Deze kleine man hier beweert dat iemand de rust van de koning verstoort.' Fronsend keek hij de gelagkamer door. 'Ik had kunnen weten dat jij het was, Sykes.'

Versterkingen. Maar nog steeds zouden ze allemaal in het cachot kunnen belanden. 'Geen probleem, heer schout,' zei Finn. 'Ik kan u verzekeren dat de rust van de koning nog intact is. Ik liet de cipier hier net mijn nieuwe dolk zien, maar hij liet hem vallen en sneed zich in de vingers toen hij probeerde hem te vangen.'

Eén voor één dronken de andere onruststokers hun kroes leeg en schuifelden naar de deur. Een van hen had de hoffelijkheid om zijn lege pul naar Finn te heffen, op weg naar buiten.

'Ziet u? Alles in orde. Vraag het maar aan de waard.'

De kroegbaas knikte. Waarschijnlijk had hij reden genoeg om op zijn hoede te zijn voor het gerecht. De schout leek niet overtuigd en hield zijn hand op het heft van zijn kleine zwaard.

'Ik zei net tegen Sykes hier dat hij die wond moet laten verzorgen als hij geen ontsteking wil krijgen,' zei Finn, terwijl hij het bloed van de cipier van zijn dolk veegde.

'O, ik zal er iets aan doen. Daar kun je op rekenen.'

Maar ondanks zijn woedende blikken en zijn verholen dreigement wikkelde Sykes zijn gewonde hand in een lap die de waard hem aanreikte en wankelde toen naar de deur. De schout stapte opzij, maar niet veel, zodat de cipier zich langs hem heen moest wringen.

'Dit hebben we elke keer als er iemand wordt opgehangen. Strijk en zet. En meestal is Sykes het middelpunt. Ik zou maar uit zijn buurt blijven als ik jou was. De man deugt van geen kant.'

'Bedankt, maar mijn vriend en ik...' hij knikte naar Half-Tom en zag de verbazing op het gezicht van de schout, 'zijn allang verdwenen voordat Sykes voldoende is hersteld om problemen te kunnen maken.'

Toen de schout was vertrokken bestelde Finn iets te eten voor zichzelf en Half-Tom.

'Weet je zeker dat je niets gebroken hebt? Dat was een zware val.'

Half-Toms brede grijns spleet zijn ronde gezicht in twee halve manen. 'Ik heb in de loop der jaren wel wat trucjes geleerd.' Hij scheurde een homp brood af en propte het in zijn mond. Hij kauwde met smaak en vervolgde toen: 'Ik kom meestal niet in dit soort kroegen, of ik ga ervandoor, maar als de nood aan de man komt rol ik me op tot een bal en trek mijn hoofd in mijn wambuis. Kijk, zo.'

Op hetzelfde moment leek het hoofd van de kleine man in zijn lichaam te verdwijnen, zodat hij op een grote schildpad leek die net uit zijn schild kwam. Onwillekeurig schoot Finn in de lach. Half-Tom was niet beledigd, maar vond het zelf ook een goede grap. Hij nam een hap ui, nog een stuk brood en slikte, voordat hij verderging: 'En ik draag altijd twee hemden als ik naar de stad kom. Om de klappen op te vangen.'

'Heel slim.'

'Ja, maar het werkt niet altijd. Ik heb ooit drie gebroken ribben opgelopen. En deze keer zou ik er niet zo goed van afgekomen zijn als u niet was opgedoken om me te redden.'

Finn wuifde zijn bedankje weg. 'Als ik op tijd was gekomen zou dit alles niet zijn gebeurd. Heb je iets voor me van meester Wycliffe?'

Half-Tom zocht onder zijn hemd, maakte een riem los en haalde een in leer gebonden pakje tevoorschijn. 'Dat was ook extra bescherming. De papieren zitten hierin. Meester Wycliffe raadt u aan discreet te zijn.' Hij sprak het onbekende woord aarzelend uit en liet het eerst over zijn tong rollen. 'Hij zegt dat de aartsbisschop het op hem voorzien heeft.'

'Je hebt hem dus gesproken?'

'Ja. Hij was in Thetford om de synode van bisschoppen toe te spreken, zoals u al zei. Ik glipte naar binnen met een groep acrobaten die hen bij de maaltijd moesten vermaken – salto's, op hun handen lopen, dat soort dingen. Meester Wycliffe deed alsof hij me om een boodschap stuurde en gaf me toen dit pakje, alsof het mijn loon was.'

'En heb je hem de pagina's gegeven die klaar waren?'

'Ja. Dat was zogenaamd de boodschap die ik voor hem moest halen.'

'Was hij tevreden met mijn werk?'

'Hij heeft er alleen een snelle blik op geworpen. En hij wilde ervoor betalen.'

'Heb je hem gezegd wat ik je had opgedragen?'

'Ja, ik zei hem dat het werk...' – hij zweeg even en rolde met zijn ogen – 'gratis was,' besloot hij, duidelijk trots op zijn nieuwe woordenschat.

'En wat zei hij daarop?'

'Dat u uw beloning wel in de hemel zou krijgen.'

'Nou, daar doe ik het voor. Heb je hem ook gezegd dat ik zou proberen een extra kopie van zijn vertalingen te maken als ik tijd had?'

'Hij zei... ik kan me niet precies meer herinneren wat hij zei, maar het kwam erop neer dat hoe meer mensen de Heilige Schrift zelf konden lezen, des te meer ze zouden beseffen dat de Kerk ze voor de gek hield.'

Finn knikte. Hij had de vertaling gelezen terwijl hij eraan werkte en vond het fascinerend. Hij had het evangelie van Johannes nog nooit in het Latijn gelezen. Hij kende de betekenis alleen uit preken en spelen en flarden Latijn die hij uit zijn hoofd had geleerd. En hij geloofde het omdat hem was gezegd dat hij het moest geloven. Maar Wycliffes vertaling liet een heel andere Heer zien dan degene over wie de priesters het hadden. O, het lijden was er wel, maar ook zoveel liefde en vreugde – de liefde waar de kluizenaarster over sprak. *Want God hield zoveel van de wereld...* Daar ging het om, dacht Finn. En dat was genoeg. Als je het geloofde.

'Kun jij lezen, Tom?'

'De monniken hebben geprobeerd het me te leren, maar van het Latijn begreep ik niets. Als ik zelf de bijbel zou kunnen lezen, nou... dat zou me de moeite wel waard zijn.' Hij grijnsde. 'Nu ik koerier ben, zou dat makkelijker zijn dan al die dure woorden te moeten onthouden die u me meegeeft.'

Buiten het raam zag Finn de jongen die zijn paard bewaakte met zijn omzwachtelde voeten stampen om ze warm te houden. Tijd om te vertrekken. Hij bestelde een varkenspasteitje en kocht een warme deken van de waard, zogenaamd omdat hij die nodig kon hebben voordat hij thuis was. Als de jongen geen bed had, zou hij die nacht in elk geval een deken bezitten.

Uiteindelijk werd Finn het dodenmasker van de gehangene niet bespaard. Wie was de dode? Een stroper, een kruimeldief? Of iemand die de waarheid had gesproken? Allemaal halsmisdrijven. Je was zomaar je hoofd kwijt als je de Kerk of de koning een voet dwars zette. Dat moest een waarschuwing voor hem zijn. Maakte het feit dat hij de Wycliffe-teksten illustreerde hem tot een lid van de Lollards-beweging? Dat was niet illegaal. Nog niet. Welke engel of duivel had hem bewogen om zo haastig partij te kiezen? En met welk doel? Hij dacht maar zelden aan een hemelse beloning. Of aan het vuur van de hel. Het leek hem gewoon een redelijk principe, een goed idee, dat iedereen de Heilige Schrift zelf zou kunnen lezen.

Toen hij de stad verliet door Wensum Street zag hij daar, op een paal bij de Cowgate, het hoofd van de ongelukkige, of wat ervan over was.

Kathryn beklom de drie stenen treden – een voor de Vader, een voor de Zoon en een voor de Heilige Geest – naar het met zware plavuizen betegelde dak van de crypte, dat ook dienstdeed als portaal van de kapel. De levenden zeiden hun gebeden boven de beenderen van de doden. Haar eerste taak was om Colin te zoeken en vast te stellen of Roses verhaal klopte. En waar anders zou ze hem kunnen vinden dan in de kapel? Opeens leek het allemaal zo verklaarbaar: de onophoudelijke gebeden, het ongepaste verdriet om de dood van een bediende, dat knappe, bleke gezicht dat steeds magerder en holler werd.

Misschien was het een lamp geweest, omver geschopt in de hartstocht van het moment. Of een flakkerende kaars die was achtergelaten. Of misschien hadden Rose en Colin helemaal niets met de brand te maken. Maar Colin was altijd al vroom geweest. Had de zonde van het vlees die hij met Rose had begaan zijn onschuldige ziel gekweld tot het moment waarop zijn wroeging hem tot deze boetedoening had gedwongen?

Ze luisterde aan de deur van de kapel. Stilte. De deur kraakte aan zijn ijzeren scharnieren. Binnen rook het bedompt, alsof de ruimte al urenlang was afgesloten. Bij het altaar was niemand te zien. Een angstig voorgevoel kroop over haar rug toen ze zag dat de zonnewijzer aan de muur de tijd voor de vespers aangaf. Colin had nog nooit de vespers gemist, zelfs niet vóór de brand.

Ze verliet de lege kapel, sloot de deur en leunde er even tegenaan om op adem te komen en na te denken. Colin was vermoeid van het bidden, dat was alles. Hij lag gewoon te slapen in zijn eigen bed, waar zijn blauwgeaderde oogleden trilden door zijn onrustige dromen. Ze zou naar zijn kamer gaan om hem wakker te maken en te horen of zijn verhaal overeenkwam met dat van Rose. Als dat zo was, wilde ze hem zeggen dat het allemaal wel goed zou komen. Ze zou hem op een missie sturen, misschien naar Sir Guy, met een boodschap voor zijn broer. Dat zou zijn aandacht afleiden en haar meer tijd geven om na te denken. Niet dat Kathryn geen begrip had voor de noodzaak van verzoening. Maar haar lieve kind, met zijn engelenstem en zijn zachtaardige karakter, mocht niet degene worden die de prijs betaalde. Hij had nog nooit een vlieg kwaad gedaan – hij had haar zelfs niet laten uitscheuren bij zijn geboorte, maar was soepel uit haar schoot gegleden in het bloederige spoor van zijn energiekere broer, als een stil commentaar.

Haar vader, en de moeder die was overleden toen Kathryn vijf was, waren bijgezet onder het portaal van de kapel, waar ze nu stond. Ze lagen tegenover Roderick, niet naast hem. En tegenover hen beiden, aan de top van een driehoek, wachtte haar eigen plaats. Dat had ze zorgvuldig zo bedacht: Alfred en zijn familie die Rodericks kant aanvulden, Colin en zijn bruid die de verbinding legden naar haar ouders. Nu was zelfs die indeling verstoord. Maar Kathryn was vastbesloten. Als de bazuinen van de Dag des Oordeels klonken, zou er geen jodin met Christus' bloed aan haar mooie handen uit Blackingham verrijzen om haar zoon te verdoemen.

Colin wist het nog niet van de baby. Hij voelde zich alleen schuldig om de zonde die hij met het meisje had gepleegd, en om de dood van de herder, die daar het gevolg van was geweest – zoals hij dacht. Rose had het hem niet kunnen vertellen, omdat ze het zelf nog niet wist. Als Colin nu met haar zwangerschap werd geconfronteerd, wist ze hoe haar zoon zou reageren. In de veronderstelling dat hij met Rose kon trouwen zou hij zijn liefde voor haar gebruiken als verdediging tegen elk verwijt. Maar als hij de waarheid over Roses afkomst te horen kreeg, zou hij dan doen wat Finn ook voor Roses moeder had gedaan: alles opgeven, omdat hij was behekst door een jodin? Behekst. Misschien was het meisje niet zo onschuldig als ze leek. Er gingen genoeg verhalen over joden die zich met zwarte kunsten bezighielden. Als ze lood in goud konden veranderen, was het een klein kunstje om haar Colin te verleiden. Maar toen herinnerde ze zich de blik in Roses ogen, als van een doodsbang hertje dat in een drukke wei met mensen was terechtgekomen. Nee. Dit kind was geen verleidster, maar een gewoon meisje dat niet door haar onschuld was beschermd. Onschuld kon ook niemand beschermen. Onschuld was vlas voor het weefgetouw van de duivel.

Haar aandacht werd getrokken door de lach en de gesprekken van de staljongens die hun handen warmden bij een vuurtje op de binnenplaats. Finn was terug. Ze had gehoopt dat hij morgen pas zou komen. Ze moest met Colin praten voordat Rose de waarheid kon opbiechten aan haar vader. Ze was er niet van overtuigd dat het meisje haar mond zou houden, ondanks hun afspraak, zeker als ze hem nu zag, met de wetenschap over haar toestand nog als een verse wond.

'Finn!' riep Kathryn.

Hij keek om waar die stem vandaan kwam en zag haar toen voor de ingang van de kapel.

'Agnes heeft vandaag brood gebakken,' riep ze, terwijl ze haastig de drie treden afdaalde, met haar rokken dansend om haar heen. 'Je lievelingsrecept. De *pain demaine* waar je zo van houdt.' Witbrood, gebakken van het beste meel. Een adellijk brood. Er waren zoveel aanwijzingen die ze over het hoofd had gezien. 'Eet wat, nu het nog warm is van de oven.'

Ze waren nog een paar meter bij elkaar vandaan. Kathryn vertraagde haar pas om afstand te houden. Hij keek naar haar op en beschutte zijn ogen tegen de ondergaande zon. Eén moment voelde ze een geweldig verlangen om naar hem toe te rennen en zich te laten troosten. Maar ze zou weinig troost bij hem vinden als hij de waarheid hoorde.

'Ik wil eerst het vuil van de stad van me afspoelen,' zei hij.

De gedachten tolden door haar hoofd. Hij zou naar zijn kamer gaan, waar Rose nu was, met de tranen nog op haar wangen. Als Kathryn hem hier kon tegenhouden, zou het meisje misschien in bed liggen tegen de tijd dat hij boven kwam. Dat zou nog een dag tijdwinst kunnen opleveren. Een dag om de oude vrouw te bezoeken in Thomas Wood, om een drankje van haar los te krijgen, of zelfs maar een bezwering... nee, dat zou te gevaarlijk zijn... beter een mengsel van wilde kruiden dat Roses maagdelijkheid kon herstellen.

'Ga naar de keuken en zeg tegen Glynis dat ze water opzet voor een bad,' zei Kathryn. Dat moest voldoende motivatie zijn. Finn waste zich veel vaker dan drie mannen bij elkaar. Zou hij dat hebben geleerd van zijn joodse vrouw? De paardenknecht verdween in de stal met

Finns paard. Ze liet haar stem dalen. 'En vraag Glynis om het water naar mijn kamer te brengen. Dan kom ik na de vespers naar je toe.' Zou hij zich niet verwonderen over haar plotselinge vroomheid, haar behoefte om in haar eentje te bidden in een kapel zonder priester? 'Neem een beker wijn en praat met Agnes. Zeg dat ze de Franse wijn uitschenkt die ze heeft bewaard.'

Hij aarzelde en streek met zijn vingers door zijn grijzende manen die haar eigen vingers zo graag wilden aanraken. Werkte haar charme niet meer op hem?

'We moeten praten,' zei ze.

'Ik ben te moe voor iets anders, Kathryn.'

Zijn blik was gekwetst en achterdochtig. Heel even voelde Kathryn zich schuldig over haar bedrog, maar hij had haar toch ook bedrogen? Ze pakte de leren tas.

'Ga maar niet naar je kamer. Dan maak je Rose misschien wakker. Ik geloof dat ze slaapt. Ze heeft heel hard gewerkt aan een of andere opdracht voor jou. Mijn man bewaarde verschoningen in mijn kast.' Ze hoorde een spoor van verlangen in haar stem. Hopelijk hoorde hij het ook en vatte hij het op als een belofte.

'*Pain demaine*, zei je? Met honing?'

'Met honing. En nog warm.'

'Niet te lang bidden, hoor,' zei hij, met iets van zijn oude, plagerige toon.

'Hier. Ik neem die tas wel mee om hem op je tafel te leggen.' Ze raakte half zijn mouw aan toen ze de leren tas van hem overnam. 'Ga nou maar, voordat je brood koud wordt.'

Ze kwam langs zijn kamer op weg naar die van Colin, sloop op haar tenen naar binnen en legde de leren tas midden op het bureau. Het gordijn van Roses alkoof was dicht. Geen geluid. De kalmerende thee die ze had laten brengen had dus zijn werk gedaan.

Nu naar Colin.

Maar tot haar schrik zag Kathryn dat Colin niet in zijn kamer was. Zijn bed was zelfs niet beslapen. Maar ver kon hij niet zijn, want zijn luit lag nog op de eenzame stoel in de hoek. Het was haar nooit eerder opgevallen hoe kaal zijn kamer was, bijna als een cel. Ze pakte de luit en sloeg de snaren aan. Hij had haar een paar noten geleerd, heel lang geleden. Maar haar nerveuze vingers kregen geen greep op de snaren.

Finn zou op haar wachten. Als hij ongeduldig werd, kon hij naar zijn dochter gaan. Kathryn legde het instrument voorzichtig weer op de stoel. Een velletje perkament dwarrelde op de grond. Ze bukte zich om het op te rapen en herkende Colins mooie handschrift.

Ze moest het twee keer lezen voordat de betekenis tot haar doordrong.

Haar eerste gedachte was hem achterna te gaan om hem terug te halen. Ze zou Finn kunnen sturen. Ze kon wel raden waar hij naartoe was. Niet naar de monniken in Norwich of zelfs de abdij van Broomholm. Dat was te dichtbij. Naar Thetford, misschien, in het westen. Maar waarschijnlijk naar Blinham Priory, een benedictijns klooster in het noorden – troosteloos en afgelegen, op de woeste, verlaten rotsen van Cromer.

Maar als ze hem terughaalde, zou hij het horen van de baby. Dan zou hij met Rose trouwen, jodin of niet. Dat zou zijn boetedoening nog vervolmaken, in zijn ogen.

Nee, dit was de beste oplossing, dacht ze, terwijl de eerste tranen over haar wangen liepen. Voorlopig was dit het beste. Ze zou misschien niet de kracht hebben gehad om hem weg te sturen, zelfs niet voor zijn eigen bestwil. Op deze manier zou hij nooit iets hoeven te weten over de baby, nooit een keuze hoeven te maken. Hij was nog te jong om een gelofte als monnik af te leggen. Hij zou nog jaren novice moeten blijven. Tijd genoeg om hem terug te halen als ze Finn en Rose had weggestuurd. Ze zou Blackingham veilig voor hem houden. En voor Alfred.

Ooit zouden ze allebei weer naar huis kunnen komen.

Ze zat een hele tijd op de grond, heen en weer wiegend, tot het donker werd. In zijn briefje had hij geschreven dat hij zijn leven aan God wilde wijden en al zijn uren aan het gebed. Hij was zelfs van plan een gelofte van stilte af te leggen. Little Walshingham en de franciscanen?

Het zou schelen als ze wist waar hij was. De muziek in zijn stem voorgoed verstomd... Kathryn kon het niet verdragen. Het was nu bijna helemaal donker in de kamer. Ze moest flink zijn.

Ze stak het briefje zorgvuldig in haar boezem en stond op. Finn wachtte op haar.

XV

Hij (God) heeft sommigen van ons harder en pijnlijker doen vallen dan ooit tevoren, waardoor we denken – want we zijn niet allemaal zo wijs – dat alles waaraan we zijn begonnen voor niets geweest is. Maar dat is niet zo.

JULIAN VAN NORWICH, *GODDELIJKE OPENBARINGEN*

Om lady Kathryn de tijd te geven terug te komen van de vespers deed Finn wat langer over het eten. Hij praatte met de kokkin en vertelde haar over de executie bij Castle Prison en de toenemende spanningen in de stad. Agnes beklaagde zich over de personele belasting.

'Dit is al de tweede binnen drie jaar. Ik dank de Heilige Maagd dat lady Kathryn zo vriendelijk is om die belasting voor me te betalen, maar nu heb ik ook dat meisje voor wie betaald moet worden.' Agnes wees met een lepel naar de keukenhulp, die bezig was een ketel schoon te maken met dezelfde concentratie waarmee Finn zijn kleuren mengde.

'Als lady Kathryn in het verleden ook voor je man betaalde,' zei hij tussen twee happen door, 'kan ze dat nu voor de keukenmeid doen. Dat zal haar niets extra's kosten.'

Agnes knikte, waardoor ze er nog een onderkin bij kreeg, maar haar frons maakte duidelijk dat ze er niet gerust op was. 'Dat is waar, maar toen had ze nog niet al die wol verloren bij de brand in het wolhuis. De vorige keer heeft ze ook voor alle pachters betaald. Maar je kunt een vrucht maar één keer uitpersen, en als de oom van de koning de hele bevolking heeft uitgeknepen ben ik bang dat ze in opstand komen.'

'De dreiging van de strop zal de mensen wel afschrikken.'

'Niet als je de strop een snellere dood vindt dan verhongeren.'

Finn had geen weerwoord op die eenvoudige waarheid en dacht er nog over na toen hij de trap op liep naar Kathryns kamer. Maar algauw gingen zijn gedachten weer naar andere dingen, die hem persoonlijk raakten. Voorlopig had hij even genoeg van misdaad en straf.

Zachtjes klopte hij op Kathryns deur en stapte naar binnen. Er was niemand. De kamer was schemerig, afgezien van een sputterend haardvuur en twee bieskaarsen. Voor de haard stond een zinken teil, met een klein laagje water erin, niet meer dan vijf vingers diep. Finn voelde even. Het was lauw. Niet genoeg om de kou uit zijn botten te verdrijven, maar wel om de stank van de reis van zich af te spoelen. Hij kleedde zich uit en vouwde zijn lichaam in de teil. Een windvlaag uit het rookkanaal deed hem huiveren en hij maakte een grimas toen zijn rug het koude zink raakte. Hij wreef zijn armen warm en keek omlaag naar zijn verschrompelde mannelijkheid. Misschien was dit toch niet zo'n goed idee. Zijn lichaam had hem nog nooit in de steek gelaten als zijn verlangen werd gewekt, maar er was altijd een eerste keer en hij was geen jonge vent meer.

Terwijl hij zijn kippenvel wegpoetste met morenzeep, hoorde hij het geklepper van paardenhoeven en de rauwe stemmen van de staljongens, gedempt door de zware gordijnen van Kathryns kamer. Pelgrims, waarschijnlijk, die onderdak zochten in de koude decembernacht. Hij wist dat ze niet zouden worden weggestuurd maar hun dekens hier mochten uitrollen – in de grote zaal of in de stallen, afhankelijk van hun sociale status. Hij dacht weer aan de straatjongen in Norwich, die zo brutaal had geknipoogd en gesalueerd toen hij het paard overnam bij de kroeg. Wie zou *zíjn* belasting betalen? Wat konden de schepenen van de koning hem nog afnemen – het gerafelde hemd van zijn rug, de deken die Finn hem had gegeven? En waar zou hij vannacht slapen?

De lavendellucht van de zeep vermengde zich met de aardse rook van het turfvuurtje. Het deed hem denken aan Kathryn: de geur die in haar kleren hing, in haar haar, in de verleidelijke holte tussen haar borsten. Die gedachte bracht een vertrouwde reactie in zijn onderbuik teweeg. Gelukkig maar. Zijn bloed werd weer warmer. Als hij haar goed begrepen had – en dat wist je maar nooit met vrouwen – had er een belofte van verzoening in haar ogen gelegen. Blijkbaar wilde ze net zo graag een einde maken aan die kilte tussen hen als hij. En zij had de eerste stap gezet.

Een van de honden op de binnenplaats jankte alsof hij een schop gekregen had. Luide stemmen, onverstaanbare woorden, gedempt door de gordijnen en het dichte raam, gevolgd door een rauwe lach. Daarna werd er op de deur gebonsd, zo te horen met het heft van een zwaard. Wel erg luidruchtig voor een groepje pelgrims.

Finn vouwde zijn handen tot een kom en spoelde het schuim van zijn schouders. Hij droogde zich af met een linnen doek en stapte uit het bad. Kathryn had iets gezegd over het ondergoed van haar man. Er stond een kast in de hoek, maar Finn koos toch voor zijn eigen bemodderde spullen. Het ging hem te ver om Rodericks kleren aan te trekken. Fronsend poetste hij een vlek uit zijn tuniek.

'Doe open! Wij willen de vrouw des huizes spreken!' Zo luid dat zelfs de doden in de crypte het konden horen.

'Open deze deur voor de adjudant des konings!'

Kathryns zachtere stem zweefde langs de trap omhoog, onverstaanbaar maar duidelijk geïrriteerd.

Finn stapte in zijn broek en trok zijn hemd over zijn hoofd terwijl hij al naar de deur liep. Hij bleef niet staan om zijn laarzen aan te trekken en was al halverwege de trap toen hij bedacht dat hij zijn dolk had laten liggen. Voor Kathryn was hij nog wel bereid de koude vloer onder zijn voetzolen te verdragen, maar zijn dolk was een andere zaak. Dus draaide hij zich om en rende met twee treden tegelijk de trap weer op.

Sir Guy reed de binnenplaats op, net toen lady Kathryn de deur opende. Het moment was goed gekozen. Hij had erop gerekend dat zijn adjudant onbeschoft tekeer zou gaan, zoals gewoonlijk. Dat gaf hem de kans om te bemiddelen en zich van zijn goede kant te laten zien.

De adjudant schoof de weduwe ruw opzij. 'Ik vraag u niet om toestemming! We hebben orders om dit huis te doorzoeken.'

Sir Guy gooide de teugels naar een stalknecht, sprong van zijn paard en rende naar zijn mannen toe. 'Idioten!' brulde hij, zodat lady Kathryn het ook kon horen. 'Wie zich misdraagt tegenover dit adellijke huis of de dame zelf krijgt met mij te doen!'

Hij knikte scherp naar links, als teken dat zijn mannen buiten moesten wachten, en stapte tussen lady Kathryn en de adjudant in. Haastig pakte hij Kathryns hand en bracht die naar zijn lippen. 'Mijn excuses voor hun onbeschaamdheid, vrouwe.' Hij hield haar hand wat te lang vast en probeerde zijn irritatie te verbergen toen ze hem meteen weer terugtrok.

'Meneer, met welk gezag durft u de rust van Blackingham te verstoren?' Ze keek eerst naar de adjudant, toen naar Sir Guy, alsof ze zijn spelletje wel doorzag.

Haar houding ergerde hem. Die arrogantie was hem al eerder opgevallen en hij vroeg zich af waarom Roderick dat had getolereerd. Zelf zou hij dat zeker niet doen als hij hier eenmaal de baas was.

De adjudant keek lady Kathryn verbijsterd aan en antwoordde: 'Met het gezag van de koning en de drost.' Zoals hij het zei klonk het meer als een vraag. Maar Sir Guy negeerde de aarzeling van zijn adjudant.

'Ik vraag uw begrip voor deze inbreuk, vrouwe. De zaak is niet verstandig aangepakt, zoals ik al vreesde. Maar ik heb een bespreking met de bisschop onderbroken om meteen naar u toe te komen.'

'U bent welkom, Sir Guy. Maar uw woorden en de wapens van uw mannen wijzen niet bepaald op een vriendschappelijk bezoek.'

'Dat is het ook niet, helaas. Maar dat verandert niets aan mijn vriendschappelijke gevoelens voor u. Als ik zo vrij mag zijn.' Hij maakte een stijve buiging en wilde haar hand weer pakken, maar bedacht zich. In plaats daarvan stapte hij naar binnen en trok de deur achter zich dicht, voor de neus van de adjudant. 'Ik voel een zekere verantwoordelijkheid tegenover u, vrouwe, als weduwe van mijn goede vriend. U weet dat u op mij kunt vertrouwen om in alle gevallen uw belangen te beschermen.'

'En over wat voor *gevallen* hebben we het dan?' klonk een mannenstem achter hem.

De drost herkende de miniatuurschilder die uit de schaduw van de trap stapte, rechts van hem. Een hinderlijke figuur. Een paardenvlieg die maar rond zijn hoofd bleef zoemen. De verleiding was groot om hem meteen dood te slaan als een lastig insect, maar Sir Guy besloot te wachten op een gunstiger moment.

Toen hij antwoord gaf, keek hij uitsluitend naar lady Kathryn, om duidelijk te maken dat de kunstenaar van geen belang was.

'Een zaak die we snel uit de wereld kunnen helpen, dat verzeker ik u. Een formaliteit, meer niet.'

'Zeg dan wat u bedoelt,' zei Kathryn.

De drost knikte. 'Het gaat om de vermoorde priester.'

Verbeeldde hij het zich, of zag hij haar verstrakken?

'Vermoorde priester?'

'Pater Ignatius, de gezant van de bisschop, die van de zomer aan de rand van Blackingham is gevonden met een ingeslagen schedel. U viel bijna flauw toen we het lichaam naar de binnenplaats brachten. Dat herinnert u zich toch nog wel?'

'Een aanblik die je niet licht vergeet. Ik denk er liever niet aan terug.'

Nee, dat was duidelijk. Ze was doodsbleek geworden.

'Geen zaak om de dame nog mee lastig te vallen,' merkte de kunstenaar op. 'Lady Kathryn heeft u toen al verklaard dat ze de priester niet had gezien. Ik heb het haar zelf horen zeggen. Dat was op de dag dat ik op Blackingham aankwam.'

'O ja? Ik zou het niet meer weten. Bedankt dat u me daaraan herinnert.'

Die tekenaar bleef maar rondhangen, als een strontvlieg bij een mesthoop. Maar Sir Guy besloot geduld te hebben. Als hij te snel van zich af sloeg, zou hij misschien stront op zijn eigen schone plunje krijgen.

Hij richtte zich weer tot de dame. 'Zoals ik wilde zeggen, die onopgeloste moord op de priester blijft de bisschop bezighouden. Het is nu zes maanden geleden. En er is een briefje gevonden waaruit blijkt dat de priester wel degelijk op Blackingham is geweest, ondanks uw ontkenning, lady Kathryn.'

Hij koos zijn woorden met zorg. Zijn mededeling moest haar voldoende angst aanjagen om zijn hulp en bemiddeling gretig te aanvaarden. Lady Kathryn bracht haar hand – de hand die ze zo abrupt van zijn lippen had weggetrokken – naar haar blanke keel, maar zonder iets te zeggen.

'Hoewel ik mijn best heb gedaan om zijne eminentie van uw onschuld te overtuigen,' vervolgde de drost, 'eist hij toch maatregelen. Daarom hebben mijn mannen opdracht tot een vluchtige huiszoeking van uw schuren en uw keuken. Zelf zal ik, samen met u, uw huis doorzoeken. Met uw welnemen, uiteraard.'

Hij liet zijn woorden vergezeld gaan van zijn meest oprechte glimlach. *U kunt me vertrouwen als een loyale en neutrale gerechtsdienaar,* luidde zijn boodschap. Diezelfde glimlach had hij die ochtend op de bisschop uitgeprobeerd. Hij had er zijn lucratieve positie als drost van Norfolk aan te danken.

Sir Guy stak een hand uit en raakte de linten op haar schouder aan, zonder zich iets aan te trekken van haar afwerende reactie. 'Samen zullen we de bisschop wel gerust kunnen stellen.'

Hij probeerde het feit te negeren dat ze langs hem heen keek naar de kunstenaar, alsof ze hem wilde vragen wat ze moest doen. Het liefst zou hij haar een vuistslag tegen haar kaak hebben verkocht om haar magere nek te breken als een kippenbotje. De kunstenaar knikte tegen haar. Allemachtig! Als hij die vent in zijn knuisten kreeg...

'Goed dan,' zei ze. 'Ga uw gang. Maar u zult begrijpen dat ik u geen gastvrijheid aanbied. Daar is dit het bezoek niet naar.'

Hij herinnerde zich de dag van de brand en de dood van de herder. De gastvrijheid van Blackingham kon hem gestolen worden. Maar de belediging ontging hem niet. Hij borg haar woorden in zijn geheugen om haar ooit nog eens de rekening te presenteren.

'En vraag uw mannen om de leden van mijn huishouding niet zo onbeschoft te behandelen als mij.'

Weer een opmerking die hij zou onthouden.

'We moeten uw bedienden ondervragen, vrouwe. De bisschop eist een grondig onderzoek. Nu er niemand is die voor u kan getuigen, zult u begrijpen dat er een ernstige verdenking...'

'Onschuld heeft geen andere getuigen nodig dan de waarheid.'

'Inderdaad. Als u, net als onze Verlosser, een martelares wilt worden voor die waarheid. Maar u hebt twee zoons. Wilt u hen ook opofferen?'

Een blos steeg naar haar bleke gezicht en hij wist dat hij een teer punt geraakt had.

Inmiddels waren ze de tuinkamer binnengegaan. De drost merkte dat Finn hen volgde – op een afstandje, maar toch. Nog altijd zoemend als een lastige vlieg, net buiten zijn bereik.

De drost opende een kist die als tafel, bank en opslag dienstdeed, zocht tussen de borden en het linnengoed, en stak zijn zwaard achter de kleden aan de muur.

Kathryn stond er roerloos bij, als een wachtpost op een onaangename plek.

'Nu nog een snelle blik in de slaapkamers, dan zijn we klaar,' zei hij.

Ze wuifde naar het trappenhuis dat toegang gaf tot de privé-vertrekken. 'Mijn kamer is helemaal boven. Mijn gast en zijn dochter hebben de kamer die vroeger van Roderick was, zoals u nog weet. De kamers van mijn zoons liggen aan het andere eind van de gang. Als u mijn rentmeester wilt ondervragen zal ik Simpson laten komen...'

'Dat lijkt me niet nodig. Het voorwerp dat we zoeken is van persoonlijke aard. Maar zou u Colin willen halen? Zelf zal ik wel met Alfred spreken, in alle rust.'

Hij meende een lichte aarzeling bij haar te bespeuren voordat ze zei: 'Colin is er niet.' Ze haalde even adem, maar zweeg toen weer en keek naar de kunstenaar. Het lastige insect. Om gek van te worden. Opeens waren haar woorden voor hém bedoeld.

'Colin is op bedevaart gegaan,' zei ze tegen Finn. 'Hij heeft zich aangesloten bij een groep pelgrims die hier eerder vandaag voorbijkwamen. Hij wilde er een tijdje tussenuit, om rust te vinden en te bidden... Hij voelt zich verantwoordelijk voor de dood van de herder. Hij en Rose hadden de wolschuur gebruikt om...' – ze keek schichtig weg, alsof ze niet wist hoe ze verder moest gaan – 'om samen op de luit te oefenen. Dat moest een verrassing voor jou worden.'

De drost had net zo goed een harnas met een lappenpop kunnen zijn, leunend tegen de deurpost. Lady Kathryn had een smekende toon in haar stem, een zachte klank die een mate van intimiteit tussen haar en de kunstenaar suggereerde. Ze waren geliefden. Sir Guy had dat al eerder vermoed, maar hij had gedacht dat ze niet zó laag zou zinken. Dit was niet acceptabel. De gedachte van lady Kathryn – of welke edelvrouwe dan ook – in een innige omhelzing met deze slijmerige indringer was meer dan de drost kon verdragen. Aan de andere kant gaf zijn kennis van deze affaire hem wel de mogelijkheid om haar in de toekomst onder druk te zetten.

'Dan zal ik later wel met Colin spreken. Of ik zou mijn mannen achter hem aan kunnen sturen,' zei hij. 'Maar misschien is dat allemaal niet nodig. Kunnen we nu doorgaan? We zullen eerst de kamer van heer Finn inspecteren, zodat hij weer verder kan met zijn werk.'

'Waarom zijn kamer wel, en niet het huis van Simpson?' vroeg ze.

'Ik voer slechts mijn orders uit. Zoals heer Finn zelf opmerkte, was hij hier aanwezig op het moment dat de priester werd vermoord. Maar u zei toch dat de waarheid geen getuigen nodig heeft? Ik weet zeker dat uw tekenaar niets hoeft te vrezen.'

'Mijn dochter slaapt. Ze is ziek geweest,' zei Finn. 'Ik wil niet dat ze schrikt van uw brute aanpak.'

'Brute aanpak? U vergist zich, heer. De drost van Norfolk zal zich nooit bruut gedragen tegenover *edele* vrouwen en *onschuldige* kinderen. Gaat u maar voor naar uw kamer, als u wilt, om uw dochter te waarschuwen.'

Hij dacht niet dat er iets te vinden was in de kamer van de kunstenaar, maar het was leuk om hem op stang te jagen.

Toen hij achter Finn de voormalige kamer van Sir Roderick binnenkwam, inmiddels veranderd in een kunstenaarsatelier, viel het Sir Guy op hoe keurig alles was. Het meisje, de dochter van de man, stond in een donkere hoek van het vertrek. Ze was mooi, dacht hij afwezig, maar niet van Normandisch bloed, dat was duidelijk. Ze zou wel het kind zijn van een of andere ongelovige. Haar ogen waren rood en gezwollen, alsof ze had liggen huilen. Lady Kathryn kwam naast haar staan. De twee wisselden een raadselachtige blik.

De drost trok de dekens van het grote, met houtsnijwerk versierde hemelbed, porde met zijn zwaard in een grote kist, alsof de inhoud ervan te smerig was om aan te pakken, en maakte een rommeltje van Finns netjes geperste linnengoed. Hij zocht tussen de verfpotjes, zonder ze weer recht te zetten, gooide er zelfs een om, verontschuldigde zich met een geoefende glimlach en keek eens naar Finn om te zien of hij al zenuwachtig werd.

'Dat zijn kostbare pigmenten, die worden betaald door de abt van Broomholm,' merkte de miniatuurschilder op.

Sir Guy probeerde een grijns te onderdrukken, maar de ergernis in de stem van de tekenaar deed hem genoegen. Om hem nog verder te provoceren gooide hij ook de zorgvuldig opgestapelde pagina's door elkaar. De kaarsen in de brander aan de muur boven de tafel wierpen een flakkerend schijnsel over de vellen van kalfsperkament. 'U kunt aardig schilderen, vriend. Misschien mag u ooit een boek voor mij illustreren.'

De kunstenaar zei niets.

Sir Guy schatte op het oog de breedte van de kist en klopte eens met zijn zwaard tegen de zijkant. Aha, een hol geluid aan de onderkant, maar hoger niet. De kist had een valse bodem. Hij knikte tegen een van zijn mannen, die de kist omkeerde en erop sloeg. De houten bodem viel eruit, gevolgd door de inhoud van de verborgen ruimte. Papieren dwarrelden alle kanten op.

'Alstublieft, heer! Het werk van mijn vader...'

Maar de kunstenaar schudde zwijgend zijn hoofd tegen zijn dochter. Sir Guy bukte zich en pakte wat vellen van de stapel, meer uit nieuwsgierigheid dan interesse.

'Hm. Wat hebben we hier? Een tekst uit het evangelie van Johannes? Niet erg kleurig. Ik dacht dat u beter werk leverde dan...' Hij kwam overeind en liep naar de brander aan de muur om de vellen beter te kunnen bekijken bij het licht van de kaarsvlam. Hij kneep zijn ogen halfdicht en tuurde naar de woorden. 'Johannes in het Engels! De profane tekst van Wycliffe.' De grijns van vreugde op zijn gezicht was oprecht genoeg. 'Heer kunstenaar, het zal de abt interesseren dat hij niet uw enige opdrachtgever is.' En, meer in zichzelf: 'En de bisschop zal het ook willen weten.'

De paardenvlieg zoemde langzaam dichterbij. Hij was nu bijna binnen handbereik.

Sir Guy bladerde de vellen door onder het licht. '*De goddelijke openbaringen van Julian van Norwich*. In het Midland-dialect, nog wel! De bisschop zal ook benieuwd zijn hoe zijn heilige vrouwen hun tijd doorbrengen.'

De drost knielde om de rest van deze schat te inspecteren. Het was kostbare informatie, waarmee hij goede sier zou kunnen maken bij de bisschop. Henry Despenser had de laatste tijd nogal wat kritiek gehad omdat die moord op de priester nog steeds niet was opgelost. Waarschijnlijk werd hij zelf op zijn huid gezeten door de aartsbisschop. Deze kleine meevaller zou zijn aandacht kunnen afleiden. Henry Despenser haatte John Wycliffe en zijn Lollard-predikers. Misschien viel er nog wel meer te ontdekken in deze ogenschijnlijk onschuldige stapel documenten.

Zijn hand voelde iets hards en glads onder de papieren. Hij haalde het tevoorschijn en hield het omhoog tegen het licht. Het glinsterde met een crèmekleurige glans.

Het lastige insect was eindelijk gaan zitten.

De drost hield een snoer van volmaakte parels in zijn hand, dezelfde parels die op de inventarislijst van de vermoorde priester hadden gestaan.

Tijd om de strontvlieg te vermorzelen.

Lady Kathryn staarde naar het halssnoer, de parelketting die ooit van haar moeder was geweest en die pater Ignatius haar had afgetroggeld op de dag dat zijn schedel doormidden was gekliefd.

'Uw parels, vrouwe, naar ik meen?' zei de drost.

Hij stak haar zijn zwaard toe, met de ketting bungelend aan de punt. Hoe wist hij dat het snoer van haar was? En waarom keek hij zo triomfantelijk? Wilde hij zo graag bewijzen tegen haar verzamelen? Zijn ogen, die meestal de doodse grauwe kleur hadden van korstmos in de winter, glansden als natte stenen.

'"Eén snoer van witte parels, volmaakt bij elkaar passend, met een zwarte parel als sluiting in het midden." Zo stond het op de inventarislijst van de vermoorde priester. Dit moet dat halssnoer zijn.'

'Ja, het is van mij. Dat ontken ik niet. Maar... hoe komen ze...?'

'Precies, vrouwe. Hoe komen ze daar terecht?' Hij vroeg het zacht en langzaam, met een dreigend accent op elk woord. 'Hoe is een parelketting uit de inventaris van een dode in het bezit van heer Finn gekomen? Dat is een vraag die onze kunstenaar tegenover de bisschop zal moeten beantwoorden.'

Rose slaakte een onderdrukte kreet. Finn trok zijn geschrokken dochter half tegen zich aan. De drost glom van voldoening. Het halssnoer was het doel van deze huiszoeking geweest en het was een extra bonus dat hij de ketting had gevonden in de kamer van die vervloekte kunstenaar.

'Dit moet een vergissing zijn. Ik ken Finn... de miniatuurschilder goed. Hij is zeker geen *moordenaar!*' Kathryn stak haar hand uit naar de parels, meer om zich ervan te overtuigen dat ze geen illusie waren dan om ze terug te krijgen.

De drost hield zijn zwaard net buiten haar bereik en ving de parels in zijn linkerhand. Ze bleven aan zijn vingers bungelen. De zwarte parel met de gouden sluiting van filigreinwerk glinsterde in het licht van de kaars. Niemand bewoog zich.

Door het smalle raam achter hen was de sikkel van de maan te zien. Een kleine wolk dreef erlangs. Niemand zei iets, totdat luide, rauwe stemmen van beneden hen weer in beweging brachten, als spelers in een mysteriespel.

Sir Guy opende het raam met het dikke glas en riep naar beneden: 'Adjudant, verzamel uw mannen maar. We hebben de vos gevonden.' Met de gratie van een slang, en net zo snel, richtte hij de punt van zijn zwaard op Finns keel. 'En breng de handboeien mee!'

'Nee! Dat kunt u niet doen.' Rose greep Finns mouw met vingers waarvan het bloed uit de knokkels was weggetrokken. 'Mijn vader zou nooit iemand kwaad doen. Laat hem gaan!' Ze was zo wit als een doek. Kathryn was bang dat ze flauw zou vallen.

'Ze heeft gelijk, Sir Guy,' zei Kathryn met stemverheffing. 'Hoe het ook lijkt, dit moet een misverstand zijn, zeg ik u. Deze man is geen moordenaar. Er is een andere verklaring. Dat kan niet anders.'

'Vrouwe, in uw affectie... uw *vurigheid*, mag ik wel zeggen... protesteert u te veel. Natuurlijk is zijn dochter van zijn onschuld overtuigd. Maar ik heb het bewijs hier in handen. Het bewijs, bovendien, dat u zelf niet helemaal eerlijk bent geweest in uw vorige verklaring. Maar dat is een feit dat we, nu we de schuldige hebben gevonden, maar zullen vergeten.'

Zijn neerbuigende toon en zijn insinuaties maakten haar woedend, maar ook bang.

Finn schraapte luid zijn keel. 'Er is nog een andere mogelijke verklaring,' zei hij. 'Dat de parels door een insluiper in mijn tas zijn verborgen. Ik heb ze namelijk pas twee dagen geleden ontdekt.'

De drost begon te lachen en snoof. Maar Kathryn greep naar deze laatste strohalm als een kind naar een zilveren rammelaar. Finn kon niet zo rustig blijven met het zwaard van de drost op zijn keel gericht als hij niet zijn onschuld zou kunnen bewijzen. Ze wilde hem vragen waarom hij niets over de halsketting had gezegd, maar hield haar mond om hem niet in nog grotere problemen te brengen.

'Dat is waar!' zei Rose, die nu grauw zag. Ze klampte zich met twee handen aan haar vader vast en trok hem aan zijn arm, zich blijkbaar niet bewust van de dreiging van het zwaard als een van hen een onverwachte beweging zou maken. 'Iemand anders heeft de ketting daar verborgen. Ik heb hem zelf gezien.'

'Hem?' vroeg de drost.

Ze keek snel van Kathryn naar haar vader, voordat ze uitdagend antwoordde: 'Ja. Het was Alfred, de toekomstige heer van Blackingham.'

Zei ze Alfred? 'Alfred! Rose, waarom zeg je...'

'Laat het meisje uitspreken. Niemand zal beweren dat de drost van Norfolk overhaaste conclusies trekt.'

'Het was op de avond dat ik ziek was. De avond na de begrafenis van de herder. Ik lag te slapen, maar ik werd wakker toen ik iemand in vaders kamer hoorde, die zijn spullen doorzocht. Ik deed alsof ik sliep, omdat ik bang was. Ik wist dat het vader niet was.'

'Hoe wist je dat? En als je je ogen dicht had, hoe kon je dan zien dat het Alfred was?' vroeg de drost.

'Hij liep als een jongen. Mijn vaders voetstappen zijn veel rustiger. Toen hij langs mijn kamer kwam, zag ik door een kier van het gordijn dat hij...' – Rose zweeg een moment en keek verontschuldigend naar Kathryn – '... dat hij rood haar had.'

Aan de manier waarop Sir Guy zijn voorhoofd fronste en aandachtig naar het meisje luisterde, alsof hij het gewicht van haar verklaring woog, zag Kathryn dat zelfs hij half geneigd was haar te geloven. Haar angst werd er nog groter door. Eerst Finn, nu Alfred. God zou haar toch niet dwingen om te kiezen tussen die twee – kiezen tussen een man van wie ze wist dat hij onschuldig was en een zoon aan wie ze twijfelde?

Had Alfred in zijn jeugdige drift de priester gedood omdat zij zich over zijn hebzucht had beklaagd? Was haar kind daar werkelijk toe in staat? Maar hij was ook Rodericks zoon, een gedachte die niet bepaald voor zijn onschuld pleitte. En hij had de parels in Finns kamer kunnen leggen als een grap, of uit jaloezie.

Maar hoe was hij aan het parelsnoer gekomen als hij de priester niet had vermoord?

'Toen ik de insluiper hoorde vertrekken, kwam ik uit bed en rende naar de deur.' Rose huilde nu niet meer, gerustgesteld door de aandacht van de drost, of geconcentreerd op haar eigen verhaal. 'Het was Alfred die ik de gang uit zag lopen. Toen ik in de kamer terugkwam zag ik dat mijn vaders inktpotten door elkaar waren gegooid en dat zijn hele werktafel overhoop was gehaald.'

'Heb je alarm geslagen?' Sir Guy ondervroeg haar nu professioneel. Hij had zijn zwaard laten zakken. Hoewel het nog naar Finns middenrif wees, maakte het geen contact meer met zijn lichaam.

'Nee. Ik voelde me duizelig, dus ben ik weer gaan liggen om op mijn vader te wachten. Blijkbaar ben ik in slaap gevallen. Toen ik wakker werd, was de kamer weer opgeruimd, dus dacht ik dat ik alles had gedroomd, totdat vader die parels in zijn tas vond.' Ze kleurde, waardoor er twee onnatuurlijk felle blosjes op haar bleke wangen verschenen. 'Ik dacht dat hij ze voor mij had gekocht.'

'Maar je hebt niet daadwerkelijk gezien dat Alfred die parels in de tas deed,' viel Kathryn haar in de rede.

'Misschien ben ik te haastig geweest,' zei de drost. 'Lady Kathryn, hebt u als edelvrouwe van Blackingham iets gehoord over een insluiper in de kamer van deze kunstenaar? Moet ik uw zoon nog ondervragen in deze zaak?' Hij keek haar recht aan. 'Of weet u met zekerheid waar hij zich op dat moment bevond?'

Hij weet wat hij me vraagt, dacht Kathryn. Als ik tegen de één getuig, gaat de ander vrijuit. En hij geniet ervan. God, wat haatte ze die drost met zijn haviksneus.

Kathryn hoorde zware voetstappen op de trap, en het gerinkel van boeien tegen de stenen treden. Ze las de smeekbede in Roses ogen en voelde met haar mee, net als toen ze gehoord had over het dilemma van het meisje – haar eigen dilemma, ook. Als Finn werd aangehouden, kon ze tijd winnen. Tijd om Alfred zelf te ondervragen, tijd om hem te laten ontsnappen als hij werkelijk die priester had vermoord om zijn moeder te beschermen. Tijd ook om een drankje te halen bij die oude vrouw in de bossen om de kiem weg te spoelen die Colin had geplant.

Als Roses verhaal klopte... de Hemelse Moeder verhoede het... en Finn die parels pas twee dagen geleden had gevonden, waarom was hij dan niet naar haar toe gekomen? Het was niet haar plaats om over zijn schuld of onschuld te beslissen. Zij moest haar zoons beschermen. En de bisschop zou geen onschuldig man veroordelen. Ze zou elke dag, ieder uur, tot de Heilige Moeder bidden voor zijn behoud. Als Finn onschuldig was, zou hij tijdig vrijkomen. En tijd was juist wat zij nodig had.

Ze was niet in staat om Finn en zijn dochter aan te kijken toen ze hen verraadde. Ze staarde uit het raam naar de wolk die de maan opvrat. 'Het spijt me, Rose, maar je moet het hebben gedroomd. Waarschijnlijk door de kruidenthee die ik je als medicijn had gebracht.'

De adjudant kwam binnen en bleef naast Finn staan.

Kathryn hoorde de leugen over haar lippen rollen. Haar eigen stem, als in een droom: 'Alfred is de hele avond bij me geweest. Ik was van streek door het verlies van de wol en de schuur... en een waardevolle bediende. Alfred is bij me gebleven om me te troosten.' Het was niet haar zoon geweest die haar had getroost – dat was een brutale, zondige leugen – maar daar kon ze nu niets aan doen. 'Hij heeft op een veldbed in mijn kamer geslapen.'

Een grijns spleet het gezicht van de drost. Hij knikte naar de adjudant, die naar voren stapte en de ijzeren boeien om Finns polsen sloot. Kathryn opende haar mond om haar leugen terug te nemen, maar kon geen geluid voortbrengen. Rose slaakte een langgerekte gil... 'Nee...!' toen de adjudant haar armen losmaakte van haar vaders nek.

'Rose, het komt wel goed. Wees maar niet bang,' zei Finn. 'Het komt wel goed.'

De adjudant duwde Rose opzij en ze viel op het bed. Kathryn wilde naar haar toe gaan, maar kon zich niet bewegen. Ze voelde Finns blik op zich gericht. Zijn ogen, brandend als een blauwe vlam, schroeiden haar huid en deden haar botten smelten, totdat haar leugenachtige, verschrompelde ziel bloot kwam te liggen als een afzichtelijke zwarte klont.

Buiten het raam was de sikkel van de maan verdwenen, opgevreten door de wolk. De nacht was zwart als inkt.

XVI

Westenwind, wanneer zult ge weer waaien? Laat de regen zachtjes regenen. Christus, o, als mijn lief maar in mijn armen lag, en ik weer in mijn bed.

14DE-EEUWSE ANONIEME LIEDTEKST

Blackingham gaf geen feest voor zijn zoons toen ze hun zestiende verjaardag vierden in het jaar des Heren 1379. En evenmin werd het restant van het kerstblok van het vorige jaar tevoorschijn gehaald om het nieuwe aan te steken. 'Het brengt ongeluk over ons huis,' zei Agnes, 'om geen groen op te hangen en het kerstvuur aan te steken.'

Maar de vrouw des huizes keek haar slechts aan en snoof. 'Ongeluk, zei je? Wat hebben wij nog over, jij en ik, oude vrouw, dat door het ongeluk kan worden getroffen?' Agnes had moeite met de bitterheid in lady Kathryns stem, met de verwilderde blik in haar ogen, maar vooral met haar onverzorgde kleding.

Het was nu twaalf dagen geleden dat de drost de miniatuurschilder geboeid had afgevoerd, twaalf dagen zonder enig bericht over zijn lot, twaalf dagen waarin Kathryn geen andere kleren had aangetrokken of haar haar had gedaan. Glynis vertelde dat ze niet meer door de edelvrouwe was toegelaten 'sinds ze me een haarborstel naar mijn hoofd gooide en me bijna een blauw oog bezorgde'. Het domme wicht vertelde dat verhaal aan iedereen die het maar horen wilde, ondanks

Agnes' waarschuwing dat ze haar mond moest houden. Er werd al genoeg gekletst in het dorp. Op de nieuwsgierige vragen over het gebrek aan kerstfestiviteiten antwoordde Agnes: 'Mijn vrouwe lijdt aan de koude koorts en is te ziek om open huis te houden. Maar ze heeft de keuken wel gevraagd een kerstmaal klaar te maken. Dat zal worden opgediend in de grote zaal, zoals gewoonlijk, en iedereen is welkom.'

De verwaande rentmeester zou met genoegen de honneurs waarnemen. Hij verbeeldde zich heel wat en speelde graag de grote sinjeur. Het beloofde geen prettige kerstsfeer te worden, maar daar was niets aan te doen. Een adellijk huis kon niet beknibbelen op het kerstfeest. Zelfs tijdens de pest had Kathryns vader nog een rijke – maar sombere – maaltijd gehouden voor zijn lijfeigenen, bedienden en pachters.

Maar lady Kathryn had geen belangstelling voor welke maaltijd dan ook. Ze was deze week al voor de derde keer de bossen in gereden, terwijl Agnes in de keuken zwoegde om uit gewone kost de schijn van een kerstmaal op tafel te toveren. En elke keer was de edelvrouwe uren later teruggekomen met een smerig middeltje van Ouwe Gertie. Dat het ketterij was om een heks te raadplegen deerde haar blijkbaar niet. Niet dat Agnes de vrouw voor een heks hield – ze was gewoon een oud wijfje dat met de verkoop van kruiden en drankjes een schamel bestaan verdiende. Kruiden en drankjes die meestal niet werkten. Voor Agnes tenminste niet. Voor geen stuiver. Twaalf jaar geleden had ze genoeg moed verzameld om naar Ouwe Gertie te gaan voor een drankje... of een bezwering, of wat dan ook... om haar verstopte moederschoot te openen. Het enige dat ze aan het duivelse brouwsel had overgehouden was maagzuur en oprispingen.

En bij Rose hielp het ook al niet. Huilen en kotsen, huilen en kotsen, anders deed het arme kind niet – uit angst om haar vader, of de last in haar schoot, of als gevolg van de primitieve pillen die ze slikte om lady Kathryn een plezier te doen. 'Je moet weer gezond zijn als je vader terugkomt,' zei lady Kathryn tegen haar.

'Weet u wel wat daar in zit?' vroeg Agnes de laatste keer dat Rose kokhalzend zo'n vreemdgevormde pil naar binnen had gewerkt. 'Het is zo groot als het ei van een roodborst en het stinkt alsof het bedorven is.'

Kathryn had haar een waarschuwende blik toegeworpen. 'Een mengsel van heel gewone kruiden, dat is alles.'

Gewone kruiden! Misschien wel, dacht Agnes, maar dan vermengd met hazelwortel, pijpbloem, lariks, nardus en god mocht weten wat voor andere smerige rommel Ouwe Gertie er nog bij gooide. Agnes begreep waar lady Kathryn mee bezig was, maar ze vroeg zich af of Rose het ook wist. Tot nu toe had het meisje nog niet de inhoud van haar schoot verloren – alleen de inhoud van haar maag.

De edelvrouwe kon elk moment terugkeren van haar rit. Agnes inspecteerde de kokende pan boven de haard en keek uit het raam. De grote holle eik – Magda's honingboom – wierp zijn kille schaduw half over de heuvel, helemaal tot aan de regenbakken. De deur ging open met het gekraak van ijzeren scharnieren; pas na de vespers werd de grendel erop geschoven. Dat moest lady Kathryn zijn. Gelukkig maar. Er was genoeg heet water voor welk smerig brouwsel ze ook nodig had.

Lady Kathryn trok met een klap de deur achter zich dicht, alsof ze het eikenhout en het ijzer wilde straffen. Ze had zoveel woede in zich. Agnes had haar maar één keer eerder zo gezien, toen haar vader haar had gedwongen om met Roderick te trouwen. Toen had ze twee weken niet gegeten, maar uiteindelijk toch toegegeven, uit liefde voor haar zieke vader. De afgelopen dagen brak Agnes zich het hoofd over de reden voor deze nieuwe woede, en beklaagde de arme ziel die er het mikpunt van was. In het begin vreesde ze nog dat het misschien het meisje was. Maar hoewel Kathryn soms ongeduldig op haar reageerde, beheerste ze zich toch tegenover Rose.

'Agnes, stamp dit fijn tot een poeder en doe er kokend water bij.'

Agnes nam het mandje van haar over. Witte malvewortel, duizendblad, venkel en dwergvlier.

'Hoeveel water? Moet het een elixer worden?'

'Nee, alleen genoeg voor een papje.'

Agnes zuchtte. Arme Rose. Vannacht zou ze moeten slapen – of niet – met een stinkend smeersel op haar buik en haar intieme delen.

Lady Kathryn ijsbeerde door de keuken met haar handen voor haar gezicht en masseerde haar voorhoofd. 'Ik ben aan het eind van mijn Latijn. Als dit niet werkt, zal ze het kind maar moeten krijgen en zien we wel hoe het gaat.'

Agnes dacht liever niet aan de gevolgen. Ze sloeg een kruisje en huiverde. Voor het eerst viel het haar op dat de vrouw voor wie ze nog als klein meisje had gezorgd nu oud begon te worden. Haar witte haar, al voor haar dertigste grijs geworden, had haar nooit oud gemaakt. Meestal droeg ze het opgebonden, in een stralenkrans van licht. Maar nu hing het in een piekerige vette waaier over haar rug en trok het de spieren van haar gezicht omlaag. De huid van haar jukbeenderen stond zo strak dat het leek of het bot er elk moment doorheen kon prikken.

'Vrouwe, het zou niet het eerste kind op Blackingham zijn dat aan de verkeerde kant van de bedstee was geboren. En ook niet het laatste, neem ik aan. Wat geeft het? Het meisje is lief en ijverig; ze zou prettig gezelschap voor u zijn. Zij en haar baby kunnen hier toch blijven?'

'Zo eenvoudig is het niet.'

'Nee, dat is het nooit...' Agnes stampte de kruiden in haar vijzel en begeleidde haar woorden met kleine wolkjes poeder. 'In elk geval kan ze blijven tot haar vader weer vrij is. Ik begrijp niet waarom ze hem hebben meegenomen. Ik heb wel een beetje mensenkennis, en heer Finn is geen moordenaar.' Ze vulde de vijzel met wat water uit de pruttelende pan boven de haard. 'Hebt u al iets van hem gehoord?'

Kathryn schudde haar hoofd.

'Weet Finn wie de vader van de baby is?' vroeg Agnes, zo nonchalant mogelijk, alsof het geen kwestie van levensbelang was.

Lady Kathryn liet met een klap de metalen schaal vallen. 'Dat zijn jouw zaken niet, is het wel?'

Het maakte niet uit. Agnes wist het wel. Wie anders zou de vader kunnen zijn dan Colin? Ze waren steeds samen geweest, spelend als kinderen. Rose verwachtte nu een kind en Colin was 'op bedevaart'. De adel gedroeg zich soms zo vreemd. Waarom kon hij niet gewoon met het meisje trouwen?

Lady Kathryn zette het schaaltje op tafel. Agnes deed het hete papje erin. Het moest worden opgebracht voordat het afkoelde en hard werd.

'Pas op dat u geen blaren maakt op de huid van het kind.'

Kathryn antwoordde niet, maar riep nog iets over haar schouder toen ze de keuken verliet via de provisiekamer: 'Ik heb bericht aan Alfred gestuurd dat hij naar huis moet komen om te helpen. Waarschijnlijk komt hij eerst naar de keuken. Dat doet iedereen. Stuur hem naar me toe zodra je hem ziet.'

Toen haar voetstappen verstierven op de trap kwam er nog een andere gedachte bij Agnes op. Was het mogelijk dat Finn nog helemaal niets van de baby wist? Dat zou Kathryns haast kunnen verklaren. Als Gerties middeltjes werkten zou de kunstenaar het nooit hoeven te weten. Agnes dacht daarover na, tot er een nog triestere overweging door haar hoofd ging. Als Finn tot de strop veroordeeld werd, zou het misschien beter zijn dat hij de dood onder ogen zag zonder iets te weten over de toestand van zijn dochter.

Alfred kwam die dag niet naar Blackingham. Maar de dwerg wel. Zoals iedereen stapte hij eerst Agnes' keuken binnen, maar ze wist dat het hem niet om een warme maaltijd te doen was. Er broeide iets anders, had Agnes gemerkt aan de tersluikse blikken die hij Magda toewierp en de grappige manier waarop het puntje van zijn scherpe neus roze kleurde als zij in de buurt was. Goddank was ze vandaag met een etensmand naar haar zwangere moeder.

Niet dat Agnes een hekel had aan Half-Tom, maar ze wilde iets beters voor Magda dan een dwerg van de drassige gronden, en daarom was ze ongebruikelijk kortaf.

'Ben je niet wat ver van je moeras afgedwaald, Half-Tom? Als je naar Blackingham bent gekomen met een boodschap voor de kunstenaar – die is er niet.'

Ze bood hem niet iets te drinken aan, zoals de eerste keer dat hij in haar keuken was verschenen, op zoek naar de miniatuurschilder met een bericht van de heilige vrouw. Als hij hier gastvrijheid hoopte te vinden, dan kreeg hij die niet van harte, niet meer dan waartoe de christelijke naastenliefde Agnes verplichtte. Ze ging door met het plukken van een koppel patrijzen en keek niet op.

'Dat weet ik,' zei hij, terwijl hij somber zijn hoofd schudde. 'Ik heb de verhalen gehoord in Aylsham. Een ellendige zaak. Ze zijn niet slim genoeg om de moordenaar van de priester te vinden, dus hebben ze een onschuldig man gevangengezet.'

Agnes bromde wat nietszeggends. Ze had al lang geleerd om haar mening voor zich te houden in gevaarlijke zaken. Bovendien wilde ze hem niet aanmoedigen om te blijven totdat Magda terug was. Het meisje reageerde veel te gretig op de liefdesbetuigingen van de dwerg.

Half-Tom warmde zijn handen aan de loeiende haard.

'Ga maar rustig door met je werk, Agnes. Ik heb een pakket voor heer Finn uit Oxford, dat ik persoonlijk aan hem moet overhandigen. Daarom kwam ik langs om te zien of Blackingham nog berichten voor hem heeft. Dan zal ik die aan hem doorgeven – aangenomen dat het me lukt om Castle Prison binnen te komen.'

Ja, en dan kwam hij weer terug met een bericht van Finn, dacht Agnes, en voordat je het wist liep de dwerg hier de deur plat, zogenaamd als boodschapper. Blackingham lag helemaal niet op zijn route vanaf de moerassen. Hij moest bij het kruispunt links afslaan naar Aylsham in het noorden, terwijl hij beter zijn schoenzolen kon sparen door nog bij daglicht rechtstreeks naar Norwich te gaan. Agnes keek eens naar die ogen in dat vollemaansgezicht toen Half-Tom een speurende blik door de keuken wierp. Ze wist maar al te goed wat hij zocht.

'Wij hebben geen berichten van Blackingham voor de gevangenis,' zei ze.

'Moet de vrouwe dat niet zelf beslissen?' Zijn stem was zwaar en krachtig, net als zijn schouders – een schril contrast met de rest van zijn lijf.

'Brutale vlerk. Lady Kathryn heeft het me zelf gezegd.' Haar vingers plukten de vogels zo snel dat ze de veren nauwelijks kwijt kon. 'Ze is kwaad op de kunstenaar omdat hij haar huis in problemen heeft gebracht.'

'Maar ze denkt toch niet dat hij schuldig is!'

'Zijn schuld of onschuld is haar zaak niet. Als de wet zegt dat hij schuldig is, dan is hij schuldig.'

'Maar zijn dochter dan? Zij zal toch niet...'

'De dochter van de tekenaar is te ziek van verdriet om iemand te kunnen spreken.'

De leugens verzamelden zich als de veren die ze in een grote zak onder de tafel veegde om als vulling voor matrassen te dienen. 'Als je hem nieuws van Blackingham wilt brengen, zeg dan maar tegen Finn dat lady Kathryn goed voor zijn dochter zorgt en dat haar niets zal overkomen vanwege hem. En ga nu maar weer, kleine man, want het is nog een heel eind lopen naar Norwich. Hier, neem dit maar mee.' Ze schoof een pasteitje van varkensvlees en gemalen rapen over de lange grenen tafel. 'Eet het onderweg maar op. Maak voort, want het wordt vroeg donker in de winter.'

Hij keek haar aan met een blik die duidelijk maakte dat hij haar doorzag. Ten slotte bedankte hij haar met een knikje, pakte het pasteitje en waggelde naar de deur. Hij loopt als een vetgemeste vogel, met zijn borst vooruit, dacht Agnes. Gelukkig zou hij al vertrokken zijn voordat Magda terugkwam. De dwerg had de deurklink al opgetild en zijn schouder tegen het zware eikenhout gezet toen ze tot haar ergernis iemand iets hoorde zeggen. De woorden schenen uit haar eigen mond te komen.

'Als je de kunstenaar ziet, zeg hem dan dat Agnes het onzevader voor hem zal bidden.' Heel onvoorzichtig van haar, maar ze kon er niets aan doen. Ze herinnerde zich hoe Finn de laatste keer in haar keuken had gezeten en haar had verteld over de executie, die hem deed walgen. Ze herinnerde zich ook dat hij altijd begaan leek met het lot van het gewone volk. En hij kon zo charmant tegen haar grijnzen als hij haar om een lekkernij of een extra glas bier vroeg. Terwijl zij toch een oud wijf was, en hij een man in de kracht van zijn leven. Een aardige man. Een zeldzaamheid.

'En zeg hem, voor wat het waard is, dat oude Agnes niet gelooft dat hij die priester heeft vermoord.'

Een brede grijns spleet het gezicht van de dwerg. 'Als ik nieuws heb, kom ik het wel brengen op weg naar huis.'

Agnes liet het hakmes met kracht op de ruggen van de vogels neerkomen, waardoor het koppel in één klap werd gevierendeeld. De zware deur viel dicht en door de luchtstroom zweefde een eenzame veer met een bruin puntje van de tafel af. Hij kwam in de haard terecht en verbrandde met een scherpe stank. Met een geoefende hand sneed Agnes de ingewanden uit de vogels en gooide ze in een voederbak.

Colin was nu vier dagen onderweg en vroeg zich af of hij al wat dichter bij Blinham Priory was dan toen hij vertrok. Hij moest de zon rechts van zich houden als hij 's ochtends op pad ging, zoals hij elke dag trouw deed, maar de afgelopen twee dagen had hij helemaal geen zon gezien. Het waren koude, grijze ochtenden geweest, met zelfs geen hoopgevende roze schemering. Hij had het smalle pad door de bossen genomen, in de hoop dat zijn moeder, als ze hem achtervolgde, de hoofdweg zou kiezen, waarschijnlijk naar het zuiden, richting Norwich. Hij hoopte half dat ze hem achterna zou komen om hem terug te brengen naar Blackingham, terug naar Rose. Dan kon ze hem geruststellen dat het allemaal een boze droom was geweest, dat de wolschuur niet was afgebrand, dat hij nooit had gezondigd, nooit een meisje had ontmaagd. Maar hij wist dat zijn moeder hem niet zou zoeken op dit door varens overwoekerde pad, waar het wemelde van de struikrovers en feodale vluchtelingen.

Colin kende de gevaren van die route uit gesprekken die hij tussen Agnes en John had opgevangen. Als kleine jongen zat hij dikwijls in de keuken, onopgemerkt door Agnes, behalve als hij in de weg liep. Hij ging erheen voor het stukje marsepein dat de goedige kokkin hem gaf, en bleef dan rondhangen om naar de verhalen te luisteren die John vertelde over de kameraadschap tussen de vogelvrije bewoners van het bos. 'Het is niet zo'n hard leven als je denkt, Agnes. Het is een soort broederschap. En het duurt ook niet eeuwig. Na een jaar in het bos zouden we verlost zijn van Blackingham. Dan nog een jaar en een dag in een of andere stad, en daarna zijn we vrij. Stel je voor, Agnes. Vrij!'

Colin had begrepen wat hij bedoelde, zelfs toen al. Maar hij had er nooit over gepraat, omdat hij wist dat de herder dan straf zou krijgen. Hij wilde niet dat John zou worden afgeranseld of in het cachot gegooid. Maar John was nu dood en Colin op de vlucht. En dat allemaal door de brand die hij en Rose hadden veroorzaakt. Ze hadden niet met opzet die lantaarn in het wolhuis laten staan, áls ze dat hadden gedaan, wat Colin niet eens zeker wist. Maar een andere verklaring kon hij niet bedenken. Tenzij de brand een teken was dat ze gezondigd hadden op die plek – dat God Zijn vurige adem op de schuur had gericht, zoals Hij ook met Sodom en Gomorra had gedaan. Hoe dan ook, de brand en Johns dood waren zijn schuld. Rose viel niets te verwijten. Hij had haar verleid, dus hij moest boete doen. Als hij verdwaalde, eenzaam in het bos, terwijl zij in een veren bed sliep, als hij honger leed terwijl zij goed te eten kreeg... zo zij het. Zijn lijden zou haar verlossing zijn. Toch viel het hem zwaar om hier voor haar te bidden, en voor de ziel van John. Het was al moeilijk genoeg om aan God te denken terwijl hij al zijn energie nodig had om een slaapplaats te vinden.

De vorige avond had hij geluk gehad. Tegen het invallen van de schemering was hij op een ruwhouten hut gestuit, die als een reusachtige paddestoel tegen de voet van een grote eikenboom was gebouwd. Een verlaten kluizenaarshut? De schuilplaats van een vluchteling die elk moment kon terugkeren om hem te vragen wat hij hier deed? Maar John had gesproken over de broederschap van het woud. Misschien zou de rechtmatige eigenaar van de hut medelijden met hem krijgen en hem gastvrijheid aanbieden; misschien zelfs een korst brood met hem delen. Ten slotte was Colin in slaap gevallen op de met riet bedekte vloer, dankbaar voor deze beschutting tegen de koude wind.

Hij droomde van Blackingham.

Hij droomde van Rose.

Bij het eerste ochtendlicht werd hij gewekt door het geluid van een eenzame vogel. Hij sloeg de strootjes van zijn kleren en ging daar nog even mee door om warm te worden, stampend met zijn verdoofde voeten om zijn bloedsomloop op gang te brengen. Een hen die in een nest op de dakbalk zat maakte een hele drukte en kwam fladderend naar beneden. Colin stak een hand omhoog en doorzocht het nest. Eén ei. Onder het woedende gekakel van de kip brak hij het ei en zoog het leeg, heel voorzichtig, om niets te morsen. Heel even – te kort, helaas – stilde het de knagende honger in zijn maag. Hij wierp een schattende blik op de hen, die haastig naar het dak vloog, net buiten zijn bereik. Gelukkig maar. Een ei stelen was één ding, de kip om zeep helpen was iets heel anders. Toch hoopte hij dat de hen uit zijn buurt zou blijven, om niet in de verleiding te komen. Hij had niets meer gegeten sinds de vorige dag, toen hij onder een stapel bladeren een verschrompeld appeltje had gevonden. Maar al die tijd was hij nog geen enkel lid van Johns broederschap tegengekomen. Het pad leek verlaten, hoewel hij regelmatig het gevoel had dat hij in de gaten werd gehouden.

Het had die nacht gesneeuwd, zo'n vijf centimeter, te oordelen naar de dikte van de witte richels tussen het riet en de ruwe planken. Colin stapte naar buiten en verkende de omgeving. De wereld leek nieuw. Hij rekte zich uit en haalde diep adem. Het rook ook nieuw. En het was zo stil dat hij meende de slapende vossen in hun holen te horen ademen. Tijd om te vertrekken. Maar welke kant op? Er waren nergens voetstappen te zien in de maagdelijke sneeuw, en het smalle pad was nu ook verdwenen. De zon aan zijn rechterkant houden... Maar de zon ging schuil achter een parelwitte, roerloze mist. Ten slotte haalde Colin zijn schouders op en liep naar het zuiden – bij Blinham Priory vandaan.

Toen hij een paar uur later bij een hoofdweg kwam, was het al ruim na het middaguur en had hij nog steeds geen levende ziel gezien. Zijn voetstappen maakten geen geluid in de sneeuw, behalve zo nu en dan een bruine tak of dennenappel die onder zijn voet brak met een angstwekkend geluid in de doodse stilte. Het hele bos leek te slapen onder een donzen deken. De gevoelloosheid van zijn voeten strekte zich nu al tot zijn kuiten uit. Hij snoof de scherpe dennengeur op en veegde zijn druipneus af met zijn mouw. Het was weer gaan sneeuwen en hij verlangde ernaar om ergens te gaan zitten, maar dan zou hij misschien niet meer overeind komen uit de sneeuw. Daarom huilde hij bijna van opluchting toen hij de grote weg bereikte, ook al wist hij nu bijna zeker dat hij in de verkeerde richting liep. Tot zijn wanhoop bleek de weg net zo verlaten als het bos: geen pelgrims en geen marskramers op deze winterse dag. Maar als hij doorliep zou hij misschien ergens een schuur vinden waar hij kon uitrusten – met weer zo'n kip, als hij geluk had.

Hoewel hij geen tekenen van bewoning zag, rook hij tegen het middaguur toch de lucht van een turfvuurtje. Het begon steeds harder te sneeuwen en hij wist niet hoe lang hij het nog kon volhouden. Hij dreigde de moed op te geven... het landschap was al niet meer te zien in de sneeuwjacht... toen hij opeens een lange stok naar buiten zag steken boven de deur van een klein huisje. De aanduiding van een kroeg. Ooit was hij eens met zijn broer in zo'n bierhuis geweest. Daar kon hij eten en drinken kopen, dacht hij verheugd, totdat hij besefte dat hij geen cent op zak had. Nou ja, in elk geval kon hij zich warmen bij het vuur.

Toen hij de binnenplaats van de kroeg overstak hoorde hij een luid gelach. Op het kleine plaatsje stond een bontgekleurde wagen, meer dan levensgroot. Hij had zulke wagens wel eerder gezien. Ze hadden een platte bodem met een kleurige tent erop, die als toneel kon dienen. Waarschijnlijk behoorde de kar aan een groep artiesten toe, die in de kroeg waren verdwenen. Des te beter. In de drukte zou hij ongezien naar binnen kunnen glippen en misschien een korst brood kunnen vinden. Zelfs het voer in een hondenbak zou welkom zijn om zijn knagende honger te stillen.

Colin stapte naar binnen. 'Doe die deur dicht! Hou de kou buiten!' werd er meteen geroepen.

Snel sloot hij de deur. 'Neem me niet kwalijk.' Hij boog zijn hoofd, zodat de waard niet zou zien hoe jong hij was. Alfred zou hebben gebluft, maar Colin was zich te veel bewust van zijn jongensachtige – en onverzorgde – voorkomen.

‘Waard! Hier!’ riep iemand uit het halfdonker.

Blij dat de aandacht van hem was afgeleid leunde Colin tegen de deur om zich te oriënteren. Het stond er blauw van de rook en er hing een geur van gebraden gevogelte aan het spit. Zijn maag rammelde. Hij kroop weg achter twee kermisklanten, een tengere, pezige man en een gespierde collega, die goedmoedig stonden te discussiëren te midden van een groepje kleurig uitgedoste artiesten. Terwijl Colin zich bij het vuur warmde probeerde hij de etenslucht te negeren en luisterde met een half oor.

‘De douairière heeft me deze fluwelen tuniek gegeven. Als blijk van waardering voor mijn *fluweelzachte stem*,’ lachte een zelfingenomen praalhans, die behalve zijn rode tuniek ook een hoed met een pluim droeg.

‘O, dat is niets. Ik heb een gouden beurs gekregen van een edelman,’ zei de krachtpatser, terwijl hij zijn spierballen liet rollen.

‘Dat stelt toch niets voor! Een adellijke dame heeft mij heel wat meer gegeven dan een gouden beurs.’ De pezige man knipoogde met een dubbelzinnige grijns. ‘Ze was diep onder de indruk van mijn *acrobatiek*.’

Overal werd geloeid.

‘Dat is nog beter dan goud.’

‘Nee, niet echt. Lang niet zo lekker als Maud daar,’ verklaarde de acrobaat luid, en hij hief zijn beker naar een dienstmeid in de andere hoek, die deed alsof ze hem niet hoorde. ‘Alweer iets waar wij, gewone mensen, veel beter in zijn. Nietwaar, Maud?’

Maud gaf geen antwoord, maar de krachtpatser wel. ‘Daar drink ik op. Ik heb nog nooit een edelman gezien die tegelijkertijd in zijn neus kon peuteren en zijn kont kon krabben.’ Hij nam een slok bier en fronste. ‘Al die dames en heren met hun praatjes, die zich volvreten met zwanen en kolibrietongetjes, terwijl arme mannen honger lijden en hun vrouwen gek worden omdat ze beschimmelde rogge moeten eten. Ze paraderen als vette duiven in hun mooie kleren, maar negeren de bedelaars aan hun deur. Het is zoals die prediker zei, John Ball. Ik heb hem horen spreken na de mis in Thetford. Onthoud die naam:

John Ball. Die zul je nog vaker horen. Ball zegt dat God ons allemaal uit dezelfde klei heeft geschapen.'

'Dat klinkt als een van die Lollards.'

'Misschien wel, maar hij heeft gelijk. Waar heb je een priester voor nodig? Laat iedereen zijn eigen priester zijn, zeg ik.'

'Ja. En zijn eigen belastingen uitgeven.' De man met de pluim op zijn hoed knikte geestdriftig.

'Wat weet jij nou van belastingen?' grijnsde de krachtpatser, alweer goedgemutst. 'Als de ontvanger het geld komt innen roep jij altijd dat je geen cent hebt.'

'Misschien kan hij zijn mooie fluwelen tuniek aan de ontvanger geven,' opperde de acrobaat.

'Ja. En dan geef jij eentiende van wat die dame jou heeft gegeven!' De pluim op de hoed trilde van vrolijkheid. 'Maar dan moet hij wel tussen de lakens zoeken.'

Iedereen lachte.

Colin, die niet gewend was aan zulke dubbelzinnige humor, hoopte dat zijn rode gezicht aan de warmte van het vuur zou worden toegeschreven.

Hij keek naar Maud, die zwaaiend met haar brede heupen tussen de klanten door liep. Haar vrouwelijkheid – de druk van haar boezem tegen de linten van haar boerenschort – prikkelde zijn jongensfantasie minstens zo hevig als de primitieve lol. Hij vroeg zich af hoe haar zachte dijen zouden voelen, om hem heen geslagen. Die gedachte verwarde hem. Het was een herinnering aan dat deel van hemzelf dat de oorzaak was geweest van wat hij nu als een grote zonde beschouwde. En het herinnerde hem ook aan alles wat hij had opgegeven.

Maud bracht een blad met volle kroezen naar de artiesten. De krachtpatser pakte er een van het blad, terwijl de acrobaat een hand uitstak en haar in een borst kneep. Ze sloeg hem op zijn hand en draaide behendig weg.

'Als je het goud der dwazen zoekt, ga dan terug naar je adellijke dame. Ik heb geen *goud* om aan dwazen te verspillen. Je kunt je bier krijgen, maar verder niets,' zei ze, en ze goot een volle pul over zijn hoofd uit.

De anderen klapten in hun handen en joelden luid. Ook Colin onderdrukte een glimlach over de uitdrukking op het gezicht van de deugniet.

'Nou, jij bent wel gedoopt!' De pluim op de hoed trilde weer.

'Ja, en door een mooiere hand dan van een priester.' Het slachtoffer stak zijn tong uit en likte zijn lippen af. 'En het smaakt ook beter dan wijwater.'

Door al die vrolijkheid voelde Colin zich nog eenzamer. Toen hij eindelijk weer warm was, sloop hij van het groepje bij de haard vandaan, weg bij de geur van het gebraden vlees. Een van de artiesten had een luit neergelegd op een bank in een hoek. Colin pakte hem op en speelde er wat op, terwijl hij zachtjes zong.

'Je hebt een mooie stem, jongen.' Het was de pezige acrobaat. Colin had niet gezien dat de man hem was gevolgd. Hij legde de luit neer en bloosde. 'Neem me niet kwalijk. Is dat uw luit? Ik keek er alleen maar naar. Ik had geen kwaad in de zin.'

'Dat geeft niet.'

Colin wist niet wat hij zeggen moest. Hij hoopte dat de man terug zou gaan naar zijn kameraden, maar in plaats daarvan gaf hij Colin een teken om op te schuiven en kwam naast hem zitten.

'Kom je hier uit de buurt?'

Colin wist niet wat hij daarop moest antwoorden, omdat hij geen idee had wat 'hier' was.

'Ik kom uit Aylsham,' zei hij, voordat hij bedacht dat zijn moeder misschien spionnen had uitgezonden om hem te zoeken.

'Aylsham. Dat is dertig kilometer naar het noorden. Wat doe je dan hier, ten zuiden van Norwich?'

Ten zuiden? 's Ochtends de zon aan zijn rechterhand houden... Maar er was geen zon geweest. Colin voelde de moed in zijn schoenen zinken, en blijkbaar was hem dat aan te zien.

'Waar ga je heen?'

'Ik wilde naar Cromer, naar Blinham Abbey, om me aan te sluiten bij de broeders daar. Maar blijkbaar ben ik verdwaald.'

'Je ziet er niet goed uit, knul. Wanneer heb je voor het laatst gegeten?'

Colin staarde naar het riet op de vloer. 'Een tijdje geleden.'

'Waard! Een halve pint en een kippenbout voor mijn jonge vriend hier.'

'Ik heb geen geld.'

'Je mag zingen voor je eten. Wil er iemand een lied horen?'

'Ja!' klonk een stem van achter uit de kroeg. 'Een liefdesliedje. Geen hymne of een klaaglied. Daar zullen we er binnenkort nog genoeg van horen.'

Maud bracht hem een kroes en een bord eten. Terwijl hij het gretig naar binnen werkte vervolgde de pezige acrobaat: 'Wij zijn rondtrekkende spelers, op weg naar Falkenham voor het paasfeest. Vroeg in de zomer zullen we wel in Cromer zijn. We kunnen altijd een zanger en luitspeler gebruiken. Je mag met ons mee – als je het niet erg vindt om je gezicht te beschilderen. Geen loon, maar genoeg te eten.' Hij wenkte Maud om Colins kroes nog eens bij te vullen. 'En je krijgt fooien onderweg. Een knappe blonde jongen met een mooie stem... daar hebben de dames wel geld voor over. We spelen op feestdagen en banketten onderweg. Een leuke afwisseling van al die bijbelverhalen. Pas na aswoensdag beginnen we met de mirakelstukken. Omstreeks Pinksteren zullen we wel bij Blinham zijn.'

Colin hoefde niet lang na te denken. Wat voor keus had hij? Na een week onderweg was hij al verdwaald, koud en hongerig, nog verder van zijn reisdoel dan toen hij vertrokken was. En als hij naar huis zou gaan... een visioen van Rose doemde voor hem op, maar maakte snel plaats voor het verbrande gezicht van de dode herder. Als hij nu terugging naar de warmte en veiligheid van Blackingham, zou dat geen boetedoening zijn. Niet voor hem en niet voor Rose.

'Komen jullie ook door Aylsham?' vroeg hij.

'Ja, maar we hebben geen plannen om er te blijven.'

Dat was gunstig. Hij zou zijn moeder bericht kunnen sturen dat hij veilig was. Hij wist dat ze zich ongerust maakte. En zo zou hij toch in Cromer kunnen komen. Het ging alleen wat langer duren.

Colin scheurde het laatste vlees van de kippenpoot en veegde zijn handen aan zijn broek af.

'Nou, wat zeg je, jongen? Ga je mee met onze kleine groep?'

'Ik moet toch eten,' zei Colin. 'En het is een heel eind naar Cromer.'

De acrobaat lachte. 'Goed. Dat is dan geregeld.' Hij pakte de luit en gaf hem aan Colin. 'En nu spelen voor je eten.'

Colin stemde de luit. 'Ik ken wel een liefdeslied,' zei hij, en hij begon te zingen, met een trillende, nerveuze stem.

Zij is mijn stille liefde,
Die mij met haar schoonheid tart,
De mooiste van alle bloemen,
Aan haar behoort mijn hart.

Gewoon een liefdesliedje, dacht hij, terwijl hij zich schrap zette tegen de herinnering aan haar zachte lippen en de geur van haar haar. Opeens viel er een stilte in de kroeg. De artiesten luisterden naar de weemoedige klank van zijn stem en knikten goedkeurend.

Finn herinnerde zich de dolk in zijn laars. Ze hadden hem niet gefouilleerd, maar hem eenvoudig de trap afgeduwd, nog steeds geboeid, naar de donkere kerker onder het oude kasteel. Hij meende de cipier te herkennen die hem met een stok een pannetje waterige soep aanreikte. Daar hoefde hij niets van te verwachten.

Hij moest geduld hebben, dacht hij, terwijl hij de dagen afstreepte op de stenen vloer die hem als bed diende. Het was moeilijk om te wachten en kalm te blijven als hij terugdacht aan de paniek op Roses gezicht, maar het kon niet anders. Kathryn zou wel een advocaat sturen om zijn onschuld te bepleiten en de zaak recht te zetten. Maar die dingen kostten tijd, dacht hij op de tweede dag. Hij herinnerde zich de blik in Kathryns ogen toen ze de leugen had verteld. Het moest een misverstand zijn. Kathryn zou het wel oplossen. Alfred zou haar uitleggen waarom hij die parels daar had verstopt. Op de derde dag schreeuwde hij zijn woede en verontwaardiging uit, en slingerde zijn cipiers allerlei dreigementen naar het hoofd. Ze reageerden met rauw gelach – of helemaal niet – totdat Finn zijn stem kwijt was.

Toen er zeven streepjes op de steen stonden overwoog hij daadwerkelijk om zijn cipiers aan te vallen. Hij hoefde toch niet te wachten tot iemand hem kwam redden als een hulpeloze maagd die in een toren opgesloten zat? Maar als hij ontsnapte zou hij vogelvrij zijn, en zijn dochter ook.

Ten slotte was het de smerigheid die een lafaard van hem maakte – niet de duisternis van de kerker, niet de honger, niet de dorst die zijn dagelijkse rantsoen van vuil water met een laagje schapenvet nooit kon lessen, niet de naakte wanhoop die hem bijna gek maakte en steeds erger werd met het verstrijken van de dagen, tot hij ervan overtuigd raakte dat hij nooit meer weg zou komen uit dit onderaardse hol, waartoe hij was veroordeeld als Satan tot de hel. Het was zelfs niet de angst om zijn weerloze Rose of de pijn van de herinnering aan Kathryns verraad. (Dat raadsel tolde zo lang door zijn hoofd dat hij besloot er niet meer over na te denken, waardoor de vraag juist nog heviger terugkwam: Waarom, waarom, *waarom?* De woorden jammerden door zijn hoofd als de litanie van een groot-inquisiteur.) Nee, dat was het allemaal niet. Het was de smerigheid: de luizen die hij vloekend van zijn lichaam en uit zijn baard plukte, elke dag, elk uur, elke seconde, en verpletterde tussen zijn vuile nagels; de etterende korstjes over de beten van het ongedierte in zijn cel; het schimmelige slijm op de rotswand die als zijn stoel, bed en tafel diende. Het kwam door de stank van zijn eigen uitwerpselen. Dat was de nekslag.

Hij kon niet eens meer bidden. Welke god zou hem willen aanhoren in die smerigheid?

Er was niet veel verschil tussen dag en nacht; de duisternis werd alleen nog zwarter. Maar hij hield het verstrijken van de dagen bij aan de hand van zijn dagelijkse portie waterige soep en zette streepjes op de rots. Nu liet hij zijn hand eroverheen glijden. Eenentwintig streepjes. Eenentwintig dagen. Hoe kon een mens zo snel in een beest veranderen? Hij was te zwak om zijn boeien zelfs een meter mee te slepen om jacht te maken op de ratten die hem 's nachts met hun kraaloogjes aanstaarden. Wat had hij nog aan zijn dolk, behalve om zich op de punt te storten, zoals Saul op zijn zwaard? Eén snelle stoot onder de ribben. Maar een geluid – het schrapen van rattentanden langs een afgeknaagd bot van onzekere herkomst – genas hem van die verleiding. En de gedachte aan Rose, natuurlijk.

In zijn koortsige dromen kwam Kathryn naar hem toe en ging naast hem zitten in de herfsttuin. *Er hangt een geur van sappig fruit in de lucht, die zich vermengt met de turflucht van de rookschuur. Kathryn heeft haar hoofd gebogen over haar borduurkunst. De kleine benen naald glijdt in een zizagpad op en neer door de stof. De helft van haar gezicht gaat schuil achter haar zilveren haar, de andere ligt in de schaduw van een meidoorntak. Hij knielt naast haar, raakt de linten van haar mouw aan, maakt een scheiding in haar haar en fluistert in het porseleinen trompetje van haar oor. Ze lacht, met het geluid van helder water, borrelend in een beek, zuiver, schoon en fris. Dan tilt ze haar gezicht op om zijn kus te ontvangen. Een flitsende beweging van haar arm en ze steekt haar kleine benen naald in zijn oog. Hij ziet niets meer, behalve een withete pijn.*

Na die droom likte hij altijd de zoute tranen uit zijn mondhoeken als hij wakker werd.

Om de demonen uit zijn wakende nachtmerrie te bestrijden componeerde hij heldere voorstellingen in zijn hoofd – de kleuren en miniaturen voor de heilige Johannes, of een getijdenboek. Hij schilderde genoeg beelden op het doek van zijn oogleden om een heel leven mee vooruit te kunnen. Niet het weelderige evangelie waarvoor de abt hem had ingehuurd, en zeker niet de eenvoudige illustraties voor Wycliffes tekst. Nee, een psalmenboek, net zo glorieus als de God die David en Salomo hadden vereerd, in azuurblauw en dieprood, met marges van acanthusbladeren in bladgoud en een band van gedreven goud, afgezet met een krans van robijnen. Een boek dat de bisschop van Norwich zou laten kwijlen van hebzucht. Een boek dat zich kon meten met het legendarische Herimanns Evangelie uit 1185, vervaardigd in opdracht van de hertog van Saksen, de grote *Aurea Testatur*, vormgegeven in goud. Zijn oogleden deden pijn door de schittering van zijn droom.

En toen kwam de dag waarop hij zelfs niet meer de kracht bezat om dat heldere visioen vast te houden en er niets anders meer overbleef dan de kou, de knagende honger in zijn buik, de verstikkende duisternis, en de stank.

Het was op zo'n dag dat de bisschop hem ontbood.

XVII

Ik zag dat zijn mouwen (van de monnik) bij de hand
waren versierd
Met mooi grijs bont, het mooiste in het land,
En op zijn kap, om die bij de kin vast te maken,
Had hij een fraai gevormde speld van bewerkt goud.
GEOFFREY CHAUCER
THE CANTERBURY TALES (14DE EEUW)

Finn lag ineengerold en half verdoofd op de stenen vloer van zijn cel toen hij werd gewekt door de voet van de cipier in zijn maag. De man schopte hem in zijn buik en Finn hapte naar adem. Toen hij weer lucht kreeg, voelde hij een snijdende pijn. De cipier legde hem ijzeren handboeien om en sleurde hem overeind. Hij stond te wankelen als een oude man. Een streep licht viel door het geopende rooster boven zijn cel en stak hem in zijn oog als Kathryns kleine benen borduurnaald. Met half toegeknepen ogen tuurde hij naar zijn kwelgeest, die lachte.

'Je herkent me niet, is het wel? Herinner je je Sykes nog, die je te grazen nam vanwege een onschuldig geintje met een dwerg?'

Finn had hem wel herkend, de eerste dag al. Maar hij had gehoopt dat Sykes te dronken was geweest om zich hun confrontatie in de Beggar's Daughter te herinneren. IJdele hoop dus. Sykes wist het nog precies en liet zich zijn wraak niet ontgaan. Finn zei niets. De man moest maar doen wat hij niet laten kon. Hij zou er veel minder plezier aan beleven als zijn slachtoffer zich niet verzette. Daar had Finn trouwens toch de kracht niet voor. Hij boog zich naar voren en drukte zijn ellebogen tegen zijn middel om zijn pijnlijke ribben te ondersteunen.

'Nu heb je geen praatjes meer, mooie meneer. Je stinkt als een mestvaalt. Ik moet ervan kotsen. We zullen je eerst schoonmaken, anders wil de beul niet eens in je buurt komen met de strop. Nu durf je niet meer, zonder die dolk van je.'

De dolk. Misschien was dit zijn kans. Finn bewoog zijn linkervoet in zijn laars, maar voelde alleen het gladde leer, waar het mes had moeten zitten. Vaag herinnerde hij zich dat hij het naar een paar glinsterende ogen had geworpen in het donker en niet de moeite had genomen om het weer in zijn laars te steken. Dan had hij met zijn handen de slijmerige vloer moeten aftasten, en waarvoor?

De cipier duwde hem naar de trap. Finn struikelde over de eerste tree. Hij droeg nog steeds de voetboeien, al zo lang dat ze een deel van zijn lichaam leken. Zelfs de geschaafde huid rond zijn enkels had zich gehard tot een beschermend litteken.

'Ik kom de trap niet op met die boeien om mijn voeten. Je zult ze moeten losmaken.' Hij sprak heel zachtjes, door zijn pijnlijke ribben. Adem was te kostbaar om te verspillen.

'Ik hoef helemaal niks los te maken! Ik kan je gewoon de trap op schoppen, als een zak hondenstront. Maar dan vermoei ik mijn been, en dat kan ik later nog nodig hebben om je in elkaar te trappen.'

Hij maakte één ijzeren voetboei los, zodat de ketting en de andere boei rammelend achter Finn aan sleepten toen hij de trap beklom.

'Als je ideeën mocht krijgen om ervandoor te gaan, zou ik je dat niet aanraden.' Om die woorden kracht bij te zetten ging hij onverwachts op de ketting staan. Finn sloeg voorover en onderdrukte een kreet.

Toen ze de kale grond van de binnenplaats bereikten struikelde Finn opnieuw. Het licht verblindde hem en bezorgde hem hoofdpijn. De herrie was oorverdovend voor iemand die wekenlang in doodse stilte had geleefd: hinnikende paarden, kakelende kippen, nijdig geschreeuw, blaffende honden en rammelende wachtposten. Het was een zware aanslag op zijn zintuigen en opeens voelde hij een bijna religieus verlangen naar de rust en afzondering van zijn cel.

Het was een koude, heldere winterdag, en Finn droeg alleen zijn vuile hemd. Hij begon hevig te bibberen.

'Wat heb je daar, Sykes?' vroeg een van de mannen die bij de stallen rondhingen.

'Vlees voor de kraaien. Maar ik moet hem eerst schrobben, anders lusten zelfs de buizerds hem niet.'

'Heb je hulp nodig?'

'Nee, die lol hou ik liever voor mezelf.'

Finn strompelde halfblind verder, naar voren geduwd door Sykes, tot hij tegen een houten trog viel en voelde dat hij over de rand werd gegooid. Het koude water was een schok die zelfs de pijn in zijn ribben verdoofde. Hij probeerde eruit te komen, schopte met zijn vrije been tegen het hout van de trog en werkte zich half over de rand, maar een harde hand drukte zijn gezicht omlaag. De beul zou er niet eens aan te pas hoeven komen. Finn dwong zichzelf om zijn verzet op te geven en doodstil te blijven liggen, als een waterrat in de bek van een jachthond. Hij was niet tegen zijn tegenstander opgewassen, dus vechten had geen zin. Hij hoorde waarschuwende stemmen, gedempt door het water dat zijn oren binnenstroomde.

'Allemachtig, Sykes! Je hebt hem verdronken. Daar zal de bisschop niet blij mee zijn. Haal hem eruit.'

Nog een seconde en zijn longen zouden barsten.

'Nu meteen, zei ik!'

De hand liet zijn voorhoofd los en Finn schoot proestend en kokhalzend omhoog. Sykes greep hem bij zijn hemd, scheurde het halfopen, maar hield hem vast en tilde hem uit de trog. Een andere cipier rende naar hen toe en wikkelde hem in een deken.

'Despenser wil hem levend, idioot.'

'Ik moest hem toch wassen? Zo'n stank kunnen we de fijngevoelige neus van de bisschop niet aandoen. Dat zou niet netjes zijn.'

'Netjes? Ik zal je leren wat netjes is, addergebroed!'

Finn stond nu overeind. Het water stroomde van hem af, maar in elk geval had hij een deken om zich heen, die weliswaar niet echt schoon was, maar toch een hele verbetering vergeleken bij het vod dat hij had achtergelaten. Hij stond onbeheerst te rillen, maar het koude water – Sykes had een gat in het ijs op het water van de paardentrog geslagen waar hij hem doorheen had geduwd – hielp hem in elk geval om na te denken.

De bisschop had hem ontboden. Hij zou dus worden gehoord. Dan kon hij maar beter zijn verdediging voorbereiden. Huiverend luisterde hij naar de ruziënde cipiers, terwijl hij het ingestorte bouwwerk van zijn argumenten restaureerde dat hij in het begin van zijn gevangenschap had opgebouwd.

Sykes droop af naar de stallen, terwijl zijn commandant Finns boeien losmaakte. Finn masseerde zijn enkels. Ze voelden licht en vreemd zonder de boeien.

'Wat is het voor dag?' vroeg hij aan de nieuwkomer. Zijn tanden klapperden zo dat hij moeite had met de woorden. Hij kon niet ophouden met rillen.

'Zeven januari. Gisteren was het Driekoningen.'

Lieve god. Hij had meer dan een maand in die beerput gelegen. Hij begon nog heftiger te beven. Elke rilling deed pijn aan zijn gebroken ribben.

'Kom mee. We moeten je ontdooien en fatsoenlijk aankleden voordat je naar de bisschop kunt.' De commandant bekeek Finn nog eens, alsof dat laatste geen eenvoudige opgave was.

'Krijg ik dan een proces?'

Eindelijk had er iemand alarm geslagen. Lady Kathryn had toch haar invloed aangewend. Zijn schandelijke behandeling was alleen de schuld geweest van die schoft van een Sykes.

'Ik weet niets van een proces, alleen dat de bisschop je heeft ontboden naar de torenkamer.' De commandant gaf Finn een teken om hem te volgen.

Eenmaal in de donjon die als wachtlokaal dienstdeed kon Finn zich een beetje warmen aan een houtskoolbrander en kreeg hij een kop soep, die hij in zijn handen klemde alsof het de Heilige Graal was. Hij dronk met kleine slokjes, omdat zijn maag het anders niet aankon. Eindelijk namen de rillingen wat af. En als hij zijn bovenlijf doodstil hield, was de pijn nog draaglijk.

'Heeft er ook iemand anders naar me gevraagd? Een dame, de edelvrouwe van Blackingham? Of mijn dochter? Ze heet Rose.'

'Niet dat ik weet. En ik zou het hebben gehoord, want ik ben hoofd van de wacht hier.'

Als om dat te bewijzen draaide hij zich om en gaf bevel een bad te laten vollopen en bij het vuur te zetten. Finns laatste bad was voor de haard in Kathryns kamer geweest. Voordat ze hem had verraden. Hij zou nooit meer schoon worden.

'Nu ik erover nadenk was er inderdaad iemand die naar de miniatuurschilder vroeg. Dat ben jij toch?'

Finn knikte.

'Hij zei dat hij bericht had van Blackingham. Een dwerg. Raar klein mannetje. Ik heb hem naar je bewaarder gestuurd.'

Zijn bewaarder, Sykes. Dus ze hadden hem niet helemaal in de steek gelaten. Kathryn had Half-Tom gestuurd, maar Sykes had hem tegengehouden.

De commandant stond op, met een rammelende sleutelbos, en gooide Finn een oude handdoek toe.

Maar wel schoon. Finn voelde zijn ogen prikken. Hij zou toch niet tegenover de commandant in tranen uitbarsten door de aanblik van een schone handdoek en een stuk zeep?

'Ik moet mijn ronde doen,' zei de man. 'In dit kasteel logeren ook adellijke *gasten.* Voornamelijk Fransozen. Die worden vastgehouden voor losgeld. Ze betalen mij extra voor wat luxe.' Hij knipoogde tegen Finn. 'Er is een hertog uit Bordeaux met een voorkeur voor blondines met een dikke reet.'

Hij gooide Finn een schone broek en een hemd toe, niet van fijn linnen, maar stevig Engels popeline.

'Het spijt me, ik kan je natuurlijk geen scheermes geven. Maar hier is een kam voor je haar en je baard. Gebruik de fijne tanden, want de bisschop houdt niet van luizen.'

Finn nam de kam aan en legde hem op het stapeltje, dat hij bij zijn lichaam vandaan hield om de kleren niet te besmetten met de viezigheid van zijn lijf. 'Nog één ding, als ik vragen mag – hoewel ik u daar in deze omstandigheden niet onmiddellijk voor kan betalen.'

De commandant glimlachte. 'Vraag maar.'

'Ik denk dat Sykes mijn ribben heeft gebroken. Als u me een stevige band kunt brengen om mijn borstkas in te snoeren, zal ik dat niet vergeten.'

'Dat kan ik wel regelen voor een speciale gevangene van de bisschop.'

'Een schone band. Als het niet te veel moeite is?'

De commandant lachte en Finn besefte dat hij meer van zichzelf had blootgegeven dan verstandig was in deze situatie. Maar hij werd zo geobsedeerd door de gedachte om weer schoon te zijn dat hij het antwoord van de commandant maar half gehoord had. De man sprak over de 'speciale gevangene van de bisschop'. Dat klonk onheilspellend.

'Ja, een schone lap stof. En ik zal een jongen sturen om je te helpen bij het aanbrengen van die band. En wat papaversap tegen de pijn. Daarna brengt een cipier je naar de bisschop.' Opeens verdween zijn lach en vervolgde hij: 'Als je plannen had om aan mijn mannen te ontsnappen, zou ik je dat niet aanraden. Dit kasteel wordt goed bewaakt en deze ontmoeting met Henry Despenser is misschien je laatste kans. Dus probeer mee te werken. Ik heb zelfs mensen van hoge komaf gekend die spoorloos binnen de muren van deze burcht verdwenen zijn.'

Henry Despenser troonde hoog op zijn rechte stoel, met zijn oren gespitst, net als de windhond die aangelijnd aan zijn voeten lag. Het was een bestudeerde pose, waarmee hij zijn bezoekers dwong om voor hem te knielen. (Bisschop Henry Despenser vond een gewone buiging veel te min.) Met de beringde wijsvinger van zijn vlezige, vierkante linkerhand streelde hij het oor van de hond. Zijn rechterhand rustte op de armleuning van zijn stoel. Met de zegelring aan zijn middelvinger tikte hij ritmisch en onophoudelijk op het eikenhout. De bisschop genoot van zijn macht. Iemand onderwerpen aan zijn wil, vooral de gevangene die hij nu had laten komen, was een extatische ervaring die bijna een erotisch hoogtepunt benaderde.

Hij keek om zich heen. De kamer was gereed. Zijn personeel kende zijn aandacht voor details. De hond spitste zijn oren, en Despenser hoorde het nu ook: het geluid van een lang zwaard dat over de trap sleepte, gevolgd door voetstappen.

Hij spreidde de met bont afgezette zoom van zijn mantel om nog meer indruk te maken. Al die drukte voor een gewone schilder – maar ook een ketter, misschien. Het zou de moeite waard kunnen zijn, en in elk geval mocht de onbeschaamdheid van de man niet ongestraft blijven. Bovendien was er nog de kwestie van de retabel, het altaarstuk van vijf panelen, dat hij nodig had voor de kathedraal. Waarom zou hij daarvoor betalen als hij het voor niets kon krijgen? Hij had het werk van de kunstenaar gezien: zijn zekere lijnvoering, zijn prachtige kleuren. Het was een talent waar hij jaloers op was. En omdat hij die gave zelf niet bezat, zou hij zich de man toe-eigenen die er wel over beschikte.

Hij drukte een vingernagel in de vacht van de teef, diep in de zachte holte tussen het oor en de schedel. De hond rilde, maar bleef stil liggen. Ze gromde zelfs niet. Een goedgetraind dier, met een goede meester. Despenser eiste absolute gehoorzaamheid.

Voorzichtig werd er op de deur geklopt. Henry streelde de kop van de hond. Ze jankte zachtjes in haar keel en trilde weer even voordat ze haar kop op haar voorpoten legde.

'Benedicite.'

'Uwe eminentie.' De commandant stapte over de drempel en liet zich op een knie zakken. Zijn lange zwaard sloeg tegen de stenen plavuizen. De kunstenaar die achter hem stond boog zijn hoofd, maar meer ook niet.

'Knielt uw gevangene niet voor de Heilige Kerk?'

De commandant gaf een ruk aan Finns arm en dwong hem op zijn knieën. Maar het ging niet van harte, en niets in de houding van de tekenaar wees erop dat die weken in de kerker hem voldoende nederigheid hadden bijgebracht. Goed. Dan zou de overwinning des te zoeter smaken.

'De gevangene is gewond, eminentie. Zijn ribben zijn ingesnoerd. Daarom is het moeilijk voor hem om u de vereiste eer te bewijzen.'

'En die verwonding is ontstaan terwijl hij hier in bewaring was?'

'Een ongeluk, eminentie. Hij is gestruikeld op de trap.'

'Juist.' Henry glimlachte. 'U moet wat voorzichtiger zijn, heer... Finn, is het niet? Sta op.'

Er gleed een grimas van pijn over het gezicht van de gevangene toen hij moeizaam weer overeind kwam. Henry streelde nog steeds de kop van de hond.

'U kunt gaan, commandant.'

'Maar, eminentie, deze man wordt beschuldigd van moord.'

'Ik ken de aanklacht. Maar u kunt gaan.'

Terwijl de commandant aarzelend vertrok, richtte Despenser zijn aandacht weer op Finn. Menigeen zou verbleken onder die vorsende blik. De bisschop moest toegeven dat het de man niet aan discipline ontbrak.

'Hebt u die priester vermoord, heer Finn?'

'Ik ben geen moordenaar, eminentie. Er is mij een groot onrecht aangedaan, zoals u zult beamen als u de bewijzen hebt gehoord. Als u mijn dochter wilt ondervragen, zal zij...'

Henry wuifde zijn woorden weg.

'Een dochter die haar vader niet wil verdedigen is geen knip voor de neus waard. Bovendien is dat nog te vroeg. De drost is nog bezig met het verzamelen van de bewijzen. Dat gaat niet zo snel. Sir Guy heeft ook andere zaken aan zijn hoofd. Dat zegt hij, tenminste. Ondertussen zult u begrijpen dat de Kerk een mogelijke moordenaar niet vrijuit kan laten gaan.'

Zeker niet met jouw ketterse contacten, dacht hij erbij.

Hij zag hoe het holle gezicht van de gevangene vertrok van woede. Wonderlijk, hoe snel een gezicht zo'n uitgehongerde, opgejaagde uitdrukking kon krijgen. Hij had de man twee keer eerder gezien: de eerste keer toen hij brutaal kwam opbiechten dat hij een varken had gedood, en de tweede keer toen hij een opdracht van de bisschop had geweigerd. Beide gelegenheden stonden in Despensers geheugen gegrift. Maar toch zou hij de kunstenaar nu niet hebben herkend, behalve aan zijn uitdagende houding. Vijf weken in Castle Prison hadden daar nauwelijks iets aan veranderd. Een waardige tegenstander.

'We kunnen u niet in vrijheid stellen, maar u wel wat gerieflijker omstandigheden aanbieden in afwachting van uw proces. Een kerker is geen plaats voor een man van uw talenten. Natuurlijk verwacht ik dan wel uw medewerking. Maar ik vergeet mijn plichten als gastheer. U ziet er niet goed uit. Bent u ziek geweest?'

De heerlijke geuren vanaf de gedekte tafel bij de haard misten hun uitwerking niet. Henry klapte in zijn handen en zijn bejaarde bediende verscheen in de deuropening.

'Seth, maak de tafel gereed en help heer Finn in een stoel, voordat hij flauwvalt. Geef hem een glas wijn.'

Henry kwam zelf ook overeind en liep naar de tafel. Daar pakte hij een kwartelborst, doopte die in een zwarte gembersaus en nam er een paar kleine hapjes van.

Hij zag dat Finn zijn blik afwendde en herkende de mengeling van begeerte en onpasselijkheid waar de man nu tegen vocht. Na een lange tijd vasten – en deze gevangene had heel wat langer honger geleden dan die paar heilige dagen waarop de bisschop zich van voedsel onthield – kon de lucht van een rijke maaltijd de zintuigen overweldigen, met heel onprettige gevolgen.

'Wees mijn gast, alstublieft. U moet nu wel genoeg hebben van onze eenvoudige gevangeniskost.'

Finn schudde zijn hoofd. 'Alleen brood – om het effect van de wijn te verzachten. Mijn maag is nog gewend aan het karige rantsoen van mijn kerker.'

Juist. De bisschop zou dus niet de kans krijgen om de verwaande kunstenaar op zijn eten te zien aanvallen, gevolgd door een vernederende aanval van misselijkheid. Maar Henry knikte instemmend en de bediende legde een snee brood voor Finn neer.

'Misschien nog wat appelmoes,' zei de gevangene, toen hij een klein slokje van zijn wijn had genomen. 'En een plakje gewone kaas, als het kan.' Hij duwde zijn stoel bij de tafel vandaan, wat dichter naar het vuur toe.

Seth sneed wat kaas af. Finn schudde zijn hoofd en de bediende sneed het plakje doormidden, en toen nog eens.

Henry fronste, maar hij had bewondering voor de wilskracht van de man. 'Ik hoop dat uw cel redelijk comfortabel was.' Hij ging tegenover de kunstenaar zitten om het effect van zijn ironische woorden te bestuderen.

'Het is een hol dat de duivel voor zijn ongedierte heeft geschapen.' Finn doopte zijn brood in de appelmoes en kauwde zorgvuldig.

Henry nam een suikertaartje en deed er een klodder slagroom op. 'Dit is werkelijk heerlijk. U zou echt...' Hij slikte en likte toen zijn vingers af. 'Het spijt me als uw cel niet naar genoegen was. We hebben ook andere mogelijkheden. Deze kamer bijvoorbeeld is minder... Spartaans ingericht dan de kelders.'

Met een handgebaar wees hij naar het bed met de schone veren matras, de kapstok met de frisse linnen hemden en broeken, en de lage werktafel met penselen en inktpotten.

'De bisschopsstoel zou natuurlijk worden weggehaald. Maar er staat nog een andere leunstoel en de werktafel lijkt me groot genoeg. De kamer ligt hoog in de toren en heeft zelfs een raam waardoor de blauwe lucht te zien is. Dat lijkt me belangrijk voor een gevangene: uitzicht op de blauwe hemel. Je kunt hier voor het raam staan en de rivier voorbij zien stromen. Zo'n cel zou zelfs een toevluchtsoord kunnen worden voor iemand die zijn kunst is toegewijd.'

De gevangene zei niets. Hij dronk van zijn wijn, nam een voorzichtige hap van het plakje kaas, dat hij bestudeerde alsof het een zeldzame lekkernij was, en liet zijn blik toen op de verf en de penselen rusten. Henry zag hoe Finns hand een onwillekeurige beweging maakte, alsof hij een marterharen penseel tussen zijn vingers greep.

De bisschop glimlachte en nam een flinke slok van zijn eigen glas. 'Een goede wijn. De Fransen zouden zich moeten beperken tot het maken van rode wijn en de paus aan Rome overlaten. Maar over uw proces gesproken... Natuurlijk kunt u een beroep op de koning doen, maar dat zal u weinig baten, omdat hij geen jurisdictie heeft in kerkelijke zaken. In dit geval zal de Heilige Stoel uitspraak doen. Het gezag van de koning speelt pas weer een rol in de fase van de terechtstelling.'

Hij wees naar een kleine kist. 'Daarin bevindt zich schoon linnengoed. De bewoner van deze cel zou elke week schone kleren krijgen.' Hij tuurde naar zijn nagels en draaide aan zijn zegelring. 'Als u een snel proces wilt...' Zijn hermelijnen mantel bewoog mee toen hij zijn schouders ophaalde. 'Een overhaast moordproces loopt meestal slecht af voor de beklaagde. Het is beter om er de tijd voor te nemen, banden te smeden...' Hij nam weer een hap, veegde zijn mond af en keek om zich heen. 'Er is hier genoeg licht voor een schilder, denkt u niet? Als u die werktafel recht onder het raam zou zetten?'

De gevangene zette zijn wijnglas neer en kwam abrupt overeind. Hij liep naar het raam en keek naar buiten. Hij waagde het de bisschop zijn rug toe te keren! Henry aarzelde, maar besloot die onbeschaamdheid te negeren.

'Natuurlijk kunnen we u een proces aanbieden volgens de Heilige Schrift. Dat gaat snel. Dan zou u vanavond al vrij kunnen zijn.'

'Of dood,' antwoordde Finn, zonder zich om te draaien.

'Inderdaad. Afhankelijk van de tekst waarop mijn vinger terechtkomt.'

'Of uw interpretatie van die tekst.' Finn draaide zich eindelijk om en keek Henry aan.

'Precies.' De bisschop had al in geen tijden zo'n plezier gehad.

'En wat wordt er van een kunstenaar verwacht in ruil voor zo'n bijzondere behandeling?'

Aha, nu beginnen de onderhandelingen, dacht Henry. 'Niets meer dan wat u al deed voor het moment van uw onfortuinlijke arrestatie. Misschien weet u nog dat ik u opdracht wilde geven voor een altaarstuk met panelen van de kruisiging, de wederopstanding en de hemelvaart van onze Heer. Dat gesprek staat u nog voor de geest?'

'Vaag,' gaf Finn toe.

'Naar ik me herinner had u toen niet genoeg tijd om zo'n groot project recht te doen.' Henry glimlachte. 'Welnu, het noodlot lijkt opeens voldoende tijd voor u te hebben vrijgemaakt.' Hij genoot met volle teugen. 'Nietwaar?'

Het bleef even stil. Finns kaakspieren spanden zich alsof hij op iets taais en bitters kauwde, maar zijn stem klonk rustig genoeg toen hij antwoordde: 'Zo'n opdracht als u bedoelt zou veel talent en concentratie vergen. Wat staat daar tegenover?'

'Wat daar tegenover staat? Het ontbreekt u niet aan moed om eisen te stellen in de situatie waarin u hier verkeert.' Het was warm en benauwd in de kamer. Henry voelde zweetdruppels bij zijn haarlijn. Maar zijn gevangene scheen er geen last van te hebben. Hij was zelfs nog dichter bij het vuur gaan staan. 'U krijgt eens per week een verschoning, en een bediende houdt uw kamer schoon en maakt uw eten klaar.'

'Een mens leeft niet bij brood alleen, zo staat geschreven.'

Finn stak zijn handen uit naar het vuur en raakte bijna de vlammen aan.

Allemachtig. Als de man nog dichter naar de haard kroop, zou hij er middenin zitten. 'Probeer me niet te slim af te zijn, kunstschilder. Als u mij door uw keuze van bijbelteksten de rol van de duivel wilt opdringen, mag ik u erop wijzen dat u zelf niet Jezus Christus bent. Let op uw eigen ziel. Daar hebt u genoeg problemen mee, zelfs als het bloed van de priester niet aan uw handen kleeft, zoals u beweert. Sir Guy heeft me verteld over de schandalige vertalingen die hij in uw bezit heeft gevonden. U verkeert in duivels gezelschap, kunstenaar – mensen als John Wycliffe en John of Gaunt. Dat zijn niet de vrienden die u nu nodig hebt. Misschien zou u uw ziel nog kunnen redden met een kunstwerk van werkelijk heilige kwaliteit.'

'Ik dacht dat ik daar al mee bezig was. Maar ik doelde eigenlijk niet op mijn ziel. Ik heb een dochter. Zij is van mij afhankelijk voor haar levensonderhoud.'

'Dan zou ze weinig aan u hebben als u dood was.'

'Maar ik ben nog niet dood.'

Henry kreeg genoeg van dit spelletje. Hij pakte een zilveren schaaltje met gehakt van de tafel, zette het voor de windhond op de grond en liep terug naar zijn hoge, rechte stoel. Ongeduldig tikte hij met zijn ring tegen het hout. De hond hield haar kop schuin en keek hem aan.

Toen de bisschop haar negeerde, jankte ze even. Hij knikte en ze begon het gehakt naar binnen te werken.

'Voor uw dochter wordt gezorgd.'

'En mag ze me ook bezoeken?'

De honger in de ogen van de man was nauwelijks verhuld. Aha, eindelijk had Despenser zijn zwakke plek gevonden. Hoe kon hij daar het best gebruik van maken? Geen overhaaste beloften. De kunstenaar in het onzekere laten. Hem laten spartelen als een vis aan een hengel. Misschien zou deze vangst nog meer opleveren dan alleen een altaarstuk voor de apsis van de kathedraal.

'Over een week kom ik terug. Ondertussen kunt u een spel kaarten voor me tekenen – vier kleuren, met kardinalen, aartsbisschoppen, koningen en abten. U weet wat ik bedoel?'

'Ik heb aan het hof wel met zulke kaarten gespeeld: koningen, vrouwen en boeren.'

Aan het hof. Dus de man wilde zelf ook enige invloed aanwenden. Goed, heel goed. Zijn connecties aan het hof zouden rechtstreeks naar de hertog van Lancaster en zijn nest van Lollard-ketters kunnen leiden.

'Schilder ook de achterkanten, met mijn wapen erop: een bisschopsmijter en de sleutels van de heilige Petrus, aan weerskanten van een gouden kruis op een rood veld.'

Hij schopte het zilveren bakje bij de snuit van de hond vandaan, pakte haar riem en liep naar de deur. 'Roep de commandant om mijn stoel te dragen,' riep hij tegen Seth, die half zat te slapen op de gang.

'Ik heb speciale was nodig om de kaarten te harden,' zei Finn.

Henry pakte de beurs die aan zijn gordel hing en haalde er een shilling uit. 'Stuur de bediende om te kopen wat u nodig hebt. Als dit niet genoeg is, zeg dan maar dat het voor de bisschop is. Weigert de verkoper u de spullen mee te geven, noteer dan zijn naam.'

'Kan mijn dochter op bezoek komen?'

'We zullen zien. Als de speelkaarten me bevallen.'

'Over twee dagen zijn ze klaar.'

'Er is geen haast bij. Ik kom over een week pas terug. U hebt tijd genoeg.' Hij trok het koordje van de beurs weer dicht. 'O, schaakt u ook?'

'Ja, ik weet iets van het spel.'

'Mooi zo. Dan neem ik de volgende keer een schaakbord mee.'

Henry glimlachte en liet de deur achter zich dichtvallen. Een heel productieve middag. En hij zou nog op tijd terug zijn voor de vespers.

Morgen zou hij de kluizenaarster ondervragen.

XVIII

De liefde van een moeder is het meest dichtbij, het meest tot steun en het meest betrouwbaar. Het meest dichtbij door de innigste band; het meest tot steun door de liefde; het meest betrouwbaar door de waarheid. Niemand zou die zorg ooit zo volledig kunnen invullen als Hij alleen... Onze ware Moeder Jezus. Alleen Hij voert ons naar vreugde en een eeuwig leven...

JULIAN VAN NORWICH, *GODDELIJKE OPENBARINGEN*

Als Rose niet moest overgeven lag ze wel op haar knieën voor het kleine altaar van de Madonna. Wat zou haar vader zeggen als hij zou zien wat ze met zijn werktafel had gedaan? Hij zou het niet goedkeuren. Ze had hem vaak genoeg horen klagen over 'die vrome figuren', die 'hun geloof als een dure jas over een smerig onderhemd droegen'. Maar ze wist ook dat hij het haar niet zou misgunnen. Wanneer had hij haar ooit iets geweigerd?

Het kleine beeldje van de Madonna met het Kind was nog haar enige troost. O, Agnes en die kleine keukenmeid waren wel lief voor haar en zorgden ervoor dat ze eten kreeg, en hout voor het haardvuur, maar ze werkten voor lady Kathryn. En lady Kathryn was niet meer te vertrouwen. Dus leek het kleine albasten beeldje van de Heilige Maagd in haar blauwe mantel nog haar enige steun en toeverlaat. De kaars die Rose op haar provisorische altaar permanent liet branden weerkaatste in Maria's geschilderde ogen en gaf ze een gloed van medeleven als Rose haar gebeden zei tot de Koningin van de Hemel – gebeden voor haar vader, voor Colin en voor de baby die in haar buik groeide. Als ze midden in de nacht wakker schrok door de beelden van Finn die in ijzeren boeien werd afgevoerd, viel het kaarslicht over het gezichtje van de kleine Jezus, dat zo een roze blos vertoonde. Net als een levend kind, dacht ze, met haar handen tegen haar buik gedrukt. Net als het kind dat Colin haar had gegeven.

Als ze het Ave Maria bad – sommige woorden waren wel moeilijk, vooral omdat ze niet zo'n degelijke christelijke opvoeding had gekregen – vroeg ze zich af of haar vader ook bad. Ze hoopte het maar. Het zou hem net zoveel troost geven als haar. Ze bezat geen rozenkrans, maar bij elk Ave streek ze over het kruisje aan het zijden koord om haar hals. Ze had eigenlijk nooit zo over die hanger nagedacht, maar nu vond ze het wel vreemd dat haar vader, die zelf geen tekenen van vroomheid op zijn lichaam droeg, haar had voorgehouden dat ze dat kruisje altijd moest dragen. Dat was haar bescherming, had hij gezegd. En die bescherming had ze nu hard nodig. Haar lippen bewogen bij elk gebed, maar het enige geluid in de kamer was het ruisen van haar satijnen rok over de stenen plavuizen en het knetteren van de kooltjes in de haard. Rose had het altijd koud, ondanks het loeiende vuur.

Voetstappen stoorden haar in haar gebed.

'Het is hier om te stikken, Rose.' Lady Kathryn gooide een luik open en liet een koude windvlaag binnen. De kaarsvlam flakkerde. Rose hield beschermend haar hand eromheen en zette de kaars haastig uit de tocht. 'En het is niet gezond voor je om zo lang op je knieën te zitten. Colin had je nooit die Madonna moeten geven. Je wordt veel te fanatiek in je geloof.'

Rose huiverde. 'Net als Colin, bedoelt u. Misschien kan ik beter bij de nonnen gaan wonen, als Colin toch een monnik wordt.' Het was een poging om een reactie bij Kathryn uit te lokken.

'Het lijkt me iets te laat om nog de bruid van Christus te kunnen worden, vind je niet?' zei Kathryn fronsend, terwijl ze het meisje een beker aanreikte. Rose was opgestaan en zat nu op het bed. 'Hier. Drink maar snel op, dan smaakt het niet zo vies.'

Rose sloeg haar sjaal om zich heen en verzamelde haar moed. 'Ik drink het niet op.'

'Wat bedoel je, "ik drink het niet op"?'

'Ik... het is niet gezond.' Ze haalde diep adem. Waar moest ze heen als lady Kathryn haar de deur zou wijzen? 'Ik weet heus wel wat u probeert.' Haar toon was uitdagend, maar vanbinnen trilde ze.

'O ja? Wat probeer ik dan?' vroeg lady Kathryn zacht en toonloos, terwijl ze Rose strak aankeek.

'U probeert mijn baby te vergiftigen, zodat hij zal... verdwijnen. U wilt me straffen, omdat ik Alfred heb beschuldigd.' Wat minder uitdagend, half smekend, omwille van haar kind... Colins kind... ging ze verder: 'Maar wat ik zei was alleen maar de waarheid.'

Dat laatste woord slikte ze half in. Ze had een droge keel en voelde haar ogen prikken, maar ze was niet van plan om in huilen uit te barsten tegenover lady Kathryn. 'U haat me omdat Colin is weggelopen. Als zijn baby doodgaat in mijn buik, kunt u mij ook wegsturen.'

Zo, dat was eruit. Eindelijk had ze haar grootste angsten onder woorden gebracht.

Kathryn stond naast het provisorische altaar, met in haar ene hand de beker, als een kelk met gif, en haar andere hand op de Madonna. Ze gaf niet meteen antwoord. Met een vinger volgde ze de contouren van het kindeke Jezus, als iemand die helemaal verdiept was in een studieobject. Rose kon haar gezichtsuitdrukking niet peilen. Ze leek mager en kwetsbaar. Als Rose zich niet zo bedreigd zou hebben gevoeld door het wrak van de vrouw die nu duister boven haar uit torende zou ze medelijden met haar hebben gehad. Lady Kathryn stond tussen haar en het raam in. Het koude licht werd gefilterd door een dunne, grijze nevel, die haar bleke gelaatskleur nog benadrukte.

'Ik kan je toch wel wegsturen,' zei ze zacht, haast in zichzelf. 'Colin weet nog niets van de baby. Hij zou het nooit hoeven te weten.'

Rose dacht dat ze zou flauwvallen.

De vlam van de kaars op het altaar danste grillig. Buiten klonk het gerommel van een onweersbui, kilometers van Blackingham, ver boven zee – een vreemd verschijnsel in deze tijd van het jaar. Lady Kathryn liep naar het raam. Nog een windvlaag en weer die gedempte donderslagen, als de rommelende maag van een hongerige man. Lady Kathryn keek naar de inhoud van de beker in haar hand en toen naar Rose, alsof ze haar voor het eerst zag. Rose zei niets. Wat kon ze zeggen? Moest ze smeken, ter wille van het kind? Zou het enig verschil maken voor deze vrouw, die ze niet langer kende?

Een lok haar waaide voor Kathryns gezicht in de kille bries. Ze veegde hem weg met haar vrije hand en streek met haar vingers door de warrige bos. Iets – een half, droog blaadje – viel op haar wollen jurk. Ze sloeg het weg en keek verbaasd naar een opgedroogde vlek in haar rok. Ze probeerde hem weg te wrijven. Ten slotte keek ze Rose weer aan, met het gezicht van iemand die wakker werd uit een akelige droom.

Ze hief de beker op en gooide de inhoud uit het raam.

Rose schrok zo van die plotselinge beweging dat ze achteruit sprong, alsof ze een klap gekregen had.

'Je hoeft dit niet meer te drinken,' zei Kathryn. Toen haalde ze haar schouders op en voegde er met een bitter lachje aan toe: 'Het werkte trouwens toch niet.'

Rose trok haar sjaal wat dichter om zich heen, nog altijd huiverend. 'Vrouwe, ik wil alleen...'

Lady Kathryn hief bezwerend een hand op. 'Niemand zal jou wegsturen, Rose. Niemand zal jou kwaad doen.' Ze keek naar de lege beker in haar hand. 'En jouw kind zal niets overkomen.'

De woorden galmden door Roses hoofd als een voorspelling.

'Ga maar door met bidden.' Lady Kathryn sloeg haar hand tegen haar mond alsof ze probeerde een kreet te onderdrukken. Ze draaide zich om en sloot het raam, met haar rug naar Rose gekeerd. 'Bid ook maar voor mij, als je wilt,' zei ze met een klein stemmetje.

Rose ademde uit – een diepe, sidderende zucht. 'Dank u, vrouwe,' zei ze. 'Dank u. Ik zal bidden voor ons allemaal.'

Het liefst had ze haar armen om de oudere vrouw heen geslagen. Lady Kathryn leek zo zielig en triest, met haar verwarde haar en haar vuile kleren, nog slechts een schaduw van de trotse vrouw die ze ooit was. Maar Kathryn rechtte haar rug en bleef op afstand, alsof ze vond dat er al te veel rauwe emotie tussen hen was geweest.

Toen ze naar de deur liep, bleef ze nog even staan en zei zonder om te kijken: 'Ik zal Agnes vragen om Glynis iets voedzaams te laten brengen, een kandeeldrank met melk en eieren.' Toen, een beetje afwezig: 'En als ze komt, vraag haar dan om me schone kleren en badolie te brengen. Ik heb een goede wasbeurt nodig.'

Julian hoorde het slechte nieuws over Finn van haar bediende Alice.

'Herinner je je die Welshman nog die het meisje hier bracht dat gestorven is? Hij zit in Castle Prison.' Ze schoof een dampende kom soep door het luikje terwijl ze het zei.

Julian kon haar schrik niet verbergen. 'In de gevangenis? Waarvoor?'

'Op beschuldiging van moord. Moord op een *priester!*' Alice sloeg een kruisje, alsof het kwaad waarvan de miniatuurschilder werd beschuldigd de keuken zou kunnen binnendringen om haar bij de keel te grijpen. 'Ik zei je toch dat hij iets geniepigs had. Al die Welshe woede achter die nevelige groene ogen. Je kunt een Welshman nooit vertrouwen.'

Moord? Alice moest zich vergissen. Het zou wel een onzinnige roddel zijn die ze op de markt had gehoord. Allerlei vragen tolden door Julians hoofd, maar werktuiglijk vermaande ze haar bediende om haar vooroordelen: 'Schaam je, Alice, om dat soort dingen te zeggen. God heeft de Welsh uit dezelfde klei geschapen als jouw eigen Saksische gebeente.'

Alice knikte, maar zonder naar de reprimande te luisteren. Ze was nog lang niet uitgesproken. 'O, hij is schuldig, reken maar! De eerste keer dat ik hem zag wist ik al dat hij niet deugde. Ondanks zijn mooie manieren. Geloof me. Hij heeft die priester zijn schedel ingeslagen als een rotte knolraap!' Ze huiverde en sloeg nog een kruisje. 'Zijn hersens en zijn bloed spatten alle kanten op.'

Julian keek geschokt hoe de gewelddadige beelden in Alices hoofd haar vriendelijke ronde gezicht veranderden in een lelijk masker. Die lieve Alice, die zo goed voor haar zorgde! Wie wist welke gruwelen zich verborgen in een mensenhart? Allemaal hadden we Gods genade nodig.

'Alice! Ik wil het niet horen. Kalmeer een beetje, straks maak je jezelf nog bang. We zullen bidden voor heer Finn. Ik weet zeker dat hij onschuldig is. Het moet een misverstand zijn, een persoonsverwisseling of een valse getuige. *Het komt wel goed.*'

Ze sprak niet meer met haar bediende over Finns schuld of onschuld, maar het was geen loos gerucht geweest. Julian deed navraag via Tom. De zaak zag er niet goed uit – iets met een parelsnoer dat door de edelvrouwe van Blackingham aan de vermoorde priester was gegeven en later in Finns bezit was teruggevonden. Maar zelfs dat bewijs kon niets veranderen aan Julians overtuiging. De man die het gewonde kind in zijn armen had gedragen, met bijna moederlijke tederheid, de man die Tom had gered door de schuld op zich te nemen voor de dood van het varken van de bisschop... die man was niet in staat tot een brute moord.

Vanavond, zoals elk avond, knielde de kluizenaarster in het flakkerende kaarslicht voor haar altaar en zei de avondgebeden uit het getijdenboek. Toen ze de gebeden voor de Maagd zei, voor het Kruis en de Heilige Geest, bad ze ook voor Finn, zoals ze al veertien dagen deed. Haar lippen prevelden de Latijnse tekst: '*Domine Ihesu Christe...*', maar haar hart vertaalde het in het Engels: 'Jezus Christus, onze Heer, Zoon van de levende God, stel Uw passie, kruis en dood tussen Uw oordeel en mijzelf.' Maar waar haar mond het vertrouwde voornaamwoord vormde, verving ze dat in gedachten door Finns naam. Ze bad de metten, terwijl het al tegen middernacht liep. Haar lichaam werd stijf en pijnlijk. '*Deus in adiutorium meum intende.*' 'God, kom hem te hulp.' Weer een mannelijk voornaamwoord in plaats van het hare.

Het getijdenboek lag open op het altaar, bij de voorstelling die haar inspiratie vormde en haar troost. Ze zag het beeld met haar ogen dicht: haar lijdende Verlosser, de bloedende Christus. Eerst was het de vlakke weergave van de kunstenaar die tegen haar oogleden verscheen: de afbeelding van haar Heer op het kalfsperkament, met een doodsbleke huid en de wonden in donkerrode inkt; de hoeken van de gekwelde ogen omlaag gericht; het lichaam verslapt; het hoofd wat naar voren gezakt. Maar toen ze zich concentreerde op dat beeld begon het lichaam tot leven te komen, eerst nog langzaam, toen ritmisch, totdat het zich transformeerde in het licht dat het zelf verspreidde. Levensgroot, driedimensionaal. Het hoofd kwam omhoog, het bloed begon te stromen in kleine, parelende druppels – *drup, drup, drup* vanaf zijn voorhoofd, van onder een doornenkroon die zo realistisch leek dat ze zeker wist dat ze haar vingers zou prikken als ze er een hand naar uitstak.

Dit was haar Christus, de Christus uit haar visioen, het visioen dat haar Moedergod haar had geschonken toen ze op sterven lag: een Christus wiens bloed zo rijkelijk stroomde, door de kruisiging en de geseling, uit de doorkliefde lendenen en het opengereten voorhoofd, dat het een ware fontein vormde, kolkend en bruisend, niet dood maar levend – genoeg leven voor alle zielen van de hongerende mensheid die Hij aan Zijn borst zou drukken.

Ze zei de gebeden uit haar hoofd, als verstijfd voor de glorie van haar Heer, met haar ogen gesloten tegen het flakkerende licht van de kaars, haar geest verlicht, haar lichaam vergeten. Langzaam doofden de kaarsen, terwijl de nachtegaal het ochtendlof aankondigde. Het was het zuiverste deel van de nacht, rijk en diep, net als het bloed, net als de liefde van haar Jezus. Zij en haar Christus, haar Vriend, haar Minnaar, haar Moedergod – samen met elkaar, terwijl de rest van de wereld sliep. Een subtiele pijn, een sublieme vreugde. Een overweldigend gevoel van vrede, warmte en licht toen ze uit haar lichaam trad en haar ziel eindelijk vrij was om de Zijne aan te raken.

Ik zal alles rechtmaken.

En ze wist dat het zo was.

Kort voordat de klokken het eerste uur luidden, werd Julians trance verstoord door een geluid. Het was de grote eikenhouten deur, de deur van haar tombe, die kraakte. Opeens spitste ze haar oren, zich scherp bewust van de duisternis om haar heen, de harde stenen onder haar lichaam, het dunne laagje zweet tussen haar handpalmen en de vloer. Zou een of andere straatschenner de heilige vrede van haar kluis durven verstoren? Was het een engel, door God gezonden? Of een duivel, die haar kwam kwellen? Ze stond op voor het altaar en draaide zich om naar de deur.

Kreunend ging hij open. De ochtendzon viel naar binnen en verblindde haar bijna. Ze sloot haar pijnlijke ogen, opende ze weer en tuurde door haar wimpers. Haar cel was niet meer zo licht geweest sinds de dag dat ze tussen deze muren was ingesloten.

Ze zag het silhouet van de bisschop in de deuropening.

Julian was zo uitgeput van haar nachtelijke gebeden dat ze de kamer om zich heen zag draaien toen ze zich bukte om zijn ring te kussen. Als hij niet zijn hand had uitgestoken zou ze tegen hem aan zijn gevallen.

'Vergeef me mijn onzekerheid, eminentie. Ik heb de hele nacht in gebed doorgebracht. Soms sta ik dan wat onvast op mijn benen.'

'Maar heel zeker in uw geloof, nietwaar, kluizenaarster?'

Zijn beschuldigende toon, zijn gespannen houding en de frons waarmee hij haar aankeek voorspelden niet veel goeds, alsof ze om een of andere reden zijn ongenoegen had opgewekt. En waarom had hij het zegel van haar kluis verbroken door de deur te openen? Hij bezocht haar wel vaker, maar dan spraken ze elkaar door het bezoekersvenster of door Alices luik in de keuken. Dit was niet zomaar een bezoek. Hij kwam ook altijd veel later op de dag en stuurde dan een bediende vooruit met zijn stoel, een mand met koeken en een schoteltje melk voor Jezebel. Soms bracht hij haar boeken uit de bibliotheek van Carrow Priory. Maar vandaag kwam hij met lege handen. Zijn strakke houding en de afwezige manier waarop hij het rijk bewerkte kruis om zijn hals betastte terwijl hij haar vorsend aankeek – ze was een lange vrouw en ze zagen elkaar recht in de ogen – maakten haar duidelijk dat hij niet was gekomen voor een theologische discussie.

'Mijn ziel is bijzonder verfrist, eminentie. Alleen mijn lichaam is nog zwak.' Ze keek hem rustig aan en trotseerde de beschuldiging in zijn woorden en zijn blik. 'Twijfelt u aan mijn trouw en toewijding?'

Zijn vingers wreven over de zware ketting van het kruis. 'Niet aan de trouw van uw ritueel, kluizenaarster. Maar er is iets onder mijn aandacht gekomen dat me wel doet twijfelen aan uw toewijding aan de Kerk.'

Hij liep naar haar schrijftafel en ging op haar kruk zitten. Dankbaar liet ze zich op de rand van haar bed zakken. Het maakte haar onrustig om hem hier in haar cel te hebben; het was een schending van haar gelofte. Dat zou een bisschop toch moeten weten. De enige andere mens met wie ze zo nauw in contact was gekomen sinds haar insluiting was de gewonde baby geweest.

Hij torende boven haar uit op de hoge kruk, zo dichtbij dat de hermelijnen zoom van zijn mantel de rand van haar eenvoudige linnen kleed raakte. Zijn met ringen versierde vingers bladerden door de pagina's die verspreid lagen op haar schrijftafel. Het leek of hij iets zocht. Hij schoof de papieren opzij, nog steeds met een harde trek om zijn mond.

Ze gaf geen antwoord op zijn beschuldiging dat ze tekort zou schieten in haar toewijding. Ze wist niet wat ze daarop moest zeggen. Protesten waren zinloos zolang ze geen bewijzen kon overleggen. En hoe bewees je het geloof in je hart?

'Waarom schrijft u niet in de taal van uw Kerk?'

Was dat de reden voor zijn ongenoegen? Dat ze haar *Goddelijke openbaringen* niet in het Latijn maar in het Engels schreef? Nee, dat kon het toch niet zijn? 'Is de taal van Rome de taal van onze Heer? Latijn, Aramees, Engels, wat maakt het uit, zolang het maar de waarheid is?'

'Als u Frans had gekozen, zou ik daar meer begrip voor hebben gehad. Maar dit Midland-dialect, dit Engels, is de taal van het gewone volk.'

'Moet het gewone volk de waarheid dan niet kennen?'

'Heeft het gewone volk geen priesters om die waarheid te verkondigen?'

'Veel leden van de gildenstand kunnen lezen. Zouden ze niet worden gesterkt in hun geloof als ze de bewijzen van Zijn liefde, misschien zelfs de hele Heilige Schrift, zelf konden lezen?'

Hij kneep zijn ogen tot spleetjes. 'Ik zie dat de invloed van het kwaad zelfs tot de cel van een kluizenaarster is doorgedrongen. De duivel zal in zijn vuistje lachen dat een heilige vrouw zoiets beweert.'

Woede was een emotie die ze bijna vergeten was. Tot dit moment. 'Maar u denkt toch niet...'

Hij hief een hand op om haar protest voor te zijn. 'Ik zal u zeggen, kluizenaarster, dat zo'n platvloerse vertaling de Heilige Schrift door het slijk haalt. Bovendien bezitten leken niet de kennis en wijsheid om de Schrift te kunnen interpreteren. Ze zouden alleen maar in discussie treden met hun geleerde meerderen – ten koste van hun ziel.'

Was dat een stoot onder de gordel, bedoeld voor haar, of alleen maar een constatering? In beide gevallen was het onjuist. Veel geestelijken die de gewone mensen onderwezen waren helemaal niet zo geleerd. Ze konden nauwelijks lezen en schrijven, afgezien van een paar standaardzinnen uit de vulgaat. Maar Julian was zo verstandig dat niet te zeggen. In plaats daarvan antwoordde ze: 'Engels wordt algemeen gebruikt in Londen. Het is niet langer uitsluitend de taal van het volk, maar ook van het hof.'

'Aan het hof, zegt u. Ik ken wel iemand aan het hof, John of Gaunt, de regent van de koning, die het met u eens zou zijn. Maar de hertog is geen vriend van de Heilige Kerk. Hij is een aanhanger van John Wycliffe, die zijn bazelende Lollard-predikers het hele land door stuurt met zijn *Engelse* pamfletten, waarin hij de bisschoppen en priesters lastigvalt met valse aantijgingen van corruptie en afvalligheid.' Hij onderstreepte zijn woorden door met zijn vuisten op haar schrijftafel te beuken. 'Ze hitsen het gepeupel op met een valse leer en valse denkbeelden over gelijkheid.' De wenkbrauw boven zijn linkeroog had een zenuwtrek ontwikkeld. 'Ook hij schrijft in het Engels. Ik hoop dat u niet onder zijn invloed bent gekomen, kluizenaarster. Hij verkondigt ketterij. En ketters worden niet getolereerd!'

Finn had ook over Wycliffe gesproken. Was hij daarom met een valse beschuldiging in de gevangenis gegooid?

De bisschop zocht in zijn mouw, haalde er een stapel papieren uit en zwaaide ermee onder haar neus. 'Herkent u die?'

Ze nam ze van hem aan en wierp er een vluchtige blik op. 'Het zijn mijn eigen geschriften, mijn *Goddelijke openbaringen.* Maar hoe komen ze...?'

'We hebben een man opgepakt op verdenking van moord op een priester. Deze teksten, met een profane kopie van het evangelie van Johannes – Wycliffes Engelse vertaling – werden in zijn bezit gevonden. En ik vraag me af, kluizenaarster, hoe u kunt verklaren dat deze geschriften uw naam dragen?'

'Ze zijn van mij,' antwoordde ze eenvoudig. 'En ik heb ze aan hem gegeven.'

'Dus dat geeft u toe.'

'Ja. Hij was geïnteresseerd.' Ze zei niet dat het de miniatuurschilder was die het eerst had geopperd dat ze haar geschriften moest publiceren in de taal waarin ze waren geschreven, omdat dat ook de taal van de massa was.

'Blijkbaar heeft heer Finn belangstelling voor allerlei opruiende teksten.'

Had ze hem goed verstaan?

'Eminentie, wilt u zeggen dat mijn *Openbaringen* opruiend zijn?'

Hij griste de papieren weer uit haar hand. 'Ik zou dit geen orthodoxe theologie kunnen noemen.' Hij legde ze met een klap op haar schrijftafel. 'Die verwijzingen naar een Moedergod. Wat is dat, kluizenaarster, een of andere heidense godinnencultus?'

'Nee, nee, eminentie. U begrijpt mijn bedoelingen verkeerd, als ik zo vrij mag zijn... U zou de rest ook moeten lezen.'

'"En de tweede persoon van de Drievuldigheid is onze Moeder zelf... Want bij onze Moeder Christus vinden wij verlichting en kracht..." Jezus Christus is geen vrouw!'

Hij sprong overeind, zo heftig dat de kruk omviel.

'*Hij,* eminentie,' zei ze, zo zacht mogelijk, om de toon van de discussie wat rustiger te houden. 'Als u verder leest, zult u zien dat ik zeg: *"Hij is onze Moeder der Genade."* Moederschap, de begripvolle, liefhebbende, koesterende genade van het moederschap, is net als de liefde van onze Heer Jezus. Dat is alles wat ik zeg. De kenmerken van Zijn liefde, de kenmerken van Christus' oneindige genade, lijken het meest op de liefde van een moeder voor haar kind. Meer zeg ik niet.'

Hij sloeg met zijn vrije hand zo hard op de tafel dat haar inktpot begon te wiebelen en kostbare druppels morste op het schone perkament.

'Het is niet goed gezegd. En bovendien in het *Engels*.'

Ze depte haastig de inkt op. 'Het spijt me als mijn eenvoudige taal u niet bevalt, maar ik schrijf niet voor priesters en bisschoppen die – naar ik aanneem – de breedte en diepte van Zijn liefde toch al kennen. Ik probeer alleen Gods liefde en oneindige genade uit te leggen op een manier die mij is geopenbaard, zodat ook de gewone mensen het kunnen begrijpen. Wat maakt het uit welke taal ik gebruik, zolang ik de waarheid spreek?'

'Het wekt twijfel aan uw loyaliteit. Het is een kwestie van verbintenissen. Verbintenissen en uiterlijkheden.'

Als het voor u alleen daar op neerkomt, bisschop, dan vrees ik voor uw ziel. Maar ze kneep haar lippen samen om die woorden binnen te houden.

Tijdens de discussie had hij de stapel papieren opgerold. Nu tikte hij ermee tegen zijn knie, terwijl hij blijkbaar haar antwoorden overwoog. In elk geval leek hij wat kalmer na zijn uitval.

'Wat weet u van Finn, de miniatuurschilder?'

'Ik weet dat hij een goed mens is,' zei ze, een beetje van haar stuk gebracht door die onverwachte wending.

'Vindt u dat ik valselijk een onschuldig man gevangen heb gezet?'

'Ik beschuldig u nergens van, eminentie. Dat zijn uw woorden, niet de mijne.'

Hij keek de kamer rond. 'Waar is uw kat?'

'Mijn kat?' Had ze hem overtuigd? Veranderde hij daarom van onderwerp? Ze probeerde tegen hem te glimlachen, om hem niet te laten merken hoeveel bezwaar ze had tegen zijn aanwezigheid in haar cel. Maar hij was haar bisschop. Misschien had hij er het recht toe. 'Ik heb Jezebel al een week niet gezien. Het is niet de eerste keer. Ze komt wel weer terug als ze eraan toe is.'

'Ik ben gewend haar op uw schoot te zien.' Een lachje. Misschien was de storm overgewaaid. 'Ik zal een bediende sturen met wat stremsel om haar naar huis te lokken. En ook iets voor uzelf,' zei hij.

'U bent te goed, eminentie.' Ze slaakte een zucht van opluchting toen hij de opgerolde papieren op haar schrijftafel teruglegde en opstond. Maria zij geprezen. Het bezoek was voorbij.

'Maar als u binnen de Heilige Kerk wilt blijven zult u eerst een apologie moeten schrijven voor deze afwijking van de rechte leer. Beschrijf uw begrip van God en de heilige drievuldigheid, met een duidelijke verklaring van uw loyaliteit aan de doctrines van de Heilige Kerk. Die apologie moet worden toegevoegd aan elk gepubliceerd exemplaar van uw Engelse geschriften. Omdat uw Latijn niet toereikend is, mag u een kopie van de apologie in Normandisch Frans schrijven. Die zal ik bewaren.'

Het leek of hij een boodschappenlijstje opdreunde, zo afstandelijk klonk zijn stem. Had ze hem goed verstaan? Liep haar recht op haar kluizenaarscel gevaar?

'Tot het moment waarop ik dat document heb ontvangen zult u zich onthouden van de heilige sacramenten.'

Zelfs haar recht op de eucharistie!

'Ik waarschuw u om voorzichtig te zijn in uw contacten en behoedzaam in uw taal. Ketterij is een ernstige beschuldiging. Het kan eeuwige verdoemenis betekenen voor uw ziel en de dood voor uw stoffelijke lichaam.'

Hij liep naar de deur. Ze was tegelijk met hem overeind gekomen, om niet te zitten terwijl hij stond, en ze voelde zich duizelig worden. Ze liet zich op haar knieën vallen, half in een revérence, half uit zwakte.

'Ik zal het document morgen laten ophalen en u teksten sturen over de heilige drievuldigheid – teksten die door de Kerk zijn gesanctioneerd en die ik u aanraad goed te lezen, ter instructie van uw ziel.'

Hij stak zijn ring uit om door haar te laten kussen. Trillend bracht ze zijn hand naar haar lippen.

'Ik zal u niet meer bezoeken,' zei hij.

Ze bleef op haar knieën liggen, niet uit respect, maar omdat ze de kracht miste hem te trotseren. Ze hoorde het zware schrapen van de deur, toen de klap waarmee de grendel ervoor werd geschoven, net zo definitief als de eerste keer. En weer bleef ze eenzaam achter in de verstikkende duisternis van haar cel.

~

Pater Andrew trof voorbereidingen voor de viering van Maria-Lichtmis, het reinigingsfeest, in Saint Julian's. De kaarsenmaker bracht al vroeg de kaarsen die gezegend moesten worden en mopperde toen hij zijn koopwaar overhandigde. Het was zo koud in het kerkportaal dat de adem van de man wolkjes vormde toen hij sprak.

'Als al mijn klanten zo beknibbelden, eerwaarde, zouden mijn kinderen honger lijden.'

Hij had natuurlijk gelijk. De Kerk bepaalde de prijs, niet de kaarsenmaker, en pater Andrew wist ook wel dat het nauwelijks genoeg was voor de kosten van de bijenwas.

'De kaarsen worden gebruikt bij de dienst voor de Heilige Maagd. Uw offer is niet vergeefs. Uw ziel zal er baat bij hebben.'

Zijn antwoord was een vaste formule. Pater Andrew begreep dat het een dooddoener was voor de handelaar, die een eerlijke prijs wilde voor zijn goederen. Als jong priester had hij geprobeerd zijn eigen eergevoel te laten meespreken in zijn werk voor God, in de hoop dat het anderen zou inspireren. Dat gebeurde nooit. Nu gaf hij maar het officiële dankwoord van de Kerk voor bewezen diensten, zonder er nog bij na te denken. Zo droeg hij ook de mis op.

De kaarsenmaker mompelde dat de Kerk toch rijk genoeg moest zijn om een arme man een fatsoenlijke prijs te betalen. Pater Andrew glimlachte en knikte slechts toen hij de zware deuren weer dichttrok en met de kou ook de klachten buitensloot. Tegenwoordig scheen niemand te begrijpen hoe belangrijk het was om het huis des Heren te onderhouden. Laat de pest het huis van de kaarsenmaker maar eens bezoeken. Dan zou hij smeken om zijn waren gratis aan de Heilige Maagd te mogen aanbieden, dacht de kapelaan toen hij de kaarsen opborg in de kast achter het altaar.

Hij opende de linker van de twee deuren, legde de kaarsen netjes naast elkaar en haalde de zes die van vorig jaar waren overgebleven naar voren, om het eerst te worden gebruikt. Die waren al gezegend. Nu hij er toch was, kon hij meteen een schone stool meenemen voor de mis. Hij opende de rechterdeur, die half naar voren zakte. Het scharnier had zich uit het hout losgewerkt. Hij zou een timmerman moeten vinden – niet eenvoudig, omdat de vakmensen bezig waren met de restauratie van de torenspits van de kathedraal. Alleen de prutsers zaten nog zonder werk, maar zelfs zij wisten hem nog wel af te poeieren, op zoek naar een lucratievere opdracht. Vuige geldzucht. Verloedering van de ziel.

De misdienaren maakten er ook een potje van. Waar de opgevouwen, schone kazuifels moesten liggen vond hij een berg gekreukt linnen. Hij pakte het altaarkleed om het op te vouwen en zag dat er vlekken in zaten. Schimmel, waarschijnlijk. Dat bleef een probleem in de donkere, vochtige kerk. Maar zelfs in het schemerdonker kon hij zien dat het geen schimmel was. De vlekken waren donkerder, en hard. Het leek wel bloed. Zijn hart sloeg een slag over. Bloedvlekken? Hij vouwde het kleed open, hield het bij het licht van het raam en keek nog eens goed. Het leken losse vlekken, grillig van vorm, maar samen waren ze verbonden in de vorm van een kruis. *Domine Ihesu Christe.* Het Heilig Kruis! Hier, in de kapel van Saint Julian. Zijn eigen kerk. Saint Julian's had een kluizenaarster, en nu ook een eigen wonder. God was zijn kerk goedgunstig gezind. God lachte hem toe.

Hij keek naar het grote crucifix boven zijn hoofd, half in de verwachting dat hij bloed uit de ivoren benen zou zien druipen, maar het beeld vertoonde geen enkel teken van leven. Er vloeiden geen tranen uit de geschilderde ogen, geen druppels bloed. Dat gaf niet. De Verlosser had hun een wonder gegund. Dit was het bloed van Christus op het altaarkleed. Hij, pater Andrew, de kapelaan van de kerk van Saint Julian, zou ermee naar de bisschop gaan, die het wonder authentiek zou verklaren en opdracht zou geven tot de vervaardiging van een gouden reliekschrijn. Met groot ceremonieel – waarin hij al een belangrijke rol voor zichzelf zag weggelegd – zouden ze de heilige relikwie op het altaar plaatsen. Pelgrims zouden helemaal uit Thetford en Canterbury komen, misschien zelfs uit Londen, om het te zien. Saint Julian's zou beroemd worden om zijn mirakel.

Andrews hart bonsde nu zo luid dat hij het bijna kon horen. Nee. Dat was niet zijn hart – tenzij dat ook schuifelende geluiden maakte. Het bonzen kwam achter uit de kast. Ze hadden soms last van ratten, maar de laatste tijd niet meer. Daarom had hij de kluizenaarster die kat laten houden. Voorzichtig vouwde hij het gevlekte kleed op, drukte het tegen zijn lippen en legde het zorgvuldig op het altaar. Toen stak hij zijn arm achter in de kast om de rest van het linnengoed op muizenkeutels te inspecteren. Zijn hand raakte iets zachts, dat bewoog, en het volgende moment werden zijn vingers gelikt door een tongetje zo ruw als puimsteen. Haastig trok hij zijn hand weer terug, pakte zijn kromstaf en pookte met de gebogen greep in de hoek van de kast.

Twee jonge katjes, ineengerold als bolletjes wol, kwamen tevoorschijn. Ze hadden hun oogjes nog maar nauwelijks open en spinden luid.

Dus dit was het wonder, dacht pater Andrew. Zijn teleurstelling smaakte bitter als kinine. De kat van de kluizenaarster was verantwoordelijk voor het bloed. Het duivelse beest had het altaar ontheiligd en haar gebroed onder het kruisbeeld van de Verlosser ter wereld gebracht.

De kittens hadden inmiddels hun nieuwe omgeving ontdekt en gingen op verkenning. Op wiebelende pootjes struikelden ze over de kromstaf van de kapelaan – die nu ontsmet zou moeten worden, net als het hele altaar. Nu waren er al drie katten, en het volgende nest zou nog groter zijn. Jezebel – een passende naam. De hoer van Babylon had haar jongen al in de steek gelaten, waarschijnlijk om ergens anders haar verdorven lusten te bevredigen.

Pater Andrew nam een besluit, liep naar de sacristie en zocht daar in een kast. Verwensingen mompelend die je van een priester niet zou verwachten kwam hij terug met een touw, een meelzak en een grote steen. In een oogwenk had hij de kittens gegrepen, in de zak gedaan met de steen erbij, en de opening dichtgeknoopt met het touw. De zak bewoog toen de katjes in hun wanhoop wild begonnen te spartelen. Wat een gekrijs en gejammer voor zulke kleine diertjes. Even, heel even maar, voelde pater Andrew zich schuldig, totdat hij nog eens naar het besmeurde altaarkleed keek: zijn wonder dat geen wonder was.

Hij slingerde de zak over zijn schouder en wilde al naar de deur lopen toen hij een luid geblaas achter zich hoorde. Op het moment dat hij zich omdraaide sprong de moederpoes naar zijn gezicht, met haar klauwen uitgestoken naar zijn ogen. Andrew greep haar bij de nek, maar niet voordat ze hem een diepe, bloederige kras op zijn wang had bezorgd (een litteken dat hij tot aan zijn oude dag met zich mee zou dragen). Hij draaide haar de nek om alsof ze een kip was, opende de zak en propte de dode moeder bij haar jongen.

Even later gooide hij het hele zaakje vanaf de Bishop's Bridge in de rivier de Wensum.

'Pater Andrew, weet u waar mijn kat is?' vroeg de kluizenaarster na afloop van de biecht. 'Ze is al bijna drie weken verdwenen. Normaal blijft ze nooit zo lang weg.'

Julian zag dat hij het verband om zijn wang betastte. 'Nee, ik heb haar ook al een tijdje niet gezien,' zei hij.

Zijn stem klonk kortaf, bijna geïrriteerd als hij tegen haar sprak, en hij had een ontwijkende blik in zijn ogen. Dat was al zo sinds het bezoek van de bisschop aan haar cel. Zou Despenser met pater Andrew hebben gesproken over haar? Misschien had hij hem opgedragen haar het recht op de communie te onthouden. Julian vroeg het zich voortdurend af als de priester haar op zijn afwezige manier het lichaam en bloed van Christus aanbood. Maar misschien verbeeldde ze het zich. Misschien had de bisschop haar vergeven of was hij vergeten de priester op de hoogte te brengen van zijn verbod. Steeds als ze de hostie op haar tong voelde was dat een geweldige opluchting voor haar.

'Pater, als u naar Alices raam wilt komen, zal ik uw wond verbinden. Het is alweer drie dagen geleden.'

Een paar minuten later kwam hij Alices keuken binnen en ging tegenover Julian zitten, aan de andere kant van het luik. Hij hield zijn hoofd gebogen, alsof hij haar niet wilde aankijken. Wat was er zo interessant aan haar vloer? Of ontweek hij haar blik omdat hij wist dat ze van ketterij zou worden beschuldigd of uit haar kluis zou worden verdreven? Ze pakte haar naaischaar en knipte het verband los.

'Het is goed genezen,' zei ze, terwijl ze zich door het luik boog om zijn wang te inspecteren. 'U hebt geen verband meer nodig.'

'Het doet nog wel pijn.'

'De bisschop heeft me vorige week wat boeken uit de bibliotheek van Carrow Priory laten brengen.' Ze probeerde een luchtige toon aan te slaan, terwijl ze met haar vinger wat zalf op het litteken smeerde. 'U ook?' vroeg ze, hoewel ze pater Andrew nooit op veel belangstelling voor theologie had betrapt. Ze praatten maar zelden over religieuze zaken. Eigenlijk nergens over. Hij was haar biechtvader, meer niet. Elke dag verscheen hij achter het raam van de kerk, voor de mis. Hun hele relatie draaide om dat ritueel.

'De bisschop bezoekt me niet vaak,' antwoordde hij.

'Vorige week dinsdag was hij bij mij. Ik dacht dat u hem toen misschien gesproken had.'

'Op dinsdag was ik naar Castle Prison ontboden om een veroordeelde te bedienen die zou worden opgehangen.'

Haar hand verstijfde op het litteken. Zou ze naar de naam durven vragen?

'Een veroordeelde bedienen? Is dat gebruikelijk?'

'Als de man wil biechten, probeert de Kerk daarin mee te werken.'

'En die man... wat voor misdrijf had hij gepleegd?'

'Hij had herten van de koning gestroopt.'

Dus niet Finn, maar een arme boer – vader, echtgenoot of zoon – die was opgehangen omdat hij vlees op zijn tafel wilde. Julian ging weer verder met haar verzorging van de wond.

'Ik zal bidden voor de ziel van die arme kerel,' zei ze, terwijl ze de stop op het potje zalf deed. 'Neem dit maar mee en smeer het dagelijks op de wond. Ik ben bang dat u er een smal litteken aan zult overhouden als herinnering om wat voorzichtiger te zijn bij het snoeien van de doornstruiken.'

'Doornstruiken? O ja. Natuurlijk. Ik zal beter opletten.'

'U mag nog van geluk spreken dat die tak uw oog niet heeft geraakt toen hij terugveerde.'

'Nee, gelukkig niet,' zei hij. En toen, een beetje afwezig: 'Ik heb een altaarkleed dat hersteld moet worden. Draden van het borduursel zijn gescheurd... die misdienaren zijn zo onvoorzichtig. Ik zal het bij uw raam naar de kerk leggen, dan kunt u het verstellen. Als u de boeken van de bisschop hebt gelezen, uiteraard.'

'Ik zal het meteen doen.'

Hij stond op om te vertrekken, maar aarzelde toen. Wilde hij haar iets zeggen over de bisschop? Probeerde hij de woorden te vinden om haar zuiverheid in de leer te bespreken?

'Kluizenaarster...'

'Ja?'

'Over uw kat.'

'O, mijn kat. Jezebel. Ja?'

'Die komt niet meer terug, denk ik, na zo'n lange tijd.' Een stilte. Hij scheen langs haar heen te kijken, door het communievenster naar het schimmige interieur van de kerk. 'Ik zal een andere kat voor u vinden.'

De volgende dag verscheen er een oude kater bij haar tuinvenster – dik en lui, een gepensioneerde muizenvanger uit de keukens van Carrow Priory. Het grootste deel van de dag lag hij voor het raam te slapen, zonder enige belangstelling voor de muizen die door de kerk renden.

XIX

Elf heilige mannen bekeerden de hele wereld tot het juiste geloof.
Des te gemakkelijker, zou ik denken, zou de rest van de mensen
bekeerd kunnen worden. We hebben zoveel heren, priesters en
predikers, met daarboven nog een paus.

WILLIAM LANGLAND,
PIERS PLOWMAN (14DE EEUW)

Half-Tom had in de voorbije weken twee keer geprobeerd om tot Finn door te dringen. Elke donderdag ondernam hij zijn lastige reis naar de markt, niet omdat hij veel te verkopen had – zowel handelaren als kopers waren schaarser in de winter – maar omdat hij hoop hield om zijn vriend te kunnen zien. Maar beide donderdagen was hij weggejaagd, de eerste keer door de norse cipier die hem had lastiggevallen in de Beggar's Daughter (toen Finn hem te hulp was gekomen), de tweede keer door de ongeduldige commandant, die zei dat hij niets van de gevangene wist. Ze hadden geen zin om een dwerg uit de moerassen te woord te staan.

Maar deze keer was hij vastberaden. En hij had een plan. Al op woensdag maakte hij de lange tocht naar Blackingham, en niet alleen voor de soep van de oude kokkin – de laatste tijd was ze niet zo vriendelijk meer – of om een glimp op te vangen van de knappe keukenmeid die hem zo had laten schrikken met haar gezang in de bijenboom. Hij kon zichzelf niet langer maken, maar wel zijn status vergroten door de livrei van een adellijk huis te dragen. Het huis van een hertog zou hem tot een reus hebben gemaakt, maar hij kende geen hertogen, dus moest hij zich behelpen met het huis van een ridder.

'Een *kleine* bediende,' had hij tegen Magda gezegd toen ze hun complot smeedden om een uniform uit het wasgoed van Blackingham te stelen.

Nu was ze terug met de buit en waren ze alleen in de grote keuken, waar een gezellig vuur brandde en een stoofpot op de haard heerlijke geuren verspreidde. Ze schoot in de lach toen hij de blauwe tuniek over zijn hoofd trok, maar dat kon hem niet schelen. Hij wapperde met zijn armen en danste rond als een nar, om haar vrolijkheid nog aan te wakkeren. Haar lach was voor hem zo bedwelmend als honingwijn, en net zo zeldzaam, want Magda lachte niet vaak.

'Je zult geen respect afdwingen als je erbij loopt als een vogelverschrikker,' zei ze, terwijl de tranen over haar wangen liepen. 'Dan gooien ze jou ook in de kerker, bij heer Finn.'

Dat waren meer woorden dan hij het meisje ooit achter elkaar had horen zeggen. Hij hinkte rond op één been, struikelde over de veel te lange broek en hoopte op nog meer commentaar. Maar Magda kneep geconcentreerd haar lippen samen, pakte een keukenmes en gaf hem bevel om op een krukje te gaan staan.

Ze begon het overtollige textiel weg te snijden: eerst de mouwen, toen de broekspijpen. 'Sta nou stil! Je wilt toch geen bloedvlekken op lady Kathryns livrei.'

Hij bleef roerloos staan, alsof hij naar grazende herten in het bos keek, en hield zelfs zijn adem in, uit angst haar aan het schrikken te maken en zo de betovering van haar nabijheid te verbreken. Hij wilde een hand uitsteken om haar haar te strelen, maar durfde het niet. Hij had de zware eikenhouten deur al horen kraken aan zijn scharnieren: Agnes die terugkwam. Zij zou geen avances van de kleine man tolereren tegenover het meisje dat ze als een dochter behandelde.

'Wel heb ik van mijn leven! Wat zijn jullie aan het doen?' vroeg Agnes terwijl ze een mand met rapen neerzette.

Magda hield even op met snijden. 'Het is koud. Je had mij naar de kelder moeten sturen om die rapen te halen.'

'Waarom heeft hij zich verkleed? De kerst is voorbij. Het is nu geen tijd voor zulke grappen.' Ze raapte een lapje stof van de grond en bekeek het eens goed. 'Nou nog mooier! Dat is een livrei van Blackingham die je aan flarden snijdt, meisje! Wat bezielt je? Die mooie blauwe stof is niet goedkoop. Lady Kathryn zal woest zijn.' Ze wierp een nijdige blik naar Half-Tom.

De kleine man legde zijn plan uit.

Fronsend en met haar handen in haar zij dacht Agnes een hele tijd na. Half-Tom keek haar grijnzend aan. Ondanks haar norse houding – en wie zou haar kwalijk nemen dat ze haar schat wilde beschermen – twijfelde hij niet aan haar goede hart. 'Het is de enige manier,' zei hij.

'Ik zal mijn naalden pakken om er zomen in te leggen,' zei de kokkin. 'En bewaar die lapjes, Magda. Ze zijn te kostbaar om te verspillen.'

De volgende dag verscheen Half-Tom voor de commandant van de wacht in de donjon van het kasteel.

'Ik heb een bericht van de edelvrouwe van Blackingham voor de gevangene Finn.'

De commandant nam hem van hoofd tot voeten op, zonder uit zijn stoel te komen. Half-Tom zwaaide met een opgerold perkament onder de neus van de officier – geen brief, maar een oude boodschappenlijst van de keuken van Blackingham. Magda had hem geholpen het zegel opnieuw te verhitten, zodat het ongebroken leek. De commandant stak een hand uit, maar Half-Tom hield het perkament achter zijn rug.

'Lady Kathryn zegt dat het zegel alleen mag worden verbroken door Finn. Persoonlijke zaken tussen een man en zijn dochter. Lady Kathryn verzoekt u om mij bij de gevangene toe te laten, zodat ik zijn dochter zal kunnen verzekeren dat hij goed behandeld wordt.'

De commandant leek erover na te denken, maar verroerde zich nog altijd niet.

'Lady Kathryn is een vriendin van Sir Guy de Fontaigne,' probeerde Half-Tom.

'Heeft de drost zijn goedkeuring verleend?'

'Als ze daarom moet vragen, zal ze hem moeten uitleggen dat u haar verzoek geweigerd hebt, nietwaar?' Hij slaakte een overdreven zucht. 'En dat zal de drost niet kunnen waarderen.'

De commandant grijnsde goedmoedig. 'Je onderhandelt als een grote vent.' Hij stond op. 'Kom dan maar mee.'

Half-Tom volgde de commandant twee wenteltrappen op. Boven gekomen pakte hij een van de grote sleutels van zijn riem en opende een ijzeren hek. Half-Tom kreeg bevel om op de gang te wachten. 'Hij is een favoriete gevangene van de bisschop. Als ze zitten te schaken wil zijne eminentie niet worden gestoord.'

'De bisschop?'

'Ja. Die komt minstens eens per week. Ze hebben levendige discussies over theologie.'

Half-Tom wist niet wat 'theologie' betekende, maar vroeg zich wel af waarom de bisschop een gevangene zou bezoeken – behalve om hem te ondervragen. Een angstig voorgevoel daalde als een monnikskap over Toms schouders neer. Hij had verhalen gehoord, afschuwelijke verhalen over vierendelen, brandmerken, en kooien met scherpe spijkers. Hij leek wel gek om zich hiermee te bemoeien. Maar hij was de man iets schuldig. In elk geval was de kunstenaar boven de grond opgesloten, hoog boven de grond, te oordelen naar het aantal treden dat ze hadden beklommen.

Even later kwam de commandant weer terug en knikte naar de kamer aan het einde van de gang. Half-Tom mocht naar binnen. Er was daar geen ijzeren deur, alleen een houten, die openstond. 'Rammel maar aan het hek als je weer weg wilt. Er staat een bewaker aan de voet van de trap.'

Half-Tom huilde bijna van opluchting toen hij een blik naar binnen wierp. De kamer was schoon, warm, met een bed en een werktafel, verlicht door de middagzon, die door het hoge raam naar binnen viel. Hij herkende Finn meteen. De miniatuurschilder was magerder geworden dan Half-Tom zich herinnerde, en zijn schouders leken wat meer gebogen, maar het was onmiskenbaar Finn die aan de werktafel zat met een penseel in zijn hand. Een gevangene leek hij zeker niet.

Half-Tom schraapte zijn keel. De kunstenaar keek op en lachte breed.

'Half-Tom, oude vriend! Kom binnen.' Finn kwam stijf overeind. 'Wat ben ik blij je te zien! Heb je nieuws van Blackingham? Ga zitten. Hier, neem mijn stoel. Ik sta wel.' Hij trok de stoel wat dichter naar het kleine kooltjesvuur, maar met een grimas van pijn. 'Lady Kathryn heeft je gestuurd, zie ik aan je livrei.'

Half-Tom draaide er wat omheen, en lachte verlegen. 'Dat uniform was een list. Ik was al eens eerder geweest, maar ze wilden me niet binnenlaten, dus heb ik maar een livrei *geleend*. Met een beetje hulp.'

'O. Ik dacht...'

Opeens kwam er een holle, verdrietige blik in zijn ogen. De teleurstelling stond op zijn gezicht te lezen.

'Maar ik ga weer terug naar Blackingham. Ze zitten te wachten op nieuws.'

Finn glimlachte bleek, alsof hij wist dat Half-Tom alleen probeerde om vriendelijk te zijn. 'Mijn dochter? Gaat het goed met haar?'

'Ik heb niets anders gehoord. Behalve dat ze haar vader mist, natuurlijk. Dat weet ik wel zeker.' Hij ging op de grond zitten, voorzichtig met zijn nieuwe livrei. 'Waar zit de bisschop als hij op bezoek komt?'

'De bisschop neemt zijn eigen stoel mee.'

'Hebt u pijn, heer Finn? U loopt scheef.' Half-Tom dacht weer aan de martelwerktuigen uit zijn fantasie.

'Een afscheidscadeautje van Sykes. Herinner je je hem nog, dat schoelje uit de Beggar's Daughter?'

'Ik ben u veel verschuldigd.'

'Niet meer dan wat onder vrienden normaal is. Maar ik heb wel een plan waarbij je me kunt helpen.'

'Een vluchtplan? Dan doe ik mee.'

'Nee, oude vriend, geen vluchtplan. Ontsnappen is onmogelijk. Maar laat ik je eerst wat aanbieden. Mijn bediende heeft me genoeg gebracht om te kunnen delen. Eens kijken, wat hebben we hier?' Hij haalde de doek van een mand die bij de haard stond. Een heerlijke lucht van een rundvleesbouillon met groente zweefde door de kamer.

'Hebt u een bediende?'

Finns zachte lach had een ondertoon van bitterheid. 'Mijn situatie is de afgelopen twee weken sterk verbeterd. Ik schijn nu een waardevolle slaaf te zijn.'

Half-Tom keek naar de werktafel met de verfpotjes en penselen en het hoge houten paneel in een hoek, waarop al een onderlaag van azuur was aangebracht. 'Schildert u voor de bisschop?'

'Henry Despenser wil een altaarstuk van vijf panelen, voor de kathedraal. Dat is de zijden draad waaraan mijn leven nu hangt. En die zal ik rekken tot hij net zo uitgesponnen is als de gouden draad in een dameshoed.'

Half-Tom schudde zijn hoofd en bedankte voor het bord met eten dat de kunstenaar hem voorhield. Hoe wist hij zeker dat het niet de enige warme maaltijd was die Finn in een week zou krijgen?

'Toe, neem het maar. Ik krijg hier alles wat ik hebben wil. De bisschop geeft zijn huisdieren goed te eten.'

'Weet u het zeker?'

'Ja. Ik gooi de restjes vaak uit het raam voor de vissen in de rivier. Ik geloof dat het een teleurstelling voor ze is. Ze verwachten iets warms en levends.'

'De rivier is dieper hier. Iemand die uit het raam sprong zou het misschien overleven, als hij kon zwemmen,' opperde Tom.

'Ik moet aan mijn dochter denken,' zei Finn. 'Ik mag haar niet in gevaar brengen. Daarom heb ik jouw hulp nodig.'

'Zeg het maar.'

'Jij zou de boodschapper kunnen zijn tussen mijn dochter en mij. Om haar te zeggen dat haar vader nog in leven is. Ik heb een brief die je haar kunt brengen.' Heel even gleed er een schaduw over zijn gezicht. 'En voor lady Kathryn. Ze zijn al geschreven. Ik hoopte op een boodschapper die ik zou kunnen vertrouwen.'

Hij zocht in de kast met zijn verfpotjes en penselen en haalde twee strak opgerolde perkamenten tevoorschijn. Half-Tom pakte ze aan, stak ze onder zijn mooie, met een riem vastgegorde tuniek en vond tot zijn voldoening een split in de voering, speciaal voor dat doel.

'Ik zal ze vandaag nog brengen.'

Finn sloot een moment zijn ogen. De spieren van zijn gezicht ontspanden zich. 'En dan nog iets,' zei hij.

'U hoeft het maar te zeggen.'

'De Wycliffe-papieren. Ik ben overtuigd van het belang van een Engelse vertaling. God is niet het exclusieve eigendom van de bisschop en zijn soort. Probeer of je een exemplaar van Wycliffes evangelie van Johannes te pakken kunt krijgen en breng dat naar me toe...'

Half-Tom grijnsde, stak zijn hand in zijn blauwe tuniek en gaf Finn een pakketje met een zegel uit Oxford. 'Meester Wycliffe heeft het me gegeven toen ik uw vorige tekeningen inleverde,' zei hij.

'Mooi zo. Nu kan ik mijn dagen vullen met nog iets waardevollers dan de luimen van de bisschop. Maar die vertalingen mogen hier niet gevonden worden. Soms wordt mijn cel doorzocht. Met het excuus dat je berichten van en naar Blackingham brengt, zou je dus mijn gedecoreerde teksten kunnen meenemen, zodat je maar één keer die reis naar Oxford hoeft te maken. Ik zal anonieme kopieën maken, die je aan iedere Lollard-priester kunt geven voor verspreiding.'

'Voor...?'

'Voor verspreiding. De priesters delen ze dan uit, zodat de mensen de Schrift zelf kunnen lezen.'

'En als de bisschop onverwachts langskomt en u betrapt?' Half-Tom dacht weer aan vierendelen en brandmerken.

'Hij stuurt altijd zijn bedienden vooruit. Maar ik moet jou wel waarschuwen, mijn vriend. Dit werk is gevaarlijk voor iedereen die erbij betrokken is. De bisschop loert op een kans om Wycliffe en al zijn volgelingen van ketterij te beschuldigen. Wycliffe geniet de bescherming van de hertog. Jij niet.'

'Ik ben slim genoeg om uit handen van de bisschop te blijven,' stelde Half-Tom hem gerust.

'Dat weet ik. Het is je ook gelukt om hier te komen, niet?'

'Precies. En ik kom terug, dat beloof ik u.' Hij stond op en klopte op zijn tuniek om te controleren of de brieven nog in de voering zaten.

Finn kwam ook overeind en stak een hand uit.

'Ik zal op je wachten, mijn vriend.'

Een merel landde op de vensterbank, pikte een kruimel op en vloog weer weg. Half-Tom zag hoe de kunstenaar de vogel nakeek. Finns verlangen naar de vrijheid was pijnlijk om aan te zien.

De podiumwagen was al een heel eind buiten Norwich, op weg naar Castle Acre, toen Colin de acrobaat achter hen aan zag rennen. 'Voerman! Stoppen!' riep iemand. De krachtpatser stak een arm uit en hees zijn makker aan boord. De acrobaat liet zich op een stapel dekens vallen, sloeg Colin op zijn knie en zei hem dat hij zijn boodschap had doorgegeven.

Colin probeerde al een maand om zijn moeder een bericht te sturen. Maar de artiesten hadden een goede stek gevonden en waren daar een tijd gebleven. Hun reisschema luisterde niet zo nauw.

'Mooi huis, jongen. En een gulle ontvangst. Maar het maakte een wat verlaten indruk. Ik moest helemaal naar de keuken lopen voordat ik iemand zag. De oude kokkin heeft me dit gegeven.'

Hij vouwde een vetvrije doek open en Colin snoof de vertrouwde gistgeur op van Agnes' zelfgebakken brood. Het water liep hem in de mond. Hij had zelf de boodschap moeten brengen, of beter nog, hij had gewoon naar huis moeten gaan en zijn moeder moeten zeggen dat hij van gedachten veranderd was. Maar Johns geest tikte hem weer op de schouder. Hij sloot zijn ogen voor het visioen van de lege, zwartgeblakerde oogkassen van de herder – een beeld dat hem niet meer had gekweld sinds hij zich bij de troupe had aangesloten.

'Was er verder nog iemand in de keuken?'

'Alleen een dwerg die net wilde vertrekken en een kleine blonde meid die net binnenkwam. Heel vriendelijk...'

Glynis. Colin voelde dat hij bloosde in de duisternis van de huifkar.

Aan de dubbelzinnige toon hoorde hij wel wat de acrobaat bedoelde met 'vriendelijk'. Colin kneep zich in zijn vlees, heel hard, om de duivelse verleiding – die vertrouwde, maar onwelkome reactie – te onderdrukken.

'Heb je mijn brief gegeven?'

De wagen hobbelde en schokte over de karrensporen. Iemand naast hem morste zijn bier en waarschuwde de voerman vloekend om uit te kijken.

'Ja, jongen, ik heb je brief gegeven. Je arme moeder zal nu wel dikke tranen huilen als ze leest dat haar lieve zoon met een stel artiesten is meegegaan. Maar het geeft niet. We zullen goed op je passen en je in het voorjaar gezond en wel bij de monniken afleveren.'

'Heel wat wijzer dan toen je vertrok,' merkte iemand op.

De spelers leken geen last te hebben van de kou toen ze een kan bier doorgaven. Het was zwaar bier, waar Colin niet aan gewend was. Hij had altijd aangelengde wijn en lichtere biersoorten gedronken. Maar nu hij dit proefde, begreep hij waarom Alfred er zo dol op was. Het smaakte bitter, maar het was heerlijk warm in zijn buik en het zorgde voor veel vrolijkheid om hem heen. Achter in de wagen speelde iemand op een fluit. Een ander pikte de melodie op en begon te zingen. Colin genoot van de muziek. Net als het bier haalde het de scherpe kantjes van zijn heimwee af.

Kathryn was alleen in de keuken, waar ze naartoe was gegaan om aan Agnes een middeltje voor Roses gezwollen voeten te vragen. Toen ze de kokkin en de keukenmeid nergens zag was ze zelf maar begonnen het medicijn klaar te maken toen ze de keukendeur hoorde opengaan. Ze draaide zich om, in de verwachting dat Agnes binnenkwam, maar het was een dwerg, gekleed in een kleurige maar slechtzittende livrei van Blackingham, die een diepe buiging voor haar maakte. De kwast aan zijn pet streek over de vloer. 'Ik heb een missive voor uwe edelvrouwe.' De dwerg tastte in zijn tuniek en haalde een opgerold stuk perkament tevoorschijn.

Ze had de kleine man al eerder gezien. Hij had minstens één of twee keer berichten aan Finn gebracht. En het verbaasde Kathryn niet echt om hem in een livrei van Blackingham te zien. Agnes had haar het verhaal van het verdwenen uniform al verteld. Kathryn had het niet goedgekeurd, hoewel ze er in haar hart wel blij om was. Ze had discreet geïnformeerd bij de drost, die bruusk had geantwoord dat de gevangene nog in leven was en in Castle Prison op zijn berechting wachtte. Maar dat was al twee weken geleden – een eeuwigheid.

De dwerg kuchte, alsof hij haar aan zijn aanwezigheid wilde herinneren. Ze nam het perkament van hem aan, maar maakte het niet open. Het droeg geen officieel zegel. Een bericht van executie zou toch zeker van een zegel zijn voorzien. Kathryn beefde over haar hele lichaam. Ze drukte haar heupen tegen de tafel om steun te zoeken. De pet van de kleine man danste op en neer toen hij zich warmde bij de haard – een blauwe vlam tussen de gele. Waarom kon hij niet stil blijven staan? Haar vingers klemden zich strak om de rol papier. Zo eenvoudig om het te openen en te lezen. Maar ze kon het niet.

'Is dit... is dit voor mij?'

Voor wie anders? Tenzij het voor Rose was.

'Jawel, vrouwe. En er is ook een bericht voor jonkvrouw Rose.' Hij zocht in zijn zak en haalde nog een rol tevoorschijn.

Dus dit was het. Het bericht waarnaar ze had verlangd en dat ze had gevreesd.

'Uit Castle Prison?' De woorden bleven half steken in haar keel.

'Jawel, vrouwe. Van heer Finn zelf.'

'Heb je hem gezien?'

'Jazeker. Met mijn eigen ogen.'

'En is hij... gaat het goed met hem?'

'Hij heeft het heel zwaar gehad, de afgelopen weken. Maar hij leeft nog en hij wordt nu beter behandeld dan een gewone gevangene.'

Kathryn merkte dat ze haar adem had ingehouden. Nu slaakte ze een diepe zucht en vroeg: 'Hoe zag hij eruit?'

De dwerg bleef eindelijk stilstaan en knipperde met zijn uilenogen. 'Als iemand die veel heeft meegemaakt.'

'En heeft hij... littekens op zijn lichaam?'

'Littekens?'

'Van mishandelingen? Brandwonden?' Haar stem was een hees gefluister.

'Nee, vrouwe. Zijn ribben zijn wat stijf en pijnlijk als hij loopt, maar dat komt wel weer goed. Hij is alleen erg mager.'

'Vroeg hij ook... naar zijn dochter?'

'Jawel, vrouwe. Hij maakt zich grote zorgen om haar. Hij vroeg of...'

De deur ging open met een koude windvlaag, en Agnes kwam binnen. In haar rechterhand had ze twee duiven waarvan de koppen waren afgehakt. Het bloed uit hun nekken droop in een schaaltje in haar linkerhand. De keukenmeid deed de deur achter zich dicht en glimlachte toen ze de dwerg bij het vuur zag staan. Ze wisselden een blik. Kathryn herinnerde zich de rol van de keukenhulp bij de diefstal van het uniform. Magda heette ze. Het meisje maakte een keurige revérence voor haar. Kathryn knikte.

'Agnes, het schijnt dat Blackingham er een nieuwe knecht bij heeft. Geef hem te eten en vraag Simpson om een slaapplaats voor hem te vinden voor de nacht.' En tegen de dwerg: 'Als je mijn livrei draagt, zou ik in elk geval je naam moeten weten.'

'Ze noemen me Half-Tom.'

'Nou, Half-Tom, je bent welkom om hier de nacht door te brengen.' Ze woog het perkament in haar handen. Het was lichter dan het gewicht van de inhoud die ze vreesde. 'Het bericht vraagt misschien om een antwoord. Ik zal het lezen op mijn kamer.' Ze pakte het andere perkament. 'En dit geef ik wel aan de dochter van de kunstenaar.'

Opeens herinnerde ze zich waarvoor ze naar de keuken was gekomen. 'Agnes, het meisje voelt zich weer niet goed. Stuur Magda met de kruidenthee, zodra die getrokken is.' Ze draaide zich weer naar Half-Tom toe: 'Je wordt morgen toch weer bij de kunstenaar toegelaten? Om een antwoord te brengen?'

'Jawel, vrouwe. Dankzij de kleuren van uw adellijke huis.'

Terug op haar kamer ging Kathryn op het bed zitten en zocht steun totdat ze niet meer zo beefde. De twee rollen perkament lagen naast haar op de sprei. Het papier met het blauwe koordje was voor haar bestemd, had de dwerg gezegd. Roses bericht was dichtgebonden met een rood koord. Maar Kathryn liet ze allebei nog ongeopend. Haar handen streken over het zware brokaat van een van de beddengordijnen die met zijden strikken aan de vier stijlen waren vastgebonden. In een andere tijd, een gelukkiger tijd, waren die gordijnen nog wel eens losgemaakt om de twee mensen in dit bed meer privacy te geven. Verdrietig dacht ze daaraan terug. 'Ik had niet gedacht dat ik ooit nog dit geluk zou vinden,' had hij in haar haar gefluisterd, terwijl hij tegen haar aan lag. Dat was de eerste keer geweest. De herinnering was onverdraaglijk.

Met trillende handen pakte ze het perkament met het blauwe lint, rolde het uit en hield het onder de brander aan de muur, die ze had aangestoken toen het begon te schemeren. De pennenstreken, minder krachtig dan ze zich herinnerde, waren duidelijk zijn handschrift: stevige verticale lijnen en sierlijke hoofdletters. Ze volgde de aanhef met een vingertop, drukte het perkament even tegen haar lippen – onnozel, natuurlijk, of dacht ze soms de betekenis met haar lippen te kunnen lezen? – en boog zich over de tekst.

Castle Prison,
Maand en jaar Onzes Heren, 1379
Vrouwe,

(Stond haar naam hem zo tegen dat hij zich er niet toe kon brengen die op te schrijven?)

Ik schrijf u vanuit de diepste wanhoop, verraden door haar die ooit het voorwerp was van het vurigste verlangen van mijn hart.

(Ooit. Hij schreef 'ooit'. Ze wilde niet verder lezen, maar kon haar ogen niet losmaken van het papier.)

Dodelijk gewond door de dolk van het verraad moet ik toch dit bestaan verduren, hoewel ik alle hoop heb opgegeven. Ik zal uw oren niet vermoeien met de onverkwikkelijke bijzonderheden van mijn beproe-

vingen in handen van mijn cipiers. Aangezien er geen onderzoek is geweest, noch enige tussenkomst of tijdig protest van de vrouwe van Blackingham, kan ik haar nalatigheid slechts uitleggen als onverschilligheid tegenover mijn lot, of – erger nog – de overtuiging dat ik schuldig ben aan het misdrijf waarin zij tegen mij heeft getuigd. Beide mogelijkheden zijn een grotere kwelling voor mij dan mijn beulen me ooit zouden kunnen aandoen. Ik heb nog maar één reden over om me aan dit ellendige bestaan vast te klampen. Ik wil niet dat mijn dochter een weeskind wordt. Daarom smeek ik je, Kathryn, uit naam van de liefde die we ooit deelden, (de letters begonnen voor haar ogen te dansen – vanwege haar eigen tranen of de aarzeling van zijn handschrift?) *om mijn kind op te vangen en onderdak te geven tot het moment waarop ik een andere regeling voor haar kan treffen. Ik ben niet zonder middelen, zelfs niet in deze omstandigheden, en zal je de kosten voor haar levensonderhoud vergoeden.*

Ik wil je nog één ding vragen – smeken zelfs, in mijn wanhoop. Geef Rose een paard en een escorte, zodat ze me kan bezoeken. Ik moet haar met mijn eigen ogen zien en haar verzekeren dat haar vader haar niet in de steek gelaten heeft.

Daarna volgde enkel zijn naam, als een scheur in het papier. Geen groeten, geen liefkozende woorden. Alleen *Finn, miniatuurschilder*, zo heftig neergeschreven dat hij zijn pen moest hebben gebroken.

Kathryn rolde het perkament weer op, bond het blauwe lint eromheen en legde het neer naast het andere bericht. Geen van beide droeg een zegel. Ze las de brief nog eens door. Het deed haar pijn dat hij dacht dat hij voor Roses onderhoud moest betalen. 'Is geld het enige waar je aan denkt?' had hij haar gevraagd, de laatste keer dat ze samen waren, toen hij die zilverstukken naast haar bed had achtergelaten – die keer dat ze hem had weggestuurd omdat hij ooit van een jodin gehouden had. Met trillende handen streek ze de sprei glad. Ze zou hem nu niet uit haar bed verjagen, zelfs niet als hij met duizend jodinnen geslapen had.

Ze pakte het andere bericht. Haar vingers speelden met het rode lint.

Rose sliep nu al. Kathryns bevende handen maakten het koordje los en haar ogen verslonden Finns liefhebbende brief aan zijn dochter. Geen spoor van wanhoop, maar dappere woorden van geruststelling. Alles zou goed komen, schreef hij. En hij vroeg of ze hem wilde bezoeken, zolang hij niet naar háár toe kon komen. Hij sprak over Spanje. *Zou je Andalusië willen zien?* Verlangende woorden om zichzelf hoop te geven en zijn dochter te troosten. Of wilde hij echt zo ver weg, bij Blackingham en Kathryn vandaan?

De brander boven het bed sputterde en doofde. Het laatste licht van de ondergaande zon drong nog nauwelijks in de donkere kamer door. Ze rolde de brief voor Rose in haar eigen perkament en legde de papieren in haar garderobekast. Het meisje zou alleen nog meer van streek raken als ze hoorde dat haar vader naar haar vroeg. Ze was een sterke, wilskrachtige jonge vrouw. Misschien zou ze zelfs proberen de twintig kilometer lange reis naar Norwich in haar eentje te volbrengen. Dat zou een miskraam betekenen, en hoewel dat in zekere zin een zegen zou zijn, moest Kathryn ervoor zorgen dat Finns dochter niets overkwam zolang zij over haar waakte. Ze had al genoeg op haar geweten.

Kathryn ging op bed liggen in het schemerdonker en probeerde de bonzende pijn in haar hoofd te verdrijven. De volgende morgen zou ze Rose vertellen dat er een boodschapper van haar vader was geweest om te zeggen dat het goed met hem ging, dat hij van haar hield en dat hij haar in het voorjaar weer hoopte te zien. De brief zou ze niet noemen.

Ze sloot haar ogen en lag daar in het donker totdat Glynis minuten of uren later op haar deur klopte om haar het avondeten te brengen.

De meid verving de bieskaarsen in de gedoofde brander en stak ze aan met de sputterende kooltjes uit de haard. 'Ik heb ook een bericht voor u,' zei ze, terwijl ze een opgevouwen stuk perkament uit haar zak haalde.

Kathryn kwam overeind en streek haar haar uit haar gezicht. De vettige lokken voelden vreemd aan onder haar vingers. 'Geef me eerst dat papier maar. Niet het eten.'

'Het was een knappe vent die het kwam brengen. Hij hoorde bij een groep artiesten uit Colchester, zei hij.'

'Agnes heeft ze toch wel weggestuurd, hoop ik? We hebben geen behoefte aan toneelspelers of narren.'

Ze vouwde het perkament open – het was gevlekt, half gescheurd, en het rook naar zweet.

'Verder nog iets, vrouwe?'

'Zeg tegen de kokkin dat ze die dwerg morgen weer wegstuurt. Ik heb geen berichten voor hem.'

Wat moest ze schrijven? Ze wist dat hij de priester niet had vermoord, maar zelfs als ze dat wél had gedacht zou ze hem niet hebben aangegeven, behalve uit haar angst om Alfred. Dus was er niets veranderd. De rode krullen van haar zoon mochten niet op het hakblok van de beul terechtkomen. Zelfs niet in naam van de gerechtigheid. Bovendien waren er niet genoeg bewijzen om Finn te veroordelen. Hij werd beter behandeld dan een gewone gevangene, had de dwerg gezegd. Finn had dus al vrienden. Hij was slim, hij zou het wel overleven. Alfred misschien niet. Hij was de erfgenaam van een landgoed waar de kroon en de Kerk hun zinnen op hadden gezet.

Kwam Alfred maar terug om zijn onschuld aan te tonen! Maar Sir Guy had hem erop uitgestuurd met een groep van zijn schildknapen om te oefenen voor een heilige oorlog tegen Frankrijk – de droom van de bisschop. 'Als de strijd echt begint, kan ik hem altijd nog terugroepen,' had Sir Guy beloofd om haar gunstig te stemmen, of zijn macht over haar te demonstreren. De drost had altijd een bijbedoeling. Ze moest hem niet om gunsten vragen. Nu nog niet.

Glynis pakte het blad en liep achteruit naar de deur. 'Zal ik nog terugkomen voordat u gaat slapen?'

'Vanavond niet meer.'

Het meisje kon een glimlach niet onderdrukken, zag Kathryn, jaloers op de energie waarmee Glynis de kamer uit danste, ongetwijfeld al met plannen om haar vrije avond door te brengen in de armen van zo'n snotneus van een knecht. En ook daar benijdde Kathryn haar om.

Toen het meisje was verdwenen richtte Kathryn haar aandacht op het briefje.

Colins handschrift! Gretig las ze wat hij te schrijven had, voordat ze de brief liet vallen en haar hoofd in haar handen steunde. Weer een kopzorg erbij.

Ze had gedacht dat Colin veilig bij de benedictijnen zou zijn. Maar zelfs die kleine troost werd haar niet gegund. Haar jongste zoon trok door het winterse landschap met een stelletje lichtzinnige artiesten – een schaap tussen de wolven – terwijl het zaad dat hij in Roses schoot had geplant langzaam uitgroeide tot een kind. Maar in elk geval liep hij geen fysiek gevaar, hoewel de hemel wist wat voor schade zijn onsterfelijke ziel zou oplopen in zo'n gezelschap.

Een kooltje zakte omlaag in het trage vuur, dat een zucht slaakte in de koude kamer. Kathryn draaide haar gezicht naar de muur en gaf zich over aan haar bonzende hoofdpijn. Het was niet meer dan ze verdiende.

XX

De moeder zal haar kind soms zien struikelen of op andere manieren in moeilijkheden zien komen, om daar zelf iets van te leren... En hoewel een aardse moeder misschien het verlies van haar kind zal moeten verwerken, zal onze hemelse Moeder Jezus nooit toestaan dat wij, Zijn kinderen, verloren gaan.

JULIAN VAN NORWICH, *GODDELIJKE OPENBARINGEN*

Weken verstreken voordat Kathryn voldoende moed had verzameld voor de twintig kilometer lange tocht naar Castle Prison. Elke nacht lag ze wakker, zoekend naar de juiste woorden om het uit te leggen, maar ze wist niets te bedenken. Toch was ze Finn verplicht om voor Rose te zorgen en hem te verklaren waarom zijn dochter niet met haar meegekomen was. En nog altijd wist ze niet hoe die verklaring moest luiden. Als ze hem in elk geval maar zou *zien*, als hij haar maar in de ogen zou kunnen kijken... dan zou hij misschien de liefde lezen die ze nog altijd voor hem voelde. Misschien ook niet. Maar dan had ze haar best gedaan en zou ze wellicht weer kunnen slapen.

Twee keer had ze haar gouden haarband om haar hoofd gebonden, haar bontmantel aangetrokken en haar telganger bestegen. Twee keer was ze naar Aylsham gereden, vijf kilometer verderop. Twee keer was ze teruggekeerd, met haar knecht op eerbiedige afstand achter zich aan.

Maar nu was het een glasheldere ochtend, koud als het ijs dat nog tot maart op het molenwiel zou blijven liggen. Geen enkele winterse wolk aan de horizon. De merrie kon gemakkelijk haar weg vinden over de bevroren richels van het pad. Haar aanwezigheid was niet nodig in de keuken, de provisiekamer of de kelders, en de vorige dag had ze met Simpson de pachtgelden doorgenomen. Lady Kathryn had geen excuses meer.

Bij het kruispunt van Aylsham gekomen gaf ze haar paard de sporen en sloeg de richting in van Norwich. Haar mantel lag in een brede waaier over de flanken van het paard. Haar met bont gevoerde capuchon rimpelde in de wind, maar ze verwelkomde de bijtende kou die tranen in haar ogen bracht.

De knecht had afwachtend zijn paard ingehouden op de kruising bij Aylsham. Toen de edelvrouwe niet terugkeerde slaakte hij een zucht, trok zijn wambuis wat dichter om zich heen en zette zijn paard aan tot een galop.

Finn stond bij het hoge raam en keek naar buiten om zijn ogen rust te geven na het werk. Morgen was het vrijdag, dus zou hij aan het paneel van de bisschop moeten werken in plaats van aan Wycliffes tekst. Henry Despenser kwam altijd op vrijdag en Finn verheugde zich zelfs op deze inspecties. Voor een eenzaam man was ook de duivel nog welkom gezelschap. De enige andere ziel die hij hier zag, afgezien van de cipiers en de onnozele jongen die hem bediende, was Half-Tom. Sinds zijn eerste bezoek was de dwerg nu twee keer geweest – op de terugweg van Blackingham, met een bericht, en daarna om Wycliffes voltooide tekst weer op te halen.

De ondiepe, bochtige rivier beneden hem lag vlak en bevroren, als een blauwwitte hoofdweg door een winters landschap – een hoofdweg die onbereikbaar voor hem was, zoals een vogel nooit op een wolk zou kunnen wegdrijven. Hij kon nog net de brug zien die over het water naar de gevangenis liep. Die brug was verlaten, op een eenzame ruiter na: een vrouw, gevolgd door een knecht. Verse sporen in de sneeuw markeerden hun pad. Finns schildersoog zag het blauw en zilver van het uniform van de knecht, dat contrasteerde met de witte achtergrond. Blauw en zilver. De kleuren van Blackingham! Rose! Eindelijk. Hij boog zich naar de uiterste rechterkant van het raam om nog meer van de brug te kunnen zien, maar de vrouw was al uit het zicht verdwenen.

Haastig stak hij de drempel van zijn kamer over en daalde de bochtige trap af naar het hek beneden. Rustig aan, vermaande hij zichzelf. Er waren wel meer huizen met een blauwe livrei, en het zilver had een speling van het licht kunnen zijn.

Hij trok zijn tinnen kroes ratelend langs de spijlen van het hek. 'Stuur mijn bediende!' riep hij in de richting van het wachtlokaal. 'Mijn kamer is koud. Mijn dochter komt. Breng me hete kooltjes en warme cider. Twee bekers.'

De brigadier van de wacht kwam naar buiten, knoopte zijn broek dicht en mompelde: 'Kalm nou maar. Kan een man niet even pissen zonder gestoord te worden? Wat denk je dat het hier is – een herberg?'

Finn bleef niet wachten om zijn protesten aan te horen, maar riep over zijn schouder: 'Haar naam is Rose. Zeg tegen de commandant dat ik toestemming van de bisschop heb om haar te ontvangen.'

Ze kon hier elk moment zijn, en natuurlijk had ze honger. Het was een lange rit geweest. De bediende zou pas over drie uur met zijn avondeten komen, en voor die tijd zou ze alweer vertrokken zijn.

Hij pookte de bijna gedoofde kooltjes in de haard op en vond nog wat kaakjes en gedroogd fruit van het avondmaal van gisteren. Hij besprenkelde de droge koekjes met wat water en kostbare rietsuiker, wikkelde ze in perkament en legde ze op de haard om warm te worden. Het gedroogde fruit arrangeerde hij op een bord, dat hij op het tafeltje voor het vuur zette. Toen ging hij zitten wachten, sprong weer overeind om zijn kam te zoeken en haalde die haastig door zijn haar en zijn baard. Had hij nog een schoon hemd?

~

'Ik kom voor de gevangene Finn,' zei Kathryn met al het gezag dat ze in haar stem kon leggen. 'Ik ben lady Blackingham.'

Ze gaf de teugels aan haar knecht en steeg af voor de donjon van het kasteel. De wachtpost stak zijn hoofd weer naar binnen en mompelde een paar woorden die ze niet verstond. Even later verscheen een man die een kort zwaard aan zijn gordel droeg. Hij keek verbaasd en zelfs wat beduusd. 'Vrouwe,' zei hij met een kleine buiging, 'wij hadden u niet verwacht.'

'Nee, natuurlijk niet. Maar Finn, de miniatuurschilder, wordt hier toch gevangengehouden, nietwaar?'

'Dat wel, maar...'

'En u laat bezoek bij hem toe?'

'Soms wel. Zelfs vrouwelijk bezoek.' Hij wierp een waarschuwende blik naar de grinnikende wachtpost. 'Maar het is nogal ongebruikelijk voor een dame...'

'De drost was een vriend van mijn man, wijlen Lord Blackingham. Er is mij verzekerd dat ik de gevangene zou mogen zien.' Niet helemaal een leugen.

'Ik moet navraag doen. Als u misschien later terug kunt komen...'

'Ziet u niet dat ik half bevroren ben? Dit is geen middagritje of een jachtpartij! Sir Guy zal het niet op prijs stellen dat u de weduwe van een vriend laat wachten.'

Hij zuchtte vermoeid. 'Ik zal u naar hem toe brengen.'

Hij pakte een grote sleutelbos en ging haar voor over de binnenplaats. Onder aan een wenteltrap bleef hij staan bij een klein wachtlokaal met een volgende cipier. Aan de voet van de trap was een hek van ijzeren tralies. Het schraapte over de stenen vloer toen de commandant het opende. Kathryn kromp ineen.

'Is de deur daarboven van het slot?' vroeg hij aan de bewaker.

'Ja. Zijne hoogheid kwam al naar beneden om op het hek te bonzen.'

De commandant gaf Kathryn een teken om voor te gaan.

'Ik wil heer Finn onder vier ogen spreken, als u het goed vindt,' zei ze.

Met een glimlach legde ze haar hand op zijn mouw, maar koketterie was niet haar sterkste kant. Hij aarzelde. Toen stak ze haar hand in het fluwelen tasje aan haar middel, haalde er een zilverstuk uit en drukte hem dat discreet in zijn hand. Haar keel was droog toen ze zei: 'Ik verzeker u dat ik daar veilig zal zijn. En ik moet heer Finn spreken over persoonlijke zaken.'

De commandant haalde zijn schouders op en wees naar boven. 'Het is een hele klim. Als u wilt vertrekken, kom dan naar beneden en bons op het hek.' Hij wilde zich omdraaien, maar bleef toen staan. Kathryn was al bang dat hij zich had bedacht. 'Als u op weg naar buiten even langs de donjon wilt komen? Ik heb iets dat u misschien zal interesseren.'

Met een plichtmatige buiging liet hij haar alleen. Even later hoorde ze zijn sleutel in het slot van het hek. Ze was zo bezig met de naderende ontmoeting dat ze zich niet eens afvroeg wat de commandant van haar zou willen.

Finn probeerde het vuur op te poken met een ganzenveer – iets scherpers of zwaarders gaven ze hem niet – toen hij zachte voetstappen op de trap hoorde. Hij gooide de pen in de haard. De ganzenveer vlamde helder op. Toen hij zich omdraaide, zag hij een gedaante in een mantel met capuchon in de deuropening staan, afgetekend tegen het licht. Hij rende op haar toe en nam haar in zijn armen.

'O, lieveling,' zei hij. 'Eindelijk! Als je eens wist hoe je vader je...' Hij voelde haar verstijven. Haastig deed hij een stap terug en lachte. 'Ik wilde je niet de adem afsnijden. Alleen...'

Ze trok de gevoerde capuchon weg die haar gezicht omlijstte.

'Kathryn!'

Dus toch niet Rose. Zijn teleurstelling maakte snel plaats voor vreugde, hoewel hij zijn blijdschap om haar te zien niet wilde toegeven. Haastig borg hij dat gevoel weer op in die zwarte kuil in zijn hart, waar het werd verzwolgen door haar verraad. Hoe mooi was ze, zoals ze daar voor hem stond, hooghartig als altijd, met een kaarsrechte rug, een roze huid en ogen die helder glinsterden door de kou. Hij haatte zichzelf dat hij daarop lette.

'Ik dacht dat je Rose was,' zei hij. Het klonk toonloos, als woorden in dode lucht.

'Ja. Dat merkte ik aan je warme omhelzing.'

'Waar is Rose? Waarom is ze niet met je meegekomen?' Angst kneep zijn keel dicht. Hij moest zichzelf dwingen om rustig adem te halen. 'Is ze ziek?'

'Wees maar niet bang, Finn. Met Rose gaat alles goed. Ik zorg voor haar. Mag ik binnenkomen?'

'Is de edelvrouwe van Blackingham niet bang om de cel van een dief en een moordenaar te betreden? Je hebt je juwelen thuisgelaten, hoop ik? Pas maar op. Straks sla ik je nog je schedel in, net als die arme priester.'

Kathryn stond onbeweeglijk als een standbeeld en keek hem aan met een ondraaglijke droefheid in haar ogen. Ze beet zo hard op haar bovenlip dat hij elk moment bloed verwachtte te zien op haar lippen – de lippen die hij ondanks alles toch wilde kussen. Hij moest wel een verdorven ziel hebben om haar nog altijd aantrekkelijk te vinden.

'Ik weet wel dat je geen dief of moordenaar bent,' zei ze, 'maar een goed mens.' Haar gezicht was mager geworden en ze had wallen onder haar ogen.

'Zeg dat dan tegen je vriend, de drost,' zei hij, terwijl hij zich omdraaide met een leeg gevoel. Zolang hij niet naar haar keek had hij minder last van zijn haatgevoelens – en zijn verlangen.

'Mag ik binnenkomen?' vroeg ze nog eens, heel zacht.

'Vraag je toestemming aan een veroordeelde?' Hij maakte ruimte. Kathryn stapte over de drempel, maar bleef toen abrupt staan. Alle kleur week uit haar gezicht.

'Wat bedoel je met "veroordeelde"?'

'Veroordeeld tot dit.' Hij maakte een gebaar naar zijn omgeving.

Ze keek om zich heen. Haar blik bleef rusten op zijn bed, zijn werktafel. 'Ik had het me erger voorgesteld,' zei ze.

'Het was ook erger,' zei hij, 'maar ik heb het op een akkoordje gegooid, als een echte lafaard. Ik ben nu het slaafje van de bisschop.' Hij maakte een verachtelijk gebaar boven de inktpotten op zijn tafel en wees naar het gedeeltelijk voltooide paneel onder het raam, met Maria aan de voet van het kruis. 'In ruil voor deze kitsch als versiering voor zijn altaar laat hij me in leven – als je dat leven kunt noemen.'

Ze raakte bewonderend het paneel aan. 'Dit is geen kitsch. Het is prachtig,' zei ze. 'Net zo mooi als al je werk.'

Vreemd hoeveel voldoening die woorden hem gaven, en hoe belangrijk haar waardering voor hem was. Hij haalde zijn schouders op. 'Zo houd ik de strop bij mijn hals vandaan.'

Ze huiverde bij het woord 'strop', en ook dat deed hem genoegen.

'Het spijt me als je het hier te koud vindt,' zei hij. 'Dat is het wel vaker.' Klootzak, dacht hij. Je probeert haar medelijden op te wekken. 'Mijn manieren zijn net zo gebrekkig als mijn omstandigheden. Maar ga zitten.' Hij wees naar de eenzame stoel. 'Heel lomp van me, om te blijven staan in jouw verheven gezelschap, maar ik heb maar één stoel.'

'Finn, niet doen.'

Hij keek weg en staarde uit het raam naar de breekbare hemel met de bleke winterzon.

Toen hij zich weer naar haar toe keerde leek ze een figuur op een schilderij. Hij had haar zo kunnen schilderen, half in de schaduw, met het schijnsel van de haard op haar blauwe mantel, haar hoofd gebogen, haar handen gevouwen in haar schoot en haar ogen afgewend, bleek en stil als albast. Wachtend. Een vrouw met een hart dat nog altijd een mysterie voor hem was. Zet een baby op haar schoot en ze is een Madonna, dacht hij. Maar misschien moest hij haar schilderen met het bebloede hoofd van de gewonde Christus in haar handen.

'Waarom, Kathryn? Dat is het enige wat ik je vraag.'

Ze keek op, maar gaf geen antwoord.

'Omdat je haatte wat wij samen hadden – dat je had geslapen met een man die ooit van een jodin gehouden had?'

'Je weet waarom, Finn. Ik moest kiezen.'

'En je koos voor een leugen.'

Ze sloot haar ogen, haalde diep adem en opende ze weer, maar zonder hem aan te kijken. 'Degene die de parels had moest de priester hebben vermoord.'

'Dus toen mijn dochter zei dat Alfred die parelketting in mijn kamer had verborgen ging je ervan uit dat hij schuldig was en besloot je mij op te offeren.'

'Ik zou mijn eigen leven hebben gegeven om jou te redden, begrijp je dat dan niet? Maar...' Ze staarde naar de haard alsof in die gloeiende kooltjes het antwoord te vinden was. 'Als je zou moeten kiezen tussen mij en Rose, Finn... wat zou jij dan hebben gedaan?'

Die vraag had hij zichzelf de afgelopen weken al zo vaak gesteld. 'Ik had niet toegestaan dat ze jou zo snel hadden meegenomen, Kathryn. Ik had geprobeerd een manier te vinden om Rose én jou te redden. Ik zou het niet zo makkelijk hebben opgegeven.'

'Makkelijk? Denk je dat het makkelijk was wat ik heb gedaan? Ik doe mijn best. Je begrijpt het niet. De drost...'

Hij snoof verachtelijk. 'Je vriend, de drost.'

'Vriend, vijand, zijn relatie met mij doet er niet toe. Hij heeft de sleutel. Ik moet beleefd tegen hem blijven. Hij kan me niet alleen chanteren met jou, maar ook met Alfred. Ik heb mijn zoon niet meer gezien sinds hij besloot om als schildknaap in dienst van de drost te treden. Als ik maar met hem kon praten, zeker wist dat hij veilig was, zou ik de bisschop misschien kunnen vragen om...'

'Gratie? Maak jezelf toch niets wijs. Despenser wil me hier houden tot hij genoeg krijgt van zijn spelletje en Sir Guy de Fontaigne zal nooit een vinger uitsteken om mij vrij te krijgen. Laat je niet in de luren leggen door zijn mooie beloften, Kathryn. Geef hem niet nóg meer macht over je. Sluit geen duivels compromis om mij te helpen.'

Ze wees naar de tafel met het bord met koekjes en de twee bekers dampende cider. Ze warmde haar handen aan een ervan, maar pakte hem niet op. 'Je verwachtte Rose.'

Haar glimlach, droevig en met opeengeklemde lippen, bezorgde hem een steek in zijn hart. Hij zette zich schrap tegen de smekende uitdrukking op haar gezicht. Hij zei niet dat hij blij was haar te zien. Hij vroeg haar niet om wat te drinken.

'Ik verwacht haar al elke dag sinds ik haar geschreven heb. Je hebt haar mijn brief toch wel gegeven?'

'Ik... ik heb je boodschap doorgegeven.'

Ze loog, of er was iets ernstig mis. Rose zou absoluut zijn gekomen, daar was hij zeker van.

'Je zei dat ze niet ziek was. Is ze nog wel bij je? Heb je haar niet weggestuurd?' Hij voelde paniek opkomen. 'Ik heb je toch gezegd, Kathryn, dat ik wil betalen voor...'

'Ik hoef jouw geld niet, Finn. Waar zie je me voor aan? Dat ik een hulpeloos meisje de deur zou wijzen?'

Hij moest lachen om haar gekwetste toon. 'Je had weinig moeite om je afgedankte minnaar de deur uit te zetten. En nog wel op zo'n handige manier. Ik zou niet verwachten dat je nog iets wilt doen voor zijn joodse dochter, die geen cent meer op zak heeft.'

'Rose blijft bij mij, zelfs als jij de strop zou krijgen of van ouderdom in je bed zou overlijden – het één of het ander.'

Mooi zo. Ze werd kwaad. Haar boosheid raakte hem niet zoals haar verdriet. Haar heftige reactie stelde hem gerust.

'Je hebt het recht niet om te denken dat ik jouw dochter op straat zou zetten. Besef je niet hoe kwetsend dat is?'

Ja, dat besefte hij.

Ze stond op en begon te ijsberen. De zoom van haar mantel danste om haar voeten. Ze benadrukte elk woord met haar gebalde vuisten. Finn staarde naar de vloer en zag haar voeten heen en weer lopen. Ze droeg de schoenen met de zilveren gespen die hij voor haar had gekocht.

'Ik zal haar behandelen als mijn eigen dochter, Finn, dat zweer ik je. Het zal haar aan niets ontbreken. Ze zal genoeg kleren en eten krijgen, alsof ze een dochter was van Blackingham zelf. Zowel Rose als het kind. Dat zweer ik je bij de Heilige Maagd.'

Welk kind? Wat bedoelde ze? Hij liet zich met een klap op de stoel vallen, die nog warm was van haar lichaam. Kathryn was blijven staan, met haar mantel gevaarlijk dicht bij de haard. Hij boog zich naar voren en trok de zoom weg bij de knetterende vonken.

Toen keek hij op. Ze torende boven hem uit. 'Kind?' vroeg hij.

'Ik had het je niet zo plompverloren willen zeggen. Ik wilde je alleen laten weten dat je me kunt vertrouwen. Ik had het je eerder moeten vertellen, dat weet ik, maar de situatie lag zo moeilijk tussen ons, en toen kwam de drost...' Ze drukte haar gehandschoende vingers tegen haar lippen alsof ze de woorden wilde tegenhouden. Haar ogen werden rood. Ze slaakte een onderdrukte kreet, en toen nog een.

Ze stond te huilen! Hij had haar nooit eerder zien huilen en was niet voorbereid op de vreemde uitwerking die haar tranen op hem hadden. Hij wilde haar kussen. Hij wilde schreeuwen dat ze moest ophouden. Wat voor recht had ze om te huilen? Hij sprong overeind, greep haar pols en dwong haar om stil te staan. Hem aan te kijken. Ze kromp ineen alsof hij haar pijn deed, maar ze protesteerde niet. Hij maakte zijn greep wat losser.

'Welk kind, Kathryn? Waar heb je het over?'

Ze haalde haar hand voor haar mond weg alsof ze het zegel van haar lippen verbrak. Haar stem klonk hees van opgekropte tranen. 'Rose is zwanger. De baby komt in mei.'

Zijn gedachten stoven alle kanten op, als een vlucht vogels die door een harde klap werd verstoord. Hij liet haar pols los en wreef met zijn handen over zijn gezicht. Rose. Zijn Rose. Zelf nog nauwelijks meer dan een kind.

'Zij en Colin zijn verliefd op elkaar geworden.'

'Colin?'

'Jij was net zo blind als ik. Het was net zo goed ónze schuld. We hebben ze te veel aan hun lot overgelaten, terwijl wij...'

'Daar hoef je me niet aan te herinneren, Kathryn. Ik weet heel goed wat we deden.'

Stilte tussen hen. Een diepe kloof.

'Het klinkt alsof je daar spijt van hebt,' zei ze.

'Het was slecht zaad, Kathryn, waaruit een bittere vrucht is voortgekomen.'

Tranen glinsterden in haar ogen. 'Ik had er niet één minuut van willen missen. Ik zou dat *slechte* zaad niet willen ruilen voor de mooiste bloemen van het paradijs.'

'Mijn kleinkind zal geen bastaard worden. Jouw zoon moet met mijn dochter trouwen.'

Ze opende haar mond om iets te zeggen, maar hij hief een hand op. 'Zeg niet dat ze niet kunnen trouwen omdat zij joods is. Zeg dat niet,

Kathryn! Als ik die woorden van je hoor, zal ik weten dat je een leugenaarster en een hypocriet bent, die geen echte liefde in haar hart kan voelen. En vertel me niet dat de koning geen toestemming zal geven. De koning kent mijn ware identiteit niet. Niemand weet wie ik ben, behalve jij.'

'Ze kunnen niet trouwen,' zei ze dof.

Hij wilde haar slaan. Hij moest met zijn linkerhand zijn rechterpols grijpen om zichzelf tegen te houden.

Ze kromde haar schouders en dook half weg, alsof ze zijn gedachten raadde. 'Ze kunnen niet trouwen omdat Colin is weggelopen. Ik weet niet waar hij is.'

'Wanneer?'

'Op de avond dat jij werd gearresteerd.'

'Stuur je vriend de drost achter hem aan. Breng hem terug. Dwing hem om zijn verantwoordelijkheid onder ogen te zien.'

'Colin weet niets van de baby. Hij is waarschijnlijk weggelopen om bij Rose vandaan te zijn. De verleiding van de zonde...'

'Wil je beweren dat mijn dochter, die nog maagd was toen ze de *bescherming* van jouw huis ontving, jouw zoon zou hebben verleid?'

'Nee. Ik zeg alleen... Finn, je kent de macht van de verleiding.'

Ze smeekte hem met haar ogen. Hij keerde haar zijn rug toe.

Kathryn stak een hand uit en raakte zijn rechterschouder aan. Haar stem was nauwelijks meer dan een gefluister, maar hij verstond elk woord. 'Ik beloof je, bij het bloed van de Verlosser, dat ik voor je dochter zal zorgen. En voor haar kind.'

Hij haalde diep adem en probeerde zich te beheersen. Zijn ribben, nog maar half genezen, deden pijn. Het enige geluid in de kamer was het bonzen van het bloed in zijn eigen hoofd.

'Ik moet nu gaan,' zei ze. 'De wegen zijn gevaarlijk na het donker.'

Hij zei niets, omdat hij zijn eigen stem niet vertrouwde. Toen hij zich omdraaide was ze verdwenen.

De enige aanwijzing dat ze hier ooit was geweest was een vage geur van lavendel en de last van het nieuws dat ze hem had gebracht. Hij luisterde naar haar voetstappen, waarvan de echo door het trappenhuis verstierf. Toen pakte hij de tinnen beker en smeet hem tegen de muur. De cider spatte tegen de stenen en droop in kleverige donkere druppels naar de vloer.

Kathryn riep de bewaarder om het hek te openen. Haar knecht, die zich warmde aan een open vuur op de binnenplaats, maakte haar paard los en kwam naar haar toe.

'Vrouwe, één moment, alstublieft. Ik heb iets dat u misschien zal interesseren.'

De commandant. Ze was zijn verzoek helemaal vergeten. Ze wilde op haar paard stappen en wegrijden, deze ellendige plek achter zich laten, de wind haar tranen laten drogen, de kou haar huid laten bevriezen, totdat ze de pijn in haar borst niet meer zou voelen. Maar er was niets aan te doen. De man wachtte op haar. Hij had haar al een gunst bewezen en ze zou spoedig weer een beroep op hem moeten doen.

'Snel dan, alstublieft,' zei ze. 'Het is nog een lange rit terug naar Blackingham.' Ze liep achter hem aan naar de donjon.

Hij opende het hangslot van een grote kist in het midden van de ronde wachttoren en haalde er een langwerpig voorwerp uit, verpakt in doek.

'Ik dacht dat u dit wel zou willen hebben. Het was van de gevangene, maar hij mag het natuurlijk niet houden.'

De commandant haalde een smalle dolk tevoorschijn, met fraai snijwerk op het heft. Ze hadden samen door de tuin gelopen, pas verliefd, toen ze die zilveren dolk voor het eerst had gezien. Ze was met haar voet achter de klimop blijven haken en Finn had de stengel doorgesneden en er een krans van gevlochten. 'Een groene guirlande voor het haar van mijn vrouwe.' Lachend had hij het puntje van haar neus gekust toen hij de krans op haar haar drukte.

'Hoeveel?'

'Drie gouden soevereins?' Hij keek haar berekenend aan, bereid om te onderhandelen. Maar Kathryn had haast.

'Dat lijkt me een redelijke prijs. Maar ik heb alleen shillings.' Misschien werkte hij met een boevenbende samen. 'Als u mijn woord accepteert?'

'Natuurlijk, vrouwe. Zal ik hem voor u bewaren?'

'Ik wil hem graag meenemen. Kunnen we ruilen?' Ze trok een kleine ring van haar pink. 'Deze is minstens drie soevereins waard.'

De commandant pakte de ring van haar aan, hield hem tegen het licht en beet in het zachte goud.

'Akkoord,' zei hij, terwijl hij de dolk weer inpakte.

Kathryn schudde haar hoofd. 'Ik heb die doek niet nodig.'

Ze nam de dolk van hem aan en bond hem aan haar ceintuur, naast haar rozenkrans. De hele weg naar huis, bij hobbels en andere oneffenheden, voelde ze het heft in haar vlees priemen.

XXI

Bepaling: Dat geen... troubadours, minstrelen of vagebonden worden gedoogd... die met hun voorspellingen, leugens en opruiende taal mede oorzaak zijn van de onlusten en opstanden.

UITSPRAAK VAN HET PARLEMENT, 1402

Colin zat op de rand van de woonwagen en tuurde door een gordijn van regen naar het verlaten marktplein. De zware huif was ingeklapt en hij had zijn benen onder zich getrokken. Een ervan begon al gevoelloos te raken. Hij probeerde het zuchten en steunen van de gelieven achter in de wagen te negeren.

Het paasfestival, georganiseerd door het Lakengilde van Bury Saint Edmunds, was totaal verregend. Het volk, niet bereid om uren in de regen te staan voor de Wederopstanding, was thuis bij het sputterende haardvuur gekropen. De leden van de gilden hadden hun eigen podiumwagens opgebroken en meegenomen. Er was geen publiek meer om te applaudisseren en muntjes te gooien naar de minstrelen en andere artiesten die hun kunsten zouden vertonen nadat de herrezen Christus met een buiging afscheid had genomen. De enige die achterbleef was een van de arme priesters die de menigte volgden om pamfletten uit te delen tegen het wangedrag van de Kerk. Hij scheen niet eens te merken dat het plein was leeggestroomd.

De troupe kon het weinig schelen dat het festival in het water was gevallen. Ze hadden in maart al opgetreden op een bruiloftsfeest in Mildenhall, waar de plaatselijke heer hen nog veertien dagen had ingehuurd voor allerlei festiviteiten. Ze hadden veel gespeeld en goed verdiend. Zelfs Colin had even genoeg van het zingen.

Twee van zijn makkers waren lachend naar de dichtstbijzijnde taveerne verdwenen, op zoek naar 'geestrijk vocht' om de somberheid te verdrijven. De derde had verpozing gezocht in de armen van een melkmeid die zich in Mildenhall met haar tamboerijn bij de groep had aangesloten. Hun opruiende teksten hadden haar de moed gegeven om weg te lopen, zei ze. Maar uit de deinende beweging van de wagen leidde Colin af dat haar besluit meer te maken had met de prachtige pluimen op Jacks hoed – of zijn andere kwaliteiten.

Colin had spijt dat hij niet met de anderen naar de kroeg was gegaan, hoewel hij zich daar ook een vreemde zou hebben gevoeld. Hij ging wat verzitten om het gewicht van zijn slapende been weg te nemen en probeerde de geluiden van het liefdesspel uit het binnenste van de wagen te negeren. Hoewel er niemand was om het te zien, deed het hem toch blozen. Hij verlangde naar Rose en kon haar beeld niet van zijn netvlies verjagen. De herinnering aan haar hapte als een hellehond naar zijn kuiten. Hoe meer hij berouw had van zijn zonde, des te heviger hij verlangde naar degene met wie hij die zonde had begaan. Het was een troosteloze toestand.

Hij had al lang begrepen dat de troupe nooit aan het begin van de zomer in Cromer zou kunnen zijn. Cromer lag ten noorden van Norwich, Bury Saint Edmunds ten zuiden, precies de andere kant op. En de wegen waren onbegaanbaar door overstromingen. Niet dat het veel uitmaakte. Als hij nog langer bij deze artiesten bleef zou hij niet meer geschikt zijn voor het leven van een monnik. En het hele idee stond hem ook steeds minder aan. Eigenlijk wilde hij gewoon naar huis.

Had hij wel iets te maken met die afgebrande wolschuur? Hoe kon hij weten dat hij en Rose de brand hadden veroorzaakt, alleen omdat ze daar samen waren geweest? Misschien had John zelf de brand wel over zich afgeroepen door zijn zondigheid. Colin had hem vaak genoeg dronken gezien. In zijn beschonken toestand had de herder misschien een lamp omgegooid. Maar één ding kon hij niet wegredeneren. Rose was maagd geweest, maar nu niet meer. En dat was zijn schuld. Dat kon hij niemand anders verwijten – haar zeker niet. En dus moest hij het goedmaken.

Het gehijg en gesteun vanuit de wagen was moeilijk te negeren, zelfs boven het gekletter van de regen uit. Als vuur de straf was voor wellust, zou deze wagen allang zijn uitgebrand. Hij staarde naar de grote moddervlakte. Dikke druppels vielen van de overstekende dakrand van de wagen en spatten op de grond uiteen. De dolle priester – zoals hij John Ball in gedachten noemde – stond nog steeds in de regen, met zijn armen naar de hemel gestrekt. Het water stroomde over zijn gezicht en hij scheen niet eens te merken dat hij geen publiek meer had. 'Vlucht voor de wrake die zal komen! Hij zal de wereld vernietigen, zoals in Noachs tijd! God zal de corrupte hoer van Babylon zijn rug toekeren.'

Colin zag hem regelmatig: een van die Lollard-predikers, wat ijveriger dan de rest, die zijn onorthodoxe leer probeerde te verbreiden zodra zich ergens een menigte had verzameld. Terwijl de meeste anderen anoniem bleven, viel John Ball op door zijn ijver en zijn uiterlijk. Hij was een gedrongen man in een armoedige monnikspij, die met groteske gebaren en gezwollen retoriek tekeerging tegen de Kerk en de adel vanwege hun hebzucht en de manier waarop ze het gewone volk uitbuitten. Hij verzette zich tegen de Goddelijke Orde van de sociale klassen en verkondigde radicale principes van gelijkheid – hoewel Colin ze niet meer zo radicaal vond als vroeger.

Dezelfde vrijzinnige ideeën die John Ball predikte vond je ook terug in de liederen van minstrelen: korte teksten waardoor Colin ook was gaan twijfelen aan de Goddelijke Orde. Waarom zou God hebben bepaald dat een kleine bovenklasse goede wijn uit zilveren bekers dronk en dure bontmantels droeg, terwijl anderen zich met gebrekkig gelooide huiden en vuil water uit een houten trog moesten behelpen? Had God werkelijk vastgesteld wie heer was en wie knecht? Of was de Goddelijke Orde gewoon een systeem van koningen en bisschoppen om het gewone volk eronder te houden? De Kerk noemde het ketterij om te beweren dat God alle mensen gelijk had geschapen of dat iedereen zijn eigen beloning verdiende.

De dolle priester verhief zijn stem weer in een verontwaardigde tirade:

'In de tijd van Adam en Eva dan?
Wie was er toen de edelman?'

Bekende regels. Principes van gelijkheid. Radicale principes, die ervan uitgingen dat rijk en arm, edelman en lijfeigene, allemaal uit dezelfde bron afkomstig waren. Colin had die woorden zo vaak gehoord als ze werden gezongen aan de tafels van grote heren en hun gasten – die altijd applaudisseerden en hun instemming betuigden, alsof die kritiek niet voor hén bestemd was, maar voor een andere adel in een ander Engeland. Maar nu, uit de mond van John Ball, in wiens ogen de fanatieke overtuiging brandde van een vurige profeet, leken die woorden veel gevaarlijker. Colin had ooit meegemaakt dat Ball naar de schandpaal werd gesleept omdat hij de openbare orde verstoorde. Hij wilde zo ver mogelijk bij die man uit de buurt blijven. Maar John Ball was nog maar tien meter bij de wagen vandaan en zocht een publiek. *Vlucht voor de wrake die zal komen!* Jawel, maar waarheen? Niet de wagen in, die was al bezet. Hij kroop weg in de schaduw, maar die beweging trok juist de aandacht van de priester. John Ball zweeg halverwege een zin, liet zijn armen gestrekt langs zijn zij vallen en sloeg ze toen over elkaar. Zijn handen verdwenen in de wijde mouwen van zijn monnikspij.

Colin probeerde de starende blik van de prediker te ontwijken. Maar als door een onzichtbare draad werden zijn ogen steeds weer naar de man toe getrokken. Balls grijze haar lag in pieken tegen zijn nek en zijn gezicht geplakt. Regendruppels dropen als tranen uit zijn ogen en langs zijn neus. Colin voelde zijn brandende blik, dwars door de wagen heen, op hem gericht.

Doelbewust kwam de priester naar de wagen toe. Het was al te laat om het zeil te laten zakken. Dat was alsof hij de man de deur in zijn gezicht zou slaan.

'"In de tijd van Adam en Eva dan? Wie was er toen de edelman?" Probeer die woorden te onthouden, jonge vriend!'

'Ik heb ze al eerder gehoord.' Verbeeldde hij het zich, of was er een eind gekomen aan de deinende beweging van de wagen? Maar hij kon zich nu niet meer terugtrekken. Hij was al in gesprek met de beruchte John Ball. 'Ik heb ze zelf wel eens gezongen, begeleid door mijn luit.' Dat was een leugen. Hij zong alleen liefdesliedjes. Maar zijn makkers zongen het wel, en hij moest toch iets zeggen.

'Aha. Maar kwamen ze uit je ziel? Zetten ze je hart in brand?' Hij sloeg zich op zijn borst. 'Zag je de hongerige boer in zijn lemen hut als je ze zong? Rook je de stank van pus uit de open wonden op zijn in lompen gewikkelde voeten? Voelde je de last van de koning op zijn schouders, de knie van de Kerk in zijn nek, de stekende pijn van het onrecht in zijn hart?'

Colin wist niet hoe hij moest reageren op zulke woedende woorden. Achter zich hoorde hij iemand giechelen. Hij hoestte om het geluid te maskeren. Een windvlaag blies de regen de wagen in.

'De regen komt naar binnen, eerwaarde. Ik moet het zeil dichtdoen. Ik zou u wel uitnodigen, maar de wagen is... bezet.'

De ogen van de oude man hadden de kleur van een stormachtige zee. 'De oude orde zal worden vernietigd. Stammen wij niet allemaal af van Adam en Eva? Er zouden geen dienaren en meesters moeten zijn. God zal die misstand niet accepteren in Zijn naam. Niet de zondvloed, nu. We zullen het juk van verdorven priesters en corrupte koningen afschudden. En deze keer zal de straf uit vuur bestaan!'

'Ja, eerwaarde. Ik zal het onthouden.' Maar hij dacht aan de brand in de wolschuur. Wiens zonde? Welke zondaar?

De prediker haalde een vochtig pamflet uit zijn pij en gaf het aan Colin voordat hij mompelend en hoofdschuddend wegbeende, zonder zich te bekommeren om de regen. Zondaars waren er niet meer om zijn woorden ter harte te nemen – behalve in zijn eigen hoofd. Colin wierp een blik op het pamflet en probeerde in het halfduister de vreemde woorden te ontcijferen, *Over het priesterambt*, door John Wycliffe, Oxford. Niet in het Frans of Latijn, maar in het Engels. Dat lag natuurlijk voor de hand, als de boodschap bedoeld was voor de lagere klassen. Hij wilde het al verscheuren en in de modder gooien bij de andere rommel die de spelers hadden achtergelaten, maar toen bedacht hij zich, vouwde het op en stak het onder zijn hemd. Misschien moest hij het toch eens lezen. In elk geval had de dolle priester hem iets gegeven om over na te denken, behalve Rose.

Achter zich hoorde hij de geluiden van de tamboerijn en de hoge, spottende stem van Vederbos. '"In de tijd van Adam en Eva?" Ach, ik voel het in mijn ziel!'

Een giechelende lach, en: 'Dat is niet jóúw ziel die je voelt.'

'De jouwe dan?'

'Nee, wat lager, dacht ik.' Weer een giechelbui.

O, Heilige Moeder, begonnen ze nu opnieuw? Colin maakte het tentzeil los en liet het vallen. Het sloeg met een klap tegen de rand en opeens was het donker in de wagen.

'Hé!' protesteerde het paar als uit één mond.

In de wagen hing een lucht van schimmel en walmende dieren. Colin sloeg een deken om zich heen, begroef zijn gezicht in zijn handen en wachtte tot het eindelijk droog zou worden.

~

Het regende ook in Blackingham. Er waren overstromingen in Norwich, Aylsham en zelfs in Cambridge, helemaal in het zuiden. De ondiepe Yare, Ouse en Wensum traden buiten hun oevers en zetten de veenmoerassen onder water. De enige reizigers die het gebied nog konden doorkruisen waren palingen en waterslangen, die door de brede meren zigzagden met een geruisloos kielzog achter zich aan. De overstromingen brachten modder, ongemak, wanhoop en ellende.

Normaal trokken er in april grote groepen pelgrims naar Canterbury en Walsingham – wat minder naar Norwich, omdat daar geen heilige beenderen van overleden heiligen te vinden waren, hoewel sommige bedevaartgangers een bezoek brachten aan de heilige vrouw van Saint Julian's. Maar dit jaar waren alle wegen vanuit Cambridge naar het noorden veranderd in modderstromen. Alleen een voerman trotseerde zo nu en dan vloekend de verzadigde aarde als hij probeerde zijn houten wielen uit de drab te trekken.

Er was weinig verkeer van en naar de gevangenis. Kathryn had Finn niet meer gesproken sinds dat eerste, pijnlijke weerzien. Agnes had haar verteld dat de dwerg een bericht voor Rose had gebracht, maar hij had het haar persoonlijk willen geven. De kleine man had geen brief voor Kathryn.

Rose was dolblij. 'Ik heb bericht gekregen van mijn vader,' zei ze tegen Kathryn. 'U had gelijk. Hij zegt dat hij blij is met de baby, helemaal niet boos. Ik ben zo opgelucht.' Haar tanden glinsterden wit tegen haar olijfkleurige huid. 'Half-Tom heeft gewacht tot ik een antwoord had geschreven. Mijn vader vroeg me om een lok van mijn haar. Kijk.' Ze wees naar een kortere pluk die boven haar gezicht krulde. 'Ik dacht, als ik het hier afknip, moet ik aan mijn vader denken elke keer als het in mijn ogen valt. Dan zal ik een onzevader voor hem bidden.'

Rose blaakte van gezondheid. Ze was zienderogen opgeknapt vanaf de dag dat Kathryn haar had verteld dat ze bij Finn was geweest, dat hij het goed maakte en dat hij naar zijn knappe dochter vroeg. Ze had het zo gunstig mogelijk voorgesteld en haar niets gezegd over de pijn die ze in zijn ogen had gelezen. Ze had gelogen dat ze samen warme cider hadden gedronken en suikerkoekjes gegeten, en ze beloofde Rose dat ze haar zou meenemen naar haar vader zodra de baby was geboren. Ja, daar had ze hem over verteld, en nee, hij was niet boos op haar, maar wel een beetje op Colin. Bij het horen van Colins naam beet Rose op haar onderlip en kneep haar ogen dicht. Kathryn kon het prikken van haar tranen bijna voelen, alsof ze in haar eigen ogen brandden. Maar algauw was Rose weer in een goed humeur.

Langzaam kwam de oude, vrolijke Rose terug. Ze kreeg zelfs weer eetlust. De wintervoorraden begonnen te slinken, maar Kathryn zorgde ervoor dat Finns dochter meer te eten kreeg dan alleen gedroogd en gezouten vlees en schimmelige rogge. Ze gaf opdracht om twee lammeren te slachten – tot grote ergernis van Simpson. Hij durfde zelfs te protesteren. Waarom slachtte ze geen oude, onvruchtbare ooi? Knarsetandend stormde hij het huis uit. Wat had híj ermee te maken? Kathryn vroeg Agnes ook om minstens eens in de week Roses lievelingskostje, een amandeltoetje met room en suiker, klaar te maken.

Rose had nu een mooie ronde buik. Ze droeg haar baby hoog. Het wordt een meisje, dacht Kathryn.

⁂

Op een dag in april, toen Kathryn dacht dat ze gek zou worden van het onophoudelijke geroffel van de regen op het dak, werd haar kleindochter geboren.

'Ze ademt niet!' hijgde Rose toen de vroedvrouw de navelstreng had doorgesneden en de kleine baby, nog nat en glibberig, op haar borst had gelegd. De vroedvrouw pakte het kind bij haar beentjes, hield het ondersteboven – zonder acht te slaan op Roses kreet van schrik – en maakte de longen vrij van slijm. Opgelucht luisterde Kathryn naar het dunne maar aanhoudende gehuil.

'Hou haar dicht tegen je aan, zodat ze je hartslag kan voelen,' zei de vroedvrouw, nadat ze de baby had gewassen en in een deken gewikkeld.

'Ik wil haar Jasmine noemen,' zei Rose tegen Kathryn toen ze het kind in haar armen wiegde. 'Vader zei dat mijn moeder altijd naar jasmijn rook.'

'Dat klinkt mooi, Rose, maar zou je haar niet een meer algemene naam geven, zoals Anne of Elizabeth?'

'Ik kan haar ook Rebekka noemen, naar mijn moeder.'

Rose leek nog zo jong, dacht Kathryn, zelf nog weinig meer dan een kind, hoewel ze de bevalling beter had doorstaan dan menige andere vrouw. Ze had maar één keer gegild, toen het hoofdje van de baby naar buiten kwam, en zo hard in Kathryns hand geknepen dat ze er een blauwe plek op haar pols aan overhield. Roses haar was nog nat van het zweet. De ene krul die ze voor haar vader had afgeknipt lag tegen haar wang geplakt. Kathryn streelde haar voorhoofd en streek de krul weer op zijn plaats, terwijl ze aan Finns hoge voorhoofd dacht. Maar ze dacht ook aan de problemen die een kind met een joodse naam kon verwachten. Het zou hun leven een stuk lastiger maken.

'Ik vind Jasmine nog mooier dan Rebekka. En het is een eerbetoon aan je moeder. Het past ook bij je kleine meid. Ze is zo klein en mooi als de bloem van een jasmijn.'

Het kindje, vier weken te vroeg geboren volgens Kathryns berekening, was zo klein dat ze het bijna in haar gevouwen handen kon houden. Toen het had gedronken nam ze het van de moeder over en wikkelde de armpjes en beentjes, en zelfs het hoofd en het breekbare lijfje, in zachte linnen windsels om kromtrekken van de weke botten te voorkomen.

'Het is maar een klein ding,' zei de vroedvrouw toen Kathryn haar betaalde. 'Maar ze heeft wel pit. U hoeft zich geen zorgen te maken over haar ziel. Toen het hoofdje zichtbaar werd, heb ik haar gedoopt in de naam van de Vader, de Zoon en de Heilige Geest. En ik heb haar een christelijke naam gegeven: Anna. Naar de moeder van Maria. Zo doop ik alle pasgeboren meisjes. Ze is als een christenkind ter wereld gekomen, en zo zal ze die ook weer verlaten. Hoewel u haar waarschijnlijk ook officieel in de kerk wilt laten dopen, als ze blijft leven.'

Het ís een christenkind, dacht Kathryn: Colins kind. En ze zag met opluchting dat het dons op het hoofdje van de baby opdroogde tot een bleke, rossige kleur. Geen kleine jodin.

'Jouw doop zal toch wel voldoende zijn?' vroeg ze.

'O, beslist.' De vroedvrouw haalde een flesje wijwater uit haar zak. 'Pater Benedict heeft het zelf gezegend en me de woorden geleerd om te zeggen, voor als het leven van een kind gevaar loopt.'

Toen de vroedvrouw was vertrokken, hield Kathryn de wacht naast Roses bed. Was Rose zelf gedoopt? Zou Finn daar niet op hebben aangedrongen? Maar toen bedacht ze hoeveel Finn van zijn Rebekka had gehouden. Misschien had ze zich niet bekeerd? Zou hij dan toch met haar zijn getrouwd? Ze dacht aan het kruisje van filigreinwerk om Roses hals. Ten slotte begon ze te knikkebollen en viel tevreden in slaap.

De volgende keer dat de baby moest drinken – het leek maar een paar minuten later, omdat Rose nu ook sliep en Kathryn zat te dutten bij haar bed – had Rose helemaal niets, zelfs niet de bleke, taaie substantie die aan de melk voorafging. Jasmine begon te jammeren uit protest en duwde met haar rozenknopmondje tegen de gezwollen tepel van Roses rechterborst.

'Probeer de linker eens.'

Maar Jasmine begon nog harder te huilen. Haar gezichtje verkrampte in een roze woede. Rose, nog uitgeput van de lange bevalling, barstte ook in huilen uit. *Twee* huilende kinderen, dacht Kathryn zuchtend. Ze was doodmoe, bijna alsof ze zelf een baby gekregen had.

'Je moet gewoon rusten, Rose,' zei Kathryn. 'Dan komt er wel melk. Wij zullen voor de baby zorgen tot je bent aangesterkt. We zullen haar schapenmelk op een lapje geven, of een voedster laten komen uit het dorp.' Ze verweet zichzelf dat ze de vroedvrouw had laten gaan. Die zou hebben geweten waar ze een voedster kon vinden. Kathryn had geen idee.

Ze zag de keukenmeid niet eens, die het vuile linnengoed in de hoek verzamelde, totdat Magda haar zachtjes op haar elleboog tikte. 'N-neem me niet kwalijk, vrouwe, maar misschien is het genoeg als ze op het topje van uw vinger zuigt totdat u m-melk gevonden hebt. Kijk, zo.' En voordat Kathryn kon ingrijpen had ze het huilende kind opgepakt en haar vingertop in het mondje gestoken. Tegelijkertijd koerde ze zachtjes tegen haar: 'Loelee, loelee.' De baby zoog een paar keer en viel toen in slaap. De keukenmeid legde haar voorzichtig in haar wieg.

Kathryn stond versteld. 'Heel goed, Magda. We kunnen jou wel gebruiken in de babykamer.'

Het meisje kleurde van plezier en maakte snel een revérence. 'Vrouwe, als u meteen een voedster zoekt... mijn moeder heeft nog melk. Wilt u dat ik haar ga halen?'

Wil ik dat je haar gaat halen? Kathryn kon wel huilen van opluchting. Ze wist dat sommige boerinnen nog kleuters aan hun slappe borsten droegen, hoewel de kinderen daar al veel te oud voor waren, in de veronderstelling dat ze niet zwanger konden worden zolang ze nog zoogden. Anderen, die aan ondervoeding leden, droogden te snel op, waardoor hun baby's stierven. In elk geval kon ze Finns kleinkind daarvoor behoeden.

'Ja, alsjeblieft. Ga nu meteen maar,' zei ze tegen Magda. 'En zeg tegen je moeder dat ze er goed voor betaald zal worden.' Toen pakte ze Roses hand. 'Hoor je, Rose? We hebben al een voedster. Ga maar rustig slapen,' zei ze. 'Alles komt goed. Ik zal op je baby passen totdat Magda terugkomt.'

Magda wist dat haar moeder blij zou zijn. Dit betekende meer eten voor haar hongerige kroost. Haar familie was de klap van de personele belasting van vorig jaar nog niet te boven. Ze bezaten de acht shilling – één per persoon – niet die koning Richard van hen vroeg, dus had de ontvanger het varken genomen dat hen door de winter heen had moeten helpen. En kokkie zei dat er geruchten gingen over nog een belasting om de Spaanse oorlogen van de hertog te financieren, die niet zo gunstig verliepen. 'Kleine kinderen het eten uit de mond stoten, alleen voor de ijdelheid van die mannen!' had Agnes gezegd. Magda's familie zou nu minder hoeven te betalen, geen acht maar zes shilling, omdat Agnes had gezegd dat ze lady Kathryn zou vragen om Magda's belasting te voldoen. En haar kleine broertje was gestorven – een mond minder om te voeden, een persoon minder voor de belastingen. Niemand scheen te treuren om het kleine jongetje behalve Magda, hoewel ze haar moeder sindsdien al meer dan eens had zien huilen bij drie kleine heuveltjes op het kerkhof. Zes shilling. Dat was een kapitaal voor een gezin als het hare. En ze hadden het varken al weggehaald.

De aarden vloer van de hut was glibberig door de modder. Haar moeder zat aan een ruwhouten grenen tafel. Het enige andere meubelstuk was het bed van Magda's ouders. Daarnaast stond een primitieve wieg van wilgen, die altijd bezet was. De andere drie kinderen sliepen op de lage zolder boven de beesten. 's Winters hadden de dieren beschutting tegen de elementen, terwijl ze met hun lijven de kinderen een beetje warm hielden.

Zo functioneerde alles wel, behalve op een dag als vandaag, als de wind en de regen de rook van het turfvuur deden terugslaan in het rookgat van het rieten dak en de hele hut naar de mest van de kippen en de koe stonk. De rook prikte in Magda's ogen. Ze vroeg zich af hoe haar moeder daar zo rustig kon zitten, doof voor het pandemonium om haar heen, terwijl ze haar jongste aan haar borst hield en met haar vrije hand het brood kneedde. Een ander kind, vier jaar oud, hing huilend aan haar rokken. Magda dacht aan de rustige, schone kamers van Blackingham, de veren bedden en de grote keuken waar altijd soep stond te pruttelen op het vuur.

'Waar is vader?' vroeg ze vanuit de lage deuropening. Ze moest roepen om zich verstaanbaar te maken.

'Magda!' Het holle gezicht van haar moeder was bijna knap als ze lachte, maar dat gebeurde zelden. 'Ik weet niet waar hij naartoe is.' Ze duwde een losse pluk haar onder de zakdoek om haar hoofd. 'Hij zei dat hij er gek van werd om met ons opgesloten te zitten. Hij stampte zo de regen in. Maar goed ook. Hij verpestte de lucht met zijn bitterheid.'

Alsof de lucht nog meer verpest kon worden, dacht Magda. 'Dan zal hij b-bitterheid moeten eten in plaats van d-drie gedroogde appeltaartjes.'

Ze schudde de regen van haar jas en zette trots de mand met lekkernijen op tafel. Haar kleine broertje hield op met huilen en klom langs zijn moeders rokken omhoog. De andere drie, die de kakelende kippen achternazaten onder de zolder, renden naar haar toe en staken hun vuile handen naar de mand uit.

'Rustig.' Magda griste hem weg. 'Er is genoeg voor iedereen. Ik heb ook een zak fijne bloem meegebracht, en een lap s-spek.'

Haar moeders adem stokte. Toen slaakte ze een kreetje en kreeg tranen in haar ogen. Ze stak een hand uit en raakte Magda's gezicht aan.

'Ik dank de Heilige Maagd voor de dag waarop ik je naar Blackingham heb gebracht, kind, hoewel ik moet toegeven dat ik je vader er dikwijls genoeg om heb vervloekt. Hij zei dat je achterlijk was, omdat je niet praatte. Ik denk dat je gewoon niets te zeggen had.' Haar moeder zweeg en keek haar aan alsof ze vergeving vroeg of een bevestiging dat ze het juiste had gedaan door haar dochter weg te geven.

'Ze zijn goed voor me, mam. Zelfs lady Kathryn. En ze vinden me niet achterlijk. Maar ik mis de kleintjes wel. Zolang ik op Blackingham werk, zullen jullie niet verhongeren.'

Haar moeder keek geschrokken. 'Je hebt het toch niet gestolen?'

'Natuurlijk niet, mam. Kokkie heeft de mand zelf ingepakt.'

'Ik wou dat je vader hier was, om te horen hoe je je tong hebt teruggevonden. Hij zou niet geloven hoe deftig je al praat.'

Ben je je tong soms verloren? plaagde haar vader haar altijd, om haar tot praten te bewegen toen ze nog klein was. Ze herinnerde zich hoe ze op zijn schoot zat en haar hand uitstak naar de cirkel van rood licht om zijn hoofd, hoe hij haar een oorvijg verkocht als ze aan zijn haren trok en haar later sloeg als ze niet wilde praten.

'Oordeel niet te hard over je vader, kind. Hij heeft geen makkelijk leven gehad.'

'Niemand heeft een makkelijk leven, mam.' Ze vertelde haar moeder waarvoor ze gekomen was – dat Rose niet genoeg melk had, zelfs niet voor zo'n kleine baby. Ze had het kind maar twee keer gezoogd voordat haar melk al dreigde op te drogen.

'Ik ga meteen,' zei haar moeder. 'Als jij zo lang op de kleine past.'

'Is er wel genoeg melk voor twee?' Ze keek naar haar jongste broertje, die gretig aan zijn moeders tepel zoog en haar met zijn grote ronde ogen aankeek alsof hij wist dat er iets ging gebeuren.

'Billy is oud genoeg om hem te spenen. Ik heb hem alleen aan de borst gehouden omdat... nou ja, dat doet er niet toe. Het is niet meer nodig nu.'

In het rokerige schemerlicht van de kamer leek haar moeder afgetekend tegen een prachtige violette gloed, maar Magda had geleerd niet over die kleuren te praten, niemand iets te vertellen over de zielen die zij kon lezen zoals andere mensen gezichten lazen. Want dan zei er weer iemand dat ze niet goed wijs was.

Kathryn hield de wacht. Ze verdeelde haar tijd tussen Rose en het kind. Met de baby ging het goed, met Rose niet. Zij bleef maar bloeden. In het begin leek het nog niet verontrustend, maar toen het minder had moeten worden werd het juist erger. 'Bloemen', zo noemden mannen dat geheime verschijnsel, die maandelijkse zuivering van een vrouwenlichaam: de 'bloemen' van een vrouw, een mooie benaming voor haar natuurlijke functies. Maar nu was er niets natuurlijks meer aan. Het ene na het andere schone, witte laken werd met donkere bloemen doorweekt.

Er brandden kaarsen voor de heilige Margareta, dag en nacht, in de kamer waar Rose lag te bloeden. Ze sliep nu in Finns bed. Het alkoofje waar ze anders sliep was omgetoverd tot babykamer. Magda's moeder kwam twee keer per dag van haar hutje naar het grote huis, drie kilometer lopen, om Jasmine te voeden. Kathryn vroeg haar wat ze voor haar eigen kinderen had geregeld. De velden stonden blank, antwoordde de vrouw, dus had haar man toch niets anders te doen dan voor de kleintjes te zorgen. Eén of twee keer had Kathryn een kleine jongen in de keuken bij Magda en Agnes gezien, maar ze had er niets van gezegd. Zolang de vrouw voor Jasmine zorgde, gunde Kathryn haar de troost om haar eigen kind in de buurt te hebben.

Rose werd bleker met de dag. De aderen in haar kleine, ronde borsten leken op linten van blauwe kant onder haar doorschijnende huid. Ze probeerde nog steeds om haar dochter te zogen, en steeds begon de baby te huilen als er geen melk was. Na elke mislukte poging haalde Kathryn het kind weer weg om haar aan de voedster te geven en liet Rose zich uitgeput tegen haar kussen zakken. Ze zei niets, maar Kathryn zag het kleine stroompje tranen dat door de plooi tussen haar neus en wangen liep.

Kathryn legde een geneeskrachtige jaspissteen onder Roses kussen en verdronk haar bijna in hartgespan- en honingthee. Ze drenkte linnen doeken in een oplossing van vrouwenmantel, die ze als dikke kompressen tussen Roses benen legde. Op de vierde dag was Roses huid te heet om aan te raken en probeerde ze niet langer haar kind te zogen. Eén keer, toen ze het hoorde huilen in het alkoofje, riep ze angstig: 'Wat is dat voor geluid?'

Kathryn bracht de baby en de voedster naar haar eigen kamer. Dat had ze al eerder willen doen, omdat ze het kind graag dicht bij zich had, maar de moeder had geprotesteerd. Nu zei Rose er niets over.

Roses koorts bleek hardnekkig. Ze begon te ijlen en te zingen – soms onzin, soms flarden van Colins liefdesliedjes die Kathryn ook kende. Ze riep zo nu en dan om Finn, dan om Colin, half mompelend. Kathryn baadde haar met koel water, maar de koorts bleef stijgen.

Op de vijfde dag liet Kathryn de priester van Saint Michael's halen. Roses ziel had de absolutie nodig.

'Zeg tegen de knecht dat hij slaag krijgt als hij niet voor het donker met de priester terugkomt,' zei ze, toen ze hoorde dat de jongen had geklaagd dat de weg onbegaanbaar was. 'Hij zal er niet van smelten. Als hij treuzelt, zwaait er wat.'

Ze bleef bij Roses bed zitten, waar ze lieve woorden en gebeden prevelde.

Tegen de avond kwam de priester, die de regen van zijn mantel schudde als een harig beest.

'Waar is het meisje?' vroeg hij, duidelijk ontstemd dat hij op zo'n avond was ontboden.

Kathryn bracht hem naar Roses bed. Ze lag zo stil als een dode, met gesloten ogen. Haar oogleden waren dun en blauwgeaderd, haar huid zo wit als gebleekt linnen. De laatste keer dat Kathryn de kompressen tussen haar benen had weggehaald, nog maar twee uur geleden, waren ze net zo donker en doordrenkt geweest als de modder buiten.

'We moeten snel zijn,' zei de priester, terwijl hij zich omkleedde en zijn wijwater en crucifix pakte. Even later begon hij aan het *Commendatio animae.*

'Qui Lazarum...'

Het meisje opende maar één keer haar ogen tijdens de laatste sacramenten en keek met een wilde blik om zich heen. Er lag angst in haar opengesperde ogen, maar ook iets van verbazing. Maar werd de jeugd niet altijd onverwachts overvallen door de dood? Of was het de aanwezigheid van de priester waar ze van schrok? Ze keek Kathryn aan. 'Jasmine,' fluisterde ze, graaiend in het niets, alsof iemand haar de baby aanreikte.

'Jasmine slaapt,' zei Kathryn zo rustig mogelijk, hoewel ze tegen haar eigen angst en verbazing vocht. Ze was al zo vaak met de dood geconfronteerd. 'Ik zal voor je kleine meid zorgen,' zei Kathryn, 'en haar beschermen met mijn eigen leven, Rose. Dat beloof ik je. Alsof ze mijn eigen dochter was.'

Het meisje knikte, liet zich weer terugzakken en bleef stil liggen. Haar ademhaling was zo licht dat Kathryn een kaarsvlammetje bij haar gezicht hield om te zien of het flakkerde. Na een tijdje voelde Kathryn opeens een zachte druk tegen haar hand. Ze had niet eens gemerkt dat ze Roses hand vasthield.

'Zeg tegen vader...' Kathryn moest zich naar haar toe buigen om het te verstaan, 'zeg tegen vader dat het me spijt.'

Nog heel lang zat Kathryn bij Roses lichaam, luisterend naar het ruisen van de regen, die met bakken naar beneden kwam, door de rookgaten druppelde, sissend in de haard viel en de kamer vulde met rook. Kathryn raakte Roses gezicht aan. Het was al koud. De priester was naar de keuken verdwenen om te eten. Daarna ging hij slapen. De volgende morgen zou hij haar kleinkind officieel dopen in de Mariakapel. Drie keer zou hij het meisje in het vont onderdompelen, met Kathryn als getuige en petemoei. Maar een feest werd het niet, want onder het doopvont, in de familiecrypte – gewijde grond – zou de moeder van het kind komen te liggen, naast Roderick. Roderick zou eeuwig slapen naast een mooie vrouw, een jodin, zonder dat hij haar kon aanraken.

Er zou geen vader aanwezig zijn bij de doop. Was Colin al bij de benedictijnen aangekomen? Van een ketellapper die de artiesten bij Colchester was tegengekomen had Kathryn gehoord dat het goed met Colin ging. Misschien zong hij nu wel zijn mooie liefdesliedjes, in genadige onwetendheid van de dood van zijn geliefde.

Als de wegen weer begaanbaar waren zou ze een brief sturen aan de monniken van Cromer. Het bericht over zijn eigen kind zou háár kind misschien bij haar terugbrengen.

Ze wilde aan het schelkoord trekken om Glynis te ontbieden om haar te helpen bij het afleggen van Rose. Maar toen herinnerde ze zich iets. Er waren mensen die beweerden dat joden een bijzonder teken droegen, een lichamelijke afwijking. Roderick wist uit betrouwbare bron – zei hij – dat de gleuf van een joodse vrouw horizontaal was, als een mond. Nou, dat was gelogen. Roses intieme delen waren net zoals de hare, wist Kathryn nu. Hoewel ze moest toegeven dat ze nog even geaarzeld had toen ze de vroedvrouw moest laten komen. Maar, opgejaagd door Roses pijn, was ze snel over die aarzeling heen gestapt. En als het waar was, had ze de vroedvrouw wel kunnen betalen voor haar stilzwijgen.

Ze haalde een bak met lavendelwater die nog in haar eigen kamer stond en begon zorgvuldig Roses armen en benen te wassen. Er waren geen afwijkingen of misvormingen. Rose was een prachtig meisje, waar niets aan mankeerde. Kathryn vlocht het donkere haar, wikkelde het in een kroontje om haar gezicht, legde twee muntjes op de oogleden en bond een blauwzijden lint om haar hoofd, met een strik onder haar kaak. Toen trok ze Rose de jurk aan die haar vader het mooist had gevonden. Ze leek wel een bruidje in die lichtblauwe jurk, net zo mooi in de dood als ze bij leven was geweest.

Kathryn vond dat ze het kleine kruisje aan het zijden koord moest weghalen. Het zou een geschenk voor Jasmine zijn, van haar moeder. Zoals Roses eigen moeder het ook aan haar dochter had gegeven. Voorzichtig nam ze het van Roses hals. Voor het eerst had ze de tijd om het goed te bekijken. Het complexe filigreinwerk was prachtig van vorm. Het deed haar denken aan de verstrengelde decoraties langs de randen van de schutbladen die Finn voor het evangelie van Johannes had gemaakt. Zes kleine pareltjes vormden een volmaakte cirkel boven aan het kruis – een voorstelling van de zon, misschien? Maar het leek niet op de Keltische kruisen die ze op de oude Saksische kerken in Norwich had gezien, waarin het symbool van de zon met dat van het kruis was gecombineerd. Ketterij, vonden sommigen. Maar deze cirkel lag *binnen* de kruising van de twee armen van het kruis en leek meer op een ster: een zespuntige ster, maar zo subtiel in het dansende motief verwerkt dat hij leek te verdwijnen als je er lang naar keek. Het zou haar verbeelding wel zijn.

Kathryn vroeg zich af of Finn dit prachtige sieraad zelf voor zijn Rebekka had ontworpen. Heel even voelde ze een steek van jaloezie in haar hart. Maar wat voor recht had zij om jaloers te zijn? Ze wikkelde het zijden koord om haar rozenkrans omdat ze het kruisje niet wilde ontheiligen door het om haar eigen hals te hangen. Jammer dat Finn niet kon zien hoe prachtig zijn dochter was in de dood, en hoe goed ze werd verzorgd. Dat had hem misschien wat troost kunnen geven.

Heilige Moeder, waar moest ze de kracht vandaan halen om Finn te vertellen dat zijn dochter dood was?

Pas toen het lichaam met geurwater was ingesmeerd en aangekleed, dacht Kathryn weer aan het schelkoord. De rest van het werk kon ze aan anderen overlaten. Ze moest naar bed. Maar in plaats van Glynis te ontbieden haalde ze de lijkwade uit een kast en begon te naaien. Het was belangrijk om dit laatste ook zelf te doen.

De zware, met was doordrenkte stof verzette zich tegen de naald en algauw was het kamgaren bezaaid met kleine bloeddruppeltjes uit Kathryns vingers. Rose zou dus toch iets van Kathryn met zich meenemen in het graf.

Het liep al tegen de ochtend toen ze klaar was. Het regende niet meer. Haar oren waren al zo lang gewend aan het geroffel van de regendruppels dat de stilte iets onheilspellends had. Haar pachters zouden blij zijn. Het water in de rivieren zou weer zakken, de weilanden en akkers zouden opdrogen en de heuvels zouden worden bedekt met een nieuw groen tapijt. De wegen zouden weer begaanbaar zijn. En Kathryn moest opnieuw naar de gevangenis, om Finn te vertellen dat ze zijn mooie Rose in een lijkwade had genaaid – met haar eigen tranen als borduurwerk.

Ze hoopte vurig dat hij haar het kind zou laten houden.

XXII

Ons geloof is gegrondvest op Gods woord; en tot ons geloof behoort de overtuiging dat Gods woord op alle punten stand zal houden.

JULIAN VAN NORWICH, *GODDELIJKE OPENBARINGEN*

Kathryn lag elke nacht wakker, gekweld door een stoet van afschuwelijke woorden, die haar uit de slaap hielden als een peloton soldaten met dreunende laarzen. *Niemand had nog iets voor haar kunnen doen, Finn... Ze heeft niet geleden... Ze is vredig ingeslapen... Ze ligt nu veilig in de armen van de Heilige Maagd... Ik heb missen laten opdragen voor haar ziel... Het kleinkind kan een troost voor je zijn...*

Holle woorden.

Natuurlijk moest hij rekening hebben gehouden met de dood van zijn dochter. Zoveel vrouwen stierven in het kraambed. Misschien wist hij het zelfs al, door een soort vaderlijke intuïtie, omdat ze altijd samen waren geweest.

Haar hoofdpijn wilde maar niet wijken terwijl ze wachtte tot het water van de overstromingen zou zijn gezakt. Op sommige dagen overwoog ze de laffe oplossing om een knecht een brief te laten brengen. Eén keer pakte ze zelfs een pen, maar toen ze naar de scherpe punt keek, zwevend boven het perkament, zag ze weer zijn met verf bevlekte vingers die een roodborst schetsten in hun septembertuin, en zijn vingers die Rose hielpen bij het vormen van de sierlijke kapitalen die nodig waren voor hun werk. Kathryns eigen vingers trilden zo erg dat ze niet eens kon schrijven. Ze verfrommelde het blanco perkament in haar vuist en smeet het in de haard.

Urenlang wiegde ze de baby in haar armen en zong flarden van liedjes tegen haar. Jasmine klemde haar kleine vuistje om Kathryns vinger.

'Je bent een mooie meid, net als je moeder. Zij was ook heel mooi, echt waar. Mooi kind, mooi kind...' zong ze. Raar hoor, voor een vrouw van haar leeftijd.

Maar Jasmine opende haar slaperige oogjes – blauwe ogen, net als Colin – en keek Kathryn aan met een wijze blik. Zelfs als Kathryn haar aan de voedster gaf om te drinken, keek het kind haar na en draaide haar hoofdje bij de tepel van de voedster vandaan als ze Kathryn weg zag lopen. Daarom bleef Kathryn altijd in de buurt. Die alwetende ogen waren als een magneet waar ze zich niet van los kon maken.

Het was half mei toen de weg naar Norwich eindelijk droog genoeg was om de reis naar Castle Prison te kunnen maken.

Jasmine was zes weken oud.

~

Vanuit zijn torenvenster keek Finn over de ondergelopen vlakte uit. Langzaam kroop het water weer terug naar zijn bronnen. Voor het eerst in weken kon hij de voet zien van de meidoornhaag op de andere oever van de rivier, en de volledige boog van de stenen brug. In de verte zwoegde een eenzame wagen over de modderige weg. Het licht was vandaag ook beter: een dunne nevel die als een sluier voor de botergele zon hing. Bovendien was hij die ochtend gewekt door een veldleeuwerik. En er zat een vogelnestje op zijn vensterbank. Het voorjaar diende zich aan.

Maar voor Finn was het nog winter. Hij had nog altijd niets gehoord van Blackingham. Rose moest op het punt staan te bevallen. Zijn handen beefden toen hij probeerde wat te werken.

De bisschop was zijn enige bezoeker geweest in al die weken. De vorige week hadden ze geschaakt op het prachtig bewerkte bord van Despenser, terwijl ze over de gebruikelijke onderwerpen discussieerden, maar minder fanatiek dan hun gewoonte was. Finns gedachten waren bij Blackingham.

Fronsend had Despenser een van Finns pionnen geslagen. 'John Wycliffe en afvallige priesters zoals John Ball reizen stad en land af met hun opruiende verhalen, om de boeren tegen God en de koning op te zetten. Ze willen iedere knecht en dorpsgek binnen het christendom tot zijn eigen priester benoemen. Een fatale vorm van vrijheid. Door hun onnozelheid zouden ze allemaal in de hel terechtkomen.'

'Ja. De bisschoppen zien het volk liever onderworpen aan het dubbele kwaad van rituelen en bijgeloof. Alsof de ziel van de mens dáár bij gebaat is!'

'Het zijn schapen die een herder nodig hebben. Heeft onze Heer dat niet zelf gezegd?' glimlachte Despenser.

Finn overwoog een cryptisch antwoord over het scheiden van de bokken en de schapen, maar deed er toch het zwijgen toe. Ook de partij kon hem niet boeien. Despenser had zijn koning al schaak. Meestal werd het een patstelling of stond Finn remise toe na een heftige strijd. Nu verplaatste hij een toren om zijn koning te beschermen. Despensers bleke vingers – net zo wit als het ivoor waarmee ze speelden – aarzelden boven zijn loper, maar ten slotte sloeg hij Finns zwarte toren met een pion.

'U bent vandaag zichzelf niet,' zei Despenser in de stilte. Hij gunde Finn de tijd om zijn volgende zet te overwegen, stond op van zijn stoel en liep naar Finns werktafel om het eerste paneel van het altaarstuk te bekijken. 'En uw werk schiet niet erg op.' Hij streek met een beringde wijsvinger over de schets van het gezicht van de Madonna, dat nog moest worden ingekleurd.

Roses ogen, Roses lippen. Finn wilde Despensers hand wegslaan, maar hij deed alsof hij de stelling op het schaakbord bestudeerde. 'Ik heb aan de achtergrond van het tweede paneel gewerkt. Ik heb de juiste kleuren niet voor de mantel van de Maagd.'

'O nee? Hoe kan dat nou?' Ergernis in zijn stem. 'Hebt u dan niet het ultramarijn en de Arabische gom gekregen waar u vorige week om had gevraagd? Dat heeft me heel wat gekost, moet ik zeggen. Het moest helemaal uit Vlaanderen komen. Waar wordt dat van gemaakt? De tranen van de Madonna zelf zouden nog niet zo kostbaar zijn.'

'Lapis lazuli,' antwoordde Finn, terwijl hij zijn loper offerde om zijn koning af te schermen. 'Gemalen steen, ergens uit het Oosten. De nuances variëren van azuur tot zeegroen. Dat hangt van het mengsel af. Ik heb precies het juiste licht nodig om het zuivere blauw van Maria's mantel te kunnen mengen. De juiste combinatie heb ik nog niet gevonden. Als het licht wat beter wordt...'

De bisschop streek over het kruis op zijn borst. Zijn vingers streelden het met parels versierde filigreinwerk. 'Ik wil u wel aan onze afspraak herinneren, heer Finn. U kunt alleen van deze luxe omstandigheden genieten dankzij mijn tussenkomst. Ik hoop niet dat u een profane, minder belangrijke opdracht voorrang geeft boven mijn bisschoppelijke werk.'

Finn keek hem half door zijn wimpers aan. Hij begon zenuwachtig te worden. Despensers blik bleef rusten op de kist in de hoek, waarin Finn naast zijn pigmenten, pennen, papier ook het schaakbord en de stukken bewaarde – en een leren tas met belastende papieren. 'Ik verzeker u, eminentie, dat ik onze overeenkomst niet ben vergeten. Maar ik ging ervan uit dat ik hier nog wel even zou zitten, zodat ik genoeg tijd had voor het werk. Tenzij er natuurlijk nieuwe bewijzen aan het licht zijn gekomen die mijn verblijf zouden bekorten.'

Despenser toonde nog steeds interesse in de kist in de hoek. 'Nee, nieuwe bewijzen zijn er niet. De drost blijft ervan overtuigd dat we de moordenaar van de priester in handen hebben. De enige reden waarom u nog niet tot de strop bent veroordeeld is dat ik uw talenten goed kan gebruiken. Maar ik waarschuw u om geen spelletjes te spelen, kunstenaar. Of mijn geduld op de proef te stellen.'

'Ik ben geen man die spelletjes speelt, eminentie. Ik ben me heel goed bewust van uw macht. Maar u moet begrijpen hoe moeilijk het is voor een schilder om in dit licht te werken. Daarom heb ik alleen nog de achtergronden gedaan.' Hij wees naar het gegronde paneel dat de bisschop in zijn handen hield. 'Zodra het licht wat beter is, ga ik weer verder met Maria. Eh... u bent aan zet.'

'De schets van het gezicht van de Madonna is veelbelovend. Uw dochter staat model, neem ik aan, heer Finn?'

De bisschop had zijn zet gedaan en Finn was zich bewust van het subtiele dreigement achter de messcherpe glimlach om zijn dunne lippen. Maar in elk geval leek zijn gast niet langer geïnteresseerd in de kist met de teksten van Wycliffe – gevaarlijke bewijzen, die Half-Tom niet had kunnen ophalen vanwege de overstromingen.

'Uw tegenstand stelt nogal teleur, vandaag. Bergt u het bord maar weer op. U moet aan het werk. Laten we hopen dat het licht morgen wat sterker is.' De bisschop liep naar de vensterbank, waar een wulp zijn nest had gemaakt. Er lagen drie kleine, parelvormige eitjes tussen de takjes. Finn had met aandacht gevolgd hoe de vogel haar nestje had gebouwd, steeds met een takje tegelijk, voordat de tijd was gekomen om haar eitjes te leggen. In koude nachten had hij de luiken opengelaten, zodat ze kon komen en gaan wanneer ze wilde. Eén voor één pakte de bisschop de eitjes uit het nest om ze te bekijken. Eén voor één gooide hij ze uit het hoge raam. Daarna sloeg hij het nest van de vensterbank. 'Al die drukte is niet goed voor uw concentratie,' verklaarde hij.

Toen de bisschop was vertrokken overwoog Finn om de papieren te verbranden. Hij opende zelfs de kist en haalde ze eruit. *Want God hield zo van de wereld dat Hij zijn enige Zoon aan de mensen gaf...* Waarom spraken geestelijken nooit over Gods liefde, terwijl ze de mond vol hadden over de kwellingen voor de verdoemden? De kluizenaarster schreef over Gods liefde, die ze had gevoeld bij haar eigen genezing. En in haar visioenen had ze Zijn passie gezien. Misschien hadden de anderen, zoals de bisschop, meer inzicht in de duivel en zijn praktijken. Maar hier, in het evangelie van Johannes, zoals het uit de punt van Finns eigen pen vloeide, stonden woorden van liefde, woorden die alle mensen moesten horen.

Maar hoe konden mensen die nooit liefde hadden gekend de betekenis ervan begrijpen? Hij wist wat liefde was. Hij had van Rebekka gehouden, en van Kathryn. Niet alleen zoals tussen man en vrouw, maar veel dieper, met de behoefte hen te beschermen en zijn ziel met de hunne te verbinden. Maar die liefde had hem in de steek gelaten. Rebekka was gestorven, Kathryn had hem verraden. Gods liefde moest nog groter zijn, zoals de kluizenaarster zei: onverwoestbaar en standvastig. En ook die liefde kende Finn. Hij zou Rose alles kunnen vergeven. Zijn liefde voor zijn dochter was als de kostbare pigmenten die hij gebruikte: een gedistilleerde essence, zuiver en onverdund.

Maar dat wierp een dilemma op. Als Gods liefde vergelijkbaar was met die van een ouder voor een kind – maar nog groter, dieper, breder en volmaakter – hoe had God dan Zijn enige kind kunnen offeren? Welke liefhebbende ouder zou een zoon kunnen blootstellen aan zo'n onvoorstelbaar lijden? Kathryn zeker niet. Dat had ze wel bewezen. En hijzelf al evenmin. Had God soms toch geaarzeld toen Hij Zijn zoon daar had zien hangen, terwijl het bloed en de tranen over zijn gezicht stroomden, de menigte hem uitjouwde, de honden aan zijn voeten cirkelden en de gieren boven zijn hoofd? Maar Hij had niet toegekeken, of wel? Hij had Zijn gezicht afgewend, niet in staat dit te verdragen. Dát kon Finn in elk geval begrijpen.

De leren tas, verborgen onder de kleurstoffen, de gom, de perkamenten en de pennen, was tot barstens toe gevuld. Wycliffe zou blij zijn met de extra kopieën. En het werk eraan had Finn deze afgelopen weken een vreemd gevoel van troost gegeven. Het was een manier om terug te vechten. Wat was begonnen als een subversieve daad van zijn opstandige geest had hem een vrede gebracht die hij nergens anders kon vinden. Als zijn vingers te veel trilden bij het schilderen van de iconen van de bisschop, waren zijn handen rustig en zeker bij het kopiëren van Wycliffes teksten. Als dit evangelie de waarheid was, hoorden er dan niet ontelbare kopieën van die waarheid te bestaan?

Half-Tom zou binnenkort wel in Norwich verschijnen, dacht Finn. Het water begon nu snel te zakken. Morgen zou hij wel verdergaan met de mantel van de Madonna.

Maar dat deed hij niet. Hij bleef bezig met het kopiëren van de Engelse vertalingen. En zo verstreek er nog een week. De kist was al bijna te klein voor al die papieren, en toen hij over de vensterbank – zonder vogelnest – naar buiten keek, zag hij alleen maar een paard en wagen over de brug komen met twee vrouwen en een meisje van een jaar of veertien. Een van de vrouwen hield een baby tegen haar borst. Een vrouw die met haar kinderen een bezoek bracht aan hun vader in de gevangenis? Dan was het voor de kinderen te hopen dat zijn vergrijp niet te ernstig was geweest.

Half-Tom was nergens te bekennen. Maar natuurlijk stonden de moerassen nog blank. Het kon weken duren voordat hij zijn vriend weer zou zien. Dus zou hij een andere manier moeten vinden om de papieren naar buiten te smokkelen. Morgen was het vrijdag.

En op vrijdag kwam de bisschop voor zijn wekelijkse bezoek.

❧

'Wacht hier,' zei Kathryn tegen Magda en haar moeder, die deed waarvoor ze betaald werd, ondanks het feit dat ze voor iedereen zichtbaar op het voorplein van de gevangenis stonden. Ze gaf de baby de borst. Het gaf Kathryn grote voldoening om het kindje te zien drinken – en dat deed Jasmine, regelmatig en luidruchtig.

'Jullie zijn hier veilig,' beloofde ze. 'De commandant heeft gezegd dat hij op jullie zal passen. En ik denk dat hij wel te vertrouwen is.'

'Maakt u zich geen zorgen, vrouwe. We redden ons wel,' zei Magda.

Maar Kathryn hoorde toch een trilling in de stem van het meisje toen ze naar de dreigende Normandische donjon van het kasteel staarde. Kathryn had ook haar half onderdrukte kreet van ontzag en angst gehoord toen ze voor het eerst de stadsmuren had gezien. Maar het meisje was flink genoeg. Toen ze waren vastgelopen in de modder (Kathryn was zo verstandig geweest met de wagen te komen, niet met Rodericks zware koets), had ze meer nut gehad van Magda dan van de mopperige knecht die ze had teruggestuurd om Simpson te halen.

Er was wel hulp gekomen, maar niet vanaf Blackingham. Een paar passerende boeren hadden hun rug tegen de vastgelopen wagen gezet. Slechts gewapend met haar vastberadenheid – en Finns dolk, die naast haar rozenkrans hing – had Kathryn besloten om door te gaan, in de hoop dat Simpson hen wel zou inhalen.

Maar dat was niet gebeurd. Toen ze voor de tweede keer tot aan de as in de modder zakten, hadden de vrouwen en het meisje met vereende krachten de wagen weer vlot gekregen. Maar Kathryn zag de moeizame reis nog als een uitstapje vergeleken bij de opgave die haar nu wachtte. Ze streelde de wang van de baby, veegde wat melk van haar mondje, rechtte haar eigen rug en liep naar het ijzeren hek aan de voet van de gevangenistrap.

'De deur boven is open,' zei de bewaker toen hij knarsend de sleutel in het slot stak.

Kathryn had de kleine zandloper die ze had meegenomen op de bok van de wagen gezet. 'Geef me een halfuur, en stuur dan de anderen naar boven.' Ze gaf de cipier een stuiver. 'De commandant zegt dat u goed op ze moet passen.' Ze knikte naar de wagen op de voorhof. 'Zorg dat ze niet worden lastiggevallen.'

'Jawel, vrouwe,' antwoordde de bewaker, en hij stak het muntje in zijn zak. Het ijzeren hek viel achter haar in het slot.

XXIII

Grote bloeddruppels vielen onder de krans vandaan als kiezels;
ze leken recht uit de aderen te komen... maar toen ze uitvloeiden
waren ze bloedrood.

JULIAN VAN NORWICH, *GODDELIJKE OPENBARINGEN*

Het lukte Finn niet de juiste kleur te vinden voor de mantel van de Madonna. Hij had het maar opgegeven en zat over zijn werktafel gebogen met Wycliffes papieren voor hem uitgespreid. Misschien had hij er vermiljoen bij moeten mengen, dacht hij, terwijl hij weer verderging met het kopiëren van het evangelie van Johannes. Een schaduw gleed achter hem langs, niet meer dan een korte verduistering van het licht. Hij schoof de papieren onder het vloeiblad en onttrok ze met zijn rug aan het zicht. Waarschijnlijk was het niet de bisschop. Die zou niet zo zachtjes binnenkomen, zonder enige aankondiging. Tenzij hij probeerde zijn gevangene op heterdaad te betrappen, natuurlijk.

Snel maar zorgvuldig goot Finn enkele druppels van het kostbare luzerietpoeder op zijn palet, alsof hij bezig was het te mengen. Weer een voetstap achter hem, aarzelend en onzeker. Hij plooide zijn gezicht in de uitdrukking van een kunstenaar die totaal geabsorbeerd was door zijn werk, maar toen hij zich omdraaide naar zijn bezoeker bleef er van dat masker weinig over. Hij liet het glazen buisje met de gemalen blauwe steen vallen. Het brak, en het poeder verspreidde zich helderblauw over de vloer.

'Kathryn!' Met open mond staarde hij haar aan, net zo geschrokken van haar komst als van de manier waarop ze eruitzag. Haar mantel zat onder de modder en haar verwaaide haar stak in pieken onder haar kapje vandaan, dat een beetje scheef op haar hoofd stond. Ze had modderige voetafdrukken nagelaten vanaf de drempel. Angst en zenuwen hadden dunne lijnen rond haar ogen en haar mond geëtst, lijnen die hij zich niet kon herinneren.

'Is het Rose?' vroeg hij, met bonzend hart. 'Is ze al bevallen?'

Kathryn keek hem even aan alsof ze niet wist wat ze daarop moest zeggen. Zijn adem stokte. Angst greep hem bij de keel.

'Ja, ze is bevallen, Finn,' antwoordde ze ten slotte.

Hij slaakte een diepe zucht van opluchting.

Haar blik gleed door de kamer en bleef rusten op de gemorste kleurstof op de vloer. Waarom keek ze hem niet aan? Heel ongebruikelijk voor de vrouwe van Blackingham, die nooit terugdeinsde voor een confrontatie. Hij voelde het gewicht van haar schuldgevoel. Misschien had hij leedvermaak kunnen hebben, maar in zijn opluchting dat Roses beproeving voorbij was voelde hij alleen maar mededogen met de boodschapper. Hij moest zich beheersen om niet de modder van haar rok te vegen en haar haar glad te strijken.

'En het kind?' vroeg hij.

Ze gaf geen antwoord.

'Kathryn, is het kind in leven?' Zijn hart sloeg wild tegen zijn borstkas.

Ze haalde diep adem. 'Ja, met het kind is alles goed. Je hebt een kleindochter. Rose heeft haar... Jasmine genoemd.'

Jasmine. De jasmijn, Rebekka's lievelingsbloem. 'Een kleindochter. Jasmine,' zei hij. De melodieuze klank beviel hem wel. Het was een naam die vanzelf een glimlach op je lippen bracht als je hem uitsprak. Hij raakte Kathryns schouder aan. 'Je hebt een zware tocht ondernomen om me dit nieuws te brengen. Daar ben ik je dankbaar voor. Geen wonder dat je moe bent. Ga zitten. Ik zal eten en drinken laten komen.

En ik zou het fijn vinden als je nog iets anders voor me zou willen doen, hoewel ik weet dat je me al een geweldige gunst bewezen hebt.'

Kathryn ging niet zitten. Ze staarde nog steeds naar het gebroken buisje met blauw poeder op de grond.

Hij was duizelig van opluchting. Hij struikelde bijna over zijn woorden, zo juichend klopte zijn hart. 'Je bezoek komt op het juiste moment. Ik wilde je vragen of je een tas met papieren voor me wilt bezorgen. Ik heb kopieën gemaakt voor Wycliffe. Dat zou de bisschop niet waarderen. Wil jij de papieren naar de kluizenaarster bij de kerk van Saint Julian brengen? Dan geeft zij ze wel door aan Half-Tom, die zorgt dat ze op de juiste plaats terechtkomen. Ik kan me nu niet de woede van de bisschop op de hals halen, wel? Niet nu Rose me zo nodig heeft. Kathryn, ik kan je niet zeggen hoe...'

Ze schudde zijn hand van haar schouder en liet zich op haar knieën vallen. 'Je hebt het luzeriet gemorst,' zei ze zacht. 'Ik zal je helpen.' Ze veegde de blauwe korreltjes met een gehandschoende hand tot een bergje.

'Ik was zo verbaasd je te zien.' Hij knielde naast haar en veegde de blauwe kleurstof op een stukje perkament. 'Het was toch te fel voor de mantel van de Madonna. Maar vertel me over mijn kleindochter.' Ze zei niets, maar snotterde alleen. Had ze kougevat in dit weer? Een kleine druppel op de rug van haar handschoen. Waar kwam die... 'Kathryn? Huil je?'

Hij nam het opgeveegde pigment van haar over en richtte zich op om het op de werktafel te leggen.

Zijn ademhaling ging moeizaam. 'Kathryn, is het Rose?'

Hij keek op haar neer toen ze knikte, nauwelijks waarneembaar, afgezien van een lok haar die aan het gouden netje ontsnapte.

'Kathryn, om Gods wil! Kijk me aan. Geef antwoord.' Hij greep haar bij haar schouder en samen kwamen ze uit knielhouding overeind. 'Is het Rose? Gaat het niet goed met haar?'

Toen ze haar gezicht naar hem ophief, zag hij een vlek op haar jukbeen, waar ze haar tranen had weggeveegd met een modderige handschoen, besmeurd met blauw poeder.

'Kathryn, je zei...'

Weer veegde ze in haar ogen en maakte nu ook een blauwe vlek onder haar andere oog. Haar gezicht leek gekneusd. Heel even zag hij het gelaat van zijn huilende Madonna, zijn Maria van de kruisiging. En hij wist wat het was dat ze hem niet kon vertellen.

De woorden bleven steken in zijn keel. Zijn verstand kon niet accepteren wat zijn ogen al hadden gelezen op haar gezicht. 'Maar je zei dat ze was bevallen, Kathryn.'

'Dat is ook zo, Finn. Ze is nu bij de Heilige Maagd.'

Kathryn zat een hele tijd naast Finn op de vloer en keek hulpeloos toe hoe hij zijn hoofd in zijn handen steunde en huilde om zijn dochter. Kathryn huilde om hen allebei. Met een stem die hees klonk van emotie vertelde ze hoe liefdevol Rose was verzorgd, hoe haar laatste woorden voor hém bestemd waren geweest en hoe ze haar hadden begraven in de familiecrypte, in gewijde grond. Toen hij nergens op reageerde en nog steeds met zijn hoofd in zijn handen zat, probeerde ze tot hem door te dringen met het verhaal over de voedster voor de kleine Jasmine. Ze zei hem wat een kostbare schat de baby was, en hoeveel hoop ze had gebracht voor Blackingham. Zoals ze hem ook hoop moest geven. En ze beloofde hem voor het kind te zorgen totdat Finn haar zou komen halen.

'Ik zal haar behandelen als mijn eigen dochter, Finn. Geen enkel kind zal meer liefde krijgen. Dat zweer ik je, liefde van mijn hart.' Zo had ze hem genoemd toen ze voor het laatst samen hadden gelegen. Het kwam er zomaar uit, in haar verdriet. Het overviel haar. Maar hij hoorde het niet eens. 'Finn, ik zweer het je bij de melk van de Maagd die onze Heer gevoed heeft.'

Maar ze had haar belofte net zo goed aan een standbeeld kunnen doen. Eindelijk hoorde ze voetstappen op de trap. Even later verscheen de voedster in de deuropening, met de baby. Kathryn nam het kind zwijgend van haar over en gaf haar een teken om buiten te wachten. Toen knielde ze bij Finn, met de baby in haar armen.

'Ik heb Roses dochter meegenomen om je haar te laten zien.'

Zachtjes raakte ze zijn hand aan, bang om hem te laten schrikken. 'Finn...' Ze dacht dat hij zich zou afwenden en haar zijn rug zou toekeren, maar hij bewoog zich niet. Met haar vrije hand vormde ze zijn armen tot een wieg, waarin ze de slapende baby legde. Hij keek naar het kind met starende ogen en een halfopen mond, alsof het een vreemd, exotisch wezen was. Zo bleef hij zitten – een eeuwigheid, naar het Kathryn toescheen. De baby sliep geluidloos door.

Zachtjes zei Kathryn: 'Finn, dit is Jasmine. Roses geschenk aan jou. Ze is gedoopt als Anna, maar Rose heeft haar Jasmine genoemd, als eerbetoon aan Rebekka.'

'Roses geschenk,' herhaalde hij dof.

Kathryn streelde het wangetje van het kind. Jasmine werd wakker en knipperde met haar donkerblauwe ogen tegen hem.

'Ze heeft Roses mond, Finn. En kijk, Roses mooie adellijke voorhoofd.'

Hij hield haar voor zich uit en bestudeerde haar alsof ze een van zijn halfvoltooide manuscripten was. Kathryn had zijn ogen nog nooit zo koud gezien. Toen hij sprak, klonk zijn stem zacht en vlak. Kathryn moest zich inspannen om hem te verstaan. 'Ze is zo bleek als Colin,' zei hij. 'Ze heeft Colins ogen.' Hij zei het op een ijzige toon die Kathryn verkilde tot op het bot.

Hij gaf haar het kind terug. 'Ik heb de drie vrouwen verloren van wie ik hield,' zei hij. 'Ik heb niet de kracht om er nog een te verliezen.'

~

Finn wist niet wanneer ze waren vertrokken. Halverwege de middag schrok hij op van de klokken die de nonen sloegen. Hij was alleen, in zijn gevangeniscel. Misschien was het allemaal een droom geweest, dacht hij, een droom van de duivel om hem te kwellen. De druk op zijn hart werd wat minder. Maar de papieren waren verdwenen – de papieren die hij had verborgen toen hij bezoek kreeg. En aan zijn voeten zag hij het gebroken buisje. Een bergje blauw poeder, vermengd met stof, lag op zijn werktafel, waar Wycliffes handschriften hadden moeten liggen.

Het verdriet raakte hem met volle kracht en ontnam hem alle hoop. Hij wilde iets kapotslaan, wat dan ook, uit het hoge raam in de rivier springen, zijn lichaam tegen de muur smijten tot het bloed over de stenen spatte. Hij raasde en vloekte tegen de leegte om hem heen, zo luid dat de commandant de trap op kwam rennen.

'Breng me laudanum. Ik heb pijn.'

'Ik weet niet...'

'Ga het halen. Nu!' brulde hij. Hij sloeg met zijn vuisten op de tafel en ging daarmee door totdat een cipier hem een beker sterke wijn met opium had gebracht.

Wat later werd hij wakker door het luiden van de vespers. Hij was koortsig. Zijn hart bonsde en zijn hoofd dreunde mee. Hij voelde zich als een man die heuvelafwaarts rende en niet meer kon stoppen.

Hij pakte het paneel met de Madonna. Met trillende handen mengde hij de Arabische gom met het helderblauwe poeder. Een glassplinter glinsterde tussen het blauw. Hij legde het glazen dolkje in de palm van zijn hand, keek ernaar en klemde zijn hand dicht, hopend op een felle steek van pijn.

Toen hij zijn hand weer opende, zag hij een kleine druppel bloed opwellen. Stigmata. Maar eigenhandig toegebracht. Geen wonderen hier. Niet voor hem. Niet voor zijn Rose.

De druppel bloed mengde zich met het blauwe poeder in de lijnen van zijn handpalm. Met zijn linkerwijsvinger bracht hij het kleverige goedje op zijn palet over en begon het te mengen. Zijn handen trilden niet meer. Zorgvuldig, systematisch – alsof hij nog wat vermiljoen bij het blauw mengde – stak hij de glassplinter in het topje van zijn wijsvinger.

Hij kneep er een bloeddruppel uit. En ging verder met mengen.

Een prik. Een druppel.

Aurea testatur. Het is bevestigd in goud.

Een prik. Een druppel. *Sanguine testatur.* Het is bevestigd in bloed.

Een prik. Een druppel.

Eindelijk had hij het, de juiste kleur blauw voor de mantel van de Madonna. Een diep, warm koningsblauw.

De kleur van zijn kleindochters ogen.

XXIV

Toch geloof ik alle dingen zoals de Heilige Kerk die verkondigt en onderwijst... Het was mijn vaste wil en voornemen om nooit iets te aanvaarden dat daarmee in tegenspraak kon zijn.

JULIAN VAN NORWICH, *GODDELIJKE OPENBARINGEN*

De kluizenaarster werd wakker uit haar nachtmerrie toen er zachtjes op haar bezoekersvenster werd geklopt. Ze had gedroomd dat de duivel haar wilde wurgen – een duivel die opvallend veel op dc bisschop leek. Eén moment wist ze niet meer waar ze was, zo levensecht was de droom geweest. Ze baadde in het zweet, ondanks de kilte die ze had bespeurd tijdens de gebeden van die middag. Was ze in slaap gevallen bij het bidden van de nonen? Geen wonder dat de duivel haar had beslopen. Hoe lang had ze geslapen? Door haar communievenster zag ze hoe het middaglicht door de kleuren van de kerkramen viel, diep in het schemerige interieur van Saint Julian's.

Weer dat zachte geklop, maar dringender nu. En onmiskenbaar het geluid van stemmen, vrouwenstemmen. Ze had niet veel bezoek meer gehad sinds het begin van de zware regens. Ze miste haar bezoekers. Maar soms vreesde ze hen ook, zoals nu. Wie was zij, om anderen heilige troost te kunnen bieden? De Heilige Geest had haar verlaten. Veel troost bleef haar niet over.

Ze voelde zich veel ouder dan haar veertig jaren toen ze moeizaam overeind kwam en het gordijntje open schoof. Het gezelschap van vrouwen en kinderen... Maar ze waren welkom, en dat zei ze hun ook, hoewel ze door het smalle luikje niet veel anders zag dan drie paar ogen die haar cel in tuurden.

'Ik ben lady Kathryn van Blackingham,' zei het eerste paar ogen. En met een knikje naar de twee anderen achter haar: 'Dit zijn mijn bedienden.' Ze hield een bundeltje omhoog voor het venster. 'En dit is mijn petekind.'

'Dit raam is te klein voor u drieën. Komt u maar langs de andere kant, via mijn keuken. Dan kunnen we praten door het luik waardoor mijn bediende mij mijn eten geeft. Dat is veel groter. Alice is er nu niet, maar ze heeft de deur opengelaten, zodat ik nog wat kon profiteren van het middaglicht.'

Even later verschenen de drie paar ogen achter het grotere luik van Alice, maar nu waren ook de gezichten te zien, die toebehoorden aan drie vrouwen, vermoeid en vuil van een lange reis. Degene die het kind vasthield zag eruit als een edelvrouwe.

'Geeft u die baby maar aan mij,' zei Julian, 'dan kan ik haar zegenen. Hoe heet ze?'

Na een korte aarzeling tilde de vrouw het kind door het luik naar binnen. 'Haar moeder heeft haar Jasmine genoemd, maar ze is gedoopt als Anna.'

'Ze is zo mooi als een jasmijnbloesem.'

Nadat Julian een kruisje had geslagen over het kind en een gebed had gepreveld, legde de dame nog iets anders op de brede vensterbank.

'Ik kom als boodschapper van Finn, de miniatuurschilder,' zei haar bezoekster, terwijl ze de grote rol papieren naar haar toe schoof.

'Finn! Ik hoop dat hij het goed maakt. Hij is een goed mens en een vriend.' De Heilige Maagd zij dank dat hij nog in leven is, dacht ze. Ze had voor hem willen bemiddelen bij de bisschop, maar dat was nog voordat ze zelf in ongenade was gevallen. Nadat hij haar had bevolen een verklaring te schrijven waarin ze haar geloof bevestigde was hij niet meer teruggekomen. Nu wentelde ze zich in de kwade reuk van zijn ongenoegen. Het was een moeilijke tijd geweest. Dit hele, troosteloze regenseizoen had ze niets meer gehoord uit de gevangenis. Eenzaam en angstig had ze in haar kluis gezeten. Een paar keer had ze geworsteld met haar apologie, tot ze het perkament gefrustreerd weer had verfrommeld. Daarna bad ze om vergiffenis voor haar uitbarsting en begon alles weer van voren af aan, totdat het innerlijke licht waardoor ze zich liet leiden net zo vaag en somber was als het daglicht buiten haar cel. Als ze bad, luisterde Hij niet meer. De wonden van het berouw, haar kostbare openbaringen, leken soms de gestoorde fantasieën van een koortsig brein. En vandaag was ze in slaap gevallen terwijl ze het Goddelijk Officie sprak.

Met één hand – in haar andere arm lag het slapende kind – maakte ze de strik om de dikke stapel papieren los. *In den beginne was het Woord.* En het Woord was Engels!

'Finn laat u vragen om deze papieren aan de dwerg Half-Tom te geven, de volgende keer dat hij u bezoekt,' zei lady Kathryn. 'Maar als u denkt dat ze een gevaar voor u vormen zal ik ze weer meenemen en verbranden.'

'Verbranden? De kostbare woorden van onze Verlosser verbranden – de geschriften van de heilige Johannes over de daden van onze Heer? Zou u dat kunnen?'

De blik van de vrouw was net zo eerlijk en openhartig als haar antwoord: 'Het zijn maar woorden.'

'Heilige woorden. *Het* Woord!'

'Ik ben een praktische vrouw, kluizenaarster. Heilige woorden, inderdaad. Maar het leven is ook heilig. Hebben wij niet de plicht tegenover de Schepper om de schepping in stand te houden, of moeten we allemaal maar vrolijk naar ons graf marcheren, als martelaren voor een paar woorden op een stuk papier, die wel weer gereproduceerd kunnen worden? Als we dan nog leven? Bovendien is het toch de taak van de Kerk om het Woord te verbreiden? Dat zou u beter moeten weten dan wie ook. U hebt zich volledig binnen die Kerk teruggetrokken.'

'Nee, dat heb ik niet. U kunt me niet vergelijken met nonnen en monniken. Ik ben verankerd in de wereld. Hoewel ik natuurlijk loyaal en gehoorzaam ben aan de Kerk,' voegde ze er haastig aan toe. Wat wist ze eigenlijk van deze vrouw? Het gerucht ging dat de bisschop zijn spionnen had.

'Het is mijn doel om Hem beter te leren kennen, Zijn passie te doorgronden en die te openbaren aan iedereen die me bezoekt. Bovendien,' vervolgde Julian, 'heeft de Kerk nooit een edict uitgevaardigd dat wij de Schrift niet zouden mogen vertalen. Ik schrijf mijn eigen Openbaringen ook in het Engels.' En ze dacht: Op aandringen van Finn – Finn, die nu in de gevangenis zit.

Lady Kathryns scepsis stond op haar gezicht te lezen. 'De wet van de koning is één ding. Ik heb gehoord dat sommige van zijn wetten al in het Engels worden opgesteld. Maar we moeten ook rekening houden met de goede wil van de Roomse Kerk. Ik zou niet graag in conflict raken, met geen van beide.'

De baby bewoog zich en huilde wat. Julian legde de tekst neer die ze bekeek, tilde het kind over haar schouder en wiegde haar zachtjes heen en weer. Het was heerlijk om een kind in haar armen te hebben. 'Hoe kent u Finn?' vroeg ze aan haar openhartige bezoekster.

'Wij waren gelieven,' antwoordde lady Kathryn plompverloren.

'Als u van hem houdt, moet het extra zwaar zijn om te weten dat hij nu gevangenzit.'

'En nog zwaarder omdat ik een valse getuigenverklaring tegen hem heb afgelegd in die zaak van de vermoorde priester. Om mijn zoon te redden, die misschien zelf schuldig is.'

Het was zo'n eerlijke bekentenis, zo'n duidelijke verklaring van haar prioriteiten in het conflict, dat de kluizenaarster zo snel niet wist wat ze moest antwoorden. Ze kwam maar zelden zulke oprechte mensen tegen. De vrouw leek zo koud, zoals ze met kaarsrechte rug voor het luik zat en haar bekentenis deed, maar Julian zag hoe nerveus haar vingers bewogen en de stapel papier ordende en gladstreek alsof ze de rimpels in haar geweten – het dilemma waarin ze zich nu bevond – probeerde glad te strijken. In elk geval zat Julian tegenover een zondares die geen illusies had over zichzelf, en dat gebrek aan hypocrisie was al verfrissend.

Het kind begon te huilen.

'Geef haar maar aan de voedster. Ze is een gulzige kleine meid.'

Julian zag hoe er een zachtere trek om lady Kathryns mond kwam toen ze dat zei.

'Is dit Finns kind?' vroeg ze, terwijl ze de baby aan de andere vrouw gaf, die haar handen uitstrekte.

'Nee, zijn kleinkind. Ook de tweede generatie onder ons dak had blijkbaar last van lustgevoelens,' zei ze ironisch. Haar rusteloze handen lagen weer roerloos op haar schoot. Ze keek omlaag en haalde diep adem. Haar ogen glinsterden toen ze weer opkeek naar de kluizenaarster. 'Mag ik nog iets opbiechten?'

'Ik ben geen biechtvader, vrouwe, maar natuurlijk zal ik u aanhoren als u zich daardoor beter voelt. Ik zie dat u grote problemen hebt.'

Lady Kathryn vertelde haar over Colin en Rose. En dat ze net bij Finn vandaan kwam, die zijn kleinkind had geweigerd.

'Hij zal wel van gedachten veranderen als hij een begin heeft gemaakt met de verwerking van zijn verdriet,' meende de kluizenaarster.

'Het maakt voor mij geen verschil. Het gaat me om hém. Ik beschouw het kind als mijn eigen dochter. Maar ze zou hem ook troost kunnen geven, net als mij.'

De kluizenaarster legde haar hand over Kathryns gehandschoende vingers, die op de vensterbank rustten. Ze zag de blauwe vlekken op de handschoenen en vroeg zich af hoe die daar kwamen. 'U hebt inzicht,' zei ze.

'Inzicht? Waarin?' Lady Kathryn keek verbaasd.

'In het soort liefde waardoor een moeder alles wil opofferen voor de liefde van een kind.' Ze voelde dat de andere vrouw haar vingers terugtrok en ze tot een vuist balde onder de bescherming van haar handpalm. 'Dat is dezelfde liefde die de Verlosser voor ons voelt. Dezelfde liefde die Hij ook voor u heeft.'

De vuist balde zich nog strakker. 'Als Hij zoveel van me houdt, waarom doet Hij mij... ons... dit dan aan?' Ze trok haar hand weg. De lange vingers wapperden door de lucht. 'Laat maar. Ik weet al wat u gaat zeggen. "De zonde." We worden gestraft voor onze zonden.'

'Straft een liefhebbende moeder met plezier? Nee, alleen om haar kind iets te leren. Om het sterker te maken. Lijden geeft ons kracht. Niets is toeval. God bestuurt alles.'

'En Finn dan? Waarom zou een liefhebbende God toestaan dat een goed mens wordt vervolgd?'

'Door het lijden schenkt Hij ons verlossing, maakt Hij ons volmaakt.'

'Wist u dat Finns vrouw een jodin was? Daarvoor wordt hij blijkbaar gestraft. En zijn dochter ook. De zonden van de vaderen. Hij heeft ontucht gepleegd met mij, dat is waar. Maar dat is toch niet zo vreselijk? Kluizenaarster, ik weet dat u een heilige vrouw bent en weinig kennis hebt van de zonden van het vlees. Maar wellust vraagt toch niet zo'n hoge prijs? Anders zouden de gevangenissen zo uitpuilen met priesters en bisschoppen dat er voor ons geen plaats meer was. Waarom heeft Hij dan Rose weggenomen, van wie Finn meer hield dan van wie of wat ook ter wereld? Dat kan toch alleen de straf zijn voor een heel zware zonde?'

'Om zijn ziel te louteren wordt een mens soms op zichzelf teruggeworpen. Niet altijd vanwege een zonde. Misschien wordt Finn niet gestraft. God houdt van joden en christenen, zonder onderscheid. Hij is vader van ons allemaal. Wees ervan overtuigd, vrouwe, dat u uw ziel niet kunt schaden door dit kind van joodse afkomst in uw huis op te nemen. Integendeel. Al vermoed ik dat u het ook zou doen als het wél schadelijk was voor uw ziel. Daarom weet ik dat u deze vorm van liefde begrijpt. *Alles zal goed komen.* Uw lijden brengt u alleen maar dichter bij God.'

'Waarom kan ik dan niet bidden? Ik zeg de teksten en ik tel de kralen, maar het zijn holle woorden die in een leegte vallen. Kluizenaarster, denkt u zelf soms niet dat het allemaal één grote klucht is, één grote leugen, die door machtige mannen in stand wordt gehouden voor hun eigen voordeel en gewin?'

Een dappere vraag, die een eerlijk antwoord verdiende.

'Als het goed met me gaat, zou ik samen met de heilige Paulus wel twintig keer kunnen roepen: "Niets zal mij scheiden van Christus' liefde." En als ik pijn heb, zou ik met de heilige Petrus kunnen zeggen: "Red mij, Heer. Ik verdraag dit niet." Het is niet Gods wil dat wij ons in onze pijn koesteren door erom te rouwen en te treuren. Stap er overheen. Ik beloof u... en dat weet ik zeker, omdat Hij het me heeft verteld... dat die pijn weer zal verdwijnen in de volheid van Zijn liefde.'

Die woorden gelden ook voor mij, dacht Julian. Geneesheer, genees uzelf. God heeft me deze vrouw gezonden zodat ik mijn eigen geloof kan vernieuwen door haar te helpen. Maak je niet druk om de woede van de bisschop. Hij is een instrument van de duivel óf van God. Hoe dan ook, *alles zal goed komen.*

'Ik bezit niet uw geloof, kluizenaarster, hoewel ik toch troost vind in uw woorden. Maar ik ben hier al langer gebleven dan mijn bedoeling was. Het is te laat om nog naar Blackingham terug te reizen. Weet u een herberg in de buurt?' Ze keek nerveus naar de baby, die verzadigd was en haar blauwe ogen nu op Julian richtte.

'Een herberg is misschien niet de beste plek voor een groep vrouwen. Acht kilometer ten noorden van hier, op uw route naar huis, ligt de Saint Faith Priory, die bekendstaat om zijn traditie van gastvrijheid.'

'Ja, ik weet het. In het dorpje Horsham. Ik ben daar eens als kind geweest, met mijn vader. De zusters waren heel vriendelijk.'

De vrouwen stonden op om weg te gaan. Opeens leken ze kwetsbaar. Het meisje, dat nu de baby op haar arm had, was nauwelijks meer dan een kind, niet ouder dan veertien of vijftien jaar. Ze had een stralende uitdrukking op haar gezicht, alsof ze een vreemde verschijning had gezien, diep in de cel van de kluizenaarster.

'Wil je iets zeggen, kind?' vroeg Julian.

Het meisje boog zich naar voren en fluisterde: 'Het licht om u heen schittert helemaal. Als h-hoop. Het k-klopt als een hart.'

'Maar er is geen licht...'

De voedster viel haar in de rede. 'Ze heeft een gave, vrouwe.' En ze voegde er snel aan toe: 'Van God.'

Deze vrouwen zijn bijzonder, dacht de kluizenaarster: niet alleen die wilskrachtige edelvrouwe, met haar vurige liefde, maar ook de baby met haar blauwe ogen en haar joodse bloed, een symbool van Gods liefde en eenheid; en zelfs de voedster die, nu Julian wat beter keek, sterk leek op het meisje met de spirituele gave. Een koesterende kracht bond hen samen.

Lady Kathryn sloeg haar mantel om zich heen. 'Dank u voor uw raad. U hebt me iets gegeven om over na te denken.' En toen, aarzelend: 'Wilt u de papieren houden? Of zal ik ze meenemen?'

'Ik zal ervoor zorgen dat Tom ze krijgt. Ik ben niet bang voor de bisschop.'

Lady Kathryn haalde haar schouders op en draaide zich om.

'God ga met u,' riep de kluizenaarster hen nog na, en ze stak haar hand op in een groet aan hun verdwijnende ruggen.

Alleen het meisje draaide zich om en glimlachte, dankbaar voor het zegenende gebaar.

Toen de vrouwen waren vertrokken voelde Julian zich geestelijk zo verfrist dat ze zich afvroeg of het werkelijkheid was geweest of een bezoek van engelen – een van haar visioenen. Maar één ding stond vast. Werkelijk of niet, ze waren gezonden door Hem die haar diepste bron was. Door hen te helpen had ze haar eigen ziel weer water gegeven. Ze zou haar apologie schrijven, maar wel in het Engels.

En wat er ook gebeurde, *alles zou goed komen.*

'Kom, Ahab,' zei ze tegen de dikke kat, die op de vensterbank sprong. Ze pakte de papieren voor Wycliffe en verborg ze onder een stapel linnengoed. 'We zullen wachten op Toms bezoek, jij en ik. Hij zal nieuws brengen over Finn, en misschien een lekkernij uit de moerassen.'

Ahab begon al te spinnen bij het vooruitzicht.

XXV

Geef wat meer weg van de oogst, heer, een stuiver of twee,
zodat ze beter hun best doen. Geef handschoenen aan de werkers
op het land, een edelmoedige bonus, maar pas op dat niemand
loopt te lanterfanten.

THOMAS TUSSER, *ADVIEZEN VOOR HET BOERENBEDRIJF*

Dat voorjaar bracht Kathryn geen bezoek meer aan Castle Prison. Half-Tom kwam regelmatig naar Blackingham Manor, al was Agnes daar niet blij mee. 'Ik hou er niet van dat hij steeds om mijn meid heen hangt.' Maar Kathryn moedigde de bezoekjes van de dwerg juist aan, vond dingen voor hem te doen en stuurde hem als boodschapper naar de abdijen rond Norwich om navraag te doen naar Colin. Was haar jongste zoon een vagebond geworden die in greppels sliep – hongerig, vervuild en eenzaam? Of liep hij nu door de stenen gangen van een ver klooster, in de ban van godsdienstige gezangen, voorgoed voor haar verloren? Maar zelfs als Kathryn niet zo wanhopig naar nieuws over Colin had gezocht zou ze Half-Tom in de buurt hebben gehouden. Hij was haar enige schakel met Finn.

'Vraag hem of hij het kind wil zien,' zei ze regelmatig tegen hem.

Het antwoord was altijd hetzelfde: 'Vrouwe, het spijt me, maar hij zegt dat hij geen tijd heeft. Zijn werk voor de bisschop eist hem op.'

Dus kwam er die warme, zonnige dagen geen bedevaartstocht naar

Castle Prison. De zomer brak aan. Jasmine leerde brabbelen, lachen en handjeklap te spelen als Kathryn tegen haar zong. Er werden plannen gemaakt voor de nieuwe oogst en arbeiders geronseld om de plantenziekten en de regens vóór te zijn – allemaal veel lastiger zonder Kathryns zoons.

Het was de tweede oogst sinds Rodericks dood. Simpson zou ook dit jaar weer toezicht houden, zonder een landheer om de toenemende arrogantie van de rentmeester wat in te tomen. En waar moest Kathryn extra stuivers vinden om de dagloners te betalen die elk jaar weer méér vroegen, om nog maar te zwijgen over de toelage die haar eigen knechten rond oogsttijd van haar verwachtten? De blinde trouw waarmee de lijfeigenen en boeren haar vader hadden gediend was verdwenen, weggevaagd door arbeidstekorten en de principes van gelijke rechten die door opruiende lekenpriesters werden verbreid. De oude orde, waarin Kathryn haar plaats kende, liep gevaar en zou zelfs kunnen instorten. Roderick had zijn mensen aan zich gebonden door macht en traditie. Wat was Kathryns macht? Waar lag haar traditie?

Er waren dagen waarop ze nauwelijks nog de moed kon opbrengen om door te gaan. Alleen voor Jasmine.

⁂

Het was Magda's vierde tocht die dag, in de middaghitte, om de leren zakken met bier en de manden met brood, kaas, haverkoeken en uien naar de werkers in het veld te brengen. Het was een zware last, maar evenwichtig verdeeld over het lange juk op haar schouders. Het deerde haar niet. Ze was tenger, maar wel sterk, en ze was blij dat ze aan de benauwende atmosfeer van de keuken kon ontsnappen. Kokkie was in een slecht humeur de laatste tijd. En Magda keek graag naar de bewegingen van de lange zeisen die door de rogge sneden met de gratie van Morris-dansers. Haar eigen vader was de beste van het hele stel. Trots keek ze hoe hij werkte. Eerst een buiging, met zijn rechterbeen onder zijn lichaam gebogen en zijn linkerarm gestrekt voor het evenwicht, dan de zwaai van zijn rechterarm door het graan, de zeis zuiver evenwijdig aan de grond, in een rustig maar volhardend ritme.

Geen wonder dat de arbeiders zoveel aten tussen de middag. Geen wonder ook dat Agnes zo kribbig was. De vorige week had ze Half-Tom met een bezem achternagezeten omdat hij volgens haar een ei gestolen had! Agnes, die zelf altijd een potje op het vuur had staan voor hongerige bedelaars! Tegenwoordig had ze voortdurend kritiek, terwijl ze vroeger zo gauw tevreden was geweest.

Maar buiten was het fris en zonnig. Dunne wolkjes dreven langs de hemel, en de keukenmeid met haar manden kon op een warm welkom rekenen. De kameraadschap tussen de boerenknechten en lijfeigenen strekte zich ook tot haar uit. Ze voelde zich lid van een blije familie, blij omdat ze – ondanks het zware werk en de lange dagen – deze maand in elk geval goed te eten zouden krijgen. Landeigenaren die te gierig waren zouden al snel zonder knechten zitten. De lijfeigenen hadden geen keus, maar de vrije boerenknechten konden zo naar een andere landheer, die beter betaalde. Allemaal verwachtten ze een toelage. Maar dit jaar was Magda daar niet zo zeker van. Ze had het zielenlicht – als je het zo kon noemen – van de rentmeester gemeten. Zo weinig licht had ze nog nooit bij iemand gezien. Zou hij geen licht uitstralen omdat hij geen ziel bezat? Een duivel in mensengedaante? Magda huiverde toen ze hem naar de schaduw van de heg zag komen waar ze de theedoeken voor het eten had uitgespreid. Haastig wendde ze haar blik af, uit angst dat hij haar zou treffen met het boze oog.

Ze keek naar de zachte lichtjes van de kinderen, die verkleurden en vervloeiden als een regenboog, terwijl ze krijgertje speelden onder een grote eikenboom aan de rand van de korenvelden. Zelf had ze in de oogsttijd ook onder die boom gespeeld, nog niet zo lang geleden, als haar vader soepel met de zeis zwaaide en haar moeder de schoven bond. Ze zou lady Kathryn vragen of haar moeder Jasmine mee naar het veld mocht nemen, morgen. Dat zou haar moeder ook leuk vinden. Magda zag haar alleen maar lachen in de oogsttijd. Als haar eigen buik te dik was om te kunnen werken, paste ze op de kinderen van de andere vrouwen. Blije herinneringen. Maar er waren ook slechte tijden geweest, als de oogst verrotte op het veld omdat de duivel een ziekte, de pest of te veel regen had gebracht. Dan stierven er mensen van de honger. Zo had Magda haar kleine broertjes verloren.

Maar daar wilde ze nu niet aan denken. Vandaag scheen de zon. Het graan was rijp en de keukens van Blackingham hadden een stevig maal laten brengen voor de werkers. En in de verte zag Magda een bekend lichtje. Ze zwaaide en riep naar de vierkante kleine man die op weg was naar de keuken. Gelukkig had Half-Tom zich niet laten verjagen door kokkies boze blikken en haar bezem! Hij was haar vriend en hij was teruggekomen, met zijn prachtige, stralende zielenlicht.

Maar het was de man zonder licht die naar haar toe kwam.

De rentmeester dook naast haar op en greep de leren zak met bier. Het juk op Magda's schouders begon te wiebelen door het verstoorde evenwicht. Om het niet te laten vallen legde ze het onhandig op de grond. Simpson nam een slok en liet het bier over zijn kin druipen terwijl hij haar onderzoekend opnam. Ze wees naar de emmer met water op de grond. Het water was koel; ze had het zelf uit de beek gehaald. Toen Simpson haar negeerde, probeerde ze haar tong was losser te maken, hoewel hij haar angst aanjoeg met zijn loerende blik.

'H-heer...'

Hij lachte en kwam nog wat dichterbij. Zijn adem stonk naar uien en rotte tanden. Hij nam nog een slok uit de leren zak. Wat moest ze doen? Hij was de opzichter, maar zo bleef er niet genoeg bier voor de knechten over. De hals van de fles voelde al slap. Misschien moest ze hem het water aanreiken... Ze deed een paar passen terug, pakte de emmer en bracht hem een houten kroes met water.

Hij pakte de kroes van haar aan, terwijl hij haar nog steeds aanstaarde, en goot het water over zijn hoofd. Toen schudde hij zijn vettige haar uit als een hond.

'H-heer...' Het was moeilijk om haar tong rond de klanken te krijgen. 'H-heer, het water is om te d-drinken. En k-kokkie zegt...'

'"Kokkie zegt,"' herhaalde hij spottend, op overdreven zeurende toon. 'Het kan me niet schelen wat kokkie zegt. Ik ben de rentmeester, niet de kok. En weet je wat dat betekent? Dat ik je baas ben. Ik kan bier drinken of water...' Hij smeet de kroes weg en spuwde voor haar voeten. 'Ik kan nemen wat ik wil. Dus ook de onnozele keukenmeid die hier het eten komt brengen.'

Hij deed een greep naar het lijfje van haar jurk. 'Laat eens kijken of je daar al knoppen hebt die in bloei willen komen.'

Ze deinsde terug en rukte zich los, waardoor het veelvuldig gewassen textiel scheurde. Haar gezicht werd rood van schaamte toen ze koortsachtig probeerde haar borsten te bedekken met de gescheurde stof.

'Je lijkt me rijp om te plukken.'

Zijn lach was vettig en wellustig. Magda voelde zich smerig.

Snel als de wind dook hij achter haar op en greep haar in zijn stoffige armen. Zijn adem was heet in haar nek. Zijn handen betastten haar borsten. Iets hards duwde van achteren tegen haar aan. Ze voelde het door haar onderrok. Ze wist wat het was en wat hij met haar wilde, maar haar tong was verlamd en haar lippen konden de woorden niet vormen om te protesteren.

'N-nee...'

De druk achter haar nam toe.

'Ga op handen en knieën zitten en doe je rok omhoog.' Zijn woorden waren niet meer dan een gekreun.

Niet hier, gonsde het door haar hoofd. Niet hier in het veld, als een beest. Niet met een man zonder een zielenlicht. Maar, Heilige Moeder, wat kon ze doen? Hij was de opzichter, zij een gewone dienstmaagd.

'Alstublieft, h-heer. Alstublieft...' Een zacht gejammer.

'Heb je nu je tong gevonden?'

'Mijn v-vader is...'

'Ik zal hem een extra stuiver betalen. Als jij meewerkt. Nou, doe je rok omhoog en ga voorover.'

Droge snikken ontsnapten aan haar keel, maar ze probeerde ze tegen te houden. Hoe meer drukte ze maakte, des te meer anderen het zouden zien, en ze konden toch niets uitrichten. Hij was de rentmeester. Ze pakte haar rok en trok de zoom boven haar enkels. Verder wilden haar trillende handen niet gaan. Hij gaf een ruk aan haar rok en duwde haar met kracht voorover. Ze viel op handen en knieën, als een hond. Hij sloeg een arm om haar middel en trok haar tegen zich aan. De ruwe stoppels van het veld schramden haar blote knieën en handen. Ze groef haar nagels in de grond en klauwde in de aarde. Zijn ruwe handen gooiden haar rok over haar hoofd. Ze kromp ineen onder de aanraking van zijn handen op haar huid, zijn knijpende vingers. Hij knorde als een varken toen hij tegen haar aan stootte. Het deed pijn. Maar het deed nog veel meer pijn dat de anderen haar schande zouden zien. Ze voelde braaksel in haar mond. Ze kon niet huilen. Ze kon zelfs niet ademhalen.

'Terug naar het veld, Simpson. Nu!'

Bij het horen van lady Kathryns stem liet de rentmeester het meisje los, krabbelde op de been en trok zijn broek op. Als ze niet zo kwaad was geweest had Kathryn kunnen lachen om de verbijsterde uitdrukking op zijn gezicht. Niet voor het eerst in haar leven zou ze graag een man zijn geweest, een paar minuten maar. Dan zou Simpson de kracht van haar zweep op zijn achterste hebben gevoeld, voordat hij de kans had gekregen zijn broek over zijn blote kont te trekken.

Magda hees zich moeizaam overeind, terwijl ze met één hand haar rok glad streek en met de andere het gescheurde lijfje vasthield. Het meisje was zo wit als een doek. Kathryn zou haar het liefst in haar armen hebben genomen om haar te troosten, maar ze beheerste zich. Dat zou de laatste druppel kunnen zijn voor het meisje. Kathryn zag dat ze probeerde nog iets van haar waardigheid te redden, ook al stroomden de tranen in straaltjes over haar stoffige wangen.

'Magda, ga terug naar het huis.'

Inmiddels was Simpson weer op de been, maar hij stond met zijn rug naar haar toe en probeerde zijn broek dicht te krijgen.

'Zeg maar tegen kokkie dat je in de paardenstront bent gevallen,' siste Kathryn tegen Magda, maar haar woorden waren bedoeld voor de rentmeester.

Hij draaide zich om, haalde zijn schouders op en sloeg wat strootjes van zijn tuniek. 'Het meisje was bereidwillig genoeg. Er is niks gebeurd. Ik ben altijd voorzichtig met uw eigendommen, vrouwe.'

'We zijn allemaal wel iemands eigendom, Simpson. Denk daar maar goed aan. Als je dat meisje ooit nog aanraakt trek ik je loon in en stuur ik je weg.'

Zijn smalende grijns werd nog breder. Ze wist wat hij dacht en vroeg zich af of hij het zou durven zeggen. Waar zou ze een andere opzichter moeten vinden? Het stak haar dat ze zijn onaangename aanwezigheid tussen haar bedienden moest tolereren omdat ze geen andere rentmeester had.

'Roep de knechten voor het middagmaal. Ik zal het eten zelf ronddelen,' zei Kathryn, terwijl ze het meisje nakeek om te zien of ze nog zonder hulp kon lopen.

Bij de rand van het veld gekomen ging Magda over in looppas, half struikelend, in de richting van het huis. Tot haar opluchting kon Kathryn geen bloedvlekken in Magda's rok ontdekken. Zodra ze het eten had rondgedeeld zou ze teruggaan om Agnes op het hart te binden het meisje met zorg te behandelen – haar wat extra aandacht te geven.

'Als u me toestaat, vrouwe, Sir Roderick zou hebben gezegd...'

'Sir Roderick zou hebben gezegd dat de maagdelijkheid van een dienstmeid geen enkele waarde heeft. Maar wel voor het meisje zelf. En zij mag zélf beslissen aan wie ze die weggeeft. Of niet. Jij werkt voor Blackingham, Simpson. Jij werkt voor mij.'

'Natuurlijk, vrouwe.' Maar ze zag de felle haat in zijn neergeslagen ogen – als een bliksemflits, en net zo gevaarlijk. Ze moest zich van deze man ontdoen. Zodra de oogst was binnengehaald.

'En, Simpson, nog één ding. Ik zal het meisje een shilling uit jouw loon betalen als compensatie.'

'Waarom? Ze is nog intact.'

'Als schadevergoeding voor de vernedering. En om jou eraan te herinneren wie hier de baas is.'

'Zoals u wenst, vrouwe.' Zijn ogen brandden als hete kooltjes. 'Als u een minuut later was gekomen, had ik waar gekregen voor mijn geld.'

Toen draaide hij zich om en liep het veld af, met een kort gebaar naar de starende knechten om hen te waarschuwen dat het etenstijd was.

⁂

Het oogsten duurde lang dat jaar, maar omstreeks september waren de laatste korenschoven toch opgebonden en de rogge en gierst veilig in de schuren opgeslagen voor het dorsen in de winter. De ganzen van Sint Michiel, die zich hadden volgevreten aan het gevallen graan tussen de stoppels, werden in de keuken aan het spit geroosterd voor het oogstfeest. Kathryn telde gespannen haar vaten met honingwijn, cider en bier, alles zelfgebrouwen, met de honderd liter zwaar bier die ze voor vijftig shilling als aanvulling had gekocht. Ze zag het feestmaal met angst en beven tegemoet. Het zou een dolle, dronken avond worden, en hoewel Kathryn de knechten niets misgunde – ze hadden hun feest verdiend – was haar beurs inmiddels zo plat als die van een kluizenaar. Twee keer tijdens de twee weken die de oogst had geduurd was Simpson naar haar toe gekomen om nog een bonus voor de werkers te vragen. Goddank kwamen de kwartaalpachten nu binnen. Simpson zou ze vandaag innen en bij de maaltijd met haar afrekenen.

Kathryn tilde haar sluier op om het zweet van haar voorhoofd te vegen en riep Glynis om de tafel in de grote zaal te dekken. Waar zat die luie meid? Agnes en de kleine keukenhulp werkten zich de blaren. Magda zei misschien niet veel, maar ze stak wel haar handen uit de mouwen. Na het incident met Simpson had ze zich weer teruggetrokken in haar stilzwijgen. Het was een vervelende zaak, maar gelukkig was de dwerg naar Kathryn gerend om haar te waarschuwen, zodat ze had kunnen ingrijpen. Verder kon ze er weinig aan doen. Ze moest het maar uit haar hoofd zetten. God bepaalde nu eenmaal ieders lot.

Ze wierp een blik over de lange schraagtafels in de zaal. Er moest ook een podium komen. Zij hoorde zelf niet zo laag te zitten. Maar wie zou ze aan haar tafel kunnen vragen als weduwe en vrouwe van Blackingham, zonder haar zoons? Simpson? Ze huiverde bij de gedachte. Bovendien was hij niet van adellijke komaf. Zijn plaats was aan de lange tafel. De priester van Saint Michael's zou wel bij haar op het podium zitten om de maaltijd te zegenen, maar aan het benedeneinde van de tafel.

Ze had Half-Tom naar Norwich gestuurd om wat vertier te regelen. De landarbeiders hadden recht op amusement. Daar moest zij dus voor zorgen. 'Niet te veel,' had ze hem gezegd. 'Een paar jongleurs en een luitspeler, meer kan Blackingham zich niet veroorloven.'

~

Gekleed in haar op één na beste brokaatjurk, met een gevlochten diadeem, zat lady Kathryn alleen aan haar tafel. De zaal geurde naar de welriekende kruiden die tussen de biezen waren gestrooid, en de rokerige braadlucht van de ganzen zweefde vanuit de keuken naar binnen. De tafel leek te bezwijken onder het gewicht van de oogst. Agnes kon toveren. Ze was misschien niet in staat om ijzer in goud te veranderen, maar van de restjes vlees van gisteren maakte ze wel een heerlijke niervetpudding, pittig gekruid en gekleurd met saffraan (de kleur van het alchemistengoud), zodat niemand zag dat het om kliekjes ging.

Vanaf haar hoge positie zag Kathryn de artiesten binnenkomen aan het andere eind van de grote zaal. Een van hen was gekleed in het skeletkostuum van Magere Hein, als parodie op de oogst van de zielen. Een ander droeg een mantel met een capuchon – ondanks de hitte – en een luit over zijn schouder. Een derde had alleen een broek om zijn lendenen geknoopt. Zijn spieren zwollen op onder zijn geoliede huid. Hij kwam als eerste binnen, maakte een serie radslagen door de grote zaal en kwam tot stilstand voor Kathryns stoel. Daar ging hij op zijn handen staan, jonglerend met drie gekleurde ballen op zijn voeten. Lady Kathryn applaudisseerde en de gasten juichten instemmend.

Half-Tom had zich bij de kleine groep artiesten aangesloten om verstoppertje te spelen met Magere Hein. Hij maakte obscene gebaren en treiterde de macabere figuur, die hem met zijn zeis achtervolgde door de hele zaal. De boeren joelden van plezier. Dit was hun kans om ook eens de spot te drijven met de dood. Aan het andere eind van de zaal liep de luitspeler langs de tafel en stemde zijn instrument. Het gelach en het applaus voor de acrobaat en Magere Hein overstemden de muziek en Kathryn kon zijn lied niet horen. Gelukkig maar, want de luit deed haar aan Colin denken en daar had ze nu geen behoefte aan.

Simpson kwam te laat voor het feest. De maaltijd was allang begonnen. Een belediging voor de knechten en voor haar. De opzichter liet zich op zijn plaats zakken en wierp een norse blik op zijn kroes. Als rentmeester had hij recht op wijn, maar Kathryn had de wijn behoorlijk aangelengd, uit zuinigheid en voorzichtigheid. Te oordelen naar de manier waarop hij de zaal binnenwankelde was het zeker niet zijn eerste kroes van de dag. Toen de laatste gang van *raffyolys*, koekjes van varkensgehakt met kruiden, was uitgeserveerd, kwam Simpson overeind. Op onvaste benen liep hij naar het podium en legde een zak met muntgeld – de kwartaalpacht – voor Kathryn neer. Met dubbele tong zei hij erbij dat ze de afrekening in de zak kon vinden.

'Het is te weinig,' mompelde hij. 'De pachters moesten de personele belasting van de koning nog betalen.'

Ze woog het in haar handen en zuchtte. De zak was veel te licht, en Kathryn wist nu al dat de boekhouding meer beloften dan harde munt zou opleveren. De rest van de pacht zou ze moeten innen in kippen, eieren en groente uit de kleine tuintjes die de pachters zelf onderhielden op de zandgrond rondom hun hutten.

Ze legde de zak naast haar bord, stond toen op en bracht de verplichte toast uit op de oogst en de opzichter. Maar toen ze uitgesproken was, verwachtte ze dat de landarbeiders zouden uitbarsten in een luid 'Hoera!', maar het bleef doodstil.

Een paar mannen aan het andere eind begonnen langzaam maar ritmisch met hun vuisten op de tafel te slaan. Het gedreun werd steeds luider, totdat het de hele zaal vulde en weergalmde in haar hoofd.

'Bonus! We willen een bonus! We willen een bonus!' Het begon heel zachtjes, maar zwol aan tot een crescendo.

Niet de reactie die Kathryn had verwacht. Het was een geldbeluste groep. Wilden ze een arme weduwe kaalplukken? Zo'n brutaliteit ging haar echt te ver. Ze rechtte haar rug en hief haar hand op.

Het spreekkoor verstomde.

'Waar is jullie dankbaarheid voor de bonus die jullie al hebben gekregen? Twee keer heb ik de opzichter extra geld gegeven om jullie loon aan te vullen.'

Een van de mannen, die zichzelf moed had ingedronken, stond op en riep terug: 'De opzichter heeft ons geen cent gegeven! Hij zei dat we de bonus pas bij het oogstfeest zouden krijgen.'

Een koor van instemmende geluiden. En het gedreun begon weer.

Bonus. Bonus.

Kathryn keek woedend naar Simpson, die nog steeds aan de tafel zat en in zijn kroes tuurde. 'Wat stelt dit voor, Simpson? Wat heb je met het extra geld gedaan?'

Het gedreun was nu oorverdovend.

Bonus. Bonus.

Hij keek op, maar staarde langs haar heen. Toen haalde hij zijn schouders op. 'Ik heb het gebruikt om extra mensen in te huren.'

'De oogst was laat, en ik zie niet meer dan het gebruikelijke aantal gezichten.'

'Een deel van de groep is alweer verder getrokken.'

Ze moesten schreeuwen om zich verstaanbaar te maken boven de herrie uit, maar opeens stopte het gedreun en daalde er een stilte neer over de zaal. Niemand bewoog zich, behalve de luitspeler met de cape en de capuchon, die nu naar het podium liep. Wilde hij soms ook meer geld? De atmosfeer leek opeens drukkend. Kathryn greep zich aan de rand van de tafel vast om steun te zoeken. Dit was de laatste druppel. Het verraderlijke gedrag van de rentmeester ging alle perken te buiten.

'Je bent een dief en een leugenaar, Simpson.' Ze zei het zo luid dat de hele zaal het kon horen.

Hij keek haar smalend aan.

'Ik heb genoeg van je brutaliteiten en je verzinsels. De eenvoudigste knecht op Blackingham is nog meer waard dan jij. Ik wil je hier niet meer zien. Als ik je morgen nog op het landgoed aantref, zal ik je laten afranselen.'

Je kon een speld horen vallen. De priester kuchte discreet aan de rand van het podium. Het enige andere geluid was het eindeloze koor van zomerkrekels buiten de zaal.

Simpsons dronken lach schalde hoog en schril door de zwangere stilte. 'En waar, vrouwe, wilt u een man vinden om de zweep te hanteren?'

Ze maakte een gebaar dat alle werkers omvatte en liet haar blik over de tafels glijden, in de hoop dat ze haar kant zouden kiezen. 'Deze mannen, die jij hebt bestolen, zullen loyaal zijn aan hun edelvrouwe.'

Maar er klonk geen instemmend gejuich. De boeren keken elkaar aan alsof ze niet wisten wie ze moesten geloven. Voorlopig vertrouwden ze geen van beiden.

'Beste kerels,' riep Kathryn tegen hen. Ze werd duizelig van de rook en de hitte in de zaal, maar ze zette zich schrap voor wat er moest gebeuren. 'Jullie hebben gewerkt voor Blackingham Manor en dat stel ik op prijs. Ik heb grote waardering voor jullie trouw en ik zal erop toezien dat jullie de bonus ontvangen die deze diefachtige rentmeester van jullie gestolen heeft. Kom morgenvroeg naar de poort. Vanavond...'

'Nog meer beloften!' mompelden een paar, maar er klonk ook een voorzichtig applaus, en anderen riepen: 'Laat haar uitspreken.'

Bemoedigd hief ze haar hand op voor stilte en ging verder: 'Vanavond vraag ik jullie om te genieten van wat onze keuken voor jullie heeft klaargemaakt.' En ze gaf de keldermeester opdracht iedereen nog een beker cider in te schenken. 'Veel plezier met de voorstelling. Jullie hebben het verdiend.'

Half-Tom en Magere Hein gingen weer door met hun macabere toneelstukje. Eén of twee boeren mopperden nog wat, maar de solidariteit was verbroken en de zaal voorlopig weer verzoend.

Terwijl Kathryn zich afvroeg waar dat extra geld vandaan moest komen – ze zou het wel van Simpson eisen; ze had zojuist bewezen dat ze nog enig gezag bezat – kwam de luitspeler naar het podium.

'Vrouwe...'

Die stem. Een streek van haar geheugen?

De luitspeler maakte een buiging voor haar en gooide zijn capuchon naar achteren. De bleke huid van zijn kale hoofd glinsterde pijnlijk wit. In een flits kwam er een herinnering bij Kathryn boven: een moederhand, haar hand, die zo'n kaal hoofdje waste en de contouren van de botten streelde. Maar voordat het beeld compleet was, keek de jonge luitspeler haar al aan. Met Jasmines ogen.

Ze wankelde van het podium en drukte hem tegen haar borst.

Hij sloeg zijn armen om haar heen, maar toch voelde het anders dan vroeger, een beetje gereserveerd. Hij was volwassen geworden. Het waren de gespierde schouders van een man die ze omhelsde.

'Colin! O, welkom, mijn zoon. Welkom!' Ze veegde de tranen uit haar ogen toen ze hem bij zich vandaan hield om hem goed te bekijken.

'Je bent gegroeid. Meer een man, minder een jongen,' zei ze. 'Maar wat heb je met je mooie haar gedaan?'

'Een offer. Een daad van verzoening,' zei hij ernstig. Zijn stem was ook dieper geworden.

Ze wachtte tot hij meer zou zeggen, maar hij gaf geen nadere uitleg.

'Waarom zit u in uw eentje op die verhoging?' vroeg hij. 'Waar is Alfred? En de kunstenaar?'

Een vertrouwd verdriet overschaduwde haar vreugde.

'Je vraagt niet naar de dochter van de kunstenaar. Waarom vraag je niet naar Rose?' Er sloop toch iets van een oordeel, iets van bitterheid, in haar stem.

'Is er wat gebeurd? Zijn ze vertrokken?'

Ze zuchtte. 'Er is zoveel gebeurd, Colin. Jouw vertrek was nog maar het begin.' Meteen had ze spijt van haar verwijtende toon. Het was allemaal haar eigen schuld geweest. Ze mocht hem niet weer verjagen. Ze klopte hem op zijn hand. 'Ik heb je veel te vertellen, maar dat moet wachten totdat deze kwestie met Simpson is geregeld. Ik ben blij dat je er bent. Hij zal me minder last bezorgen als hij ziet dat ik geen vrouw alleen meer ben.'

Ze draaide zich om voor haar confrontatie met de rentmeester, maar zijn stoel was leeg. En de zak met geld was verdwenen.

Toen het oogstfeest was afgelopen en de feestgangers naar hun slaapplaats waren gewankeld – een hut, een strozak, een stal of in sommige gevallen een greppel waarin ze sliepen – vroeg Kathryn haar zoon om naar haar kamer te komen. De avond was een zware beproeving voor haar geweest, maar wat ze Colin te vertellen had kon niet tot de morgen wachten.

Ze zaten aan een klein tafeltje in de hoek van de kamer, waar ze soms had gegeten met Finn, heel knus op haar kamer, genietend van de intimiteit van een gezamenlijke maaltijd. Maar daar mocht ze nu niet aan denken. Het was Colin die tegenover haar zat, en ze moest zorgvuldig haar woorden kiezen.

'Het was dom van je om weg te gaan, weet je. Ik hoop dat je nu definitief naar huis gekomen bent.'

'Ja, moeder. Ik ben weer thuis. Ik geloof dat ik toch niet geschikt ben voor het leven van een monnik.'

Hij was veranderd. Dat kale hoofd was een beetje verontrustend – Kathryn treurde om het verlies van zijn prachtige haar – en zijn blauwe ogen hadden iets verloren van hun onschuld, die had plaatsgemaakt voor een brandende, rusteloze schittering.

'Heb je al die tijd met die artiesten rondgereisd?'

'Ja, het grootste deel. Hebt u mijn brieven gekregen?'

'Brieven? Eentje maar. En ik kon niet antwoorden, anders zou ik je al hebben geschreven wat ik je nu zal vertellen.' Hoe moest ze beginnen? Ze bood hem een glas wijn aan, maar hij bedankte. Zelf nam ze wel een beker. 'Het lot is Blackingham niet gunstig gezind geweest sinds jij bent weggegaan, Colin. Zoals ik al zei, dat was maar het begin.'

Ze vertelde hem over Alfreds vertrek, Finns arrestatie, de baby, en ten slotte Roses dood. Hij luisterde zonder iets te zeggen en viel haar niet in de rede met vragen of uitroepen, zelfs niet toen ze vermoeid en wanhopig zweeg. Ten slotte stak ze haar arm uit over het tafeltje om zijn hand te pakken, maar hij trok hem terug.

'Dus Rose is dood.' Hij zei het toonloos. Er kwam een waas voor zijn ogen en zijn adamsappel schokte op en neer toen hij moeizaam slikte. Kathryn wilde hem in haar armen nemen, maar ze wist dat hij haar zou afweren. Dit was niet haar lieve Colin, die zich als kind ooit de woede van zijn vader op de hals had gehaald omdat hij in tranen was uitgebarsten om een vogelnestje dat door een vos was leeggehaald.

'Wat vreselijk,' was alles wat hij zei – met droge ogen. Hij staarde langs haar heen, maar ze wist dat hij niet naar de wandkleden aan haar muren keek. En ze zag evenmin de pijn die ze in zijn ogen had verwacht: geen tranen, slechts een harde, strakke blik. 'Ik zal bidden voor haar ziel,' zei hij. Er klonk geen enkele emotie in zijn stem. 'Ik heb een man ontmoet, een zekere John Ball. Hij heeft mij de ogen geopend voor heel veel dingen.'

Iemand die zo gemakkelijk zijn verdriet wist te verbergen... dat was niet haar Colin, maar een koekoeksjong.

'Wat voor dingen?' vroeg ze, in de veronderstelling dat hij haar buitensloot, haar niet wilde laten weten hoeveel hij van Rose gehouden had, haar niet zijn pijn of zijn schuldgevoel wilde tonen. Een onnozel kind, dat zijn schuld probeerde te verbergen voor zijn moeder.

'Over de Kerk,' zei hij.

'Over de Kerk?'

Hij knikte nadrukkelijk en opeens klonk zijn stem niet meer vlak. 'Over de manier waarop priesters en bisschoppen het arme, onwetende volk tot slaven hebben gemaakt, hoe ze de gewone mensen misbruiken en bestelen om hun abdijen met goud te vullen en hun schatkisten met zilver.'

Hij sprak nu geanimeerd, met heldere ogen, bijna koortsig. Hij is overmand door verdriet, dacht Kathryn. Hij blijft maar praten om het weg te drukken.

'En ik heb ook andere dingen geleerd op mijn reizen.' Hij stond op en begon te ijsberen. 'De troubadours hebben een lied over Adam en Eva. In het paradijs waren geen heren of bedienden. John Ball zegt dat God deze sociale orde nooit heeft gewild. God houdt van ons allemaal, zonder onderscheid. De edelman is niet beter dan de burger, de burger niet beter dan de boer. Begrijpt u het niet, moeder? Dat idee van een Goddelijke Orde die de één boven de ander plaatst is helemaal verkeerd. Voor Gods aangezicht zijn we allemaal gelijk!'

Kathryn zag haar zoon voor haar ogen veranderen in een ketter. Hij raaskalde net zo als die Lollard-predikers die door het land trokken.

'Colin, je hebt een dochter. Wil je haar niet zien?'

Hij liet zijn hoofd in zijn handen zakken en veegde ongeduldig over zijn gezicht, alsof hij de huid wilde wegwrijven. Zijn ademhaling maakte een vreemd, zuigend geluid. Nu komt het, dacht ze. Nu komen de tranen en kan hij beginnen met de verwerking van zijn verdriet. Maar toen hij haar weer aankeek, waren zijn ogen nog altijd droog en had hij een ferme, vastberaden trek om zijn mond. 'Dat kan later wel,' zei hij. 'Vannacht moet ik me voorbereiden. Morgen ga ik preken op het kruispunt van Aylsham. De oogst is rijp, moeder, begrijpt u het niet? Er is nog maar zo weinig tijd.'

En zo was een van Kathryns zoons naar huis gekomen. Maar niet echt.

XXVI

En hoffelijk was hij, nederig en dienstbaar,
en hij sneed het vlees voor zijn vader aan tafel.
GEOFFREY CHAUCER, *THE CANTERBURY TALES*

Colin was twee maanden thuis toen de uitnodiging kwam met het wapen van de hertog: een uitnodiging voor een feest van veertien dagen op Framlingham Castle. Kathryns eerste opwelling was om te bedanken. Een kerstfeest van de hertog van Norfolk, 'ter ere van Sir Guy de Fontaigne, die de Orde van de Kousenband heeft ontvangen'. Kathryn had niet de kleren voor zo'n langdurig feest, en ze voelde er ook weinig voor. Het was haar een raadsel hoe zij als weduwe van een onbelangrijke ridder op de gastenlijst terecht was gekomen. Het kasteel lag in Suffolk, minstens twee of misschien wel drie dagen rijden, hartje winter. Ze had geen kleedster om haar te vergezellen en geen gewapende soldaten om haar te beschermen. Ze kon moeilijk Colin meenemen, zoals hij zich nu gedroeg.

Hij bracht zijn dagen door met preken op kruispunten en markten, overal waar een grote groep mensen bijeen was. Voor zijn dochter had hij geen belangstelling. Zelfs zijn luit hing te verstoffen aan een haak in de grote zaal. Hij had zijn muziek ingeruild voor holle kreten, zijn liefde voor een obsessie, dacht Kathryn als ze met een half oor luisterde naar zijn tirades over het kwaad van de Goddelijke Orde, de wreedheden van de adel, of de uitbuiting door de geestelijkheid. De namen van John Ball en Wycliffe lagen zo vaak op zijn lippen dat het leek of hij de rozenkrans bad. Nee, ze kon zich niet met haar jongste zoon in adellijk gezelschap vertonen. Dan zou ze hem en Blackingham ernstig in gevaar brengen. Niet dat hij in Blackingham geïnteresseerd was. Soms kwam hij 's avonds niet eens thuis. In zulke nachten, als Kathryn de slaap niet kon vatten, vond ze troost door Jasmine in haar armen te houden, tot lang nadat het kind in slaap gevallen was. 'Wat zal er van jou worden, kleintje? Wat zal er met ons allemaal gebeuren?' In die lange, slapeloze nachten dacht ze aan de kluizenaarster met haar belofte dat *alles goed zou komen.* 'Ik zou niet weten hoe, liefje. Ik zou het echt niet weten,' fluisterde ze dan tegen het slapende kind.

Hoe zou iemand in haar kwetsbare positie een uitnodiging van een hertog durven af te slaan? Ze kon een vrouwenkwaal voorwenden om te ontkomen aan de lastige reis – waar ze eigenlijk minder tegenop zag dan eer te moeten bewijzen aan een man die ze verafschuwde. Als ze aan Sir Guy de Fontaigne dacht, zag ze meteen weer die wrede lijn van zijn mond. Als van een roofdier. Hij had zijn voldane grijns niet kunnen verbergen op de avond dat hij Finn had gearresteerd. De vraag was dus niet hóé ze zou kunnen weigeren, maar óf ze durfde weigeren. Zuchtend legde ze de uitnodiging weg. Maar er was ook een kans dat ze Alfred zou zien. Hij was immers schildknaap van Sir Guy. Een van de velen, maar toch...

Ze opende haar kledingkist, zocht een moment en haalde toen haar nieuwste jurk tevoorschijn.

Twee dagen later kwam de boodschapper van de drost. Sir Guy zou het een eer vinden om lady Kathryn te mogen begeleiden. Op kerstavond zou hij een koets en een escorte sturen om haar op te halen. Het bericht was achtergelaten in de grote zaal. De boodschapper had niet eens op antwoord gewacht.

Kathryn reisde met het gevolg van de drost, maar in een eigen koets, met haar eigen kleedster. Ze had geen andere keus gehad dan Glynis mee te nemen, hoewel de domme gans voortdurend tussen de gordijntjes door naar buiten tuurde, in de hoop de aandacht te trekken van een man of jongen. In elk geval had ze snelle vingers als kapster, hoewel Kathryn niet zo dol was op haar ingewikkelde vlechten – geen geschikte stijl voor een weduwe die niet de aandacht op zich wilde vestigen.

'Vrouwe, het is allemaal zo spannend! Al die mooie vaandels, en die grote paarden. Ze rijden in een rij van drie achter ons aan.'

En een man op elk van die paarden, dacht Kathryn. 'Doe de gordijntjes dicht, Glynis,' zei ze. 'Je laat de kou binnen. Mijn handen zijn toch al blauw.'

's Nachts sloegen ze een kamp op. Kathryn deed die eerste nacht nauwelijks een oog dicht. Ze lag wakker, luisterend naar de geluiden van de nacht: het kraken van de koets op zijn houten wielen, de nachtelijke roep van de vogels, en één keer meende ze zelfs het gehuil van een groep wolven te horen. Vannacht zou het wel beter gaan, hoopte ze, maar ze had al hoofdpijn door het inademen van de rook van de kampvuurtjes.

De soldaat die het eten kwam brengen naar de koets flirtte met Glynis. Maar tot Kathryns opluchting drong Sir Guy zich niet op. Ze had weinig trek in het vlees, maar at wel wat brood en was blij met de korte, paarsblauwe schemering, eindelijk verlost van het gehobbel en gekreun van de koets over het bevroren karrenpad. Net als de vorige nacht sliep ze slecht en werd ze een paar keer wakker met zorgelijke gedachten over Jasmine. Ze hoorde Glynis naar buiten glippen – de aandrang van moeder natuur of een afspraakje met een soldaat? Minuten, uren, een eeuwigheid later hoorde ze haar weer terugkomen.

De volgende morgen braken ze het kamp op in een parelwitte ochtendnevel. Toen Glynis de emmers had leeggegooid zei ze tegen Kathryn dat ze meende 'jongeheer Alfred' onder de mannen te hebben gezien.

'Weet je het zeker, Glynis?' Bij het vertrek had Kathryn al gezocht en geïnformeerd onder de schildknapen en soldaten van de drost.

'Ja, vrouwe. Hij was een eind bij me vandaan, maar ik zou dat nobele hoofd overal hebben herkend.'

Kathryn trok haar mantel met capuchon wat dichter om zich heen, blij met de warme voering van eekhoornbont, en tilde het gordijn voor de ingang op. 'Wijs me de weg maar,' zei ze.

Glynis wees door de nevel naar een groepje mannen die rond een vuurtje zaten. Ze ontbeten met stukken harde kaas en gaven een zak met licht bier door. Maar er was geen roodharige viking tussen hen te ontdekken.

Ze kwamen in Framlingham aan op het moment dat het waterige zonnetje zijn hoogste stand bereikte. De donjon was heel indrukwekkend met zijn concentrische stenen verdedigingsmuur, zijn weergangen en het poortgebouw. Het was een militaire vesting. Heel Blackingham Hall zou hier op de voorhof passen, dacht Kathryn toen ze onder het valhek door reden. Maar hoe groot de burcht ook was, de binnenplaats stond toch vol met vrolijk gekleurde tenten en paviljoens, waarvan de kleurige wimpels klapperden in de stevige wind. Bedienden in rood-groen-blauwe zijden livrei renden heen en weer en schreeuwden om zich verstaanbaar te maken boven het gekraak van de wielen, het hoefgetrappel van de paarden en het geblaf van de honden uit. De afgesloten koetsen, zoals Kathryns rijtuig, werden naar de hoeken gereden om een plek te vinden bij een kampvuur. Ze hadden allemaal een eigen stapel brandhout. Het hout om de vuurtjes langer dan veertien dagen brandende te houden zou een aanzienlijk bos flink hebben uitgedund.

'Maken we ons kamp op de binnenplaats, vrouwe?' vroeg Glynis opgewonden.

'Laten we maar afwachten,' zei Kathryn. 'Het lijkt me een groot gezelschap. Het huis is misschien gereserveerd voor gasten van hogere rang.'

'Ik vind het hier leuk. Zo feestelijk en vriendelijk. En deze koets is mooi genoeg voor een hertogin. Sir Guy moet heel rijk zijn. En hij is erg op u gesteld, vrouwe.'

Kathryn negeerde de brutale knipoog van het meisje. Ze begon al te denken dat de drost haar vergeten was. Hoewel ze niet zat te wachten op zijn gezelschap had hij haar uit hoffelijkheid toch wel mogen begroeten. Als ze hier op de binnenplaats moesten slapen, zou hij haar niet onbeschermd laten, nam Kathryn aan. Glynis vond het misschien een aantrekkelijke gedachte om de nacht door te brengen tussen ridders en hun soldaten, maar Kathryn niet. Er werd luid op de zijkant van de koets geklopt en Kathryn trok het gordijn weg. Niet Sir Guy, maar een bediende, in het rode hemd en de rode muts van het huis.

'Als de vrouwe en haar gezelschapsdame me willen volgen?' zei hij met een perfecte buiging. 'Dan zal ik u naar uw kamer brengen. U wordt in het huis ondergebracht.'

Kathryn dankte de Heilige Maagd. Ze blies op haar handen om ze warm te krijgen. Wat had die meid met haar handschoenen gedaan?

Toen Kathryn uitstapte telde ze de torens op de hoeken van de donjon en de binnenplaats: dertien in totaal. De bediende bracht hen naar een van die hoge torens met meer verdiepingen.

'Ik had niet zo'n indrukwekkend kasteel verwacht,' zei Kathryn toen ze de bediende volgden, die haar koffer een paar stenen wenteltrappen op droeg. 'De hertog van Norfolk moet heel machtig zijn.'

'Machtig genoeg,' antwoordde de voetknecht. 'Maar Framlingham is van de koning.'

'Komt de koning dan ook?' Kathryn hoopte dat ze nieuwsgierig klonk in plaats van geschrokken, maar de waarheid was dat ze niet de kleren noch de aanleg voor hofintriges had, en hoopte dat de koning, of zijn regent, niet op haar bestaan attent zou worden gemaakt.

'Geen idee.' De bediende liep te hijgen.

De torentrap maakte weer een bocht en ze klommen nog hoger. Kathryn dacht aan Finn in zijn hoge Normandische toren. Nog hoger, weer een bocht, en opeens – toen het leek alsof de wenteltrap op weg was naar de hemel – kwamen ze uit in een gang. Achter de bediende aan stapte Kathryn over de drempel van een kleine maar leuke kamer. De muren waren effen okergeel geverfd, zonder de kleurige muurschilderingen die ze in het voorbijgaan in andere kamers had gezien. Maar ondanks de eenvoud hing er wel een mooi wandkleed boven de haard, waar ook een bank stond, met een aardige sprei en kussens met kwastjes – een beetje schots en scheef, alsof de kamer pas op het laatste moment was ingericht.

'Was dat alles?' vroeg de bediende, nog steeds hijgend, terwijl hij haar koffer neerzette.

'Heb je een boodschap voor me van Sir Guy?'

'Een boodschap?'

'Nadere instructies? De gebruiken van het huis? Het rooster van de festiviteiten?'

'Nee, geen boodschap. U kunt uw kleedster misschien naar de galerij sturen om te informeren.'

'Zijn er veel andere kleedsters hier?'

'Ik heb ze niet gezien. Hoewel ik aanneem dat de hertogin er ook is met haar personeel.' Hij keek tersluiks naar de deur.

'Goed. Ga maar.'

Kathryn zette haar sieradenkistje neer en keek nog wat beter om zich heen. De kamer had een eigen garderobe. Gelukkig hoefde ze niet het algemene privaat te gebruiken. In de haard brandde een aangenaam vuurtje van schoon Engels eikenhout, geen turf. De branders aan de muren waren voorzien van waskaarsen, geen vetpotten, en op de haard lag een beddenwarmer. Daarnaast was een veldbed neergelegd voor haar persoonlijke bediende. Een klein hemelbed, een stoel en een kast vormden de rest van het meubilair. In de garderobe zag ze een wasbak en een kan met water. Boven het privaat hing een bos kruiden en ook de vloer was met verse kruiden bestrooid. Heel wat beter dan overnachten op de binnenhof. Het was hier heerlijk stil, met slechts de vage echo van trage voetstappen toen er iemand de trap op kwam. Even later werd er zachtjes geklopt.

Kathryn knikte en Glynis opende de deur. Op de gang stond een meisje van Magda's leeftijd.

'Vrouwe, ik ben gestuurd om u van dienst te zijn. Is er nog iets wat u wenst?'

Toen ze de magere armen en benen van het meisje zag, wist Kathryn dat ze haar niet kon vragen om emmers heet water te halen, of meer dan een armvol brandhout. Ze was nog maar een kind. Ze had winterhanden – waarschijnlijk een keukenmeid die moest bijspringen tijdens de feestelijkheden.

'Ik heb mijn eigen meid. Wijs haar de keukens en de wasserij maar, dan kan zij me helpen.'

Het kind keek opgelucht. 'Jawel, vrouwe,' zei ze, met een onzekere revérence.

'Ga met haar mee, Glynis, dan kun je de vuile was brengen. En vraag de andere bedienden naar de vaste regels hier. Als je terugkomt, neem dan een kleine emmer heet water mee.'

'Het kerstfeest is in de grote zaal, vrouwe. Als de klok drie slaat,' zei het meisje.

'Vergeet de tijd niet, Glynis.' Kathryn keek haar zo streng mogelijk aan. 'Dus niet blijven treuzelen.'

Toen de meisjes waren verdwenen bukte Kathryn zich naar haar koffer en zocht tussen haar spullen. Haar nieuwste jurk was van dik, donkerrood brokaat, geborduurd en afgezet met zilverdraad en zilveren zomen. Hij had veel geld gekost, maar haar hart was toen veel vrolijker geweest, haar toekomst veel rooskleuriger. Het was Finns lievelingskleur, maar hij was gearresteerd voordat ze de jurk voor hem had kunnen dragen.

Nu werd het tijd dat de jurk zijn geld opbracht. Ze had geen speciale gelegenheden waarvoor ze hem moest bewaren, dus had ze hem maar ingepakt. Misschien zou ze hem beter met Driekoningen kunnen dragen. Nee, dat was alleen maar uitstel van de pijn. Ze zou de brokaatjurk nu meteen aantrekken, en met Driekoningen opnieuw. En ook als ze thuiskwam, steeds weer, als het boetekleed van een pelgrim.

Ze was zo mager geworden dat de hoge taille van de rok veel te wijd was. Zou Glynis nog tijd hebben om hem in te nemen? Er hoorde ook een fluwelen kapje bij, met een zilveren haarband. Het kapje moest worden geborsteld, maar dat kon ze zelf doen, terwijl Glynis de jurk vermaakte. Kathryn huiverde. Ze zag op tegen het moment waarop ze zich tot op haar ondergoed moest uitkleden. Zouden de gasten bij het gebed worden verwacht? Ze strekte zich op het bed uit, trok haar mantel over zich heen en kroop in elkaar.

Eerste kerstdag. Finn zat eenzaam in zijn toren, zij in de hare. En tussen hen in lagen de hemel en de hel.

'Sir Guy heeft me gestuurd om de vrouwe naar het kerstfeest te brengen.'

Het was dezelfde bediende die haar koffer had gedragen. Hij wierp haar een bewonderende blik toe, maar zei niets. Hoewel hij nauwelijks ouder was dan Colin en Alfred was ze toch blij met die waardering. Het vijzelde haar gebrekkige zelfvertrouwen wat op. Er was geen passpiegel in haar kamer, alleen een handspiegel waarin ze haar magere, bleke gezicht kon zien. Wit haar en een witte huid, die te sterk met het dieprode fluweel contrasteerden.

Toen ze de grote zaal binnenkwam voelde ze een moment van paniek: al die mensen, minstens tweehonderd of nog meer, en al die herrie. Ze kende er niemand en ze zag niet veel vrouwen aan de schraagtafels.

Ze vroeg zich al af waar ze moest zitten toen de bediende haar naar de voorkant van de zaal bracht. Waarschijnlijk aan het hoofd van een tafel, want Roderick en haar vader waren allebei ridders geweest. Haar blik gleed over de riddertafels, in de hoop ergens het bekende gezicht van een echtgenote te zien. Tot haar opluchting zag ze dat enkele heren hun dames hadden meegebracht, maar er waren geen vrije plaatsen en de bediende nam haar mee voorbij de riddertafels. Misschien zou ze bij de gezelschapsdames van de hertogin terechtkomen. Een ongebruikelijke en onwelkome eer. Ze was blij dat ze haar mooiste jurk had aangetrokken, hoewel de kleur misschien te opvallend was. In elk geval hoefde ze niet bang te zijn dat ze er als een huismus bij zou zitten tussen de koninklijke paradijsvogels.

Maar ze liepen ook de damestafel voorbij, op weg naar de verhoging waar de hertog en hertogin tussen een aantal hoge gasten zaten.

'Dit moet een vergissing zijn,' zei ze. Maar de voetknecht, die een paar passen voor haar uit liep, hoorde haar niet of wilde geen antwoord geven.

Sir Guy stond op. Als eregast zat hij natuurlijk op het podium, en als zijn gaste zou hij haar naar haar stoel brengen. Maar in plaats van het podium af te dalen en haar te escorteren naar een van de tafels beneden, stak hij zijn hand uit en wees op de lege stoel naast hem. 'Een zeldzaam genoegen, vrouwe,' zei hij met dat scheve lachje waar ze zo'n hekel aan had, 'om vanavond uw tafelgenoot te mogen zijn. Een gunstig voorteken.'

Het werd haar zwart voor de ogen. Heilige Moeder, ze was door de hertog van Norfolk uitgenodigd als de tafeldame van Sir Guy de Fontaigne. Ze durfde er niet aan te denken wat dat zou kunnen betekenen.

'Vooral een eer omdat het bij deze ene gelegenheid zal blijven, heer,' zei ze, toen ze naast hem ging zitten.

Omstreeks Driekoningen had Kathryn haar bekomst van al die feesten en verlangde ze naar huis. De glimlach op haar gezicht voelde net zo bevroren als de rijp die ze elke morgen op haar raam aantrof. Ze had ook genoeg van Sir Guys gezelschap, hoewel ze moest toegeven dat hij zich hoffelijk gedroeg. En in deze onbekende hofkringen was ze blij dat ze op hem kon terugvallen. In elk geval was hij een bekend gezicht. Maar ze dankte de Heilige Maagd dat het de laatste keer was dat ze aan zijn voorname tafel hoefde te zitten.

Het was het feest van Driekoningen, maar net als bij de feesten die eraan voorafgingen hing er eerder een heidense dan een christelijke sfeer. Vanaf haar plaats aan het einde van het podium kon Kathryn de bisschop van Norwich – die tussen de hertog van Norfolk en de aartsbisschop van Canterbury zat – niet zien, maar ze hoorde zijn dronken lach, zoals elke avond. De bisschop was nogal eens aangeschoten. Ze had hem alleen van een afstand gezien en was niet aan hem voorgesteld, maar het verbaasde haar dat hij nog zo jong leek, zowel in uiterlijk als in gedrag. Arme Finn. Een dubbele vernedering om de gevangene te moeten zijn van zo'n brallerige melkmuil. Kathryn kromp ineen toen ze zijn luide bijval hoorde met de vreemde capriolen die als amusement waren georganiseerd.

Op een podium achter in de zaal was een straatschoffie in bisschopsmantel bezig het publiek te vermaken. Hij droeg zijn cisterciënzer mantel binnenstebuiten, met de veel te grote mijter scheef op zijn hoofd, en een aap op zijn schouder. Zwaaiend met zijn stinkenke wierookstaf – waar een oude schoen aan hing – maakte hij obscene gebaren naar een wat oudere jongen, die de anarchie moest verbeelden en dubbelzinnige bewegingen met zijn heupen maakte. Het publiek werd rumoeriger bij elke volgende belediging, totdat de anarchist ten slotte de inhoud van de avondmaalsbeker over het hoofd van de 'bisschop' uitstortte. De aap begon te kwetteren, sprong van de schouder van de 'bisschop' naar die van zijn tegenspeler, griste de felgekleurde muts van diens hoofd en draaide het tweetal toen zijn kont toe. Het publiek lag in een deuk.

Kathryn kon niet lachen om deze kolderieke ontheiliging van de eucharistie en vroeg zich af waarom de andere edelen zo'n plezier hadden. Waren ze te blind om te zien dat er onder dit traditionele kerstamusement een diepe haat en minachting smeulde – niet alleen voor de kerkelijke rituelen, maar ook voor hén?

De drost boog zich naar haar toe en riep boven het gelach uit: 'U bent toch niet gekwetst, wil ik hopen? Het is maar onschuldig vermaak.'

'Nee, Sir Guy.' Ze moest niet opvallen door te protesteren. 'Niet gekwetst. Overdonderd, dat is alles. Ik had dit allemaal niet verwacht.'

Een hoornblazer verscheen in de middelste van de drie boogdeuren die toegang gaven tot de provisiekamer en de keukens. De 'bisschop' en de anarchist namen overdreven plechtig hun plaats weer in op het podium. De anarchist liet een luide scheet en de aap kneep zijn neus dicht en begon te schelden. De menigte joelde van plezier. Daarna blies de trompetter op zijn hoorn en bracht een stoet van bedienden het eten binnen, net zoals de voorafgaande avonden, met voorop de ceremoniemeester, die een witte staf droeg. Daarna kwamen de bedienden van de verschillende keukens en de wijnkelder, de vleessnijder en de drager van de hertogsbeker, allemaal met hun schalen of dranken hoog boven hun hoofd. Maar anders dan de vorige keren paradeerden ze nu met de verschillende gerechten langs de anarchist en de jonge 'bisschop', die met gespeelde woede op het podium stonden te stampvoeten en riepen: 'Dit is geen eten voor hoge heren! Breng het maar naar de aalmoespoort!'

De stoet trok vervolgens naar het echte podium, waar het eten voor de hertog werd neergezet. Kathryn vroeg zich af wat Agnes ervan zou hebben gevonden: twee gebraden zwanen, die weer met hun verenkleed waren bedekt en in een nest van verguld riet gelegd; en een gebraden pauw, ook met zijn veren, in een marinade. Een notencake, kunstig gebakken in de vorm van een kribbe, besloot de maaltijd. Het rumoer in de zaal nam af tot een gemompel toen er ook andere, eenvoudiger gerechten over de tafels gingen. De zwanen waren slechts bestemd voor het podium. De achterste tafel, waar de kooplui en de leden van de gilden zaten, kon zich tegoed doen aan een overvloed van pasteitjes, bloedworst en custard.

'Kijk, de hertogin vertrekt,' zei Sir Guy, terwijl ze wachtten tot ze werden bediend op het zilveren bord dat ze samen deelden.

De vrouw die haastig van de tafel opstond was misschien twee of drie jaar ouder dan Kathryn, maar de sluiting van haar zijden mantel spande strak om haar dikke, ronde buik. De sluier van haar gehoornde kapje wapperde vervaarlijk heen en weer toen ze de deur uit rende met haar hand tegen haar mond. Twee van haar gezelschapsdames volgden in een rustiger tempo.

'Het moet niet makkelijk voor haar zijn – zwanger op haar leeftijd,' mompelde Kathryn, meer tegen zichzelf dan tegen haar tafelgenoot.

'Het is haar plicht. Ze is al zes kinderen verloren. Als ik de hertog was, zou ik maar ergens anders op zoek gaan naar een erfgenaam.'

Zes dode baby's. Kathryn voelde haar ogen prikken. 'Miskramen?' vroeg ze.

'Twee kinderen waren doodgeboren en twee hebben nog een halfjaar geleefd, meen ik.'

Geen wonder dat de hertogin zo'n verdrietige indruk maakte. Kathryn had haar in die veertien dagen maar één keer gesproken – een kort, plichtmatig gesprekje tussen gastvrouw en gast. Hoewel Kathryn veel saaie uren in de tuinkamer had zitten borduren met de drie gezelschapsdames van de hertogin, had de hertogin zelf zich meestal wegens vermoeidheid verontschuldigd. Kathryn wendde soms ook vermoeidheid voor, maar hoe moest ze anders de lange uren tussen de feestmaaltijden vullen? Sir Guy had haar een keer voor de jacht uitgenodigd, maar Kathryn had geen slechtvalk en de valkenjacht was toch al geen sport waar ze van hield, omdat ze zich meer met de prooi dan met de jager identificeerde. Ze keek eens naar het gevulde kadaver op de schaal – een prooi van gisteren? – en vroeg zich af hoeveel ze daar volgens de etiquette van moest eten. Weer klonk er hoorngeschal.

'Mijne heren, het vlees ligt op tafel.'

Er steeg weer wat rumoer op toen de gasten hun instemming betuigden.

'Je eet niet veel, Kathryn. Toch niet omdat je moe bent van mijn gezelschap, mag ik hopen?'

'Moe van u, Sir Guy?' Ze moest moeite doen om het sarcasme uit haar stem te houden. 'Natuurlijk niet. Uw gezelschap is juist heel aangenaam, en ik voel me zeer gevleid. Maar ik was wel verbaasd dat u mij als tafelgenote had uitgenodigd op zo'n belangrijk feest. Ik weet zeker dat er anderen zijn die meer in aanmerking komen...'

'Kom, Kathryn, speel nu niet de bedeesde maagd. Je begrijpt nu toch wel dat ik op een verbintenis tussen ons beiden aanstuur.'

Nou, hij draaide er niet omheen. Kathryn was een moment sprakeloos. Goed, dan zou zij ook eerlijk zijn.

'Moet ik dat als een aanzoek opvatten, heer? Zo ja, dan komt het wat te vroeg. Is het in deze ridderlijke tijden niet gebruikelijk dat de vrouw eerst het hof wordt gemaakt? U bent een attente metgezel, maar van liefdesverklaringen heb ik nog niets bespeurd.'

'Ik heb u mijn bedoelingen duidelijk gemaakt. Is dat voor een ervaren vrouw niet belangrijker dan liefkozende woorden? Maar ik kan u verzekeren, mevrouw, dat ik u in alle opzichten bewonder. En ik kan u bescherming bieden.'

Ervaren! Ze ramde haar mes in het stuk vlees en liet het toen vallen. Het kletterde tegen haar zilveren bord. 'Dus u stelt een praktische regeling voor. Wat bewondert u dan aan mij, mag ik vragen: mijzelf of mijn land?'

Hij haalde slechts zijn schouders op.

In elk geval wond hij er geen doekjes om. 'En wat uw aanbod van bescherming betreft: ik heb mijn zoons om me te beschermen. Colin is thuisgekomen.'

'Dat weet ik.' Zijn neus leek nog sterker op een snavel als hij glimlachte, en hij kneep zijn ogen tot spleetjes alsof hij een pijl richtte. 'Ik heb hem zien preken op het kruispunt van Aylsham.' Hij moest schreeuwen om zich verstaanbaar te maken boven de herrie uit.

De ceremoniemeester tikte met zijn witte stok tegen de schragen van het podium. 'Kan het ook zachter, heren?'

Het werd wat rustiger na die vermaning. Kathryn pakte haar mes om een donkere veer van de borst van de zwaan te snijden. 'Vergeet Alfred niet. Hij is ook Rodericks erfgenaam.'

'Ik vergeet Alfred zeker niet.' Sir Guy bood haar hun gezamenlijke wijnbeker aan. Ze schudde haar hoofd.

'Ik had gehoopt hem te zien onder uw gevolg. Al mijn pogingen om met hem te corresponderen zijn...' – tegengewerkt, dacht ze, maar ze zei: '... mislukt.'

'Er was een kleine opstand in november. Rebellen die waren opgeruid door de Lollards. De koning had soldaten nodig. Ik heb zoveel mogelijk mensen gestuurd als ik kon missen.'

Natuurlijk had Kathryn geweten dat het zo ver zou komen. Alfred werd immers opgeleid tot ridder van de koning. Ze had die gedachte altijd weggedrukt, zelfs bij het steekspel dat de hertog had georganiseerd als amusement – het steekspel waarbij Sir Guy zijn tegenstander van zijn paard had gestoten en vervolgens half spottend een knieval voor haar had gemaakt om een beloning aan haar te vragen. Ze was teruggedeinsd voor de luide klappen van de lans tegen maliënkolder en helm. Gelukkig was dit een sport voor mannen. Alfred was er nog niet aan toe.

'Het ligt voor de hand dat een koning die zelf nog een kind is andere kinderen stuurt om zijn gevechten voor hem te leveren,' zei ze.

'Alsjeblieft, Kathryn, let op je woorden, anders is zelfs mijn bescherming niet meer voldoende. Het was natuurlijk niet Richard die de troepen stuurde, maar John of Gaunt. Heel ironisch. Hij heeft Wycliffe zelf gesteund in zijn ketterij. Lancaster heeft blijkbaar niet beseft dat hij met vuur speelde.'

Misschien, dacht Kathryn. Maar wat betekende dat voor haar zoons? Wat moest er van hen worden? De één stond achter Wycliffe, de ander werd op zijn volgelingen afgestuurd.

Sir Guy dronk de beker leeg en liet zich nog eens bijschenken. 'Alfred is geen kind meer,' zei hij.

De bediende die Sir Guy de wijn inschonk stond achter zijn schouder, half gebogen en met neergeslagen ogen, zoals elke avond. Kathryn besteedde nauwelijks aandacht aan de arm die Sir Guys lege beker pakte.

Totdat het haar opviel dat deze arm anders was.

Deze arm was bedekt met dunne rode haartjes, en de nagels hadden halve maantjes, net als bij Roderick. Zijn vader. Alfreds arm. Alfreds hand. Ze draaide zich haastig om, verlangend naar het gezicht dat bij die arm hoorde.

'Alfred!' Ze durfde zijn wang niet aan te raken uit angst dat hij haar zou afwijzen door terug te deinzen.

Maar zijn gezicht was een masker van hoffelijkheid, zonder een spoor van de brutaliteit die ze zich van hun vorige ontmoeting herinnerde. 'Moeder,' beantwoordde hij haar groet beleefd.

Hij maakte een buiging voor Sir Guy en verdween weer naar het drankenbuffet om zich tussen zijn makkers op te stellen, zoals de gewoonte was.

'Wat is hij veranderd! Veel rustiger. Ik hoop dat u zijn temperament niet gebroken hebt. Dat zou zijn vader niet hebben gewaardeerd.'

Sir Guy lachte. 'De opleiding van een schildknaap is meer dan alleen maar vechten. Hij doet zijn best voor mij. Hij zal ooit een goede ridder worden. Hij slaapt al in de ridderzaal.'

'Daar ben ik u dankbaar voor,' zei Kathryn, en ze meende het. Ze wist dat dit een gunst was. De meeste schildknapen sliepen waar ze maar een plekje konden vinden. Vooral 's winters viel dat niet mee. Ze vond het een akelige gedachte dat hij op de koude grond zou slapen.

'Ik gun hem dat voorrecht omdat zijn vader een vriend van me was.' Hij nam nog een slok uit de zilveren beker die ze deelden. 'En omdat ik met zijn moeder wil trouwen. Maar daar spreken we nog wel over.'

Nog iets om te vermijden. De hertogin was niet teruggekomen. Kathryn had de onpasselijkheid van haar gastvrouw moeten aangrijpen als een excuus om te vertrekken. Maar dan zou ze Alfred niet hebben gezien.

'Ondertussen,' zei de drost, 'zou je misschien met je zoon willen spreken? Onder vier ogen? Dan zal ik hem vragen na de maaltijd naar je toe te komen.'

'Ja, graag.'

Hij stak een stukje zwanenborst aan zijn mes en bracht het naar haar lippen. 'We moeten de hertog niet beledigen, is het wel?'

Ze opende haar mond en trok het stukje vlees met haar tanden van zijn mes. Hij grijnsde weer als een roofdier.

XXVII

... rivieren en fonteinen die schoon en helder waren,
vergiftigden ze op vele plaatsen.
Guillaume de Machaut
(14de-eeuwse Franse hofdichter)

Misschien zou ze zich nu de klok acht sloeg, kunnen excuseren van de maaltijd zonder onbeleefd te zijn, dacht Kathryn. Het tafellinnen was weggehaald en de honingwijn, het bier en de cider bijgevuld totdat het lawaai in de zaal elk normaal gesprek onmogelijk maakte. Een paar van de feestgangers, die te diep in hun beker hadden gekeken, lagen te snurken tussen de schragen. De hertogin was niet meer teruggekomen en de rest van haar gezelschapsdames had zich ook teruggetrokken – op één na, die schandalig flirtte met de ridders om haar heen, blijkbaar verheugd dat haar zusters het speelveld aan haar hadden gelaten.

'Hebt u Alfred nog veel langer nodig?' riep Kathryn haar tafelgenoot in het oor. Sir Guy kon goed tegen drank, maar ze wilde niet dat hij zijn belofte zou vergeten. Dit zou haar enige kans kunnen zijn om met haar zoon te praten.

Hij liet de wijn in zijn halfvolle beker ronddraaien om te zien of hij moest worden bijgeschonken. 'Ik zal hem straks naar je toe sturen,' zei hij.

'Ik wacht op hem.' Ze haalde een zilveren lint uit haar mouw en legde het voor zijn bord. Een huivering gleed over haar rug. 'Om u eraan te herinneren,' zei ze.

Toen Kathryn langs de vertrekken van de hertogin kwam hield ze haar pas even in. Omdat ze de volgende morgen in alle vroegte zou vertrekken hoorde ze eigenlijk de hertogin te bedanken voor haar gastvrijheid. Maar zoals ze al vermoedde was haar gastvrouw nog altijd onwel. Kathryn informeerde plichtmatig naar haar gezondheid, bedankte de vrouwen en vroeg hun om haar erkentelijkheid over te brengen. 'Zeg tegen de hertogin dat ik tot de heilige Margareta zal bidden voor haar bevalling.' Ze meende het oprecht. Kathryn betwijfelde of de vrouw nog een moeilijke bevalling zou overleven.

Toen ze de laatste treden van de trap beklom zag ze dat haar deur op een kier stond. Gelukkig. Sir Guy was niet zo dronken geweest dat hij het was vergeten. Ze bleef even staan voor de halfopen deur. Alfred stond met zijn rug naar haar toe. Kathryn voelde haar slapen bonzen. Het zweet kwam in haar handen. Hij praatte met Glynis, en de blos op de wangen van het meisje en haar hoge lach verrieden hoe blij ze was dat ze 'jongeheer Alfred' eindelijk had gevonden. De lach bestierf op haar gezicht toen ze opkeek en lady Kathryn in de deuropening zag staan. Ze maakte haar gebruikelijke, vluchtige revérence.

'Glynis, je kunt gaan.'

'Maar, vrouwe, ik ben nog niet klaar met pakken, en het is koud in de zaal...'

'Ga maar naar de keuken om met de anderen te roddelen. Daar mag je wel bij het vuur zitten. Als je terugkomt zal ik je helpen met pakken.'

Met een rood hoofd – meer van woede nu dan van plezier, vermoedde Kathryn – zakte het meisje weer even door een knie en verdween, met nog een laatste flirtende blik in Alfreds richting. Haar zoon keek betrapt.

'Ik kan het haar niet kwalijk nemen,' zei ze toen het kind vertrokken was. 'Ik zou ook niet graag afscheid nemen van zo'n knappe jongeman als ik nog een meisje was.' Ze pakte hem vast en hield hem op afstand om hem eens goed te bekijken, als een lap mooie zijde. Zijn haar en de vage stoppels van zijn baard lichtten rossig op in het schijnsel van de kaarsen. Ze streelde heel voorzichtig zijn wang, bang dat hij terug zou deinzen. 'Je hebt je vaders baard.' Een lichte beweging van zijn hoofd? Verbeeldde ze het zich, of was de aanraking van zijn moeder hem onwelkom? 'De kleuren van Sir Guy staan je goed.'

Hij zei niets. Hoe moest ze die pijnlijke stilte vullen? Als ze hem omhelsde, zou hij haar dan afweren? Ze had die laatste ontmoeting nooit begrepen – de harde blik in zijn ogen toen hij haar toestemming had gevraagd om naar Sir Guy te gaan. Stonden zijn ogen echt wat milder, of waren zijn hoofse manieren slechts een pose?

'Heb je geen kus voor je moeder, die je al maanden niet gezien hebt?'

Hij pakte haar hand en bracht die naar zijn lippen. Ze rukte hem weg. 'Ik wil je in mijn armen voelen,' zei ze, en ze drukte hem tegen zich aan. Hij beantwoordde de omhelzing niet, maar evenmin trok hij zich terug, en toen ze hem losliet meende ze een vochtige glinstering in zijn ogen te zien.

Ze ging op de bank voor de haard zitten en klopte naast zich op het kussen. Hij kruiste lenig zijn in donkerrode kousen gestoken benen en ging zitten, niet naast haar, maar aan haar voeten, met zijn gezicht afgewend en zijn rug tegen de bank.

'Ik heb je gemist, Alfred,' zei ze tegen zijn achterhoofd terwijl ze wat aan het goudstiksel op zijn schouder plukte. Het was moeilijk om hem niet steeds aan te raken. Ze wilde zijn haar strelen. Hij hád tenminste nog haar.

'U had Colin... en de kunstenaar om u te troosten.'

De kunstenaar. Dus daarom was hij zo kwaad. Hoe lang wist hij dat al?

'Ik had ze geen van beiden,' zei ze, nog steeds tegen zijn rug. En ze vertelde hem over het vertrek van Colin. Over Rose en de baby. En opeens had ze zijn volledige aandacht. Hij draaide zich zelfs naar haar om.

'Colin! Dus mijn lieve, onschuldige broertje heeft een meisje ontmaagd!'

Zijn lach had een bittere ondertoon die Kathryn niet beviel. Ze zou hem nooit kunnen vertellen dat Rose joods was.

'Ik vind het heel erg van Rose. Ze was zo mooi,' zei hij spijtig. 'Maar wel vreemd, vindt u niet, moeder? U was zo bang dat ik problemen zou maken, terwijl u juist Colin had moeten wegsturen, die brave Colin met zijn honingzoete stem, in plaats van mij.'

Hij trok zijn knieën op tot aan zijn kin en zweeg een tijdje terwijl hij over die nieuwe informatie nadacht. 'Dus nu ben ik oom. Oom Alfred. Van Jasmine. Wat een rare naam, maar wel leuk. Er lopen al te veel heiligen rond op deze wereld.'

Hij grijnsde even, als de vrolijke, lastige Alfred die ze zich herinnerde, de Alfred om wie ze altijd had moeten lachen, zelfs als hij de zweep verdiende voor zijn wangedrag. Zat die kleine jongen nog ergens verborgen in deze serieuze jongeman met zijn hoofse manieren?

Hij fronste en zijn bitterheid was terug. 'Ik begrijp niet waarom Colin is weggelopen. Ik zou hebben gedacht dat hij de gevolgen van zijn daad wel onder ogen had gezien. Rose was knap genoeg om mee te trouwen, dat staat vast. Hij had echt geen betere vrouw kunnen krijgen.'

'Nee, zeker niet. Rose was niet alleen mooi, maar ook een heel goede meid, ondanks haar jeugdige misstap.' *Een goede jodin?* Kathryn legde het stemmetje in haar hoofd het zwijgen op toen ze verderging: 'Colin wist helemaal niets van de baby toen hij van huis wegliep. Hij vertrok omdat hij zich schuldig voelde over de dood van de herder. Hij en Rose hadden de wolschuur gebruikt voor hun afspraakjes. Hij dacht dat de brand zijn schuld was en daarom wilde hij boete doen in een donker klooster of zoiets... ik weet het niet precies.'

'Wat een onzin! Echt iets voor Colin. Glynis en ik kwamen...' Hij aarzelde en wendde zich weer af. 'Als ík in de wolschuur was geweest zou ik heus niet hebben gedacht dat die brand mijn schuld was. John zal wel dronken zijn geweest, en onvoorzichtig. Of misschien was het Simpson, die de sporen van zijn diefstal wilde uitwissen.'

Hij boog zich naar voren, pookte het vuur op en draaide zich weer half opzij, zodat Kathryn zijn profiel kon zien. Zijn schouder raakte haar knie, maar hij keek haar niet aan. 'U had gelijk, moeder, wat hem betreft. Dat kwam ik u ook vertellen, die avond dat ik zag... dat ik uw parels had gevonden.'

'Heb jíj mijn parels gevonden?' vroeg Kathryn met droge keel. *Het was dus toch Alfred geweest. De toekomstige heer van Blackingham had ze daar verstopt,* had Rose gezegd. 'Waarom heb je dat snoer dan niet aan mij gegeven, Alfred?'

Een houtblok spleet met een knal doormidden. Vonken spatten omhoog, het rookgat in.

'Alfred, wat heb je met die parels gedaan?'

Hij aarzelde even en zei toen: 'Het verbaast me dat u ze nog niet gevonden hebt. U hoeft alleen maar op de kamer van de kunstenaar te kijken.' Er gleed een lelijke trek om zijn volle lippen – dezelfde lippen als zijn vader. Hetzelfde sarcasme.

'Waarom zou ik mijn parels tussen de spullen van de kunstenaar vinden?' vroeg ze effen.

'Na de begrafenis van de herder ging ik naar uw kamer.' Hij wendde zich weer af en staarde zo strak in het vuur dat het leek of hij beelden zag in de dansende vlammen. 'Ik heb u gezien, samen met hem. Daarom heb ik die parels in zijn kamer verborgen. Dom en kinderachtig, dat weet ik wel. Het meisje was er ook. Ze lag in bed. Zij had me kunnen verraden. Heel stom.'

'Maar waarom deed je het dan?' vroeg ze aan zijn achterhoofd.

'In de hoop dat u zou denken dat hij ze gestolen had. En dat u zo kwaad zou worden dat u hém zou wegsturen, in plaats van mij.'

Dus hij had de ketting daar verstopt, precies zoals Rose had gezegd, precies zoals ze had gevreesd. Maar niet omdat hij de priester had vermoord. Kathryn wilde lachen en huilen tegelijkertijd. Zoveel ellende voor hen allemaal. En dat vanwege een kwajongensstreek. Maar het kon nog worden hersteld. Heilige Moeder Gods. Het kon nog worden goedgemaakt! Het was nog niet te laat.

Maar eerst iets anders.

In haar frustratie zou ze hem het liefst door elkaar hebben gerammeld. Maar ze wilde hem ook omhelzen om de pijn weg te nemen waarmee ze hem had opgezadeld. 'Alfred, waarom heb je zoiets doms gedaan?'

'Ik zal u zeggen waarom, moeder. Omdat ik vond dat u mijn vader had verraden.'

Hij trok aan de rode stof van zijn tuniek en wond die om zijn vingers, nog steeds zonder haar aan te kijken. Ze maakte zijn hand los en nam hem in de hare.

'Je vader is dood, Alfred. Dacht je dat je dat verdriet kon wegnemen door een onschuldige man kwaad te doen?'

Zijn mond was een dunne lijn. Zijn lippen beefden. Opeens leek hij helemaal niet zo volwassen. Hij was weer haar kleine jongen, die het gezicht van een man probeerde te trekken, een jongen die het stoere gedrag van zijn vader wilde nadoen.

'Vond je dat ik Roderick verraadde?' Haar stem klonk zacht, haar toon was somber maar teder. Ze streelde zijn achterhoofd. 'Of voelde je jezélf verraden?'

Als ze het in zijn oor had geschreeuwd had hij niet heftiger kunnen reageren. Hij trok zijn hoofd weg alsof haar vingers hem brandden. Woest keek hij haar aan, zwaaiend met zijn vuist als een acteur in een krankzinnig mysteriespel.

'U verachtte mijn vader! Ontken het maar niet.'

Ze sprak nog steeds zacht en maakte geen onverwachtse bewegingen, om hem niet te laten schrikken.

'Ik geef toe dat er geen liefde tussen ons was en ook nooit is geweest. Maar hoe zou ik de man kunnen verachten die me de twee grootste schatten in mijn leven heeft gegeven – jou en je broer?'

'U haatte hem. En u vond dat ik precies op hem leek.'

'Maar ik heb nooit...'

'U hebt het zelf gezegd! Vaak genoeg.' Zijn stem klonk zwaarder nu, alsof hij gegroeid was. Hij klonk zelfs als zijn vader. 'Ik herinnerde u te veel aan vader. Hebt u me daarom weggestuurd? Zodat u alleen kon zijn met uw... minnaar?' Zijn stem brak, en dat laatste woord kwam er schril en onzeker uit.

Hoe moest ze hem antwoorden. Op welke beschuldiging moest ze het eerst reageren? Maar hij gaf haar de tijd niet om te beslissen.

'Hebt u niets te zeggen, moeder?'

'Alfred, Alfred. Je weet toch wel hoeveel ik...'

'Nu zeggen ze dat u hier bent als de dame van de drost. Ik heb u op dat podium gezien, glimlachend tegen hem, flirtend, elke avond weer. Ik word er misselijk van. Mijn eigen moeder, twee keer een hoer!'

De klap weergalmde door de kamer. Haar hand liet een witte afdruk na op zijn wang. De tranen stonden in zijn ogen en zelf had ze ook moeite om niet te huilen. Haar handpalm tintelde nog door de klap toen ze haar hand alweer uitstak om zijn gezicht aan te raken. Ze wilde de pijn wegkussen, maar hij kromp ineen en ze trok haar arm terug.

'Dus de drost heeft het je niet verteld?'

Zijn woede liet weinig over van zijn hoofse manieren. Zijn gezicht stond verbitterd. 'De drost vertelt me nooit iets,' mompelde hij. 'Behalve hoe ik moet lopen, hoe ik moet staan, hoe ik moet rijden, hoe ik moet vechten, hoe ik moet praten – en hoe ik zijn harnas moet poetsen.'

'De kunstenaar zit in Castle Prison voor de moord op de priester. Om jou te beschermen heb ik mijn *minnaar*, zoals je hem noemt, geen alibi gegeven. Ik hou genoeg van je om mijn eigen geluk voor je op te offeren. En het geluk van een man die niets heeft misdaan. Als je die liefde niet kunt voelen, Alfred, weet ik niet hoe ik het anders zou moeten bewijzen.'

De tranen die zich in zijn ooghoeken hadden verzameld stroomden nu over zijn wangen. Ze streelde zijn gezicht, waarop de afdruk van haar hand langzaam vervaagde.

'Het spijt me als ik je pijn heb gedaan,' zei ze met een diepe zucht. 'De duivel maakt ons allemaal tot zijn pionnen.'

'Was het een prettig weerzien met je zoon?' vroeg de drost vanuit de gang buiten haar kamer. Kathryn was al in haar onderjurk en had haastig haar mantel aangetrokken om open te doen toen hij klopte.

'Zeker, heer,' zei ze door de kier van de deur. Zijn adem rook zuur, maar hij sprak niet met dubbele tong en hij was nuchter genoeg om de trap op te komen. 'Dank u voor uw bemiddeling.'

Zijn schaduw werd langer en flakkerde tegen de muur in het licht van de sputterende bieskaars. 'Ik zou mijn eigen zoon niet anders hebben opgeleid,' zei hij. 'En dat brengt me op een ander punt.'

Kathryn trok haar mantel strakker om zich heen. 'Neem me niet kwalijk, heer, maar kunnen we daar een andere keer over praten? Het is erg laat om een dame nog te bezoeken in haar boudoir. Zoals u ziet wilde ik me gereedmaken voor de nacht en voor de terugreis, morgen...'

Maar hij leunde tegen de zware eikenhouten deur en wrong zich langs haar heen. 'Allemachtig, Kathryn, het is een hele klim, al die trappen. En ik doe het niet voor mijn gezondheid.'

Hij droeg nog altijd het kostuum dat bij zijn nieuwe waardigheid paste: een wollen mantel met een scharlakenrode voering en blauwe symbolen van een kousenband, geborduurd met het motto *'Honi soit qui mal y pense...'* ('Laat ieder zich schamen die er kwaad van denkt...') in gouddraad, tegen een lichtere achtergrond. Daar overheen droeg hij een overjas van karmijnrode wol.

'We moeten er nu over spreken,' zei hij. 'Morgen vertrekken we al vroeg en is er geen tijd meer. Ik ga vooruit, maar mijn mannen zullen je natuurlijk escorteren.'

Ze draaide hem haar rug toe en bukte zich om het laatste houtblok op het dovende vuur te leggen. Ze had het tot de ochtend willen bewaren om zich wat te warmen voor het vertrek.

Toen ze zich omdraaide zat hij op het bed, leunend op zijn armen, met zijn in blauwe kousen gestoken benen over elkaar geslagen, terwijl hij haar bewegingen volgde.

'Kijk me niet zo berekenend aan, heer. Ik ben geen merrie op een paardenmarkt.'

Ze sloeg haar armen om zich heen en probeerde zichzelf warm te wrijven. Sir Guy ging in een andere houding zitten en kruiste zijn benen bij de enkels. De tenen van zijn leren slippers wezen haar kant uit als giftige pijlen.

'Zeg wat u te zeggen hebt, alstublieft,' zei ze. 'Ik ben doodmoe.'

Hij knikte. 'Zoals je weet, Kathryn, heb ik geen erfgenamen, en...'

'Ik dacht dat u een zoon in Frankrijk had.' Ze wist dat hij zijn eerstgeboren zoon aan de pest verloren had en dat zijn tweede vrouw, Mathilde, drie jaar geleden in het kraambed was gestorven. Het kind was dood ter wereld gekomen.

'Gilbert is gesneuveld in dezelfde slag als jouw man.'

'Het spijt me, dat wist ik niet. U hebt me nooit verteld...'

'Ben je nog vruchtbaar?' Er prijkte een grote zegelring aan zijn ringvinger. Hij trommelde ermee op de sprei.

'Pardon?' Ze voelde dat ze bloosde. 'Zei u...'

'Een simpele vraag. Is je schoot nog vruchtbaar?'

'Als u bedoelt... ja, maar dat is me eerder een last dan een vreugde. Mijn zoons zijn mij genoeg, en ik heb een petekind.'

'Een petekind!' Hij trok een wenkbrauw op.

'Ik ben petemoei van de... de kleindochter van Finn, de miniatuurschilder. Zijn dochter is misbruikt en zwanger geraakt. Ze is gestorven bij de bevalling.'

'En de schurk die dat op zijn geweten heeft... is hij gestraft?'

Haar gezicht leek in brand te staan. 'De dader was een rondtrekkende minstreel.' Ze staarde naar de haard. 'We hebben zijn naam nooit geweten.'

'En nu zorg je voor het kind uit liefde voor de kunstenaar.' Het staal van zijn dolk glansde net zo koud als zijn ogen.

'Ik zorg voor het kind uit christelijke naastenliefde, tot het moment waarop de grootvader weer vrijkomt en haar van mij kan overnemen.'

Sir Guy bromde wat, met die scheve, boosaardige grijns waar ze zo'n hekel aan had. 'Je zult eerder getuige zijn van het huwelijk van het kind en petemoei worden van háár kinderen dan dat dat gebeurt.'

Het was nu wat warmer in de kamer. Ze zou graag haar mantel hebben uitgetrokken, maar omdat ze daaronder alleen haar onderjurk droeg, liep ze bij het vuur vandaan en ging in de enige stoel zitten die de kamer rijk was.

'Hoezo, heer drost? Als de kunstenaar toch onschuldig is?'

Hij scheen zijn nagelriemen te bestuderen. 'Daar was je niet zo zeker van toen we hem arresteerden.'

'Alfred heeft me de waarheid verteld. Hij heeft de parels in Finns... in de kamer van de kunstenaar verborgen omdat hij ergens boos om was. Heel kinderachtig. Hij kon de gevolgen niet overzien. Toen ik het hem vertelde, had hij spijt. Hij zal tegenover de bisschop getuigen dat het allemaal een misverstand was.'

'Aha. Maar hoe kwam Alfred dan in het bezit van die parels? Dat is de grote vraag, nietwaar? Kan hij dat ook uitleggen aan de bisschop?'

'Die insinuatie bevalt me niet, heer. Hij had het parelsnoer gevonden tussen de spullen van de rentmeester. Mijn rentmeester was een dief. Als hij van de levenden stal, zal hij geen gewetenswroeging hebben gehad om van de doden te stelen. Hij is inmiddels van het grondgebied van Blackingham verjaagd. Als de bisschop de waarheid hoort, zal hij de kunstenaar vrijlaten, daar ben ik van overtuigd.'

'Ik zou er niet op rekenen, Kathryn. De bisschop houdt graag een man van zijn talenten onder de duim. Hij zal hem niet graag laten gaan zonder keiharde bewijzen van zijn onschuld – of onder grote druk. En dan is er de kwestie van die ketterse papieren die in zijn bezit zijn aangetroffen. Maar als de kunstenaar wordt vrijgesproken, blijft de moord op de priester onopgelost. De aartsbisschop zet de bisschop onder druk, en hij komt weer bij mij. Dan zou het hele onderzoek overnieuw moeten beginnen. Begrijp je hoe ingewikkeld het ligt?' Hij slaakte een overdreven zucht. 'Als jij... als mijn echtgenote... problemen had met de situatie van de kunstenaar, zou ik me natuurlijk verplicht voelen om met de regent van de koning te spreken. De koning heeft al toestemming gegeven voor een verbintenis tussen onze beide huizen. Als vrouw van een ridder van de Kousenband zou jouw getuigenverklaring veel gewicht in de schaal leggen.'

Kathryn dwong zichzelf om rustig te ademen. 'U gaat uw boekje te buiten, heer, door zonder mijn permissie met de koning te spreken. En zelfs als ik op zo'n voorstel zou ingaan, zou daarmee de moord op de priester nog niet zijn opgelost.'

'Kathryn, Kathryn...' Hij schudde zijn hoofd en klakte met zijn tong. 'Je weet toch wel dat de koning jou als weduwe onder zijn bescherming kan plaatsen en je landerijen kan overnemen, wanneer hij maar wil? Dan zouden je zoons worden onterfd. Een verbintenis met mij kan dat voorkomen. Dan houden je zoons hun erfenis. Jij zou meer status krijgen en je invloed kunnen gebruiken ten gunste van je *vriend*. En die moord? Geen probleem. Wijs maar een of andere jood als dader aan.' Een grijns krulde zijn lippen toen Kathryns adem stokte. 'Ja, dat bevalt me wel. De aartsbisschop zal het met me eens zijn. Een handige oplossing.'

'Dus u zou een onschuldig man veroordelen?'

'Waarom die verbazing en verontwaardiging?' Hij bekeek zijn nagels en zijn ringen nog eens. Zijn vingers waren slank en verwijfd. 'Als je dat te persoonlijk vindt, kan ik er wel een algemeen complot van maken.' Hij sloeg een roetvlekje van zijn nieuwe mantel. 'Een complot van de joden in Spanje. Feitelijke dader onbekend.'

'Niet minder verwerpelijk, heer, om een heel volk onterecht te beschuldigen.'

'Onterecht? De joden? Lijkt me niet mogelijk. Je bent toch geen jodenvriendin, Kathryn! Dat zou een heel gevaarlijke voorkeur zijn.' Hij keek haar waarschuwend aan, om verdere protesten voor te zijn. 'Wat maakt het uit of ze van nóg een misdaad worden beschuldigd? Het is bekend dat ze de pest verspreiden, onze bronnen vergiftigen en de rijkdommen van de koning stelen. Met Pasen offeren ze zelfs onze kinderen in een zogenaamde kruisiging.'

Hij doelde op de kwaadaardige bloedlaster, nooit bewezen, maar vaak genoemd. En nu zouden de joden valselijk worden beschuldigd van de brute moord op een priester.

'Die aanklacht wegens moord zou niet meer zijn dan een extra strontvlieg op een mestkar. Denk goed na, Kathryn.' Hij streek een gouden draad van zijn overjas glad. 'Wat voor keus heb je?'

Ja, wat voor keus? Ze had geweten dat het zo ver zou komen, maar niet dat hij zo'n frontale aanval zou lanceren of haar zou verrassen op een moment dat ze zich zo weerloos voelde. Ze was te moe om na te denken. Haar gesprek met Alfred had haar zoveel hoop gegeven, die nu ook de bodem was ingeslagen.

Hij stond op, pakte haar hand en bracht die naar zijn mond. Zijn lippen raakten haar nauwelijks, maar toch voelde ze haar haren overeind komen.

Ze kwam zelf ook overeind en verhief zich tot haar volle lengte, zodat ze bijna oog in oog met hem stond. 'En u, heer, wat zou u te winnen hebben bij zo'n verbintenis?' vroeg ze.

'U zei het zelf al. Ik heb interesse in uw landerijen. Er ligt maar één ander bezit tussen het uwe en het mijne in.'

Ze was verbaasd. Ze had nooit geweten dat zijn gebied zo uitgebreid was, hoewel Roderick meer dan eens – en met behoedzaamheid – over de ambities van de drost had gesproken.

'Welke garanties heb ik dat u voor Finn tussenbeide zult komen na zo'n huwelijk?'

'Mijn woord als ridder van de Kousenband. Ik hoop dat je mijn eer niet in twijfel trekt. Denk erover na, Kathryn. Ik moet nu naar Suffolk om die kleine opstand neer te slaan. Als ik terug ben, kom ik bij je langs en zullen we de termen van onze verloving opstellen. Ik zeg het nog maar eens: *Wat voor keus heb je?*'

'Is het nooit bij u opgekomen dat ik in het klooster zou kunnen gaan? De moeder-overste van de Saint Faith Priory zou mij en mijn landerijen graag ontvangen.'

Hij kneep zijn ogen tot spleetjes. 'Ja, dat zou je kunnen doen. Maar denk eens aan de consequenties voor je zoons. En je petekind. En als je dat doet, beloof ik je als ridder van de Kousenband dat je minnaar nooit meer een voet op de begane grond zal zetten.'

Hij opende de deur en de kou uit de gang stroomde naar binnen. Buiten viel er natte sneeuw, die tegen het smalle raam aan het einde van de gang sloeg.

'Weet wat je kiest, Kathryn.' Hij maakte een spottende buiging en vertrok.

Ze bleef nog even huiverend op de gang staan, luisterend naar het wegstervende geluid van zijn voetstappen. Waar was Glynis? Die warmde zich waarschijnlijk in de armen van een of andere soldaat. Haar meid, een lijfeigene, had nog meer vrijheid dan zijzelf. Ze draaide zich om en ging verder met pakken, terwijl ze haar hersens pijnigde, op zoek naar een of andere tactiek om dit nieuwe gevaar te omzeilen. De drost had een indruk achtergelaten in de veren matras. Nijdig sloeg ze op de tijk tot de kuil was verdwenen.

XXVIII

Door berouw worden we gereinigd, door compassie worden
we voorbereid en door oprecht verlangen worden we waardig.
Door deze drie medicijnen kan elke ziel worden geheeld.
JULIAN VAN NORWICH, *ERFGOEDEREN*

Finn speelde zijn hartenvrouw. De bisschop troefde met de heer die hij nog had, zoals Finn wel wist.

'U bent uw hartenvrouw kwijt. Heel jammer om zo'n mooie koningin te verliezen.'

'Het was onvermijdelijk, eminentie.'

De uitdaging van het spel was om Despenser te laten winnen, maar goed genoeg te spelen om zijn interesse vast te houden. Finn was blij met gezelschap, zelfs gevaarlijk gezelschap, en elke keer dat de bisschop op bezoek kwam nam hij een kleine attentie mee. De haard had nu hout genoeg en er was suikergoed tot aan zijn volgende bezoek – als Finn zich wist te beheersen. Maar het mooiste was natuurlijk de ruime toelevering van verf, perkament, pennen en inkt.

'U voert een drukke correspondentie, kunstenaar,' had de bisschop geklaagd toen zijn bediende het hele pakket naast de werktafel zette.

'Ik noteer mijn overpeinzingen om de tijd te doden.'

'Ik dacht dat u mijn altaarstuk schilderde om de tijd te doden,' zei de bisschop.

'Deze winterdagen is het licht te slecht om bij te schilderen, eminentie. En gevangenschap is een gebrekkige muze.'

De bisschop kneep zijn ogen tot spleetjes toen hij zei: 'Ik zou die overpeinzingen van u wel eens willen lezen.'

'U zou ze niet kunnen waarderen. Ik schrijf in het Engels.'

'Dat is goed genoeg voor alledaags gebruik. Goed genoeg voor lijstjes en cijfers, misschien zelfs goed genoeg voor uw overpeinzingen.' De bisschop wees naar de geslagen kaart met de hartenvrouw. 'Ik heb haar gezien op het kerstfeest van de hertog.'

'U hebt de hartenvrouw gezien?' vroeg Finn nonchalant. De bisschop pochte vaak op zijn amoureuze veroveringen.

'*Uw* hartenvrouw.' Hij streelde de kaart alsof het een vrouwenboezem was.

'Mijn koningin?'

'De vrouwe van Blackingham. Geen wonder dat u haar als model hebt genomen. Een beetje overrijp naar mijn smaak, maar heel knap.' Hij schudde de kaarten en keek Finn van onder zijn oogleden aan. 'Ze was de tafeldame van Sir Guy de Fontaigne. Hij is de drost, zoals u zich misschien herinnert.' Hij knipperde vrouwelijk met zijn wimpers. Het bezorgde Finn de rillingen. 'Ach, natuurlijk weet u dat nog.'

Finn zei niets. Hij stond op van zijn stoel om het vuur op te poken en wendde zijn gezicht af om zijn afkeer van de man en zijn geschokte reactie op dit nieuws te verbergen. Wat maakte het hem uit met wie ze aan tafel zat – of met wie ze naar bed ging? Zijn gevoelens voor haar waren allang dood, vermoord door haar verraad.

Zoals hij zichzelf steeds vertelde als hij weer van haar had gedroomd.

'Ze vormden een knap stel.'

'O ja?' Quasi-ongeïnteresseerd schonk Finn zichzelf een glas van Despensers wijn in.

De bisschop hield zijn eigen bokaal omhoog om te worden bijgevuld. 'Ze droeg een jurk van karmijnrood fluweel, die strak om haar borsten sloot en om haar middel bijeen werd gehouden door een zilveren ceintuur in een V-vorm...' – hij demonstreerde het met zijn vrije hand – 'om de ronding van haar heupen te accentueren.'

Een druppel wijn viel op de vloer, net naast de puntige neus van Despensers fluwelen schoen. 'U beeft nogal vandaag, heer Finn. Toch geen krampen, wil ik hopen?'

Finn kwam terug naar zijn stoel, pakte zijn kaarten, liet ze wat nerveus door zijn hand glijden en legde ze weer neer. De hartenvrouw staarde hem nog altijd aan. 'Ik voel me niet helemaal in orde, eminentie. Ik ben bang dat ik vandaag geen waardig tegenstander voor u ben. Misschien een andere keer.'

Hij werd rood onder Despensers veelbetekenende blik.

'Dus u past?'

Finn zuchtte en antwoordde op kruiperige toon: 'U zou toch wel hebben gewonnen, eminentie. U bent de betere speler van ons beiden. Helaas.'

'Niet zo neerbuigend, kunstenaar. Mijn geduld is niet eindeloos. Ik ben niet echt tevreden over uw vorderingen met het altaarstuk. Er hadden al meer dan drie panelen klaar moeten zijn.'

Hij stond op en wenkte zijn bedienden, die zijn hermelijnen mantel over zijn schouders hingen. De bontmantel ruiste met een nijdig geluid over de plavuizen toen hij zich bij de deur omdraaide voor nog een laatste opmerking. 'Voordat we elkaar weer treffen wil ik u aanraden meer tijd aan uw werk voor de Kerk te besteden en minder aan uw *overpeinzingen*.'

'Zeg tegen lady Kathryn dat ik haar moet zien,' zei Finn twee dagen later tegen Half-Tom. 'En het kind.'

Wat zou er met Roses dochter gebeuren? Dat was maar een van de vele vragen die Finn nu al twee nachten uit de slaap hielden. Hij wist dat de drost zijn zinnen had gezet op Kathryn en Blackingham. Dat was hem al lang geleden duidelijk geworden, maar hij had gedacht dat Kathryn sterk genoeg zou zijn en voldoende eergevoel zou hebben om zich te verzetten tegen de avances van een man die ze beweerde te verafschuwen. Tenzij haar afkeer van de drost net zo onbetrouwbaar was als haar liefde voor hém, voor Finn. En haar belofte om voor zijn kleinkind te zullen zorgen? Was die net zo onberekenbaar als haar affectie? Dat risico wilde hij niet nemen. Hij moest Kathryn nog een keer spreken, ook al kreeg hij slappe knieën bij het vooruitzicht van de zoete pijn van weer zo'n ontmoeting.

'Als ik haar dat zeg, stapt ze meteen op haar paard, terwijl er een meter sneeuw ligt,' zei Half-Tom.

'Kathryn is lang genoeg. De sneeuw reikt niet hoger dan haar enkels.'

'Nou, hij komt tot aan mijn middel. Geen eenvoudige reis voor een edelvrouwe en een kind.'

'Vraag haar dan om te komen zodra het weer wat opklaart,' zei Finn.

Het weer klaarde niet op. Er viel zoveel sneeuw dat Half-Tom tot aan zijn wenkbrauwen zou worden begraven als hij zich buiten de stad waagde. 's Nachts zocht hij ergens een slaapplaats in de buurt van de gevangenis, waar hij de kost verdiende door klusjes op te knappen voor de cipiers – behalve voor Sykes, die hij meed als de pest. Overdag maakte hij de zware tocht van drie kilometer over King's Road, om de heilige vrouw van Saint Julian's te bezoeken. Onderweg verzamelde hij brandstof voor haar kleine haard. Hij zag haar winterhanden, en toen hij haar vroeg waarom ze maar zo'n klein vuurtje had terwijl hij haar de vorige dag nog kooltjes had gebracht, glimlachte ze en zei dat anderen het nog slechter hadden. Het werd steeds moeilijker om nog iets brandbaars te vinden. Soms ploeterde hij toch door de sneeuwjacht buiten de stadsmuren om brandhout te zoeken. Zo was hij bezig de vuurtjes van de armsten in de stad brandend te houden, terwijl hij geen andere bedoeling had dan één heilige vrouw wat warmte te geven.

's Nachts deelde hij de kampvuren van de bedelaars. Daar hoorde hij dat de stad werd bedreigd door nog andere gevaren dan alleen de vrieskou. Er heerste onrust onder het volk. Een sluimerende veenbrand wachtte nog slechts op de vonk, daar rond die rokerige vuurtjes van het gepeupel.

'Na de personele belasting van de koning en de penningen voor de bisschop houdt een gewoon man niets meer over van een dag hard werken.'

'Mij maakt het niet uit. Van een kale kikker kun je geen veren plukken. De ontvanger heeft mijn laatste varken al meegenomen voor die oorlog van Lancaster tegen de Fransozen.'

'Dan eist de bisschop wel het hemd van je lijf.'

'Ja, en de oom van de kleine koning zal je van je broek beroven.'

Gelach, maar zonder vreugde. De ongewassen mannen met hun vuile kleren, hun in lappen gewikkelde voeten en hun ruige baarden sliepen onder een provisorische tent die hen tegen de elementen moest beschermen. De twee tentstokken wiebelden onder het gewicht van de sneeuw en het tentzeil zakte onrustbarend door. Half-Tom stampte met zijn voeten, blies op zijn handen en kroop tussen de benen van de laatste spreker door, wat dichter naar het vuur toe. Hij dacht aan Blackingham en de kleine keukenmeid. Hopelijk had zij het lekker warm. Het bericht van de kunstenaar was niet zijn enige drijfveer om de twintig kilometer lange tocht naar Aylsham te wagen. Maar de sneeuw viel nog steeds in dikke vlokken, veranderde Castle Prison in een witte burcht, lag als een deken over de grote kathedraal en bedekte de baarden en de afhangende schouders van Half-Toms kameraden bij het vuur.

'Het kan die hoge heren niks schelen of wij verhongeren. Vorig jaar schoot er ook weinig voor ons over op tweede kerstdag.'

'Ja. Al die dure dames en heren in hun paleizen hebben zogenaamd geen geld meer.' De spreker at een handvol sneeuw, bracht rochelend een fluim omhoog en spuwde die in het vuur. 'Terwijl ze zich volvreten en de afgekloven botjes en het beschimmelde brood bij de aalmoespoort zetten. Ze weten niet wat armoe is.'

'Misschien wordt het tijd om ze een lesje te leren.'

'Ja. Een van die grote huizen platbranden. Dat zou een goed begin zijn.'

Half-Tom hield zijn handen bij het vuur. Achter zich hoorde hij het knorren van een hongerige maag.

De vlammen deden een regen van vonken opspatten. Half-Tom trok zijn deken om zich heen en strekte zich uit bij het vuur. Bevroren voetafdrukken in de modder sneden in zijn rug. Hij was jaloers op de oude man naast hem, die lag te snurken – tijdelijk ontsnapt aan deze ellende. Eindelijk sloot Half-Tom zijn ogen en viel ook in slaap.

Hij droomde van thuis.

Hij was weer in zijn hut aan de rand van de moerassen. Daar was het heerlijk warm bij zijn haard van harde klei, waarboven een ketel hing te pruttelen met een geurige palingsoep. Zijn stapel beverhuiden vormde een bed dat zelfs zacht genoeg was voor de jonge koning Richard. 's Ochtends werd hij gewekt door het zingen van de vogels in de parelwitte ochtend, zo vers als een ei van onder de kip. Het was een prettige en vertrouwde droom.

Maar deze winternacht was er iets nieuws in zijn droom over thuis. *Deze keer was hij niet alleen in zijn gerieflijke hut bij de moerassen. Magda zat naast hem, en het was zomer. Hij leerde haar de bast van een wilgentak te schillen, manden te vlechten, vallen te zetten en geruisloos tussen het riet door te varen.*

In deze droom was hij groot.

Toen Half-Tom wakker werd uit zijn droom over thuis was het kampvuur van de bedelaars gedoofd tot een bergje verkoolde as in de vuile, kille ochtendschemer. En hij was weer alleen, afgezien van het met sneeuw bedekte lijk van de oude man die niet langer naast hem lag te dromen.

Kathryn bad dat de sneeuw nog even zou blijven, dat de strenge winter de drost bij haar vandaan zou houden. Zijn huwelijksaanzoek hing haar boven het hoofd als het zwaard van Damocles, net zo koud en scherp als de ijspegels aan de dakbalken van Blackingham. Guy de Fontaigne stond niet bekend om zijn geduld, maar misschien kon ze hem nog een jaar aan het lijntje houden. *Ja, Kathryn. En als de hemel naar beneden valt hebben we allemaal een blauwe hoed.*

Soms zag het er echt naar uit dat de koude winter – waar ze zich anders zo om beklaagde – haar voorgoed van de drost had verlost. Maar op een gure dag in maart, toen de wegen nog maar nauwelijks begaanbaar waren, stuurde Guy de Fontaigne bericht dat hij met Pasen bij haar langs zou komen. De volgende dag arriveerde Half-Tom met zijn boodschap van Finn.

De dag waarnaar Kathryn zo had uitgekeken en die ze tegelijkertijd zo had gevreesd was eindelijk aangebroken. Het was vroeg in de ochtend en Kathryn, haar zoon en haar kleindochter zaten in de warme, grote keuken. Jasmine protesteerde luid toen Kathryn haar een maanzaadkoekje uit haar vuistje peuterde. 'We gaan dag-dag,' probeerde haar grootmoeder haar te troosten. 'Dat vind je toch leuk, dag-dag?'

De ogen van het meisje begonnen te glinsteren en ze brabbelde: 'Dag-dag!' Koekkruimels sproeiden mee. Haastig veegde Kathryn Jasmines bolle wangetjes schoon.

'Je ziet er zo schattig uit, liefje. Ja, toch, Colin?' vroeg Kathryn aan haar zoon.

Colin knikte zwijgend en klopte zijn dochter afwezig op haar hoofdje toen Kathryn haar aankleedde voor de reis naar Norwich. Zelf trok hij zijn grove monnikspij aan voor zijn dagelijkse wandeling over de hoofdweg. Het vod paste meer bij een vagebond dan bij een jonge edelman. Hoe kwam hij aan die todden? Nou ja, in elk geval zou niemand hem zo herkennen. Als hij zijn hoofd kaal wilde scheren en op straathoeken wilde staan prediken, mocht Kathryn nog van geluk spreken dat hij niet de blauwe kleuren van Blackingham droeg.

Jasmine spartelde tegen toen Kathryn haar in een mantel van konijnenbont hees.

'Sta nou even stil, schat,' zei ze, terwijl ze het meisje haar wanten aantrok. 'Straks zitten je mooie krullen in de war. We gaan vandaag naar je *grandpère*. Je wilt toch voor hem zingen? Net als voor Magda en voor mij?'

Kathryn probeerde het spartelende kind wat af te leiden. 'La, la, la,' zong ze, in een oplopende toonladder. Jasmine knipperde met haar blauwe ogen, stond eindelijk stil en kraaide mee met de melodie.

'Mijn kleine nachtegaal,' zei Kathryn, en ze kuste het verdwaalde maanzaadje weg dat als een schoonheidsvlek tegen Jasmines wangetje plakte. 'Je vader kon ook zo mooi zingen,' zei ze nadrukkelijk.

Colin hoorde haar niet meer. Hij was al vertrokken. Maar Kathryn was niet van plan haar dag te laten bederven door de obsessies van haar zoon. Finn wilde haar spreken. 'Wat zei hij letterlijk?' had ze de boodschapper gevraagd. '"Zeg tegen lady Kathryn dat ik haar moet zien",' had de dwerg herhaald. *Moet.*

Misschien zou het de laatste keer zijn dat ze hem zag. Ze zou de herinneringen bewaren aan zijn ogen, de ronding van zijn kaak, zijn mooie handen, de manier waarop hij zijn voorhoofd fronste. Al die beelden zou ze in haar geheugen prenten om ze later, als het leven haar te zwaar werd, te kunnen oproepen en er troost uit te putten.

Het was een goed teken dat hij had gevraagd om het kind te zien. Zijn hart was dus niet van steen.

Moest ze hem vertellen over haar plannen?

'Wij zijn klaar,' zei Kathryn tegen de dwerg, en hij hield de deur voor haar open.

❧

Finn zat op een deken op de grond, samen met zijn kleindochter. Kathryn had haar stoel tussen het kind en de haard gezet. Ze ontweken elkaars blik.

'Ze is prachtig.'

'Dat kan ook niet anders. Ze is geboren uit jouw dochter en mijn zoon.'

Hij streelde de roodblonde krullen van het meisje.

'Je hebt goed voor haar gezorgd. Ze lijkt blij en gelukkig.'

'Dat had ik je beloofd.'

'Ja.'

Het was weer stil in de kamer, afgezien van een zacht gebons. Jasmine amuseerde zich door op de vloer te kloppen met een van de lege oesterschelpen die Finn als inktpot gebruikte. Met pijn in zijn hart dacht hij aan een andere blonde baby met helderblauwe ogen: het kind dat hij naar de kluizenaarster had gebracht, het kind dat was gestorven. En opeens greep de angst hem bij de keel, juist nu hij dacht dat hij daar immuun voor was. Het was een vergissing geweest om haar te laten komen en zich weer kwetsbaar te maken.

'Loopt ze al?'

'Een paar aarzelende stapjes. Ik help haar nog te veel, denk ik.' Kathryn lachte zacht en melodieus, zoals hij het zich herinnerde. 'Ik ben bang dat ze valt.'

'Ze is je dus niet tot last?'

'Tot last? Nee.' Ze scheen naar buiten te staren, tegen het harde zonlicht in, gebroken door de luiken. 'Ze geeft me een reden om te leven.'

Weer zwegen ze allebei een minuut. Die pijnlijke verlegenheid tussen hen, alsof ze vreemden waren. Hij wilde haar zeggen dat hij van de bisschop had gehoord dat ze andere interesses had gevonden om haar lege uren te vullen. Maar hij slikte die opmerking in.

'Ze draagt het kruisje van haar moeder,' zei hij. Het hing aan een kleine, maar stevige zilveren ketting om haar hals. Haastig wendde hij zijn blik weer af. Die aanblik trof hem diep.

'Het is een erfstuk uit de familie. Het moet van moeder op dochter worden doorgegeven. Rose zou hebben gewild dat Jasmine het halssnoer kreeg dat haar moeder had gedragen.'

'Rebekka heeft het nooit gedragen,' zei Finn, met een grimas van pijn bij de herinnering. 'Ze was een *converso*. Ze had een hekel aan dat kruis, omdat ze het als een symbool van onderdrukking zag.'

'Een *converso*?'

'Ze was gedwongen zich tot het christendom te bekeren.' Het voelde nog altijd als een verse wond in zijn hart, zelfs na al die jaren. Hij keek naar het spelende kind op de grond terwijl hij het uitlegde. 'Er waren pogroms in de joodse wijk. De perkamenthandel van haar vader werd in brand gestoken en haar ouders kwamen in de vlammen om. Rebekka moest zich bekeren om haar leven te redden.'

'Hebben ze... hebben ze haar gemarteld?'

'Nee. Maar ik denk dat ze zich zou hebben verzet als ik haar niet had gesmeekt.' Hij stak een hand uit en streelde het haar van het kind. Rebekka's kleinkind, blond en rossig. Niets wees erop dat ze joods bloed had. 'Anders hadden ze haar gedood. In elk geval zouden ze haar bij mij hebben weggehaald. We hadden toen al een relatie. Ze heeft het voor mij gedaan.'

'Waar had je haar ontmoet?'

'In Vlaanderen. Ik had het lichaam van mijn grootmoeder daarheen gebracht om haar in haar geboorteland te begraven. Zelfs toen was ik al een redelijke schrijver, en ik hield van schilderen – talenten die ik van mijn grootmoeder en mijn moeder had geërfd. Rebekka's vader verkocht perkament van hoge kwaliteit. Ik wilde een boek maken ter nagedachtenis aan mijn grootmoeder. Mijn ouders waren al gestorven en ik was de enige erfgenaam. Ik had grote visioenen van een boekenverzameling, gekopieerd uit geleende boeken. Ik herinner me nog de naam die boven de deur stond: "Foa's Fijne Papieren". Foa was haar familienaam. Rebekka paste die dag op de winkel van haar vader.'

'Ze moet heel mooi zijn geweest,' zei Kathryn. 'Net als haar dochter. Dus jij ging spullen kopen en je vond de liefde van je leven.' De zachte klank van haar stem trok Jasmines aandacht. Ze liet haar oesterschelpen op de grond vallen en draaide zich om alsof iemand haar naam had gezegd.

Een van de liefdes van mijn leven, dacht hij. Maar hij kon het niet zeggen. Niet nu. Niet na alles wat er tussen hen gebeurd was.

'Ik heb nog nooit zo'n kruisje gezien als dat van Rose,' zei Kathryn. 'Het is geen echt crucifix, maar het heeft een cirkeltje van parels. Als je er goed naar kijkt, lijkt die cirkel op de punten van een ster. Een zespuntige ster.'

Hij glimlachte. Dat deed hij nog maar zo zelden dat zijn gezicht vreemd aanvoelde door het gebruik van die spieren. 'Je hebt een scherpe blik, Kathryn. Ja, het is een ster, de Magen David. Ik dacht dat ik hem zo handig had verborgen dat hij niet te zien was.'

'De Magen David?'

'Het "schild van David", een zespuntige ster. Een hexagram. Een symbool dat volgens sommige joden bescherming biedt tegen demonen. Een soort talisman. Hij werd ook gebruikt door alchemisten. Rebekka's familie, de Foa's, hadden de davidsster als hun familiesymbool gekozen.'

'Maar waarom heb jij...'

'De *converso's* werden voortdurend in de gaten gehouden om te zien of hun bekering niet vals was. Als Rebekka zo'n kruis zou dragen, dacht ik... En door het symbool van haar familie erin te verwerken hoopte ik haar weerstand wat weg te nemen.'

'Maar toch heb je het aan je dochter gegeven, hoewel Rebekka het haatte?'

'Ja. Om haar te beschermen, net als haar moeder. Hoewel Rebekka het nooit gedragen heeft.'

'Wist Rose het, van die ster?'

'Nee. Ik zou het haar hebben verteld als ze ernaar had gevraagd, maar dat deed ze niet. Ze heeft nooit geweten dat haar moeder joods was.' Daar voelde hij zich schuldig over, alsof hij tekort was geschoten tegenover zijn dochter en – erger nog – alsof hij Rebekka had verraden. En nu zou hij het haar nooit meer kunnen vertellen. 'Ik wilde haar alleen maar beschermen,' zei hij.

Kathryn tilde het kind op en liep de kamer door naar zijn werktafel, waarop een groot geschilderd paneel lag. Finn kwam overeind en volgde haar.

'Ik zie hoe je je uren vult,' zei ze, nog steeds zonder hem aan te kijken. 'Wat een prachtige schildering. De bisschop zal wel tevreden zijn.'

'De bisschop vindt dat ik niet opschiet. Ik zou vijf van zulke panelen voor hem schilderen: de geseling van Christus, Christus met het kruis op zijn rug, de kruisiging, de wederopstanding en de hemelvaart.'

'En je bent nog pas bij het derde paneel?'

'Ik blijf steken bij de Madonna aan de voet van het kruis.'

Ze raakte Maria's gezicht aan met een vingertop. 'Ze is prachtig. Ze lijkt op Rose, en toch ook niet. Is het Rebekka?'

'Ik heb geluk gehad in de keuze van mijn modellen.' *Ik heb uw hartenvrouw gezien.*

Kathryn verschoof het wriemelende kind wat op haar arm, zodat ze met haar graaiende handjes niet bij de inktpotten kon komen. Finn brak de scherpe punt van een pen en kietelde Jasmine met de ganzenveer. Ze giechelde en greep ernaar. Hij gaf haar de veer en dook weg toen ze probeerde zijn haar te kammen.

'Meer pennen dan marterharen penselen? Waarom? Je hebt toch geen manuscript om...' Opeens hield ze haar adem in. 'Je bent nog steeds bezig met de vertaling van Wycliffes teksten. Onder de neus van de bisschop!'

Hij haalde zijn schouders op. 'Wat heb ik te verliezen?'

'Dit kind.'

Kathryn zette Jasmine weer op haar dekentje en kwam naast haar zitten. Finn deed hetzelfde. Hij zat nu zo dicht bij Kathryn dat hij de kleine lachrimpeltjes rond haar ogen kon zien en haar haar kon ruiken. Het maakte hem duizelig van verlangen. Hij stond op, liep naar het raam en opende het luik. De kille bries koelde zijn hete huid. De zon legde een helder patroon over zijn werktafel en gaf extra accenten aan de voorstelling van de kruisiging en de blauwe mantel van de Madonna. Toen keek hij weer naar Kathryn, van een veiliger afstand.

Zijn stem klonk gespannen toen hij zei: 'Ik had naar je gevraagd, Kathryn, omdat ik met je wilde praten over mijn kleindochter.'

Dat zou tijd worden. Kathryn zei het niet hardop, maar hij zag het aan haar houding. Hij las haar als een boek.

'Ik hoorde van de bisschop dat je... dat je met Guy de Fontaigne naar het feest van de hertog was geweest.'

Ze zei niets, maar wreef over haar armen alsof ze het plotseling koud had, hoewel de haard extra was opgestookt ter wille van het kind.

'Natuurlijk maak ik me zorgen... als het tot een verbintenis zou komen... wat er dan met Roses kind zou gebeuren.'

'Blijkbaar gaan er al geruchten.' Ze legde haar hoofd in haar nek – een teken dat ze kwaad was. 'Is dat het enige wat je interesseert, Finn? Nou, je hoeft je geen zorgen te maken. Hij weet het, van Jasmine. En ik ben van plan om in ons... in mijn contract met hem te laten opnemen dat zij mijn petekind zal blijven.'

Dus het was waar. Nu pas besefte Finn hoe vurig hij op het tegendeel had gehoopt. Een of andere demon had alle lucht uit de kamer gezogen. Hij keek zenuwachtig naar het kind. Ze probeerde de oesterschelp te beschilderen met haar ganzenveer, die ze in een poel van licht doopte alsof het een inktpot was. Een gave die was doorgegeven van vader op dochter en kleindochter. Het licht om hem heen was een werveling van kleuren, fel en glinsterend, alle heldere tinten van het leven in één enkel lint. En dat lint slingerde zich om zijn hals en sneed hem de adem af. Opeens haatte hij alle kleuren. Er hoorde geen enkele kleur meer over te zijn in zo'n somber universum, niets dan schakeringen van een veilig, gedekt grijs.

'Zou je hem vertrouwen in zo'n belangrijke zaak?' Hij had nauwelijks lucht genoeg om het te vragen.

'Waarom niet, als ik hem voldoende vertrouw om met hem te trouwen?'

Ze was kwaad op hem, hoewel hij niet begreep waarom. Maar hij concentreerde zich op haar woede, waardoor hij weer lucht kreeg.

'En waarom zou je met zo'n man trouwen, Kathryn, een man die je altijd hebt verafschuwd? Dat beweerde je, tenminste.'

Voor het eerst sinds ze de kamer was binnengekomen keek ze hem recht aan.

Langzaam en nadrukkelijk gaf ze antwoord. 'Ik zal met hem trouwen, Finn, om jou vrij te krijgen.'

De kleuren in het licht, in de lucht, dreigden hem te smoren. Het rood en het blauw mengden zich tot donkerpaars en toen tot zwart. Hij vocht om het licht vast te houden. *Diep ademhalen. Inhaleer het licht.* Het kostte hem een eeuwigheid om zijn stem terug te vinden. Toen hij daarin slaagde, stond hij verbaasd over de zware klank ervan, die de kleuren doormidden spleet. Jasmine keek van de een naar de ander, met wijd opengesperde ogen.

'Doe niet zo dwaas, Kathryn.'

Jasmines mondhoeken gingen omlaag en haar kin begon te trillen. Hij maakte haar bang, maar hij kon er niets aan doen. Woedend sloeg hij met zijn hand tegen de muur.

'Het is een list! Zie je dat dan niet? Hij zal mij heus niet vrij krijgen. De bisschop geniet ervan om zijn eigen kunstenaar als slaaf te hebben.

En ze weten nog steeds niet wie die priester heeft vermoord. Die misdaad moet worden opgelost, en ik ben de oplossing. Verder zoeken ze niet. Ze hebben hun zondebok gevonden. Begrijp je het dan niet?'

'Wat ik niet begrijp is jouw aarzeling om hier te vertrekken. Wil je hier voor eeuwig blijven zitten, levend begraven als een kluizenaar, met je heilige schilderijen? Om je wrok tegen mij te koesteren en de rest van je leven om Rose te kunnen treuren? Finn de martelaar! Is dat de bedoeling? Is deze cel meer een toevluchtsoord voor je geworden dan een gevangenis? Maar ik zal niet toestaan dat jij levend begraven wordt, ook niet als je daar zelf voor kiest. Alfred zal getuigen dat hij de parels in jouw kamer had verborgen. Dan hebben ze geen zaak meer tegen jou. En Sir Guy heeft een plan bedacht om de aartsbisschop tevreden te stellen.'

'Nee, nee! Ik weiger daaraan mee te doen!' Hij liep de kamer door, greep haar bij de schouders en rammelde haar harder door elkaar dan zijn bedoeling was. 'Begrijp je dan niet dat je die man nooit vertrouwen kunt?'

Kathryns ogen glinsterden. 'Ik heb geen keus, Finn. Hij zal ervoor zorgen dat jij of Alfred, of jullie allebei, voor die moord veroordeeld worden en dat mijn landerijen aan de kroon vervallen. Ik heb geen keus. Ik kan in het klooster gaan of met Sir Guy de Fontaigne trouwen.' Ze begon te ijsberen. 'Zie je dat niet? Ik kan jou opofferen en mijn zoons onterven, of mezelf offeren.'

Kathryn in de armen van die drost met zijn haakneus. Finn schudde krachtig zijn hoofd, alsof hij dat beeld wilde verdrijven. Maar het liet zich niet verjagen. Het etste zich op de binnenkant van zijn oogleden, het brandde zich in zijn brein. Als Guy de Fontaigne hier was geweest zou Finn hem met blote handen zijn kop van zijn romp hebben gerukt.

In plaats daarvan greep hij Kathryn weer bij haar schouders. 'Herinnert u zich dít dan, vrouwe, in uw huwelijksnacht!' En hij kuste haar hard, harder dan hij wilde, een kus waarin alle hartstocht, spijt en woede lagen besloten uit zijn nachtelijke dromen.

Toen hij haar abrupt weer van zich afduwde bleef ze even op haar benen wankelen, slap als de lappenpop van een kind, alsof ze aan zijn voeten in elkaar zou zakken.

Jasmine begon te jammeren en probeerde in Kathryns rokken te klimmen. Finn tilde haar op, maar ze strekte haar armpjes uit naar Kathryn. Het hexagram in het kruisje om haar hals keek hem aan vanuit het filigreinwerk.

'En ik zeg je nog iets anders. Ik zal mijn kleindochter komen halen om haar mee te nemen. Hij mag haar niet in zijn klauwen krijgen.'

XXIX

Onze vader die in de hemelen zijt, Uw naam worde geheiligd.
Uw koninkrijk kome. Uw wil geschiede, zoals in de hemel
zo ook op aarde. Geef ons heden ons dagelijks brood en
onze andere behoeften, en vergeef ons onze zonden...

HET ONZE VADER, IN DE ENGELSE VERTALING
VAN JOHN WYCLIFFE

Kathryn hoorde de deur van haar kamer opengaan en kromp ineen van pijn toen een straal licht zich door het schemerdonker boorde.

'Moeder, hebt u weer hoofdpijn?' vroeg Colin.

Zijn kaalgeschoren hoofd zweefde als een elliptische maan naar haar bed en boog zich over haar heen. Zijn hand voelde koel op haar wang.

'U hebt koorts! Ik zal Agnes halen. Zij weet wel wat ze moet doen.'

'Nee.' Ze voelde het bed deinen toen hij op de rand ging zitten. Ze vocht tegen een opkomende misselijkheid. 'Zeg iedereen dat ze hier wegblijven. En laat ze Jasmine bij me vandaan houden. Breng haar zelfs niet tot de drempel.'

'Wat moet ik dan voor u halen?'

Ze sloeg haar hand voor haar mond, bang dat haar adem hem zou kunnen besmetten met een duistere bezwering.

'Niets. Het gaat wel weer over. Je komt al te dichtbij. Ga nou maar en laat me slapen.'

'Ik laat u hier niet ziek en eenzaam achter! God zal me wel beschermen.'

Als Hij Zijn eigen zoon niet beschermde, waarom de mijne dan wel?

'Roep Glynis maar,' zei ze.

'U bent Glynis' moeder niet.' Hij tilde haar arm op en tikte haar zachtjes onder haar oksel. Kathryn wist dat hij naar de buil zocht – het bekende symptoom.

'Er gaan geruchten over de pest in Pudding Norton in Fakenham,' zei hij. De ongerustheid had de zangerigheid uit zijn stem verdreven.

Ze hoestte, een natte, rochelende hoest, en Colin hield haar schouders vast totdat het beter ging. Toen ze weer kon praten, stelde ze hem gerust. 'Ik heb al gekeken, Colin. Ik heb ook geen zwelling in de liezen.'

'Maar je huid is zo warm.'

'Het is gewoon een aandoening. Zeg tegen Agnes dat ze een siroopje maakt van engelkruid, en zet dat voor de deur.' Nog een hoestaanval. 'Daarna ga je weg en blijf je weg.'

Colin sloop geruisloos de kamer uit. Kathryn draaide haar hoofd naar de muur en viel in slaap.

Toen ze haar ogen weer opende was het ochtend. Het felle licht dat door het raam naar binnen viel stak als een mes in haar ogen. Iemand – een engel? – maakte zich uit dat licht los en waste haar gezicht met koel water.

'Drink dit maar.'

De rand van de beker voelde koud tegen haar lippen. Ze huiverde. Twee slokken, meer kon ze niet aan. De kamer rook naar ziekte. Had ze Colin niet weggestuurd? Het was Colins stem, Colins gezicht, maar omlijst door kort blond haar. Terwijl Colin toch elke morgen zijn hoofd kaal schoor voordat hij vertrok. Colin stond ergens langs de hoofdweg om zijn Lollard-ketterijen te verkondigen. Kathryn sloot haar ogen tegen het bonzende licht, maar de duisternis dreigde haar te smoren.

'Houd het kind hier weg,' zei ze tegen de engel die haar zo liefdevol verzorgde.

Maar in plaats van haar eigen stem hoorde ze een onverstaanbaar gekrijs, dat rees en daalde als de golven van de oceaan. Demonen die ruzieden om haar ziel en haar kwamen halen vanwege haar zonden? Kathryn wilde schreeuwen tot God, Hem om genade smeken, maar er was geen priester om te bemiddelen voor haar ziel. Geen priester. Maar de kluizenaarster stond aan haar bed, glimlachend en zorgzaam. De kluizenaarster, die haar zei dat alles goed zou komen. Ach, kon ze dat maar geloven.

Ik zal het proberen. Ik zal proberen het te geloven. Ze pijnigde haar geheugen, zoekend naar de woorden van het *migratio ad Dominum.* Maar ze kon zich niet de hele tekst herinneren die de priester haar als kind had geleerd. *Ontvang mijn ziel, here Jezus Christus,* schreeuwde het in haar binnenste. Maar ze smeekte in het Normandische Frans van haar vader en God antwoordde alleen op Latijnse gebeden. Hij zou haar woorden verwerpen als profaan – als een offer van Kaïn.

De stemmen zwegen, en ze viel in slaap.

Eén keer dacht ze dat het Finn was die haar zo liefdevol verpleegde. Hij had haar dus vergeven. Maar het was te laat. Haar lichaam was droog als het kaf van het gedorste koren, en haar verhemelte werd gespleten door de tong die ze nodig had om hem met woorden te bedanken. Ze was een nachtvlinder waarvan de vleugeltjes nu spoedig tot stof zouden vergaan. Overal stof. Stof dat haar ogen bedekte, haar oren vulde, alle geluiden dempte. Dus zo was het om te sterven, dit drukkende gewicht dat je ziel steeds dieper in je lichaam drong. Ze meende Jasmine te horen huilen, en verlangde naar haar. Maar Jasmine kon niet komen. Nooit meer.

De kluizenaarster lag wakker in haar cel, luisterend naar de klokken van de kathedraal, die de metten luidden. De middernachtelijke stilte verzwolg de gedempte klokslagen en de rust daalde weer neer, zwaar en onheilspellend. Terwijl ze de getijden van het kruis bad, *Domine labia mea aperie,* dacht ze: Heer, U zult mijn lippen moeten openen, want ik kan het niet. Ze zijn te stijf en te koud. Maar meteen had ze spijt van die onwaardige gedachte en prevelde het antwoord: *'Et os meum annuntiabit laudem tuam.'*

Zoals zo vaak week ze enigszins af van het officiële antwoord van de metten, het *Deus in adiutorium meum intende*, en vroeg niet om hulp voor zichzelf, maar voor de zielen die haar aandacht hadden: de armen, de zieken, de hongerlijders, al die mensen die zelfs in de winter nog naar haar venster kwamen om te smeken. Buiten hoorde ze het water van de lange ijspegels druipen die aan de dakbalken hingen. Ze spetterden tegen de bevroren wintergrond als Christus' tranen. Het zou niet lang meer duren voordat de wereld buiten haar tombe zich weer zo groen zou kleuren als die lente van lang geleden.

Eindelijk zou ze weer warm zijn.

Maar het was een zonde om aan haar eigen lichamelijke ongemakken te denken terwijl er zoveel mensen waren gestorven in deze strenge winter. Een zonde misschien ook om haar gebeden te zeggen vanuit haar bed, waar ze lag te huiveren onder de ene, dunne deken die ze niet had weggegeven. Maar de stenen vloer was koud aan haar winterhanden, en nat van haar tranen van mededogen, zodat ze eraan vastkleefde als ze zich voorover wierp voor het altaar. De Heilige Kerk onderwees de ontkenning van het vlees, vooral tijdens de vasten, maar welke moeder zou het vlees van haar kind zo gestraft willen zien? En was Christus niet haar koesterende, liefhebbende, zorgzame Moeder?

Het was ook een zonde om je te bekommeren om je veiligheid, omdat je vertrouwen diende te hebben in Hem bij wie de ware zekerheid lag. Maar ze had nog steeds niets gehoord van de bisschop. Het was al weken geleden dat ze hem haar apologie had gestuurd, geschreven in het Engels. Waarschijnlijk betekende zijn stilzwijgen dat hij akkoord ging, of dat hij haar geen verdere aandacht waardig keurde, of dat hij het te druk had met de ketterij van de Lollards om zich met haar bezig te houden. Ze bad om voldoende geloof om zich geen zorgen te maken en alleen nog de warmte van Zijn liefde te voelen.

In haar handen, die buiten de grove wol van haar deken lagen, hield ze de rozenkrans. Afgezien van haar prevelende lippen en de lichte beweging van haar blauwe vingers over de kralen lag ze zo stil als een stenen beeld, uitgehouwen op een sarcofaag. Hoewel ze nog steeds de Latijnse uren bad, was ze de afgelopen weken begonnen haar persoonlijke gebeden in Midland-Engels te zeggen – hetzelfde dialect waarin ze haar *Openbaringen* schreef.

Haar lippen bewogen zich nu nauwelijks meer. Ze fluisterde slechts de Engelse gebeden die voortkwamen uit haar eigen hart. Gebeden voor Half-Tom, die de sneeuw trotseerde om haar hout te brengen (*'Zegen hem, o Heer, voor de goedheid van zijn hart'*), voor Finn, de kunstenaar die door de bisschop gevangen werd gehouden (*'Bescherm zijn lichaam en zijn ziel tegen het kwaad'*), voor de moeder van het gestorven kind dat Finn haar zo lang geleden had gebracht (*'Troost haar bedroefde moederhart'*), voor pater Andrew, die zo ongelukkig was in deze parochie, en zo ongeschikt voor zijn roeping als kapelaan, en voor haar bediende Alice, die zo toegewijd voor haar zorgde. Het gedruppel van het smeltwater vanaf de balken accentueerde de Engelse keelklanken van haar woorden.

Ten slotte bad ze voor lady Kathryn van Blackingham en de twee prachtige kinderen die ze had meegenomen op de avond dat ze hier was verschenen, ontdaan en boos, na haar bezoek aan Finn in de gevangenis. De kluizenaarster had het gevoel dat de edelvrouwe nog steeds problemen had en gebaat zou zijn bij een gebed: *'Geef haar de kracht om haar beproevingen onder ogen te zien. En geef haar geloof, o Heer, geef haar geloof.'*

Buiten brak er een ijspegel af, die met een klap de stilte verstoorde toen hij tegen de grond sloeg. Julian trok haar handen, nog steeds met de rozenkrans tussen haar vingers, onder de deken en viel in een diepe slaap, met visioenen van haar wenende Christus. Terwijl ze sliep druppelde het bloed uit haar winterhanden en vormde een korstige armband om haar polsen.

❧

Agnes maakte zich ongerust. Ze had nog nooit meegemaakt dat Kathryn zo lang ziek was. Zelfs als kind was ze nooit langer dan een dag of twee ziek geweest. Nu duurde het al een week. En Colin wilde Agnes niet eens in de kamer toelaten. Ze moest haar geneeskrachtige drankjes voor de deur op de gang zetten.

'Zorg jij maar voor Jasmine,' zei hij.

Hij zag er zelf ook niet gezond uit. Agnes vroeg zich af hoe lang hij die wake kon volhouden. 'Jawel, jonge heer, maakt u zich geen zorgen. Magda waakt over het kind. Laat mij maar voor uw moeder zorgen.'

Maar Colin weigerde.

Toen Glynis terugkwam met haar blad schudde de meid haar hoofd op haar onuitgesproken vraag. Agnes gooide de inhoud van Kathryns onaangeroerde schaal in de voederbak voor de varkens.

'De drost wacht in de grote zaal om lady Kathryn te spreken,' zei Glynis. 'Wat zal ik tegen hem zeggen?'

'Dat ze te ziek is om iemand te ontvangen.'

Agnes wist waar hij voor kwam. Die gedachte maakte haar angstig. En niet alleen om Kathryn. Agnes had geen zin om in dienst te komen bij Guy de Fontaigne. In het dorp werd al gefluisterd over een opstand, en over schuilplaatsen voor vluchtelingen. Al die tijd dat John over vrijheid had gesproken had Agnes zich verzet. Hoe kon ze daar nu nog aan denken, nu ze zo oud en moe was, en John al in zijn graf lag? Maar het waren andere tijden. Zelfs sommige geestelijken predikten tegen de oude orde. Voor haar was het al te laat. In Sir Guys huishouding zou haar mevrouw meer dan ooit haar bescherming nodig hebben. Vergif was een te gemakkelijke manier voor een man om zich te ontdoen van een echtgenote die haar nut had overleefd. En dan was er de kleine – en Magda. Die liepen ook gevaar, of lady Kathryn nu leefde of stierf.

'Zeg tegen de drost dat het de pest zou kunnen zijn,' zei ze.

Toen Kathryn wakker werd, was het licht weer anders. Het stak niet langer in haar ogen. Ze had dorst. Ze probeerde rechtop te gaan zitten en stootte per ongeluk een beker van de kist naast haar bed. De ineengedoken gedaante die in een stoel aan het voeteneind van haar bed lag te slapen schrok op. Geen engel, dus. Engelen sliepen niet.

'Moeder, u bent wakker. U bent weer bij ons terug,' zei Colin, terwijl hij zich bukte om de beker op te rapen en weer te vullen. Hij hield hem bij haar lippen. Ze dronk gulzig, alsof ze in dagen geen vocht meer had gehad. Waar kwam die vreselijke dorst vandaan? Toen ze het water van haar mond veegde met de rug van haar hand, voelden haar lippen zo ruw als boombast.

'Terug? Waar was ik dan naartoe?' vroeg ze hijgend.

'U bent heel ziek geweest. Ik was zelfs bang dat u ons zou verlaten, maar vannacht is de koorts eindelijk geweken.'

'Heb je een priester laten komen? Ik droomde...'

'Ik heb er een ontboden, maar hij kwam niet. Daarom heb ik zelf voor u gebeden. Ik heb met God om uw ziel geworsteld, net zoals Jakob met de engel streed.' Hij glimlachte, half plagend.

'Ik ben blij dat je gewonnen hebt. Geef me die zalf eens van mijn kaptafel. Mijn lippen zijn zo droog dat ze bloeden.'

'Laat mij maar,' zei hij, en hij smeerde de lanoline op haar lippen.

Ze protesteerde niet. Haar hand beefde te veel om het zelf te kunnen doen.

'Ben je al die tijd bij me gebleven?' vroeg ze, terwijl ze zich liet terugzakken in het kussen. 'Dat moet lang hebben geduurd. Je haar is aangegroeid.'

'Twee weken.'

'Als ik nog wat langer voor de poort van de dood had gedraald zou je bijna weer op mijn zoon hebben geleken.' Ze glimlachte, maar trok meteen een pijnlijk gezicht toen haar lippen openbarstten. 'Is de baby...'

'Met Jasmine is alles goed. Magda en Agnes hebben voor haar gezorgd.' Hij trok aan het schelkoord naast haar bed. 'Ik zal u iets te eten laten brengen.'

Glynis kwam en Kathryn at wat soep, met Colins hulp. Daarna bleef ze doodmoe liggen.

'U hebt bezoek gehad terwijl u ziek was, vrouwe,' zei Glynis.

'Bezoek?' Ze had het dus toch niet gedroomd: Finn en de kluizenaarster.

'De drost,' zei Colin. 'Hij gedroeg zich onbeschoft en stond erop u te zien, hoewel ik hem gezegd had dat u ziek was.'

Haar teleurstelling was zo heftig dat het bijna pijn deed. Natuurlijk. Dit was geen koortsdroom. Dit was de werkelijkheid, en in de werkelijkheid waren Finn en de kluizenaarster opgesloten in hun eigen cellen, hun eigen wereld.

Glynis nam de soepkom mee, maakte een vluchtige revérence en zei, op weg naar de deur: 'Hij wist niet hoe snel hij zich uit de voeten moest maken toen ik zei dat het misschien de pest was.'

'Daarom is die priester ook nooit gekomen, denk ik,' zei Colin fronsend.

En die hadden nog wel Latijnse gebeden om hen te beschermen, dacht Kathryn vermoeid. Maar in elk geval had haar ziekte haar meer tijd gegund om zich de drost van het lijf te houden.

'Ik wil nu graag slapen, Colin,' zei ze. 'Je ziet er moe uit. Ga ook naar bed.'

Toen ze wakker werd, kort na drieën, zoals de zonnewijzer op de muur aangaf, zat Colin er nog steeds. Maar hij had zich wel omgekleed in een schone broek en hemd. Geen monnikspij? 'Ik dacht dat je wel vertrokken zou zijn nu ik weer beter ben. Je bent een goede zoon, Colin, en ik ben je heel dankbaar, maar je hoeft niet meer elke minuut bij me te blijven. Ik voel me veel sterker, en ik weet dat je graag door wilt gaan met preken.' Ze probeerde de afkeuring uit haar stem te houden. Dat was ze hem wel verplicht.

'Ik vind het niet meer zo belangrijk als een paar weken geleden. Ik had respijt nodig, tijd om na te denken.'

'Dus je twijfelt toch? Aan Wycliffe en zijn denkbeelden?'

'Nee, het is geen twijfel. Wycliffes ideeën zijn gebaseerd op genade, en daar ben ik het mee eens. Ik sta zelfs achter zijn principe dat iedere man het recht heeft op bezit, een goddelijk recht. Maar sommige mensen draven te ver door. Ik hoorde John Ball een paar vrije boeren en knechten op Mousehold Heath vertellen dat ze corrupte priesters moesten doden om de Kerk van zonden te zuiveren!'

'Priesters doden?' herhaalde Kathryn schor. 'Heeft hij dat hardop gezegd, tijdens een publieke bijeenkomst? Zelfs híj zou dat toch niet durven! Je moet het verkeerd hebben verstaan.' Kathryn liet zich terugzakken, dankbaar voor haar kussen. De kamer had nog steeds de neiging voor haar ogen rond te draaien als ze zich te haastig bewoog.

Colin schudde zijn hoofd. 'Nee, ik heb het zelf gehoord. Hij zei dat de armen de rijkdommen van de Kerk en de adel moesten plunderen. Hij verspreidt een gif onder het volk en zet de mensen tot wandaden aan. Dat is niet wat Jezus ons heeft geleerd. Toen ik dat zei, ging John Ball tegen mij tekeer en noemde me een instrument van Satan.'

'Hij is een waanzinnige, Colin. Ik ben blij dat je het hebt opgegeven.'

'O, ik geef het prediken niet op. Die waarheid zal ik blijven verkondigen. Maar ik wil niets te maken hebben met onlusten. Ik ga door met preken. Net als de heilige Franciscus zal ik vertellen over de vrede des Heren. Maar ik predik geen haat.'

'Dan hoor je bij geen van beide partijen, want allebei onderwijzen ze de haat. En dus zul je vijanden maken in beide kampen.'

'Maar begrijpt u dan niet, moeder, dat ik de waarheid moet verbreiden zoals ik die zie? We zijn allemaal onderworpen aan een Kerk die ons in de steek heeft gelaten. Hebzucht is nu haar meester, niet God. De Kerk is de grote hoer van Babylon. Kijk eens naar Henry Despenser, die bezig is zijn grote, nieuwe paleis te bouwen. Waar denk je dat hij het geld vandaan haalt voor het goud en albast waarmee hij de muren schijnt te bekleden? Of voor al die steenhouwers die nodig zijn om het grootste klooster uit het christendom te bouwen? Dat betaalt hij met het brood dat hij uit de monden van de armen stoot.'

En met de sieraden die hij van weduwen steelt, dacht Kathryn. Ze was te moe voor deze discussie, maar een moeder moest elke kans aangrijpen die zich voordeed. Ze zag een los draadje in het weefsel van zijn geloof en wilde dat nog verder uithalen.

'Maar, Colin, je geeft nu toe dat John Ball – die dood en verderf preekt – niet de juiste weg is. En John of Gaunt... zoekt hij niet slechts een excuus om de rijkdommen van de Kerk naar de schatkist van de koning over te hevelen?'

'Maar Wycliffe niet, moeder. Hij wil alleen maar de waarheid verkondigen over de corruptie van de priesters en de noodzaak dat ieder mens de Heilige Schrift in zijn eigen taal kan lezen.'

Daar wilde ze niet tegenin gaan. Ze had zelf gebeden in de taal van haar vader, haar eigen taal. Had God haar gehoord? Had Hij zelfs wel een taal nodig? Kon Hij geen harten verstaan, zoals anderen woorden lazen?

'Maar als die waarheid... als het de waarheid is... door kwaadwillende mensen met hun eigen bedoelingen wordt verdraaid?'

'Dat is mijn zaak niet. Ik moet de waarheid prediken zoals ik die zie, zonder me te bekommeren om de prijs.'

Kathryn had hoofdpijn van al dat gepraat, maar toch hield ze vol. 'Colin, je bent nog zo jong. Ik ken een ander, een goed mens, die zich ook niet bekommerde om de prijs. Als hij niet opgewassen was tegen zulke vijanden, hoe zou jij dat dan moeten zijn? Zelfs als je je niets van je moeder aantrekt, denk dan aan je dochter.' Ze begon te hoesten.

'Ik denk juist aan haar. En aan anderen zoals zij. Maar laten we niet redetwisten, moeder. U moet rusten.' Hij kuste haar op de wang en greep zijn gerafelde monnikspij van een haakje bij de deur. 'Ik ga nog even naar buiten.'

Ze was te zwak van de hoestbui om te kunnen antwoorden. Toen hij verdwenen was zocht ze naast haar bed naar haar rozenkrans, maar die hing aan de andere kant van de kamer en ze had de kracht niet om uit bed te komen. Ze prevelde het onzevader in haar eigen taal. En vroeg God hardop waarom Zijn genade slechts druppelsgewijs werd toegemeten, en niet in emmers.

XXX

En zo werd ons de parel van het evangelie toegeworpen, om te worden vertrapt door zwijnen. Wat priesters en leken dierbaar was, verdient nu slechts spot en hoon. Het sieraad van de Kerk is tot een speelbal van de leken geworden, voor altijd hun bezit.

HENRY KNIGHTON,
KANUNNIK VAN LEICESTER (14DE EEUW)

Sir Guy was niet verbaasd toen de oproep uit Essex kwam om hulp. Het was mei, en de ontvangers deden hun ronde in het warme voorjaarsweer, om de belastingen te innen voor de koning. Natuurlijk hadden ze rekening gehouden met verzet onder de armsten. Een groep boeren was twee ontvangers met hooivorken te lijf gegaan en had vervolgens de hooimijten van een abdij in brand gestoken. Zo'n brutale opstand moest met harde hand worden neergeslagen, voordat de onlusten zijn eigen gebied zouden bereiken. Sir Guy had zijn eigen onruststokers, maar toch stuurde hij zoveel soldaten als hij kon missen – een groepje jeugdige schildknapen, onder wie Alfred van Blackingham, die ondanks hun onervarenheid in staat moesten zijn dat stelletje ongeregeld, slechts gewapend met zeisen en hooivorken, in de pan te hakken. Het zou een nuttige oefening voor hen zijn.

Twee weken later kreeg hij bericht. De opstand greep als een epidemie om zich heen en een leger van boeren uit Kent en Essex, onder leiding van de oproerkraaier Wat Tyler, marcheerde naar Londen. De drost verzamelde nog meer manschappen – geharde veteranen nu. Guy de Fontaigne wist wat er moest gebeuren: een paar van die lastpakken martelen, hun tong uitrukken, wat botten breken, en de rest van het tuig zou snel genoeg weer terugkeren naar hun akkers en gilden. De kop van de slang vinden en afhakken. Die priester Wycliffe kon hij niet aanpakken zolang hij de bescherming van de hertog van Lancaster genoot, maar John Ball was een ander verhaal. Die trofee zou hij graag aan zijn erelijst toevoegen.

Maar het kwam wel op een ongelukkig moment. Hij had nog andere poorten te bestormen. Er wapperde geen zwarte vlag boven Blackingham, hoewel zijn spionnen hem verzekerden dat de dame inderdaad op het randje van de dood had gebalanceerd. Ze was nog steeds zwak, maar het vroeg niet veel kracht om een trouwbelofte af te leggen – of een bruiloftsnacht te vieren. Wat haar betrof, tenminste. Ze hoefde alleen maar op haar rug te liggen met haar benen wijd.

Hij riep om zijn paard en zijn wapenrusting, terwijl hij een haastig maar beleefd briefje schreef waarin hij beweerde dat hij dag en nacht voor haar herstel gebeden had. Dolblij dat die gebeden waren verhoord stond hij nu klaar om hun huwelijksaankondiging bekend te maken. Zodra hij terugkwam zou hij haar een bezoek brengen om het huwelijkscontract op te stellen.

Op weg naar Essex in het zuiden maakte de drost een omweg via Norwich, waar hij in Colgate Street een bruidsjurk voor Kathryn en een jas voor zichzelf bestelde. 'Vergeet niet de orde van de Kousenband op de mijne te borduren,' beval hij de onderdanige kleermaker. Voor Kathryn koos hij roodpaars brokaat met zilver. De kleine Vlaamse koopman knikte instemmend. Het was een dure jurk, maar zo zou hij haar misschien nog sneller kunnen overhalen. En als ze niet herstelde, zou het een geschikt doodskleed zijn. In beide gevallen zouden haar landerijen in zijn handen vallen. Haar oudste zoon had hij al in zijn zak.

Colin was op weg naar huis. Hij wilde terug naar zijn moeder. Ze was wel aan de beterende hand, maar nog altijd niet sterk. Hij had zijn belofte gehouden en alle pachters bezocht om ervoor te zorgen dat ze genoeg geld hadden om de personele belasting te voldoen. Lady Kathryn wilde dat bedrag zelf betalen, zei ze, om haar mensen niet aan de bedelstaf te brengen. 'Ik beschouw het maar als mijn kerkelijke belasting,' vond ze. 'Ik heb liever dat het naar de koning gaat om zijn oorlogje te financieren dan dat het in de grijpgrage vingers van zo'n bisschop valt.'

Daar kon Colin weinig tegenin brengen, maar het gaf hem wel een onbehaaglijk gevoel. Het was één ding als hij tekeerging tegen de verloedering van de Kerk vanuit de betrekkelijke bescherming van zijn armoedige monnikspij, maar iets heel anders als een edelvrouwe de kerkbelasting achterhield uit protest. Maar toch was hij voor haar naar de pachters gegaan en had hij haar beloofd dat geen van de kinderen honger zou hoeven lijden vanwege de personele belasting. Hij was op weg naar het kruispunt van Aylsham toen hij luide, boze stemmen hoorde.

Zijn eerste neiging was een wijde boog te beschrijven rond de groep herriemakers en de arme drommel die ze te pakken namen. Maar toen dacht hij aan de barmhartige Samaritaan. Wat voor christen was hij als hij niet tussenbeide kwam? Dus liep hij op het groepje mannen toe – forsgebouwde arbeiders, zo te zien, zeven of acht man, die al aardig wat bier op hadden. Ze stonden in een kring om een van de broeders van de kathedraal, die ze zijn armen op zijn rug hadden gedraaid. Colin herkende een van hen, de leerlooier. Hij had ooit perkamenthuiden bij hem gekocht voor de miniatuurschilder. Maar zelfs als Colin de man niet had herkend, was de lucht die hij verspreidde voldoende om zijn ambacht te adverteren. Hij stonk naar de urine die hij bij het looien gebruikte en die zich blijkbaar in de grote zak aan zijn voeten bevond. De leerlooier hield de broeder met één hand bij zijn monnikskap, terwijl hij met zijn andere hand een donker, stinkend goedje over de tonsuur van de geestelijke smeerde. Colin trok zijn neus op. De monnik spartelde woedend tegen. De anderen lachten. Een uitdrukking van ongeloof gleed over het gezicht van de broeder, om plaats te maken voor pijn toen de mannen hun greep verstevigden.

Colin stapte de cirkel in. 'Laat hem gaan.'

De leerlooier keek verbaasd op. 'Wil je soms ook een beurt, knul? Een speciale zalving, net als voor de *broeder* hier? Als je denkt dat die monnikspij je beschermt, dan...'

Een gedrongen vent greep Colin beet en rukte zijn kap weg. De leerlooier bleef staan en hief een hand op. 'Wacht! Ik weet wie je bent. Een van de zoons van Blackingham.'

'Van Blackingham! Een edelman! Horen jullie dat, mannen?'

'Wacht!' zei de leerlooier weer. 'Hij hoort bij die Lollards. Hij is maar een arme priester.'

'Arme priesters bestaan niet. Je zei dat hij van adel was.' Maar de man liet Colin toch los, hoewel hij nog zo dichtbij stond dat Colin zijn ruige baard in zijn nek kon voelen en zijn rotte kiezen rook.

'Hij preekt tegen de Kerk, net als John Ball en Wycliffe. Hij is een van ons.'

'Als hij vandaag gegeten heeft, is hij niet een van ons,' gromde de man, maar hij nam nu zoveel afstand dat Colin de diepe rimpels rond zijn ogen kon zien.

Colin rechtte zijn schouders. Zo waardig mogelijk vroeg hij: 'Wat heeft de monnik misdaan, heer looier, dat hij zo'n behandeling verdient? Onze Heer heeft gezegd...'

'Onze Heer heeft iets gezegd over stelen. En anders staat het wel in de Tien Geboden. Deze *broeder* is een dief. Hij heeft perkamenthuiden gekocht voor het scriptorium, en nu zegt hij dat de bisschop ze niet zal betalen maar het als mijn kerkbelasting ziet. Nou, ik zal deze vriend ook eens belasten!' En hij knikte naar de zak mest en gier aan zijn voeten.

'Het is zijn schuld niet.' Hoe heette de leerlooier ook alweer – Tim, Tom? 'Dat moet je de bisschop verwijten.'

'Maar de bisschop is er niet, wel?' zei de man met het gedrongen postuur.

Colin hield hem voor de leider, maar hij richtte zich weer tot de looier: 'Precies. Dus laat die monnik nou maar gaan, Tom, voordat het uit de hand loopt. Het geeft voldoening om wraak te nemen, maar je krijgt er het geld voor je huiden niet mee. De kans is groter dat je er de zweep voor krijgt.' Hij wees naar een groep gewapende ruiters die over de weg naar het kruispunt kwam. Op het schild van de voorste ruiter ontwaarde Colin het wapen van Henry Despenser. 'Of nog erger.'

De stoere man met de ruige baard zag de ruiters nu ook naderen. 'Dat zijn de mannen van de bisschop. Wegwezen!'

Het groepje stoof uiteen als ratten in een graanschuur, naar een heg langs de weg.

De monnik begon ook te rennen, maar de andere kant op, in de richting van de ruiters, zwaaiend om hun aandacht te trekken. Ze hielden hun paarden in. Van waar hij stond kon Colin niet verstaan wat er gezegd werd, maar de monnik stond druk te gebaren.

Drie van de ruiters stegen af en liepen naar de heg toe. Twee anderen kwamen op Colin af. Colin liep naar hen toe om zijn goede wil te tonen.

Een van de soldaten trok zijn zwaard. Zijn laarzen wierpen kleine stofwolkjes op. Colin zag de onheilspellende uitdrukking op zijn gezicht. Vreemd. Hij had de broeder toch geholpen? Hij opende zijn mond om het uit te leggen. 'Er is hem niets overkomen. Ik...'

Het kille staal verdween in zijn buik voordat hij zijn zin kon afmaken. Met één harde, opwaartse stoot doorboorde het zwaard zijn hart. De woorden op zijn lippen stierven in een gerochel van rood schuimend bloed.

Colins laatste gedachte was dat hij zijn belofte aan zijn moeder niet zou kunnen houden.

'Maar hij hoorde er niet bij!' protesteerde de broeder. 'Je hebt een onschuldig man gedood.'

'Wat maakt het uit? Weer één afvallige priester minder, voor zijne eminentie,' antwoordde de soldaat.

En hij schopte het lichaam van de weg af, de greppel in.

De bisschop kwam net terug van de mis. Het was 11 juni, de dag van de heilige Barnabas, maar veel belangstelling was er niet geweest. En de bisschop meende te weten waarom. De opkomst bij de verplichte feestdagen liep schrikbarend terug. Er was geen respect meer voor de heiligen. Dat kreeg je, door al dat geklets over gelijkheid en een Engelse bijbel. Sommige mensen beweerden zelfs openlijk – niet tegen hem, dat durfden ze niet – dat ze niet meer naar de mis hoefden als ze rechtstreeks bij God terecht konden. Iedereen zijn eigen priester! Iedere herder, staljongen, keukenmeid en knecht kon zich het Heilige Woord toe-eigenen. Het idee alleen al gaf hem een bittere smaak in zijn mond.

Toen hij zijn kamer binnenkwam smeet hij de kleding van zijn ambt naar zijn kamerheer, de oude Seth, die in een hoek stond te suffen en de kleren in zijn gezicht kreeg, waardoor hij bijna omviel. Vers van de Latijnse mis begon Despenser tegen de oude man te foeteren in dezelfde taal: *'Fimus, fimus, fimus!'* Totdat het tot hem doordrong dat zijn bediende wel de toon maar niet de woorden begreep. Despenser wilde zich niet verlagen tot *'Shite!'* in het Saksisch en ging daarom verder in het Normandische Frans, zodat Seth het kon verstaan. 'Hondendrol die je bent! Ik weet niet waarom ik je nog langer in dienst houd. Luiheid is een zonde, weet je dat?' Hij priemde met zijn vinger naar de lucht onder Seths neus. 'Een zonde waarvoor je rechtstreeks naar de hel kunt gaan.' De oude man verstond genoeg Frans om hem te kunnen begrijpen. Met voldoening zag de bisschop dat hij ineenkromp en geschrokken wegschuifelde. 'Haal mijn rijkleding en mijn wapen.'

Het idee was bij hem opgekomen toen hij na de slecht bezochte mis de binnenplaats van de kathedraal was overgestoken. Er waren nog andere dingen die hij voor zijn Kerk kon doen behalve heilige woorden spreken en een kruis op zijn borst dragen. Toch ontdeed hij zich met tegenzin van het kruis. Zijn vingers streelden nog even de met edelstenen bezette dwarsbalk. Maar het was te zwaar voor een missie zoals hij in gedachten had. Meer passend bij een zijden bisschopsmantel dan bij de maliënkolder die hij nu over zijn linnen hemd aantrok.

'En nu mijn degen. Schiet op, anders zwaait er wat.' Hij hief zijn hand al op om zijn dreigement kracht bij te zetten. Nee, bewaar dat maar voor de rebellen, waarschuwde zijn gezonde verstand hem. Dit was het echte leven, en deze opstand tegen de Heilige Kerk was het enige excuus dat hij nodig had. Er was bericht binnengekomen dat een leger opstandelingen onder leiding van de oproerkraaier Wat Tyler zelfs Londen was binnengetrokken en het paleis van John of Gaunt in brand had gestoken. Als een hond die in zijn eigen staart beet. De hertog kreeg zijn trekken thuis, dacht Despenser. Lancaster had beter moeten weten dan Wycliffe aan te moedigen. Wie met pek omging... Daarna zou de Kerk wel aan de beurt zijn. Het gepeupel zou het bisschoppelijk paleis en de abdijen aanvallen. Despenser wilde niet vertrouwen op die incompetente drost met zijn onervaren schildknapen. Hij had al een legertje gestuurd, maar hij zou het nog aanvullen en zelf met zijn mannen meegaan.

Hij haakte de degen aan de nieuwe gesp en testte de sluiting om zeker te weten dat hij het wapen niet zou kwijtraken in de strijd. Interessante uitvinding. Waarom had niemand daar ooit eerder aan gedacht? Hij had het ding maanden geleden al gekocht, maar dit was zijn eerste kans om het te gebruiken. Hij voelde zijn bloed sneller stromen. Eindelijk actie. Hij zou die soldaten van de koning wel eens laten zien hoe je met dat tuig moest afrekenen. Een goede oefening voor de oorlog tegen die Franse paus.

Hij maakte een plichtmatige knieval voor het kruis en kuste voor alle zekerheid nog het crucifix dat boven zijn kameraltaar hing. Zijn zwaard kletterde tegen de stenen plavuizen. Dat geluid beviel hem wel. Ze noemden hem de oorlogsbisschop omdat zijn mannen al een handvol rebellen en een Lollard-priester hadden gedood. Nou, hij zou zijn naam eer aandoen.

Als hij klaar was, zou er geen enkele opstandeling – man, vrouw of kind – meer over zijn in East Anglia. *Expugno, exsequor, eradico:* gevangennemen, executeren en vernietigen.

Magda's gezicht stond zorgelijk toen ze de keuken van Blackingham binnenstapte na haar wekelijkse bezoek aan haar familie. Bij het afscheid had haar moeder haar toegefluisterd: 'Zeg tegen de vrouwe dat ze aan de veiligheid van het huis moet denken.' Magda had die waarschuwing eigenlijk niet nodig. Ze was zich bewust van het dreigende gevaar, ze proefde het op haar tong. En als ze harde bewijzen nodig had, hoefde ze alleen maar haar oren te gebruiken. De mensen zeiden gauw te veel in haar bijzijn, omdat ze dachten dat ze simpel was.

Een keer, toen ze bier inschonk voor de vrienden van haar vader, had ze hem horen praten met een paar ruige figuren die ze nooit eerder had gezien. In een zeldzame opwelling van gastvrijheid had haar vader hun wat te drinken aangeboden. Een man die Geoffrey Litster heette zei dat ze zich moesten bewapenen en de kloosters van de monniken, de koninklijke paleizen en zelfs adellijke huizen moesten platbranden. Magda had nog nooit een koninklijk paleis of een klooster gezien. Misschien woonden daar wel zondaars, zoals die Litster zei. Maar adellijke huizen? Lady Kathryn woonde toch ook in een adellijk huis? Misschien bedoelden ze alleen huizen van slechte mensen. Maar toch liepen de rillingen over haar rug bij de gedachte aan een brand. Ze kon zich de ramp met de wolschuur maar al te goed herinneren – het gesmolten en verkoolde vlees van die dode herder.

Terwijl ze haar handen waste zoals Agnes haar dat had geleerd, voordat ze het deeg voor het brood mocht kneden, vertelde ze de kokkin wat haar moeder had gezegd.

'Ja, kind, ik weet het. Ik hoor die verhalen ook. Maar Blackingham is geen belangrijk huis. En lady Kathryn is goed voor haar mensen. Het zijn maar opstandige praatjes. Iedereen is boos over die belastingen. Maar ze zullen zich niet druk maken om zo'n eenvoudig huis als dit. Maak je niet ongerust, en zeg dat ook tegen je moeder.'

'Moeten we de vrouwe niet waarschuwen?'

Agnes sloeg zwijgend op het deeg, fronste toen en schudde haar hoofd. 'Nee, kind, ze heeft al genoeg problemen. Jongeheer Colin is al drie nachten niet thuisgekomen en ze is ziek van ongerustheid. Ze roept maar steeds dat hij misschien ergens in een greppel ligt, ziek of gewond. "Hij is gewoon weer weggelopen," zei ik tegen haar. "Hij heeft genoeg van al die vrouwen om hem heen. Misschien is hij zijn oude makkers tegengekomen. Maakt u zich niet druk. Hij komt wel weer opdagen." Maar ze schudde haar hoofd en zei: "Deze keer niet, Agnes. Ik vóél het gewoon. Er is iets gebeurd. Een moeder weet die dingen." Alsof ik dat niet kon begrijpen, omdat ik geen moeder ben. Maar ze had het moeilijk, dus reageerde ik er maar niet op. We zijn hier wel veilig, hoor. Niemand zal ons lastigvallen. Lady Kathryn heeft machtige vrienden.'

Agnes gaf het deeg aan Magda, die het begon te kneden met haar kleine handen. Ze putte wat troost uit Agnes' woorden, omdat ze haar vertrouwde. Maar ze zag wel dat de kokkin haar schouder masseerde, en ze had altijd schouderpijn als ze zich zorgen maakte.

Twee weken daarna kwam de volgende waarschuwing. Het was begin juni. Magda wist de datum omdat ze in die maand begonnen met het wassen en scheren van de schapen en het veel drukker was in de keuken als er voor de extra knechten moest worden gekookt. Haar kleine broertje kwam met het bericht: 'Zeg tegen lady Kathryn dat ze voorzichtig moet zijn. Het gevaar komt dichterbij.'

Magda ging meteen naar Agnes en samen stapten ze naar lady Kathryn toe, die in de tuinkamer zat met haar rekeningboeken en baby Jasmine spelend aan haar voeten. Magda vertelde haar over de waarschuwing, maar niet over het gesprek dat ze had opgevangen tussen haar vader en de mannen. Want als ze dat deed, zou haar vader ook een slechte man lijken. Misschien zou lady Kathryn hem wel in Castle Prison laten opsluiten, net als de kunstenaar, en dan zou er niemand meer zijn om voor haar moeder en de kleintjes te zorgen. Lady Kathryn leek zo kwetsbaar dat Magda bang was dat dit bericht te veel voor haar zou zijn. Maar toen ze wat beter keek, zag ze dat lady Kathryns zielenlicht krachtiger was dan ooit, als een heldere stroom die een blauwe hemel weerspiegelde.

'Ik heb alle betrouwbare knechten erop uitgestuurd om Colin te zoeken,' zei lady Kathryn vermoeid. 'Wij zijn een huishouding van weerloze vrouwen. We moeten maar bidden dat de Here ons zal helpen.' Toen keek ze op, en Magda zag de vastberadenheid in haar ogen. 'En daarna moeten we een plan bedenken.'

'En de drost?' vroeg Agnes.

'De drost is naar het zuiden vertrokken om de opstand in Essex neer te slaan.'

Het zonlicht door een van de hoge ramen schilderde strepen op de vloer, waar Jasmine speelde. Magda keek gefascineerd hoe de aura van het meisje zelf vervloeide met de lichte strepen als ze daar overheen kroop. Het was moeilijk te zeggen of ze het licht naar zich toe trok of dat ze het zelf verspreidde. Ze leek zelf ook geboeid door het schijnsel, terwijl ze naar de stofjes greep die in de lichtbundels dansten.

Zo zijn we allemaal, dacht Magda: stofjes in het licht.

'We moeten een plan bedenken om niet in paniek te raken als de rebellen hier zouden komen,' hoorde ze lady Kathryn zeggen. 'Ik zal bericht sturen naar het huis van de drost, om hem te vragen mijn zoon terug te sturen met zoveel mannen als hij kan missen om een huis met weerloze vrouwen te beschermen. Als we worden aangevallen, zullen we ons verzamelen in de keuken. Samen zijn we sterker, en de keuken is de veiligste plaats.'

Bij het woord 'keuken' stopte Jasmine met het najagen van stofjes en liep naar Agnes. Ze stak haar armpjes uit en maakte grijpende gebaren met haar handjes. 'Koek!' zei ze.

Haar grootmoeder glimlachte. 'Zo meteen, schat. Dan geeft Magda je wel koek.' Toen keek ze de keukenmeid doordringend aan. 'Luister goed, Magda, Dit is heel belangrijk.'

'Jawel, vrouwe.'

'Dit is het belangrijkste onderdeel van het plan. Als er problemen komen, neem jij Jasmine mee naar de hut van je moeder. Daar is ze veilig.'

Maar Magda wist dat dat niet waar was. Moest ze het zeggen? Wanhopig zocht ze naar een oplossing. Ze kon niet met Jasmine naar haar moeder, maar hoe moest ze lady Kathryn dat vertellen?

Haar mevrouw wachtte op een antwoord. 'Begrijp je wat ik zei, Magda?'

'Ja, vrouwe. Ik begrijp het.'

Toen nam ze het kind op haar arm om haar wat koek te geven, en liet Agnes en lady Kathryn over aan hun plannen. Twee dagen lang maakte ze zich zorgen en wist ze niet wat ze moest doen. Totdat ze een oplossing bedacht. Ze had nog een plek waar ze het kind veilig kon verbergen, een plek waar niemand ooit zou zoeken.

Alfred was terug in Norfolk, op het erf van de drost, toen het bericht van lady Kathryn kwam. Sir Guy was nog in Essex. Zijn paard was gedood vlak buiten Ipswich, en hoewel hij haastig een ander had gevorderd, beviel hem dat niet erg. Daarom had hij zijn wapendrager teruggestuurd om extra wapens en zijn op één na beste paard te halen. Alfred ging met genoegen. Niet dat hij een goed gevecht niet kon waarderen, maar hij had voorlopig genoeg doden gezien – genoeg afgehakte ledematen, bevroren doodsmaskers en opgezwollen, met vliegen bedekte lijken.

De afgelopen twee weken waren ze in zware gevechten terechtgekomen met rondtrekkende groepen rebellen, de restanten van het leger uit Kent en Essex dat in Londen door de troepen van de koning was verraden. Alfred kende de details van de opstand in Londen niet, maar hij had genoeg gehoord om te begrijpen wat er was gebeurd. Op 13 mei waren de rebellen Londen binnengevallen, waar ze het paleis van de hertog van Lancaster in brand hadden gestoken. Ze doodden ook een paar Vlaamse handelaren en trokken plunderend door de straten van de stad. De volgende dag had de jonge koning Richard een ontmoeting met de opstandelingen bij Mile End buiten Londen, om over vrede te onderhandelingen.

Alfred zou er graag bij zijn geweest toen de jonge koning die woedende meute had getrotseerd. Richard was nog niet eens zo oud als Alfred, maar toch had hij indruk gemaakt op de boeren. Misschien konden ze zich identificeren met zijn jeugd, misschien hadden ze bewondering voor zijn moed, maar in elk geval hadden ze geluisterd naar zijn aanbod: goedkoop land, vrije handel en de afschaffing van de horigheid. Maar tijdens die onderhandelingen was een deel van de rebellen nog in Londen, waar ze de schatbewaarder van de koning en de aartsbisschop van Sudbury gevangennamen en onthoofdden.

Op de derde dag van de opstand, toen de koning opnieuw met de rebellen sprak – nu bij Smithfield – vermoordde de woedende burgemeester van Londen de boerenleider Wat Tyler voor het oog van de koning en het boerenleger. De rebellen wachtten niet af totdat het hoofd van hun leider op een paal werd gestoken (daar had Alfred begrip voor; zijn vader had hem het concept van een strategische terugtocht bijgebracht), maar verspreidden zich op aandrang van de koning, die hun amnestie beloofde als ze rustig naar huis zouden gaan. Maar ze waren al één keer verraden en ze gingen niet terug naar huis, omdat ze bang waren om door soldaten van de koning te worden opgepakt. Daarom vluchtten ze naar de noordelijke graafschappen, kwaad en wanhopig, met niets te verliezen.

Sir Guy en zijn mannen troffen hen in Ipswich.

Alfred was uitgeput van zijn snelle rit vanaf het slagveld naar het noorden. En hij had honger. Hij had drie dagen gereden, bijna zonder halt te houden om te eten of te slapen. Zweet stroomde van zijn gezicht en hij vloekte luid toen hij probeerde om de hengst de teugels en het bit aan te leggen – hij zou het zelf niet wagen om het slechtgehumeurde dier te berijden – toen het paard plotseling steigerde en Alfred met zijn hoeven bedreigde. Een van de stalknechten kwam op het tumult af om Alfred te redden.

Toen ze het paard hadden opgetuigd en gekalmeerd – hoewel het nog verontwaardigd stond te snuiven – zocht de knecht in zijn tuniek en haalde er twee verzegelde perkamenten uit. 'Deze moest ik u geven van de rentmeester, voor Sir Guy. Ze leken belangrijk, zei hij.'

Een van de brieven, zag Alfred, droeg het zegel van de Kerk. Dat moest het wapen van de bisschop zijn. Het andere zegel kende hij ook: een hert met een twaalfpuntig gewei en een opgeheven voorpoot, tegen een achtergrond van drie balken. Het teken van Blackingham.

Opeens voelde hij walging opkomen. Een liefdesbrief van zijn moeder aan de drost?

De brief was duidelijk in haast verzegeld. De was was aan één kant maar nauwelijks gesmolten. Voorzichtig peuterde hij aan de rand. Hij zou de brief gemakkelijk opnieuw kunnen verzegelen. En bovendien was het zíjn familiewapen. Hij had er alle recht toe. Behoedzaam stak hij zijn nagel eronder. Het zegel liet los en het perkament rolde zich uit met een fluisterend geluid. Hij herkende het sierlijke, wat hoekige handschrift van zijn moeder.

Meneer, als alleenstaande weduwe in uw graafschap vraag ik u om bescherming in de huidige crisis. Als het u mogelijk is, stuurt u dan mijn zoon terug naar huis, samen met zoveel boogschutters als u kunt missen. Ik heb het geschenk ontvangen dat u me hebt gestuurd als teken van uw bescherming en goede wil, maar ik kan niet genieten van de schoonheid ervan zolang ik vrees dat mijn huis elk moment kan worden belegerd.

De brief was ondertekend door zijn moeder, maar in een beveriger handschrift dan hij zich herinnerde, ondanks haar stoere taal. De datum was 11 juni. Twee dagen geleden. Hij had er nooit bij stilgestaan – heel dom natuurlijk, want hij was zelf getuige geweest van de woede van de boeren tegenover de adel. Maar dat zijn sterke, zelfstandige moeder bescherming nodig had was een vreemde gedachte. En ze had Colin toch?

Het paard stampte en rukte aan zijn teugels, die de knecht in zijn hand hield. Een stofwolk steeg op van onder zijn hoeven en daalde neer op de half vertrapte grasberm langs het erf met de stallen. Alfred voelde het zand tussen zijn kiezen schuren en in zijn zwetende poriën dringen.

Wat moest hij doen? Hij had directe orders van Sir Guy, maar zijn moeder had hem nodig. Ze had naar hem gevraagd. Naar hém. Terwijl Colin toch bij haar was. Het zou hem drie, misschien vier dagen kosten om naar het slagveld terug te keren met de hengst op sleeptouw. Daarna zou hij toestemming moeten vragen en had hij nog minstens twee dagen nodig voor de rit naar Blackingham, als hij dag en nacht doorreed.

'Laat het paard maar. En breng me pen en papier,' zei hij tegen de stalknecht, met zoveel mogelijk gezag in zijn stem. Per slot van rekening was hij schildknaap van Sir Guy. Bij afwezigheid van een hogere autoriteit zou de stalknecht hem moeten gehoorzamen.

Toen de jongen terugkwam schreef Alfred haastig een briefje waarin hij uitlegde dat zijn moeder in moeilijkheden verkeerde en zijn hulp had gevraagd. Omdat Sir Guy hem de ware betekenis van ridderlijkheid had geleerd, en vanwege de vriendschap tussen de twee huizen, was hij ervan overtuigd dat Sir Guy zou willen dat hij haar te hulp kwam. Hij stuurde alvast het paard en de wapens, en zou zelf weer naar het slagveld komen zodra hij wist dat zijn moeder veilig was.

'Breng deze brief, en de andere, naar Sir Guy. Met het paard,' zei hij, terwijl hij wat zand over het papier sprenkelde om de inkt te drogen.

De stalknecht sperde in paniek zijn ogen open. Waarschijnlijk had hij nog nooit een voet buiten het feodale landgoed gezet, laat staan buiten het graafschap. 'Maar, heer Alfred, ik weet niet...'

'Ik zal een kaartje voor je tekenen,' zei hij. 'Het is gemakkelijk te vinden.' Hij schetste een cirkel, waarnaast hij 'Norwich' schreef, met een dikke zwarte streep die uitkwam bij een andere, kleinere cirkel met 'Colchester', en vandaar een horizontale lijn die eindigde bij een nog kleinere cirkel, aangeduid als 'Ipswich'. Naast die kleinste cirkel maakte hij een ruwe schets van een deur met een uithangbord erboven.

'Dit is Colchester,' zei hij, wijzend op de tweede cirkel. 'Je neemt de oude Romeinse weg die vanuit Norwich naar het zuiden loopt, door Bury Saint Edmunds, en vandaar naar Colchester. Daar sla je af naar het oosten, richting Ipswich. Zeg tegen de waard van de herberg op het kruispunt dat je een knecht bent met een bericht voor de drost van Norfolk.' Hij nam de jongen nog eens op. De knecht was een jaar jonger dan hijzelf, en zo groen als gras. Hij kon wel met paarden omgaan, maar hij zou het moeilijk krijgen vanwege zijn leeftijd. 'Je hebt dat paard goed in je macht. Rijd er maar op, in plaats van het mee te voeren.'

'Ja, dat paard is geen probleem.'

Dat klonk te zelfgenoegzaam, vond Alfred. 'Maar draag niet de kleuren van het huis. Kleed je maar als een boer. En als je onderweg bandieten tegenkomt, zeg dan dat je een weggelopen lijfeigene bent met een boodschap voor John Ball of Wat Tyler, en dat het paard gestolen is. Dan laten ze je wel met rust.'

Tot Alfreds voldoening zag hij de zelfgenoegzaamheid van de knecht verdampen. De jongen keek eens naar het papier, met een mengeling van verwondering en ergernis op zijn gezicht. 'Maar, heer Alfred, ik kan niet lezen.'

'Ben je wel eens in Norwich geweest?'

De jongen knikte, een beetje trots. 'Twee keer.'

'Die streep is de hoofdweg vanuit Norwich naar het zuiden. Als je verdwaalt, vraag dan gewoon de weg naar Colchester, en vandaar naar Ipswich.'

'Maar...'

'Maak je geen zorgen, je redt het wel. Je bent een dappere kerel.' Alfred sprong weer op zijn eigen paard, dat nog stond te trillen van vermoeidheid, en gaf het de sporen, richting Blackingham. De stalknecht bleef achter en krabde zich op zijn hoofd terwijl hij het papier met de onbegrijpelijke lijntjes en krullen bestudeerde.

Alfred rook de stank toen hij Aylsham naderde. Zijn eigen bezwete lijf? Walgelijk. Of misschien had hij zijn paard zo uitgeput dat het schuim nu op de nek en de schouders van het dier stond? Nee. De stank werd sterker en hij wist nu ook wat het was. Hij dacht dat hij die lucht achter zich had gelaten op een veld in Ipswich. Het was de stank van de dood, van lijken die lagen te rotten in de zon.

Een buizerd zat op de tak van een eikenboom op de hoek van een heg, ongeveer dertig meter van de weg. Alfred vond het niet nodig om op onderzoek uit te gaan. *Knijp je neus dicht en rijd door, zo snel als je kunt. Voor die arme drommels is het toch te laat.*

Maar terwijl de buizerd uit zijn ooghoek verdween nam de stank nog toe. Zijn vermoeide paard rook het ook, hinnikte van afkeer en reageerde niet toen Alfred het de sporen gaf. Hij had het dier moeten voeren. 'Nog maar een klein eindje, ouwe jongen. Als we thuis zijn, krijg je een zak haver.' Zelf had hij zich verheugd op iets lekkers uit Agnes' keuken, maar de eetlust was hem vergaan.

'Vooruit! Lopen.' Het paard versnelde zijn pas een beetje, maar dook toen weg voor de buizerd die opeens opfladderde vanuit de greppel langs de weg, waar hij zich tegoed had gedaan aan aas. Aha, dus dat was de bron van de stank. Deze vent had niet eens de nutteloze beschutting van de heg bereikt waar zijn makkers waren doodgestoken en waar de geschrokken buizerd nu naast de andere vogel in de eikenboom zat, wachtend tot de indringers verdwenen waren. Alfreds blik bleef lang genoeg op het lijk rusten om te zien dat het was gekleed in een armoedige monnikspij of wat daar nog van over was na het feestmaal van de buizerd. Waarschijnlijk een Lollard-priester die was gedood door de mannen van de bisschop, niet door de boeren. De rebellen zouden hem als een van hen hebben beschouwd.

Zijn paard had haltgehouden naast het lijk en liet zijn hoofd hangen alsof het zijn laatste restje energie had verspeeld. Alfred spoorde het niet aan. Hij kon zijn ogen niet losmaken van de afschuwelijke aanblik. De vogels hadden het gezicht weggepikt en de lege oogkassen staarden omhoog naar de felle zon aan de wolkeloze hemel. Vliegen zwermden om de benen van het lichaam, waar de buizerds nog niet al het vlees van de botten hadden gescheurd. De vorm van het hoofd had iets bekends, gruwelijk bekends. De stank was overweldigend. Alfred kneep zijn neus dicht. Maar toch steeg hij af en liep naar de greppel toe. Voorzichtig rolde hij het lijk met zijn voet opzij. Maden kropen weg op de plek waar het hoofd gelegen had.

Kokhalzend wendde Alfred zich af.

Op dat moment zag hij het goudblonde haar, glinsterend in het breekbare zonlicht als een verloren schat. De schedel... hij kende die schedel... was schoongepikt als een afgekloven kippenbout, met nog een restantje vlees dat druipend in de hitte lag te rotten, bedekt met vliegen. Het waren de resten van de broer met wie hij de schoot van zijn moeder had gedeeld. De stoffelijke resten van Colin. De zon scheen op zijn blonde haar in het zand. Haar dat de kleur had van het licht. Haar als van de engelen, had hij zijn moeder horen zeggen als ze het streelde toen ze nog jong waren. Zoals ze nooit zíjn ruige rode krullen had gestreeld.

❧

'Jij bent een schildknaap van Sir Guy de Fontaigne,' zei de soldaat terwijl hij zijn paard inhield en zijn twee kameraden een teken gaf hetzelfde te doen.

Alfred zat nog op zijn knieën en wond Colins lokken om zijn vingers alsof het gouddraad was. Een herinnering voor zijn moeder, een aandenken dat ze kon bewaren in een met fluweel gevoerd relikwieënkistje, samen met wat botten.

'Wat zit je te grienen bij dat buizerdmaal?'

Hij keek op bij het stemgeluid van de soldaat en herkende het vergulde wapen op het leren paardentuig van de ruiters – hetzelfde wapen als op de brief van de bisschop die hij had moeten bezorgen.

'Hij was geen...'

'Ik weet wie hij was.' De soldaat lachte en boog zich naar voren, met de teugels losjes in zijn handen. 'Een van die *arme priesters* met hun stompzinnige verhalen. Je had de verbazing op zijn smoel moeten zien toen ik mijn zwaard in zijn Lollard-buik ramde.'

Een geweldige woede begon ergens in Alfreds binnenste, steeg op als gal en eindigde in een gebrul als van een jonge leeuw. Hij sprong overeind, trok zijn zwaard en deed een aanval op de spreker.

Drie flitsende zwaarden sloegen hem neer voordat hij de soldaat had kunnen raken. De mannen van de bisschop stegen niet eens af.

Alfreds lichaam wankelde even voordat het achterover stortte en – als door een onzichtbare hand geduwd – opzij viel, niet op de weg maar in de greppel. Daar kwam het achter het kleinere lichaam van zijn broer te rusten, tegen hem aan, met één arm om Colins borst. In zijn andere vuist hield hij nog steeds de drie lichtblonde lokken geklemd.

‘Hij hoorde bij de drost,’ zei een van de ruiters. ‘Moeten we hem niet begraven of hem in elk geval zijn livrei uittrekken?’

‘Nee, laat hem maar liggen. Wie ze vindt zal denken dat ze elkaar hebben vermoord.’ De man sloeg met zijn teugels en knikte naar de twee buizerds die het hele incident vanuit de eikenboom hadden gevolgd. ‘Zij zullen ons werk wel doen. En alle doodskoppen lijken op elkaar.’

XXXI

Want Hij zal worden gezien en Hij zal worden gezocht.
Op Hem zal worden gewacht en Hij zal worden vertrouwd.
JULIAN VAN NORWICH, *GODDELIJKE OPENBARINGEN*

Magda speelde met Jasmine in het alkoofje naast de oude kamer van de miniatuurschilder, het alkoofje waar Rose ooit had geslapen en die nu de kinderkamer van haar dochter was. 'De geest van haar moeder zal over haar waken,' had lady Kathryn gezegd. Maar Roses geest was hier niet. Magda wist die dingen. Bovendien had kokkie gezegd dat Roses geest bij Jezus was. Er was niemand anders om over de baby te waken dan Magda.

Lady Kathryn was slap en lusteloos sinds haar ziekte, en verdrietig om de verdwijning van jongeheer Colin, dus bekommerde Magda zich 's middags om Jasmine, terwijl haar mevrouw in het grote hemelbed sliep. Toen Magda vandaag naar lady Kathryns kamer was gegaan na haar werk in de keuken had de edelvrouwe verlangend naar haar bed gekeken, met donkere wallen onder haar ogen, en Magda een teken gegeven om het kind mee te nemen. In gedachten zag Magda haar mevrouw ineengerold achter de damasten gordijnen van het hemelbed liggen, die ondanks de zomerwarmte waren dichtgetrokken tegen het licht. Ook in gedachten hoorde ze haar zachte snikken, als de geluidjes van een gewond dier. Ze vóélde zelfs lady Kathryns hoofdpijn achter haar eigen slapen bonzen.

Terwijl Jasmine zat te brabbelen en met de oesterschelpen – de lege inktpotjes van de kunstenaar, met gedroogde inktresten tegen de randen – rammelde, keek Magda uit het raam op de eerste verdieping om de wacht te houden. Ze kon over de binnenplaats kijken, door de poort en naar de wei waar de Norfolk-schapen graasden. Ze leken op wolkjes, zwevend over een groene zijden sprei. Hoog in de lucht zweefden nog meer wolkjes, tegen een heldere blauwe hemel. Als er niet zoveel gevaar had gedreigd zou het een mooie junidag zijn geweest, een dag om met Jasmine in het zonnetje te spelen. Dan hadden ze verstoppertje kunnen doen tussen de hagen, en op vlinders kunnen jagen die de nectar uit de kamperfoelie zogen. Maar niet vandaag. En misschien ook niet morgen. Lady Kathryn had haar opgedragen om in de buurt te blijven en scherp op te letten.

Dat deed Magda. Ze tuurde door het hoge glazen venster, zoals elke dag, toen ze hem plotseling ontdekte: de slechte man die geprobeerd had haar te pakken in het veld, als een beest. Ze dacht dat lady Kathryn hem had weggestuurd, maar nu was hij terug, stampend over de velden met een haveloze bende knechten, gewapend met zeisen en hooivorken. Sommigen hadden fakkels bij zich – op klaarlichte dag – en emmers. De schapen stopten met hun geknabbel aan het zoete zomergras en volgden argwanend de nadering van het groepje. Magda kon hun gezichten van deze afstand niet goed zien, maar dat hoefde ook niet. De lange vent die voorop liep had geen aura. Zijn aanblik maakte haar misselijk van angst.

Kokkie had gezegd dat het gepeupel in de nacht zou kunnen komen om hen te vermoorden in hun bed. Kokkie en lady Kathryn sliepen overdag en hielden 's nachts de wacht. Ze moest kokkie wakker maken. Ze hoorde de mannen nu – hun rauwe lach toen de lange man iets zei. Hun stemmen klonken net zo luid en schril als van haar vader als hij te veel gedronken had. Ze wilde dat ze tellen kon. Het waren er meer dan de vingers van één hand, maar minder dan twee handen.

Zenuwachtig keek ze naar het kind dat aan haar voeten speelde. Toen ze weer naar het raam liep had het groepje mannen zich verspreid. Sommigen liepen tussen de schapen door. Misschien waren ze alleen gekomen om het vee te stelen en zouden ze weer weggaan.

Lady Kathryn had een plan. Wat moest zij, Magda, ook alweer doen, volgens dat plan? De man met de duisternis om zich heen, de slechte man, kwam naar het huis met een paar kameraden. Magda kon alleen de bovenkant van hun hoofden zien, het zonlicht dat weerkaatste in de zeisen over hun schouders en hun aura's die in elkaar overvloeiden tot een donkere wolk. Ze was blij dat haar vader er niet bij was. Ze zou zijn platte, versleten muts met de opgerolde rand wel hebben herkend.

Wat was het plan? Ze had haar aandeel steeds weer bij zichzelf herhaald als ze wakker lag op haar strozak in kokkies kamer. Nu had de duivel het uit haar geheugen gewist. *Wat moest ze doen als de mannen kwamen?*

Beneden hoorde ze kokkies boze stem: 'Wat doe jij hier? Lady Kathryn stuurt de honden op je af! Maak dat je wegkomt, als je weet wat goed voor je is. En neem dat zielige stelletje mee.' Dus kokkie was wakker. Zij zou hen wel wegsturen en daarna lady Kathryn waarschuwen.

Het blaten van de schapen trok haar aandacht en ze keek weer naar de wei. De witte wolkjes hadden nu rode halsbanden om en ze blaatten luid en klaaglijk, een ijl geluid dat Magda de tranen in haar ogen deed springen. De mannen kwamen de schapen niet stelen. Ze waren bezig ze af te slachten in het veld! En ze lieten ze gewoon doodbloeden terwijl ze naar het huis toe kwamen. Een van hen hield zijn toorts bij het droge gras, en kleine gele tandjes begonnen het veld op te vreten. Magda trok haar neus op tegen de scherpe rooklucht.

Wat was het plan? Wat was haar aandeel?

Neem de baby mee, Magda. Neem het kind mee naar het huisje van je moeder.

Nee, dat was de stem van lady Kathryn in haar hoofd. Maar dat was niet het plan.

Een honingbij zat even op de vensterbank en zoemde toen weer weg.

Opeens wist Magda het weer.

Haastig nam ze Jasmine in haar armen.

'Wil je verstoppertje spelen met Magda? W-wil Jasmine zich v-verstoppen voor haar oma en wachten tot ze ons g-gevonden heeft?' fluisterde ze.

Jasmine knikte met haar blonde krullen en giechelde iets dat zoveel betekende als: 'Jasmine wil zich verstoppen.'

'Ssst. Ze k-komt eraan.'

Magda voelde de adem van de baby toen er een huivering door het kleine lijfje ging en Jasmine haar vuistje tegen haar mond drukte om haar gegiechel te onderdrukken. Haastig liepen ze de trap af naar de keuken, toen de keuken door en de achterdeur uit naar de oude dode boom op de heuvel – voorzover je van een heuvel kon spreken in dit vlakke land.

'We v-verstoppen ons bij de bijen. De bijen zijn onze vriendjes,' zei Magda zo zacht dat haar stem verwaaide in de zomerbries. 'Maar je moet heel stil zijn, zo stil als een muis, zodat je oma ons niet kan v-vinden.' Ze kropen tussen de wortels door naar de donkere schoot van de holle boom, die net groot genoeg was voor hen allebei.

'Ik muis...' beloofde Jasmine zacht, en haar blonde hoofdje knikte.

'Zuig hier maar op,' fluisterde Magda, terwijl ze een stukje van de honingraat brak en het aan haar gaf. Tegelijkertijd trok ze haar schort over het hoofd van het kind om haar te beschermen tegen een nieuwsgierige bij. Maar ze wist dat de bijen hen geen kwaad zouden doen. Ze zouden zich haar goede gaven herinneren tijdens die lange winter, de stokjes die ze in honing en rozemarijnwater had gedoopt om het bijenvolk in leven te houden.

Magda voelde het meisje zuigen op de honing, die kleverig tussen haar eigen jonge borsten druppelde. Haar hart ging tekeer als een oorlogstrom. Het was koel en donker in de holle boom en het rook er naar honing, schimmel en aarde. Het gezoem van de bijen was als een slaaplied. Ze streken als zachte bruine kussentjes op haar armen neer, en op het schort dat het slaperige kind bedekte. Maar ze staken niet. Niet één.

Algauw hield het zuigen op en voelde ze Jasmines regelmatige, vochtige ademhaling tegen haar huid.

Maar Magda kon niet slapen. Ze had een volle blaas, waar weinig aan te doen was. Ze mocht het schone huis van de bijen niet vervuilen. Dus probeerde ze maar ergens anders aan te denken. Bijvoorbeeld aan Half-Tom, en hoe grappig hij had gereageerd toen hij haar had horen zingen in de bijenboom. En hoe zijn vriendelijke ogen tegen haar lachten. Ze zou hem graag bij zich hebben gehad. Ze voelde zich veilig bij hem. En hij vond haar slim. Dat vond ze zelf ook... bijna... als ze bij hem was. Haar voet sliep en ze ging verzitten, heel voorzichtig, om het kind niet wakker te maken.

De rooklucht werd steeds sterker. Vanuit het huis meende ze een vrouw te horen gillen. Maar zij moest hier blijven. Zij moest het kind beschermen. Dat was haar rol. Ze bad tot de Heilige Maagd en de god van de boom om hen te bewaren.

Finn hoorde het tumult al voordat hij het zag, maar hij lette er nauwelijks op. Hij was bezig met het vijfde paneel van het altaarstuk van de bisschop. Hij had er koortsachtig aan gewerkt om het klaar te krijgen sinds Kathryn hem had verteld over haar plan om met de drost te trouwen en Roses kind op te voeden. Het was het enige waar zijn leven nog om draaide. Hij was niet langer bang dat de bisschop na de voltooiing van het altaarstuk geen redenen meer zou hebben om hem in leven te houden. Het was zijn laatste gok: de bisschop tevredenstellen en hem nog veel meer beloven, in ruil voor gratie. Dus negeerde hij het geschreeuw en gevloek van beneden en lette zelfs niet op de luide, dreigende stem van de commandant, boven alles uit: 'Halt, zeg ik u! In naam van de koning, verdwijn!'

Finn keek niet op. Wat er buiten zijn kamer gebeurde ging hem niet aan. Hij werkte met de kracht van een wervelwind. Zijn marterharen penselen lagen her en der verspreid, zijn verfpotjes stonden niet langer keurig op een rij op zijn werktafel. Zijn hemd was besmeurd met rode en gouden vlekken, en onder zijn oksels waren donkere plekken te zien. Bij dit laatste paneel, de hemelvaart, lukte het hem niet om zich Christus' gezicht voor te stellen. De triomf van de Verlosser op het lijden, terwijl Finn zich zo opgesloten voelde in zijn eigen kwelling, was een te zware opgave voor zijn muze. Gefrustreerd door verscheidene mislukte pogingen wiste hij het bovenlichaam van de gestalte uit en liet dat in een veld van oker met de achtergrond vervloeien, zodat Christus in een ondoorschijnende wolk naar de hemel steeg. Alles behalve zijn benen, die boven de verzamelde apostelen bungelden, was nu aan het oog onttrokken. Een lijdende Christus kon hij begrijpen. Een triomferende Christus ontglipte hem.

Finn gebruikte het laatste azuur voor de mantel van de Madonna. De figuren op de laatste twee panelen waren stuntelig, zonder de gratie en detaillering van het eerdere werk, maar Finn werd gedreven door haast, als door de zweep van een opzichter. Hij bracht de laatste accenten op de extatische gezichten van de apostelen aan – eerder angstig dan triomfantelijk, omdat extase voor Finn een verre herinnering was geworden, net als triomf. Toen bekeek hij het geheel. Als kunstenaar was hij trots op de vijf panelen. Ze waren niet geschilderd met de subtiele details van zijn initialen, ze misten de verbeeldingskracht van zijn marginalia en de sensuele, ingewikkelde krullen en lussen van zijn schutbladen, waar hij zelf zo van genoot, maar toch was hij tevreden over de mooie, volle kleuren, zo levendig dat ze de zintuigen overrompelden. Zelfs in het haastige werk van het laatste paneel was de passie duidelijk zichtbaar. Ja, het kon ermee door.

Nu moest hij de bisschop laten komen om over een verlof te onderhandelen. Dat was zijn volgende opgave. Lang genoeg respijt krijgen om zijn kleindochter uit de klauwen van de drost te kunnen redden. Daar ging het om. Het had geen zin om nog met Kathryn te discussiëren. Haar besluit stond al vast. Hij zou Roses kind naar de kluizenaarster brengen om daar een plaatsje te vinden, zoals de heilige Hildegard van Bingen aan de heilige Jutta was gegeven.

Er was nog wat azuur over in het potje. Hij mengde het met wit en gebruikte het voor de mantel van de ruiter op het tweede paneel. Toen deed hij een stap terug en beoordeelde het resultaat. De ruiter die Christus volgde terwijl Hij Zijn kruis op zijn rug droeg leek meer op een 14de-eeuwse hoveling dan op een jood uit de eerste eeuw. Het was geen toeval dat de jeugdige figuur een opmerkelijke gelijkenis vertoonde met de bisschop, maar zonder zijn arrogante uitdrukking. Een vleiend portret. Met opzet.

Finn bracht net het laatste blauw aan en wreef de dure kleurstof uit het penseel toen hij geschreeuw hoorde op de binnenplaats, en het kletteren van metaal, deze keer te luid om het te negeren. Hij liep naar het raam en keek naar buiten. Op de binnenplaats heerste grote consternatie. Een paar cipiers vochten met een twintigtal rebellen, stoere landarbeiders tegen wie de bewakers met hun slappe buiken weinig kans hadden. De deur aan de voet van de trap schraapte open met het onmiskenbare geluid van ijzer over steen. Nog meer geschreeuw, nu dichterbij. Op de trap. Rennende voetstappen, toen een bekende, grommende stem achter hem.

Finn draaide zich om en zag Sykes zijn cel binnenkomen. Een snelle blik naar beneden vertelde hem dat de commandant roerloos op de binnenplaats lag, dood of gewond.

'Dus hier was je gebleven! Heel wat beter dan de kerkers, zo te zien.' Sykes zwaaide met een kort zwaard – een van de wapens van de commandant, zag Finn – door de kamer, greep een half opgegeten bout van Finns bord en zette er zijn tanden in. Met zijn gemene gitzwarte oogjes staarde hij Finn doordringend aan, terwijl zijn brokkelige tanden het laatste vlees van het bot scheurden voordat hij het naar hem toe smeet. Finn dook weg. Sykes veegde lachend het vet van zijn linkerhand aan zijn mouw af. Met zijn rechter hield hij nog steeds het zwaard op Finn gericht. 'Waar is je kleine vriend, kunstenaar?'

Finn probeerde zijn stem rustig te laten klinken, hoewel de situatie daar bepaald geen aanleiding toe gaf. 'Je zou toch geen misbruik maken van een kleine opstand om een oude rekening te vereffenen, Sykes? Want voordat je iets doet waar je spijt van krijgt wil ik je eraan herinneren dat ik onder de speciale bescherming van de bisschop sta. Je hebt al een misdrijf tegen de kroon gepleegd. Wil je nu ook de Kerk beledigen?'

Sykes lachte zijn lange, gele tanden bloot. Een van zijn hoektanden was grillig afgebroken. 'Moet je dat horen: "De Kerk beledigen, de Kerk beledigen"! Wat heeft de Kerk ooit voor mensen zoals Sykes gedaan?'

Hij stond onvast op zijn benen. Dronken van bier of van macht? Hopelijk het eerste, dacht Finn. Dan was hij makkelijker aan te pakken.

'De dagen van de Kerk zijn geteld. We zullen die fijne bisschoppen en edele heren een koekje van eigen deeg geven.' Hij snoof. 'Ruik je dat? Dat zullen de velden van een edelman zijn die in brand staan, of misschien zelfs zijn kasteel.'

Finn had de rook al eerder opgesnoven, maar gedacht dat een landheer zijn akkers afbrandde om ze opnieuw te kunnen inzaaien. De lucht werd sterker.

'En niet alleen hier, maar helemaal tot aan Londen. Er zullen niet veel dure paleizen of abdijen meer overeind staan als wij klaar zijn.'

Het was dus een volksmassa, niet zomaar een gevangenisoproer. En ze waren bezig de huizen van de adel in East Anglia te plunderen en in brand te steken. Blackingham had geen enkele bescherming, behalve Colin. En dus liep het kind gevaar. En Kathryn.

'Hoor eens, Sykes, wat je ook wilt, ik zal...'

Meer voetstappen op de trap. Een bont gezelschap van voornamelijk boeren, met een paar ontevreden bewaarders, verzamelde zich achter Sykes. 'Er komt iemand aan,' waarschuwde een van hen. 'De commandant is dood. We hebben al die arme klootzakken vrijgelaten. Laten we wegwezen, nu het nog kan.'

'Deze vriend gaat nergens naartoe,' gromde Sykes en hij deed een uitval naar Finn. Maar Finn had het zien aankomen, dook onder zijn arm door, bleef achter hem staan en wrong het zwaard uit zijn hand. Toen gaf hij Sykes een harde zet en rende naar de trap.

'Hou hem tegen! Steek hem neer, die smeerlap!'

De eenzame man bij de deur haalde zijn schouders op. 'Hij heeft mij niets misdaan. We hebben de rest ook vrijgelaten. Je pakt hem zelf maar, Sykes.'

Luide vloeken en woedende kreten volgden Finn de trap af.

Op de binnenplaats gekomen keek hij in paniek om zich heen, zoekend naar een paard.

Een jonge blonde knaap was op het paard van de commandant geklommen en leek heel tevreden met zichzelf en zijn nieuwe rijdier. Een blik van herkenning glinsterde in zijn blauwe ogen toen hij Finn zag. Hij sprong van het paard en gooide Finn de teugels toe. 'Hier. Jij hebt het harder nodig dan ik.'

Finn staarde hem verbaasd aan. 'Bedankt,' riep hij terwijl hij opstapte. 'Waar kan ik het je terugsturen?'

'Hoeft niet.'

Waar had hij die brutale lach eerder gezien?

'Zo staan we quitte.' En de jongen bracht hem grijnzend een saluut.

Het was de knul die zijn paard voor hem had vastgehouden bij de herberg op de dag dat hij Sykes voor het eerst had ontmoet. De jongen aan wie hij de deken had gegeven.

'Maar ik zou me hier niet laten zien op dat paard, als ik jou was.'

Finn hoorde het niet meer. Hij was al halverwege de brug, op weg naar Aylsham en Blackingham Manor.

Kathryn droomde. Rook. Overal rook, die haar neus binnendrong en in haar ogen prikte. De wolschuur stond in brand. Haar keel kneep samen. Ze kon niet eens hoesten, ze kreeg geen adem meer. *Jasmine! Waar was Jasmine?* Ze probeerde uit alle macht Magda te roepen. Of Agnes. Maar haar mond wilde niet open. Ze kon zich niet bewegen. Haar armen en benen voelden zwaar, haar botten leken van lood. De wol die ze had bewaard om het feest voor haar zoons mee te betalen ging in rook op. Agnes, arme Agnes, huilde om haar herder met zijn gesmolten vlees. Nee. Ze huilde niet om haar John, maar ze riep. Ze gilde Kathryns naam. Van heel ver weg.

'Vrouwe, wakker worden! Ze zijn gekomen! Ze zijn gekomen!'

Kathryn schrok wakker. De rook was echt. En Agnes ook. De kokkin stond over haar heen gebogen, hoestend en roepend, met rode, tranende ogen en grote pupillen van angst.

Kathryn schoot overeind. 'Jasmine! Agnes, waar is de baby?'

'Ze ligt niet in haar bedje, vrouwe. Daar ben ik het eerst naartoe gegaan. Magda moet haar hebben meegenomen. Wees maar niet bang. Ze zal veilig zijn bij Magda.'

Kathryn rukte de gordijnen van het hemelbed weg. Er was nog geen rook te zien in de kamer zelf, hoewel de scherpe lucht bijna haar neus verstikte.

'Ze hebben de weiden in brand gestoken, vrouwe.'

'Wees maar niet bang. Ze zullen het huis ongemoeid laten. We hebben ze geen kwaad gedaan, en zonder ons zijn ze nog slechter af. Ik ga naar beneden om met ze te praten. Ze zullen wel naar me luisteren.'

'Met een dolle menigte valt niet te praten, vrouwe. We moeten vluchten nu het nog kan.'

'Nee, Agnes, we houden stand. Er zal wel iemand bij zijn met een moeder, een kind of een vrouw die wij ooit hebben geholpen. En waarschijnlijk heb jij de meesten wel eens eten gegeven uit je stoofpot op het vuur. Ze zullen twee weerloze vrouwen echt niets doen.'

Agnes schudde haar hoofd en mompelde: 'Zelfs u kunt dat tuig niet tot rede brengen.'

'Ga jij maar naar de kinderkamer. Voor het geval Magda het vergeet en hier weer terugkomt.'

Kathryn duwde Agnes in de richting van de gang en wilde de deurkruk pakken, toen de deur al openvloog.

'Simpson!'

Dit was meer pech dan een fatsoenlijke vrouw verdiende! Een oproer onder het volk en een smerige verrader in haar eigen kamer, en dat alles op één en dezelfde dag!

Haar voormalige rentmeester stapte de drempel over, met een toorts in zijn rechterhand en een emmer in zijn linker.

Agnes stelde zich tussen Kathryn en de rentmeester op. 'Ik wilde u nog waarschuwen, vrouwe,' zei ze. 'Deze rotte appel is met de oproerkraaiers meegekomen. Hij gebruikt ze als schild om hier weer binnen te dringen. Gooi hem de deur uit. Zijn soort hebben we hier niet nodig.'

Heel even speelde Kathryn met de gedachte om te proberen Simpson aan haar kant te krijgen – met hem te onderhandelen voor zijn hulp tegen de rebellen. Maar ze zag de onverzoenlijke haat in zijn spottende grijns. Hij zou haar niet redden.

Hij zette de emmer neer, greep Agnes bij haar arm en trok haar gevaarlijk dicht naar de fakkel toe.

'Ik ben bang dat u binnenkort een nieuwe kokkin nodig hebt, vrouwe. Deze staat op het punt een ongeluk te krijgen, hier in huis. Gedood door haar eigen soort, het gepeupel.' Hij maakte een spottende buiging. 'Maar ik sta geheel tot uw dienst.'

Hij zwaaide de brandende toorts naar Agnes' hoofd en schroeide een paar haartjes die aan haar muts waren ontsnapt. Agnes slaakte een kreet van schrik en sloeg naar de muts. Simpson lachte en greep haar nog steviger beet. De stank van geschroeid haar vermengde zich met de lucht van de brandende velden.

Kathryn voelde de doodsangst van de oude vrouw als een stekende pijn in haar eigen maag. Ze voelde haar angst voor de vlammen, wist dat ze het verkoolde lichaam van haar man voor ogen had en zichzelf ernaast zag liggen. En ze las de waanzin in de ogen van de opzichter. Hij was gestoord genoeg om zijn dreigement uit te voeren.

'Laat haar los, Simpson.'

'"Laat haar los, Simpson,"' bauwde hij haar na met een falsetstem. 'Of anders?'

Kathryn probeerde haar stem onder controle te houden. Streng, maar niet bang.

'Laat haar los, dan kunnen we overleggen over jouw terugkeer op Blackingham.'

Hij gooide zijn hoofd in zijn nek en lachte. 'Terugkeer waarheen? Naar een zwartgeblakerde ruïne?' Maar hij gunde de kokkin wat meer vrijheid.

'We kunnen onderhandelen, jij en ik. Als jij me helpt Blackingham te beschermen tegen de oproerkraaiers, zouden we iets definitiefs kunnen regelen over jouw positie hier. Zoals je ziet valt het niet mee voor een vrouw alleen.'

Hij kneep zijn ogen tot spleetjes. Kathryn kon zijn sluwe berekeningen bijna volgen. Hij liet de kokkin los, maar stapte niet bij de deur vandaan. En hij had nog steeds die fakkel in zijn hand.

'Laat ons alleen, Agnes,' zei Kathryn. 'Simpson en ik moeten even praten. Ga naar de Saint Faith Priory totdat de problemen achter de rug zijn. Ik zal Colin naar je toe sturen als het voorbij is.'

Agnes staarde haar aan alsof ze gek geworden was.

'Maar, vrouwe...'

'Doe wat ik zeg, Agnes.' Haar stem klonk nu scherp, bevelend.

'Jawel, vrouwe.' Een klein stemmetje, onzeker. Ze wrong zich tussen Simpson en de deur door, de kamer uit.

'Saint Faith Priory!' riep Kathryn haar nog na, op strenge toon. Ze luisterde naar de voetstappen van de kokkin op de trap, eerst log en zwaar, daarna rennend.

Toen het geluid was verstorven draaide ze zich weer om naar de rentmeester.

'Hoe durf je mijn kamer binnen te komen! Je bent een dief en een leugenaar. Verdwijn! Voordat ik je de afranseling laat geven die je bij de oogst al had verdiend.'

Hij stapte naar binnen en deed de deur achter zich dicht. Kathryn deinsde terug en probeerde voldoende ruimte tussen hen te houden.

'Nou, nou, wat een harde woorden. Wilde u niet onderhandelen, vrouwe? Dat zei u toch?' Hij wendde verwondering voor, maar toen veranderde zijn blik in ijs. 'Dacht u dat ik gek was? Ik weet ook wel dat de oude vrouw hulp is gaan halen.'

Hoe verder Kathryn terugdeinsde, des te meer hij opdrong, totdat ze met haar rug tegen het bed stond. Hij hield de emmer in zijn ene hand en de toorts in zijn andere.

'Maar ik zal mijn genoegdoening krijgen, lang voordat zij alarm kan slaan.' Hij zette de emmer bij haar voeten neer. 'Herinnert u zich nog de teer die u wilde? Ik heb wat meegebracht.'

De stank van de rook werd steeds scherper. Het was doodstil in huis.

'Teer?' Wat bazelde hij nou? 'Wat heb je met de anderen gedaan?' Maar hij trapte er niet in. Hij liet zich niet meer afbluffen. Hij keek haar smalend aan. Kathryns hart bonsde zo hevig dat ze het bijna kon horen slaan in de stilte.

Hij zwaaide met de toorts naar haar gezicht, waardoor ze nog verder ineenkromp. 'De anderen? Er is niemand anders, behalve die oude kokkin. Iedereen heeft u in de steek gelaten, vrouwe. Niemand wil nog werken voor zo'n zuur oud wijf. O, er zijn wel "anderen", maar die zijn nu bezig uw schatkist leeg te halen – en de kamer van de oude landheer met pek in te smeren.' Hij loerde naar haar en trok zijn lip op bij de volgende woorden. 'De kamer van de kunstenaar. Al die terpentijn en verf die in de vloer en in de tafel is getrokken. Dat zal branden als een hooiberg.'

Heilige Maagd, alstublieft, laat Magda het niet vergeten zijn!

Kathryn staarde naar de deur. 'Ga uit de weg!'

Hij duwde haar tegen het bed. Ze viel met een klap naar achteren.

'De bordjes zijn verhangen, vrouwe. Ik geef de orders nu.' Hij boog zich naar voren en stak de fakkel in een brander aan de muur naast het bed, waar hij griezelig bleef balanceren. 'Ik had die kokkin moeten doden, die ouwe zeug. Dan had ze die zuiplap van een herder gezelschap kunnen houden. Maar de rebellen zullen het wel voor me doen. Ze komt niet ver.'

'Wil je een oude vrouw vermoorden die nooit een vlieg heeft kwaad gedaan?'

Agnes was bijna als een moeder voor haar geweest. *Heilige Maagd, laat haar niets overkomen. En Jasmine. Lieve God, alstublieft, laat Magda geen domme dingen doen.*

Simpson keek haar nijdig aan. Toen pakte hij de emmer en een kwast en begon de poten en de gordijnen van het bed in te smeren met een stinkend, pikzwart goedje.

'Wat doe je?' Ze probeerde de paniek uit haar stem te houden. Ze had hem al eerder tegengehouden met niets anders dan haar gezag. Dat zou ze opnieuw kunnen. 'Als je mij of mijn huishouding iets aandoet, zul je hangen wegens moord. Ik hoef maar deze bel te luiden en mijn zoons komen me te hulp.'

Hij gooide zijn hoofd in zijn nek en lachte, met een geluid dat haar nekharen overeind deed komen. De man was bezeten door de duivel.

'Vermooooorden!' herhaalde hij, met een overdreven huivering. 'Ach, dat is zo makkelijk. Ik héb al twee moorden gepleegd. En ongestraft.'

'Twee keer?' Kathryn dacht net zo snel als het bonzen van haar hart.

Ze legde haar handen in haar schoot, drukte ze strak tegen haar buik en deed alsof ze luisterde. Ze voelde de harde rand van Finns dolk. Ja, ze had hem nog, onder haar rok, aan haar ceintuur, naast haar rozenkrans.

'Ik heb die priester gedood.'

Opeens had hij haar volledige aandacht.

'Waarom kijk je zo geschokt? Nooit gedacht dat die ouwe Simpson, die beleefde en onderdanige Simpson, daar het lef voor zou hebben? De priester had me betrapt toen ik de schapen verkocht. En omdat jij altijd beweerde dat je geen geld had, begreep hij waar de winst naartoe ging. Sir Roderick kon het niets schelen, maar jij wilde elke cent verantwoord zien. Die priester beweerde dat ik kerkelijke belasting moest betalen over alles wat ik achterover drukte, omdat hij me anders zou verraden.' Hij liet zijn stem dalen tot een hees gefluister. 'Nou, ik héb het hem betaald gezet!'

Kathryn voelde een geweldige woede in zich opkomen. Woede omdat ze zo blind was geweest. Zo trots dat ze zelf had ingegrepen en de waarheid had verdraaid om haar zoons te redden. Ze had hen moeten vertrouwen, en Finn ook. Maar ze had iets in haar karakter waardoor ze alleen zichzelf vertrouwde. En daar had ze nu spijt van. Maar het was te laat. Ze dacht aan Finns gejaagde blik, de harde lijnen om zijn mond als hij haar naam zei.

En dat was allemaal de schuld van deze ploert.

Ze beet op haar lip totdat ze bloed proefde. Ze wilde hem aanvliegen, hem spuwen en bijten, zijn ogen uitsteken, zijn haar uitrukken bij de wortels. Ze drukte haar pols tegen de dolk onder haar rok. Haar hand trilde door de inspanning waarmee ze zich moest beheersen om niet aan haar woede toe te geven. Ze wilde zijn mannelijkheid afhakken en in zijn keel proppen. Maar ze zou nooit snel genoeg haar rok omhoog kunnen hijsen om de dolk los te maken. *Nog niet.* Ze las in zijn ogen wat er komen ging, en probeerde tijd te winnen. 'Twee moorden, zei je,' zei ze.

'Had je dat niet geraden? De brand in het wolhuis was mijn werk. Die oude herder wist dat ik de zak met wol gestolen had. Hij dreigde het jou te vertellen. Twee vliegen in één klap. Het was een mooie fik.

En dat Colin de schuld kreeg was een gelukje, een bonus, zou je kunnen zeggen.'

Hij legde de kwast weg en stak een hand uit om haar boezem te strelen. Ze weerde hem af met een beweging van haar schouder. Maar hij lachte. 'De rook wordt dichter, maar ik heb nog één ding te doen. Ik kom iets opeisen dat je me ontstolen hebt.'

'Ontstolen? Ik?' beet ze hem toe.

'Weet je nog, die kleine keukenmeid? Je kunt het goedmaken. De ene beurt voor de andere. Een adellijke snol voor een keukensnol.' Hij nam een sprong en drukte haar tegen het bed.

Ze wendde haar gezicht af, zodat hij niet de leugen in haar ogen zou kunnen zien. 'Het is mijn maandstonde. Wil je mijn bebloede doek weghalen of moet ik het zelf doen?'

Hij maakte een grimas en verstarde een moment. Maar hij herstelde zich snel en prutste aan de sluiting van zijn broek. 'Jezus! Ik zal nemen wat je me schuldig bent. Ik sta toch al tot aan mijn middel in het bloed. Benen wijd, *milady*!'

Hij hijgde. Zijn huid was vlekkerig, zijn gezicht verkrampt van lust. Hij rukte aan haar lijfje met zijn ene hand en schoof haar rokken omhoog met zijn andere. Haar hand greep de zijne. 'Ik zal mijn eigen vuile doek weghalen. Gun me die waardigheid en spaar jezelf. Draai je hoofd om.' Met haar andere hand tastte ze onder haar rok naar de dolk. Met een ruk trok ze hem uit de schede.

Toen bleef ze stil liggen, met de dolk verborgen tegen haar zij. Ze wist dat ze maar één kans zou krijgen. De rook, en het gewicht van zijn walgelijke lijf dat tegen het hare bewoog, overweldigden jaar. Ze bad dat ze de kracht zou hebben om toe te slaan. Ze moest blijven leven. *Heilige Verlosser, laat mijn kleindochter bij Magda zijn.*

Zwetend en grommend draaide hij met zijn heupen. Ze moest zich dwingen om geen verzet te bieden. *Nog even maar.* Toen voelde ze hem in haar lichaam. Ze tilde haar arm hoog op. Eén kans maar. Ze sloot haar ogen en deed een schietgebedje. *Heilige Moeder, stuur mijn hand.* Heel even betastte ze het heft van Finns dolk, bijna liefdevol, alsof ze er kracht uit puttc. Toen bracht ze haar arm zo ver omhoog dat het bijna pijn deed in haar schouder, en ramde de dolk diep tussen Simpsons schouderbladen.

Zijn lichaam verstijfde en ze voelde zijn penis verslappen. Maar hij leefde nog. Zijn ogen draaiden in hun kassen en zijn mond vormde een rochelende vloek. *Nog een keer, Kathryn. Het is niets anders dan een dier slachten. Dat heb je Agnes vaak genoeg zien doen.* Maar ze kreeg het mes niet los. Het zat te diep in zijn lichaam begraven, en hij hield haar nog steeds tegen het bed geklemd, met één arm op haar rug. Ze wrikte uit alle macht aan het mes, totdat het bloed uit zijn mond spoot. Het droop warm over haar huid en stroomde tussen haar borsten. Toen verslapte zijn lichaam en bleef hij roerloos op haar liggen. De lust op zijn gezicht bevroor tot een dodenmasker.

Kathryn liet het mes los en sloot haar ogen. Haar handen vielen terug op het bed. Ze hapte naar adem en haar hart bonsde in een dreunend ritme dat weergalmde achter haar slapen. Ze was bang dat ze zou stikken in haar eigen braaksel, nog steeds tegen het bed gedrukt door zijn bewegingloze lichaam. Met haar laatste krachten duwde ze hem van zich af. Zijn hoofd sloeg met een misselijkmakende klap tegen de beddenstijl en stuitte tegen de muur. De toorts viel uit de brander op de grond naast het bed.

Vlammen schoten omhoog naar de rand van de sprei, langs Simpsons arm, die naast het bed bungelde. Het vuur likte aan zijn mouw. Kathryn dook naar voren, maar haar rok zat nog klem onder Simpsons lichaam. In paniek rukte ze aan de stof en probeerde Simpsons lijk van haar rok af te duwen, terwijl de gordijnen van het hemelbed vlam vatten, en daarna de veren matras. De stank van brandend haar, pek en veren sloeg haar op de keel, verstikte haar en stak haar in de ogen. Ze worstelde om los te komen. De hitte schroeide haar longen.

Eén laatste ruk en ze voelde haar rok losscheuren.

De rook was nu zo dicht dat ze niets meer kon zien, behalve het zilveren crucifix dat aan het voeteneind van het bed hing. Het gloeide in de hitte en scheen groter te worden. In de gloed van het vuur leek het gelaat van de lijdende Christus niet langer van metaal, maar van vlees – warm, smeltend vlees.

Kathryn probeerde lucht te krijgen. Kleine vlammetjes hechtten zich aan de ronddwarrelende veren en zweefden door de lucht in een soort paasvuur.

Ze wilde rennen, vluchten, maar haar benen reageerden niet – tegengehouden door een zoom van haar rok die haar nog steeds vastbond aan het lijk van de man die ze zojuist had gedood? Of gebiologeerd door het gelaat van de toekijkende Christus? Het was hetzelfde gezicht dat boven haar weduwebed had toegekeken toen ze daar met Finn gelegen had, hetzelfde gezicht dat toezicht had gehouden toen ze haar zoons baarde, die schreeuwend ter wereld kwamen en door de vroedvrouw op haar buik waren gelegd. Het gezicht dat de wacht had gehouden tijdens die lange, koortsige uren toen ze doodziek had liggen ijlen. Het gezicht dat ze zo vaak had gezien dat het een deel van het meubilair geworden was. Al die tijd was Hij erbij geweest.

Wakend over haar.

De Moeder Christus van Julian, de kluizenaarster.

Kathryns kleren vatten het eerst vlam, toen de zilverwitte waaier van haar loshangende haar.

Ze hoorde Finn niet de trap op komen, hoorde niet hoe hij in paniek haar naam schreeuwde. Ze hoorde haar eigen stem niet, die de namen van Colin en Alfred riep. Maar in de dansende vlammen om haar heen zag ze hun gezichten, wit gloeiend en badend in een gouden licht.

Kathryn stak haar armen naar hen uit en bleef zo staan, verstard in dat schijnsel, totdat het vuur haar lichaam offerde als een reusachtige kaars voor een brandend, smeltend altaar.

XXXII

Littera scripta manet.

HET GESCHREVEN WOORD BLIJFT.

'Heer Finn, we hebben alles gedaan wat we konden.'

De priores van Saint Faith keek hem meelevend aan. Ze zaten in de kleine opkamer waar de priores bezoekers ontving. Ze zat naast hem op een simpele houten bank, tegenover een klein altaar. Finn vertrouwde zijn eigen stem niet en hield zijn ogen afgewend.

'Lady Kathryn heeft niet meer geleden dan ze kon verdragen.' De priores legde met een troostend gebaar haar hand op Finns schouder. 'Dankzij u waren haar brandwonden niet zo ernstig als we vreesden. Het was vooral de rook. Ze had grote ademhalingsproblemen.'

Ze zweeg, alsof ze haar woorden zorgvuldig koos en het haar pijn deed om ze uit te spreken. 'Ze heeft de nacht overleefd.'

Toen hij nog steeds niets zei, voegde ze eraan toe: 'U moet uzelf geen verwijten maken. U hebt er goed aan gedaan om haar hier te brengen. Het was de wil van onze Heer.' Het leek of ze nog meer wilde zeggen, maar ze deed het niet.

Eindelijk was hij in staat om weer op te kijken. Zijn stem klonk rauw van ellende. 'Ik wil haar zien.'

De priores schudde haar hoofd. De rand van haar kapje viel over haar gezicht, zodat hij haar ogen niet kon zien. 'Ze wordt voorbereid...

op haar reis. Het is beter dat u zich haar herinnert zoals... zoals u haar kende. Voor de brand. U kunt nu niets meer voor haar doen. Ze is in Gods hand.'

Hij probeerde een paar van die herinneringen op te roepen: Kathryn over haar borduurwerk gebogen in de tuin, met haar gezicht half verborgen in de schaduw van de meidoorn; Kathryn die uit zijn bed stapte, terwijl ze het beddengoed achter zich aan trok als een koninklijke sleep; Kathryn die zijn kleinkind in haar armen hield, haar gezicht stralend van liefde. Hij had geprobeerd zich aan die beelden vast te klampen, hij had ze zorgvuldig op zijn gesloten oogleden geschilderd, de hele nacht, terwijl hij lag te woelen en te draaien, met grote ogen van angst, op de strozak in het gastenhuis van de priorij. Hij had de kamers van zijn geheugen doorzocht naar zijn herinneringen aan haar: haar gezicht, haar glimlach, de zachte blik in haar ogen als ze over haar zoons sprak, de manier waarop haar haar om haar slanke hals viel als hij haar kuste, de smaak van haar mond, de geur van haar huid. Maar demonen hadden bezit genomen van zijn gedachten en die tedere kleuren en gekoesterde beelden verdreven met de kleuren van rook en vuur, en dat laatste, gruwelijke moment dat geen menselijk penseel kon uitwissen.

Ze had zo licht geleken toen hij haar uit het brandende huis had gedragen, zo licht dat hij vreesde dat haar botten in houtskool waren veranderd. Ze had geen haar en geen wenkbrauwen meer, en haar gezicht was donker en beroet. Hij durfde het niet aan te raken, uit angst dat haar huid onder zijn vingers zou verbrokkelen. Haar ogen waren open, de pupillen helder en donker, als glinsterend onyx. Haar mond bewoog en hij boog zich naar haar toe om haar te kunnen horen. 'Finn. Je bent gekomen,' zei ze, alsof ze hem al die tijd al had verwacht. 'Breng me naar de Saint Faith Priory,' fluisterde ze toen.

Er was niemand geweest die hem had kunnen helpen. Alles stond in brand: het huis, de stallen, de brouwerij. Ten slotte was hij naar de priorij gereden, met Kathryn in zijn armen als een kind. Ze had zo stil gelegen dat hij bang was dat ze al was gestorven. Hij had haar gesmeekt om te blijven leven; hij had haar naar het kind gevraagd. Maar ze scheen hem niet te horen. Eén keer slechts had ze haar ogen geopend en iets gezegd.

'Ik heb hem gezien,' zei ze. Maar haar woorden waren zo zacht dat hij niet wist of hij haar wel goed verstaan had. En hij begreep ook niet wat ze bedoelde.

Nu probeerde de priores zijn gevoelens te sparen en sprak tactvol over 'haar reis'. Finn wist dat de zusters bezig waren om Kathryn in haar lijkwade te naaien. En de priores had gelijk: dat was geen herinnering die hij met zich mee moest dragen. Zijn hart zou bezwijken onder het gewicht van nog zo'n beeld.

'Maakt u zich geen zorgen,' stelde de priores hem gerust. 'We zullen erop toezien dat ze op een heilige plek te slapen wordt gelegd. Het was haar eigen wens om daar te mogen liggen.'

'Moeder, ik heb geen geld om een mis te betalen. Maar ik zal...'

Ze hief een hand op om hem te onderbreken. 'Dat is ook niet nodig. Vannacht, voordat... voordat ze in slaap viel, heeft ze haar akten aan ons overgemaakt, bij wijze van vergoeding. Ze heeft Blackingham aan ons nagelaten, in ruil voor onze zorg. En hoewel de gebouwen zijn afgebrand, is het land voldoende waard om in al haar behoeften en haar voorwaarden te kunnen voorzien.'

'Haar voorwaarden?'

'Ze heeft gevraagd om de inkomsten van het land aan te wenden voor de vertaling van de Heilige Schrift in het Engels.' De priores sloeg haar ogen neer en liet haar vingers wat nerveus over de kralen van haar rozenkrans glijden. 'Ik moet bekennen dat ik heimelijk wel iets voor die kwestie voel. Ik heb een deel van de geschriften van meester Wycliffe over het onderwerp gelezen. Natuurlijk zullen we discreet zijn. En er blijven genoeg pachtgelden over om voor haar lichaam en haar ziel te zorgen.'

'U hebt geen problemen gehad met de rebellen?'

Ze zuchtte. 'Wij zijn maar een arme priorij, heer Finn. Hier valt niets te plunderen. Armoede biedt enige veiligheid. En terwijl u naar Blackingham terugging kwam het nieuws dat bisschop Despenser al een paar van de opstandelingen heeft opgehangen die het Saint Mary's

College in Cambridge hadden aangevallen. Ze zullen ons niets durven doen, zo dicht bij Norwich.'

De naam van de bisschop drong door de mist van verdriet heen die hem omgaf. Moest hij teruggaan, zichzelf aangeven en aanbieden om mee te vechten, wraak te nemen op de rebellen? Maar hij had geen conflict met hen. Hij had Simpsons lichaam gezien. Een dwaas kon begrijpen dat híj verantwoordelijk was voor de verwoesting van Blackingham. Andere toortsen hadden misschien het vuur aangestoken, maar zijn vonk was de lont in het kruitvat geweest. De hele wereld leek krankzinnig geworden. Bij wie moest een verstandig man zich aansluiten in zo'n tijd?

De priores had weer het woord genomen. Finn probeerde zich te concentreren op wat ze zei. Ze was zijn laatste schakel met Kathryn.

'Hebt u nog overlevenden aangetroffen toen u terugging?' vroeg ze.

'Niemand kan die vuurzee hebben overleefd. Het dak was al ingestort. Het huis was een smeulende ruïne.'

De priores sloeg een kruisje. 'Dus u hebt uw kleindochter niet gevonden? Wat verdrietig. Maar misschien is alles nog niet verloren. Voordat... gisteravond heeft lady Kathryn ons gezegd dat u het kind bij de pachters van Blackingham moest zoeken.'

Een sprankje hoop deed hem weer opleven.

'Ze dacht dat het kind nog leefde, zei ze. Ze had een keukenmeid opdracht gegeven haar te verbergen. Ik moest u van lady Kathryn zeggen dat Jasmine zou wachten tot haar grootvader haar kwam halen.'

'Is dat alles? Zei ze verder nog iets?'

'Helaas niet. Ze was heel zwak.'

Welke keukenmeid? Finn probeerde zich haar te herinneren. Was het dat stille meisje dat met Kathryn en de baby naar de gevangenis was gekomen?

'O, er schiet me nog iets te binnen. Toen ze haar akten aan ons overschreef, vroeg ik haar of ze geen erfgenamen had.'

'Ja. Ze heeft twee zoons, hoewel ik die nergens heb kunnen vinden. Blackingham was blijkbaar onbeschermd toen het werd overvallen.'

'Ze zei dat haar zoons al dood waren. Ik vroeg haar waarom ze daar zo zeker van was en ze antwoordde dat een moeder zoiets weet. We zullen een mis opdragen voor hun ziel.'

'Er was nog een andere trouwe bediende die misschien bij de brand is omgekomen. Ze was een goede vrouw. Ik denk dat Kathryn een mis voor haar ziel had willen vragen.'

'We zullen ons houden aan haar wensen,' zei de priores, terwijl ze opstond. 'U mag in het gastenhuis blijven zo lang als u wilt, heer Finn,' zei ze. 'Ik zal bidden dat u uw kleindochter zult vinden – en de vrede van de Heer.'

Het waren vriendelijke woorden, maar hij wist dat het gesprek ten einde was. Hij stond op, bedankte haar voor haar goede zorgen en wilde vertrekken. Bij de deur draaide hij zich nog om, zocht onder zijn hemd en haalde een hanger aan een leren koordje van zijn hals. 'Moeder, zou u dit in haar hand willen drukken om met haar begraven te worden? Ik heb het ooit gekregen van een heilige vrouw, als een soort belofte, een teken van vertrouwen. Ik heb geen ander aandenken dat ik haar kan meegeven.'

'Ik kan geen betere talisman voor een geliefde bedenken dan iets wat zo dicht op het hart gedragen is. Het is kostbaarder dan goud.'

De zware eikenhouten deur naar de priorij viel schrapend achter hem dicht met het definitieve geluid van een steen die voor de opening van een graftombe werd gerold. De zon probeerde door de ochtendmist heen te dringen. De warmte van de junidag was al voelbaar. In de verte klonk de roep van een roerdomp die nestelde tussen het riet, als een gedempte misthoorn.

Finn zocht uren en uren. Hij klopte aan bij iedere pachter en keek in elke wevershut tussen Blackingham en Aylsham. Geen van de moeders had een ander kind gezien dan haar eigen kroost, verzekerden ze hem allemaal met bange ogen, terwijl ze de kleintjes achter hun rokken hielden als ze zijn verhaal hadden gehoord. Als dat toch zo was, zou iemand van hen dan zijn kleindochter hebben teruggegeven? Of zouden ze het kind voor hem hebben verborgen, uit angst voor vergelding? Hij las de angst in hun ogen. Sommigen moesten hebben beseft dat hun mannen deze keer te ver waren gegaan. Eén of twee van hen stelden hem wat vragen, hongerig naar nieuws. Had hij gehoord of de soldaten van de bisschop de opstand hadden neergeslagen? Had hij gehoord of de koning amnestie verleende?

Finn antwoordde kortaf. Hij was te verdoofd om zich ergens iets van aan te trekken. Zijn paard was bijna net zo moe als hij, maar hij kon zich er niet toe brengen om terug te gaan naar het gastenhuis van de priorij. Kathryn was daar te dichtbij, slapend in haar linnen lijkwade. Hij zou naar de haven van Yarmouth kunnen rijden om aan boord te gaan van een schip naar Vlaanderen. Zelfs een berooide kunstenaar kon daar het hoofd nog wel boven water houden. Of hij zou kunnen teruggaan naar zijn cel in Castle Prison, naar zijn verfpotjes, om zich uit te leveren aan de genade van de bisschop.

Misschien had hij geluk en zou Despenser nooit ontdekken dat hij weg was geweest. De priores zei dat de bisschop in Cambridge was om de opstand neer te slaan. Finn kon zich niet herinneren dat een man van de Kerk ooit zelf het zwaard had aangegord. Toch verbaasde het hem niet. Huiverend dacht hij aan die eindeloze partijtjes schaak en de toekomstige opdrachten voor schilderijen waar hij helemaal geen zin in had. Hij zou oud en zwak worden in zijn cel, als een kluizenaar. Zijn ogen zouden achteruitgaan met de jaren, en als de bisschop hem niet langer kon gebruiken... wat dan? Zouden ze hem als bedelaar de straat op schoppen of hem alsnog terechtstellen voor een lang vergeten misdrijf? Het kon hem niet schelen.

Ten slotte wendde hij zijn paard en reed naar Norwich, de enige stad die de afgelopen twee jaar een thuis voor hem was geweest.

Het begon al te schemeren. Finn herinnerde zich een taveerne vlak buiten de muren van de stad. Hij had dorst en geen duit op zak, maar welke waardin zou niet een pint over hebben voor een vleiend portret? Hij had nauwelijks oog voor het kleine groepje dat hem tegemoetkwam: een vrouw met twee kleine kinderen. Een van de kinderen wees opgewonden naar hem. Of naar zijn paard? Hij reed nog steeds op de merrie van de dode commandant, besefte hij. Hij kon hen beter ontwijken. Haastig zette hij zijn hakken in de flanken van de merrie en wendde zijn hoofd af.

Toen hoorde hij zijn naam.

'Heer Finn! Alstublieft, heer Finn!'

Finn hield zijn paard in en keek omlaag. Hij had de dwerg voor een kind aangezien. Het was zijn oude vriend, met een jonge vrouw. En een kind.

'Goddank dat ik u zie, heer Finn. Ik kon het haast niet geloven. Ik was bang dat u dood was. De angst sloeg me om het hart toen ze zeiden dat de rebellen de gevangenis hadden aangevallen en de commandant hadden gedood. We waren op weg naar de moerassen, Magda en ik. Met het kind. We hadden de hoop al opgegeven om u nog te vinden. Goddank hield u halt, heer Finn. Goddank.'

Maar Finn luisterde al niet meer. Hij keek naar het blonde kind dat spartelde in de armen van het meisje. Het was Jasmine. Het was zijn kleindochter. Zijn armen trilden van verlangen om haar van de jonge vrouw over te nemen, maar hij kon het niet. Hij kon niets anders dan naar haar staren vanaf de rug van zijn paard. En zij keek terug, met haar korenbloemenblauwe ogen. Colins ogen. Ze had een mooie mond, breed en gewelfd. Kathryns mond. En haar zachte babyhuidje was eerder crèmekleurig dan roze. De tint van Rose. En van Rebekka. Het deed hem pijn om naar haar te kijken, maar toch kon hij zijn ogen niet van haar losmaken.

'Mijn Magda heeft het kind uit de brand gered. Ze heeft haar verborgen in de bijenboom.'

'Jouw Magda?'

'Ja. Ze zegt dat ze met me wil trouwen.' Toen verdween de triomf weer uit Toms stem, alsof hij wist dat dit niet het moment was om zijn geluk te etaleren, zo'n scherp contrast met Finns verdriet. 'Nu lady Kathryn... nu lady Kathryn haar niet meer nodig heeft.'

'En het kind?'

'We vonden dat u het moest weten.' De dwerg bloosde diep.

Finn antwoordde niet.

'Ik bedoel, er gaan geruchten dat u... dat u misschien...'

'Je hebt het goed gehoord, Tom. Ze is mijn kleindochter. En je had me geen grotere dienst kunnen bewijzen dan me haar te brengen.' Hij draaide zich weer naar Magda toe. 'En jij, Magda, ik kan je niet genoeg bedanken dat je haar in veiligheid hebt gebracht.'

Het meisje maakte een verlegen revérence, maar zei niets. Haastig keek ze weer naar Half-Tom.

'Ik ben maar een arme gevangene,' vervolgde Finn. 'Ik bezit niets anders dan de kleren die ik draag, maar als ik iets kan doen in ruil voor jullie zorg...'

'Het was maar een oude schuld die nu is ingelost,' zei de dwerg. 'En daar ben ik blij om.'

Hij knikte in de richting van het stenen huisje, niet ver van waar ze stonden. Nu pas zag Finn waar hij was. Hier had hij Half-Tom voor het eerst ontmoet, met het gewonde kind en het dode varken, slechts een paar meter van deze plek. Wat was hij toen nog zeker van zichzelf geweest! Hij had instructies gegeven en was op zijn geleende paard de stad in gereden met het bloedende kind in zijn armen als een nobele ridder uit een overspannen verhaal. Maar het kind was gestorven. En Rose. En Kathryn. Dat was een andere man geweest, een eeuwigheid geleden. En hij keek nu neer op een ander blond kind.

Ze strekte haar armpjes naar hem uit, maar hij kon haar niet overnemen. Hij had eindeloos naar haar gezocht, maar zich nooit afgevraagd hoe het verder moest als hij haar gevonden had.

Half-Tom keek naar Magda. Magda keek Half-Tom aan en knikte.

'Heer Finn, wij zullen het meisje bij ons nemen en voor haar zorgen. We dachten alleen...'

Het kind boog zich naar het hoofd van het paard, graaiend naar de glinsterende delen van het hoofdstel. Finn zag dat ze, behalve het kleine zilveren kruis, ook een hazelnoot aan een koordje droeg. In gedachten hoorde hij de zachte stem van Julian, de kluizenaarster, toen ze hem een nootje had gegeven uit de houten schaal op haar schrijftafel – de hazelnoot die hij bij Kathryn had achtergelaten – en hem had uitgelegd: *Het zal altijd blijven bestaan, omdat God het liefheeft.* Ze was zo zeker geweest van die goddelijke liefde, zo zeker dat de Schepper hield van de schepping die Hij in Zijn handpalm had. En Finn had ook willen geloven in die liefde. Maar de kluizenaarster had zich afgesloten van de wereld, afgesloten van de pijn en de kwaadsprekerij en het lijden van de onschuldigen, met geen ander gezelschap dan haar eigen, zuivere hart. Zij zag de wereld niet waarin hij leefde. En hij kon de liefde niet voelen waarover zij sprak.

Nog altijd niet. Maar hij had het wel gezien: in Kathryns offer voor haar zoons, en in Rebekka's liefde voor Rose. En hij herinnerde het zich. Hij herinnerde zich hoe hij diezelfde liefde had gevoeld voor zijn dochter. Maar zou de herinnering aan die liefde door zijn verdoving heen kunnen dringen? Hoe zou hij – arm, berooid en op de vlucht – voor een klein kind kunnen zorgen?

'Heer Finn?' Half-Tom keek hem smekend aan. 'Het wordt al donker.'

Finn stak zijn armen uit naar het kind. Ze kwam vrijwillig naar hem toe, klom naast hem, en klopte de merrie op haar hoofd. 'Paardje,' zei ze.

Het paard schraapte met zijn hoef, alsof het nieuwe energie kreeg door de aanraking van het kind.

'Ik kan haar niets bieden. Ik heb geen geld om eten voor haar te kopen, of schone luiers.'

Magda glimlachte. 'Ze is slim, heer. Ze zal u zelf wel vertellen wat ze wil. Ze zal u aan uw mouw trekken.'

Hem aan zijn mouw trekken. Finn had het gevoel dat hij in een hinderlaag was gelokt, onverwachts overvallen door de Moeder Christus van de vrome Julian. Hoe kon hij haar nu nog teruggeven, deze lichte last, dit kind van Rose, de dochter van zijn geliefde Rebekka? Kathryns kleinkind. Zijn kleindochter. Zijn kind.

Magda zocht in haar zak en haalde er een pakje uit, in linnen gewikkeld. 'Ik heb wat kleren voor haar meegenomen uit mijn moeders huis. Ze zijn niet zo mooi, maar wel schoon.' En ze gaf hem het bundeltje. Hij zag de tranen in haar ogen. Zij kende het ook, die moederliefde, hoewel ze zelf nog nooit een kind gekregen had.

'Hier, neemt u dit ook maar,' zei Half-Tom, schor van emotie, en hij drukte een zakje met munten in Finns hand. 'Het is niet veel, maar genoeg voor een maaltijd of wat.'

Maar Finn was al bezig om plannen te maken. 'Houd je geld maar, Tom. Je zult het nodig hebben voor je jonge bruid. Ik ben jullie al te veel verschuldigd. Ik kan het paard verkopen in Yarmouth. Dat moet wel vijftien pond opbrengen, meer dan genoeg voor de overtocht naar Vlaanderen, wat papier en pennen, en eten voor ons allebei.'

'Paardje,' zei Jasmine weer. Ze keek op naar Finn, en toen naar Magda, op de rand van tranen. Ze stak haar handjes uit alsof ze weer terug wilde. Magda streelde haar en fluisterde haar iets in het oor. Finn kon het niet verstaan, maar het kind knikte, gaf een onderdrukte snik, maar vocht dapper tegen haar tranen. 'Hier! Kijk eens wat ik voor je heb gemaakt,' zei Magda, zo luid dat Finn het nu ook kon horen. En ze drukte een primitief genaaide lappenpop in Jasmines armen. Het kind speelde een minuutje met de pop voordat ze haar hoofdje tegen Finns borst legde.

'Yarmouth is te ver om er vanavond nog te komen, heer Finn. U kunt het beste overnachten in Saint Faith's.'

Hij voelde het gewicht van het kind tegen zich aan, vreemd geruststellend. *Ik zal alles goed maken. Ik zal goed maken wat niet goed is, en gij zult het zien.*

Zag hij het? Het enige dat hij zag was het slapende kind, dat met haar hoofdje tegen zijn borst rustte. Het enige dat hij voelde was de last van zijn verdriet. Hij was te moe om te kunnen kiezen, maar het kind had die keuze al gemaakt.

Finn wendde zijn paard in de richting van Yarmouth.

Achter hem hoorde hij een onderdrukte snik van Magda, of zo klonk het. Maar toen hij zich omdraaide zwaaide en glimlachte ze moedig naar hem. Half-Tom stond naast haar, met zijn arm om haar heen.

Tegen de achtergrond van de ondergaande zon leek hij opeens veel groter van postuur.

Epiloog

Kathryn werd langzaam wakker uit haar droom over Finn die haar in zijn armen droeg, met zijn gezicht dicht bij het hare en zijn ogen niet langer koud en verwijtend. In haar droom droeg hij haar heel licht, alsof ze een veertje was.

In haar droom voelde ze geen pijn.

Maar Finn was verdwenen. Dat wás toch zo? Hij was toch met het kind gevlucht, naar een veilige plaats? Ja, Finn was weg... tenzij ze dat ook gedroomd had. Maar de pijn was terug, hoewel die nu beter te verdragen was.

Haar hoofdhuid voelde strak en haar linkerhand stond onaangenaam gespannen. Een brandende pijn kroop langs haar hals omhoog naar haar gezicht, als een bataljon van scherpe naalden. Haar vingers betastten het verband onder haar jukbeen, waar het vuur zich leek te concentreren. Ze maakte een grimas en kreunde zacht.

Meteen stond Agnes over haar heen gebogen om haar te verbieden. 'Nee! Niet aan uw gezicht komen.' Ze hield Kathryn een beker tegen haar lippen. 'Hier, drink dit. Het is wijn met wat melk uit de zaaddoos van een klaproos. Dat verjaagt de pijn.'

Kathryn duwde de beker weg. 'Het verjaagt ook mijn verstand.' Ze had moeite om de woorden te vormen. 'De pijn is wel uit te houden.

Als ik verder wil leven, dan toch in deze wereld en niet in een nevel van dromen.'

Agnes zette de beker op een kast naast haar bed, een klein ledikant, maar met een zachte donzen matras. Kathryn lag op haar rug, half opgericht in de veren kussens. Haar rug was blijkbaar niet verbrand. Voorzichtig verplaatste ze haar gewicht. De enige pijn kwam van haar linkerzij.

Het licht uit het oostelijke raam sneed door de kale kloostercel en deed pijn aan haar ogen.

'Waar zijn we?' vroeg ze.

'In de Saint Faith Priory. Ik ben hier twee weken geleden naartoe gekomen, zoals u me had gezegd.' Agnes aarzelde een moment. 'De kunstenaar heeft u hier gebracht.' In haar toon lag een beschuldiging besloten die ze niet onder woorden bracht.

Dus Finn had haar bij het huis vandaan gedragen, dacht Kathryn. Dát was in elk geval geen droom geweest. En de vergiffenis in zijn ogen?

'Heeft hij Jasmine gevonden?'

'Weet u dat niet meer? Ja, hij heeft die kleine toch gevonden. Magda had haar uit de brand gered. Zij en de dwerg hebben de baby naar Finn gebracht. Maar dat wist u toch? U hebt niets tegen de pijn genomen voordat we zekerheid hadden.'

Fronsend en met afkeuring in haar stem vervolgde ze: 'U had de priores gezegd dat ze Finn weg moest sturen. U hebt hem opzettelijk bedrogen.'

Kathryn zuchtte opgelucht nu ze wist dat het kind veilig was. Ze probeerde haar ogen te sluiten. Haar linkeroog ging heel langzaam dicht, met een felle pijn toen het ooglid werd uitgerekt. Maar ze voelde de warmte van de kaarsvlam op haar rechterwang, een geruststellend gevoel dat haar herinnerde aan Julians visioen van de Moeder Christus, stralend van leven boven haar brandende bed. En ook zag ze weer de gezichten van haar zoons, omgeven door een heilig licht.

Colin en Alfred.

Door haar inspanningen om hen te behouden was ze hen voorgoed kwijtgeraakt. Het verdriet was rauw en rood als vers bloed, maar ze duwde het weg.

'Blackingham is verloren?' vroeg ze.

'Ja, vrouwe. Blackingham is ons afgenomen.' Agnes' stem brak bij het laatste woord.

Het was ook háár thuis geweest, dacht Kathryn – Agnes' thuis, net zo goed als het mijne. Kathryn zocht naar woorden om haar te troosten en haar te bedanken, maar ze had er de kracht niet voor.

Agnes haalde het verband onder Kathryns oog weg. Toen de koude lucht er overheen streek onderdrukte Kathryn een kreet van pijn. Agnes verzorgde de brandwond, heel voorzichtig, met een verzachtende zalf van smeerwortel en sintjanskruid. Daarna legde ze er een verkoelend kompres op, met het losse linnen verband er overheen. De zalf, of Agnes' aanraking, bracht verlichting. Kathryn voelde de spieren van haar gezicht zich ontspannen.

'Weet u, vrouwe, u had die kunstenaar niet moeten wegsturen. Ik heb nog nooit een man gezien die zo verkikkerd was op een vrouw.' Agnes veegde de zalf van haar vingers, tastte onder haar wijde rokken en haalde iets tevoorschijn. 'Dit heeft hij achtergelaten. Hij wilde u iets van hemzelf geven om mee te nemen in het graf. Het was alles wat hij bezat, zei hij tegen de priores.'

Agnes legde de hazelnoot met zijn kleine tinnen vatting in de palm van Kathryns rechterhand, als het relikwie van een belangrijke heilige. Kathryn herkende het. Finn had het van de kluizenaarster gekregen, had hij haar verteld. Ze sloot haar vingers eromheen en kneep erin totdat ze het tin in haar vlees voelde snijden. De hele wereld in de palm van Gods hand... of zoiets. Ze kon zich Finns letterlijke woorden niet meer herinneren. Maar het was genoeg dat hij het haar had gegeven. Genoeg dat het ooit tegen zijn eigen huid had gelegen.

Ze liet zich weer in de zachte kussens zakken. De kamer vervaagde, totdat ze alleen nog Agnes' strenge gezicht zag in het schijnsel van de kaars.

'Als de priores... als ik... Finn niet had weggestuurd, zou hij nu dood zijn geweest,' zei ze. 'Of nog erger. Dan had hij de rest van zijn leven moeten slijten als Henry Despensers slaaf.' Nog steeds had ze moeite met praten. Zachtjes, meer tegen zichzelf dan tegen Agnes, mompelde ze: 'Finn heeft Jasmine. Zij zal hem helder houden.'

'En u, vrouwe, wat hebt u nog?'

Ik heb de herinnering aan de vergiffenis in zijn ogen. De herinnering aan hém.

'Ik heb jou, Agnes. En jij hebt mij,' zei ze. 'En dat zal genoeg moeten zijn. Voorlopig.'

Haar linkerhand begon te schokken in een ritmische stuiptrekking. 'En nu heb ik een klein slokje van jouw speciale medicijn nodig om te kunnen slapen. Jij moet nu ook rusten, Agnes.' Ze wees naar het veldbed naast haar ledikant, waar Agnes al die tijd over haar had gewaakt. 'Maar niet hier, vannacht. De klok van de kapel heeft de metten geluid. De nacht is nog lang. Zoek je eigen bed in het gastenhuis. Morgen is het nog vroeg genoeg om over onze toekomst na te denken.'

'Als u het zegt, vrouwe. Deze oude botten zouden een zacht bed op prijs stellen, dat is een ding dat zeker is.'

Agnes blies de kaars uit, maar liet de bieskaars branden in zijn houder aan de muur. Het licht flakkerde al en wierp lange schaduwen door de kamer. Kathryn merkte dat het slaapdrankje effect kreeg en de scherpe randen van haar pijn verzachtte. Ze klemde de hazelnoot in haar hand. Zo'n klein dingetje maar.

Een tochtvlaag ruiste door de kamer. Kathryn hoorde een geluid, een fluistering.

Alles zal goed komen.

'Agnes, zei je iets?'

Maar Agnes was al verdwenen. De flakkerende schaduw was het enige dat de rust verstoorde.

Het moesten de medicijnen zijn. Of misschien een stem in haar binnenste, die haar herinnerde aan Julians woorden. Ze sloot haar ogen, op zoek naar de droom, of de herinnering... wat het ook was... waaruit ze troost kon putten.

Weer dat gefluister in haar hoofd.
En deze keer was elk woord helder en duidelijk.
Alles zal goed komen.
Kathryn kon het bijna geloven.

Woord van de schrijfster

Dit is een roman, maar bisschop Henry Despenser, John Wycliffe, Julian van Norwich en John Ball zijn historische figuren, die ik in het leven van mijn fictieve personages heb verwerkt. Henry Despenser staat bekend als de 'oorlogsbisschop', vanwege de bloederige, gewelddadige manier waarop hij de boerenopstand van 1381 heeft neergeslagen en zijn daaropvolgende mislukte veldtocht tegen paus Clemens VII tijdens het Grote Westerse Schisma dat de Rooms-Katholieke Kerk verscheurde. Ook staat vast dat hij een altaarstuk van vijf panelen, de Despenser-retabel, aan de kathedraal van Norwich heeft geschonken ter ere van zijn bloedige triomf op de opstandige boeren. Hij heeft het altaarstuk laten omlijsten met de wapens van de families die hem bij dit bloedbad terzijde hadden gestaan. De retabel is nog altijd te bewonderen in de Saint Luke's Chapel van de kathedraal van Norwich. Tijdens de reformatie is het omgedraaid en als tafel gebruikt, om het te verbergen voor de hervormers. Daarna bleef het meer dan vierhonderd jaar vergeten. Volgens het verhaal zou iemand halverwege de vorige eeuw een potlood onder het altaarkleed hebben laten vallen en, toen hij zich bukte om het op te rapen, de prachtige schilderingen op de vijf panelen van de passie van Christus hebben ontdekt. De naam van de schilder bleef in de nevelen van de geschiedenis gehuld.

John Wycliffe wordt wel de 'ochtendster van de reformatie' genoemd, vanwege zijn pogingen tot hervormingen binnen de Kerk en omdat hij de eerste was die de bijbel in het Engels vertaalde en zo niet alleen de kerk- maar ook de cultuurgeschiedenis een heel nieuwe wending gaf. Hij werd beschuldigd van ketterij, ontslagen in Oxford, en zijn geschriften werden in de ban gedaan. Maar er kwam nooit een proces tegen hem en hij bleef schrijven en prediken totdat hij in 1384 thuis in Lutterworth aan een beroerte overleed. Zijn vertaling werd in 1388, zeven jaar na het einde van mijn verhaal, door zijn aanhangers voltooid. In 1428 gaf paus Martinus V bevel om John Wycliffes beenderen op te graven, te verbranden, en zijn as te verstrooien boven de rivier de Swift. De Lollard-beweging waarvan hij de grondlegger was bleef ondergronds voortbestaan en ging ten slotte op in de nieuwe protestantse krachten van de reformatie.

John Ball werd omstreeks 1366 geëxcommuniceerd wegens zijn vlammende preken waarin hij een klassenloze maatschappij propageerde. Volgens historische bronnen zou hij hebben aangezet tot het vermoorden van aristocraten en kerkleiders. Toen in 1381 de boerenopstand uitbrak werd hij gevangengezet in de gevangenis van Maidstone, waar hij werd bevrijd door rebellen uit Kent, met wie hij naar Londen trok. Na het neerslaan van de opstand werd Ball berecht en opgehangen in Saint Albans.

Over Julian van Norwich is behalve haar geschriften heel weinig bekend. Ze was de eerste vrouw die in het Engels schreef. Haar *Divine Revelations* ('Goddelijke openbaringen') staan de laatste tijd weer in de belangstelling, grotendeels dankzij feministen die geïntrigeerd waren door Julians concept van een Moedergod. Wie haar teksten zorgvuldig leest komt tot de conclusie dat ze voor haar tijd zeker een onafhankelijk denker was, en een vrouw met een diep en sterk geloof. Historische bronnen wijzen uit dat ze in 1413, zeven jaar na de dood van bisschop Despenser, nog altijd als kluizenaarster in Norwich leefde.

Dankbetuiging

Graag dank ik de lezers van wie ik zoveel nuttig commentaar heb gekregen tijdens het schrijven van dit boek: Dick Davies, Mary Strandlund en Ginger Moran, die kritiek leverden in de eerste stadia, en Leslie Lytle en Mac Clayton, die me hielpen bij de voltooiing ervan. Dank ook aan Pat Wiser en Noelle Spears (mijn jongste lezeres, van zeventien), die de definitieve versie lazen en van opmerkingen voorzagen. Een speciaal woord van dank gaat naar mijn jarenlange schrijfpartner, Meg Waite Clayton, auteur van *The Language of Light*, die talloze herziene versies doorworstelde.

Ook de schrijvers van wie ik heb geleerd ben ik bijzonder erkentelijk. Ik dank Manette Ansay voor haar waardevolle tips over de integratie van het innerlijke en uitwendige landschap in fictie. Dank aan Valerie Miner, voor haar nuttige lessen over het schetsen van plaats en omgeving (een van de scènes met Half-Tom ontstond uit een schrijfoefening tijdens haar fantastische workshop in Key West). Dank ook aan Max Byrd voor zijn uitstekende lezing over retorische instrumenten tijdens de workshop voor de Squaw Valley Community of Writers, en voor zijn persoonlijke bemoediging, die precies op het juiste moment kwam.

Mijn diepgemeende dank ook aan mijn agent Harvey Klinger, die me behoedde voor het deprimerende traject van eindeloze afwijzingen, en mijn redacteur, Hope Dellon, voor haar redactionele kwaliteiten en literaire instinct. Ik prijs mezelf gelukkig met zo'n professionele begeleiding.

In het bestaan van een schrijver kan de betekenis van een bemoedigend woord nooit worden overschat. Ik dank iedereen die, in woord of daad, me heeft geholpen om mijn kwetsbare droom van het schrijverschap in stand te houden: Helen Wirth, die mijn eerste gepubliceerde korte verhaal redigeerde, en dr. Jim Clark, voor zijn professionele adviezen en steun; alle familie en vrienden die interesse en geloof in mijn capaciteiten toonden. Ten slotte mijn dank en liefde aan mijn man Don, die me op de been houdt met zijn rotsvaste vertrouwen. In de laatste, maar ook belangrijkste, plaats dank ik die Ene van wie alle zegen afkomstig is.